Gilberto Freyre

FUNDAÇÃO EDITORA DA UNESP

Presidente do Conselho Curador
Herman Jacobus Cornelis Voorwald

Diretor-Presidente
José Castilho Marques Neto

Editor-Executivo
Jézio Hernani Bomfim Gutierre

Conselho Editorial Acadêmico
Alberto Tsuyoshi Ikeda
Áureo Busetto
Célia Aparecida Ferreira Tolentino
Eda Maria Góes
Elisabete Maniglia
Elisabeth Criscuolo Urbinati
Ildeberto Muniz de Almeida
Maria de Lourdes Ortiz Gandini Baldan
Nilson Ghirardello
Vicente Pleitez

Editores-Assistentes
Anderson Nobara
Fabiana Mioto
Jorge Pereira Filho

Maria Lúcia Garcia Pallares-Burke

Gilberto Freyre
Um vitoriano dos trópicos

© 2005 Editora Unesp

Direitos de publicação reservados à:

Fundação Editora da Unesp (FEU)
Praça da Sé, 108
01001-900 – São Paulo – SP
Tel.: (0xx11) 3242-7171
Fax: (0xx11) 3242-7172
www.editoraunesp.com.br
www.livrariaunesp.com.br
feu@editora.unesp.br

CIP-Brasil. Catalogação na Fonte
Sindicato Nacional dos Editores de Livros, RJ

P192g

Pallares-Burke, Maria Lúcia Garcia
    Gilberto Freyre: um vitoriano dos trópicos / Maria Lúcia Garcia Pallares-Burke. – São Paulo: Editora Unesp, 2005.

Apêndices
Inclui bibliografia
ISBN 85-7139-610-8

    1. Freyre, Gilberto, 1900-1987. 2. Cientistas sociais – Brasil – Biografia. I. Título.

05-2488   CDD 923
                                 CDU 929:316

Editora afiliada:

PARA
HENNY, minha mãe
RENATA, FERNANDO, MARCELO E GUILHERME, meus filhos
MARCO, LARA e FELIPE, meus netos

Ao Leitor

Este livro foi escrito tendo em vista tanto um público leigo que se interessa por questões culturais, como um público mais especializado. O grande número de notas que o acompanha justifica-se como apoio empírico para alguns aspectos novos aqui levantados e o leitor não deve sentir-se obrigado a lê-las. A única recomendação que gostaria de fazer aos leitores em geral é que leiam o livro na ordem apresentada, que segue a ordem do desenvolvimento intelectual e psicológico de Gilberto Freyre.

Agradecimentos

Ao longo dos três anos e meio que levei para escrever este livro e desde o início de meu interesse pela trajetória de Gilberto Freyre, há nove anos, acumulei dívidas impagáveis para com várias pessoas e instituições que me ofereceram ajuda e apoio de todo tipo, sem o que dificilmente teria levado a cabo este estudo.

Em primeiro lugar, devo agradecer aos membros da família Freyre, especialmente a Fernando de Mello Freyre, Gilberto Freyre Neto e Sonia Maria Freyre Pimentel, que me receberam no Recife com generosidade e confiança e me deram apoio e acesso irrestrito ao riquíssimo acervo da Fundação Gilberto Freyre, na Casa-Museu de Apipucos. Lamento profundamente a morte prematura de Fernando de Mello Freyre, uma grande perda para tantos, e muito me entristece ele não poder ver o resultado final de um trabalho que muito deve à sua cooperação.

A gentileza dos funcionários da Fundação Gilberto Freyre e, em especial, de Jamille Cabral Pereira Barbosa, que coordenava o Centro de Documentação durante minhas duas visitas ao Recife, e de Ana Cláudia Araújo, que a substituiu em 2004, também foi de valor inestimável.

Ao Centre of Latin American Studies da University of Cambridge, especialmente nas pessoas de Charles Jones, Clare Hariri, David Brading,

David Lehmann e Julie Coimbra, agradeço o interesse e o apoio amigo que tenho recebido ao longo dos anos.

À *British Academy* devo o apoio financeiro que viabilizou minha pesquisa em Apipucos e a três outras instituições educacionais devo a oportunidade de usufruir de um ambiente privilegiado para a elaboração deste trabalho. Em primeiro lugar, agradeço a todos os funcionários e *fellows* do *Getty Research Institute* em Los Angeles que tornaram tão proveitosos os três meses que aí estive no início de 2003. Participar do grupo de estudiosos de várias disciplinas que se reuniram ao redor do tema "biografia" foi uma experiência muito enriquecedora, e as discussões que se desenvolveram me foram extremamente úteis, sugestivas e estimulantes. Devo agradecer, em especial, à excelente ajuda que aí recebi de Elena Shtromberg, uma assistente de pesquisa ideal. Para a finalização deste livro, muito me beneficiei do sossego e das condições de trabalho oferecidas pelo NIAS (Netherlands Institute for Advanced Studies) em Wassenaar e pela *Koninklijke Bibliotheek* em Haia onde estive entre fevereiro e abril de 2005.

Os bibliotecários e arquivistas da Baylor University, Columbia University, Fundação Joaquim Nabuco, Getty Research Institute, Langwood University, Northwestern University, Stanford University, St. John's College Oxford e Oliveira Lima Library também deram um apoio decisivo para a elaboração deste trabalho. Agradeço, em especial, à Lúcia Gaspar, da Fundação Joaquim Nabuco, e à Maria Angela Leal, da Oliveira Lima Library, pela disponibilidade em me prestar ajuda ao longo deste projeto.

Pela permissão para citar material inédito, agradeço à American Philosophical Society, Columbia University, Baylor University, Fundação Gilberto Freyre, Francis Butler Simkins Jr., Northwestern University Library, Oliveira Lima Library e Stanford University Libraries.

Ao longo dos últimos anos, dei palestras e seminários sobre diferentes aspectos deste trabalho em elaboração e recebi comentários valiosos da audiência nas seguintes instituições: Centre for Brazilian Studies da University of Oxford, Fundação Gilberto Freyre, Getty Research Institute, Instituto Mora na Cidade do México, Instituto de Filosofía de Madrid, King's College London, Universidade de São Paulo, Universidade Estadual Paulista-Marília, University of Cambridge, University of Essex e University of San Diego.

Ajuda valiosa de todo tipo, inclusive informações, sugestões e referências bibliográficas preciosas recebi de várias pessoas, aqui listadas em ordem alfabética. Agradeço a Antonio Dimas, Charles Rowland, Dain Borges, Debora Nord, Edson Nery da Fonseca, Eliane Brígida Morais Falcão, Enrique Rodríguez Larreta, Fabiana Ribeiro dos Santos Schaeffer, Guillermo Giucci, James Humphreys, Jay Winter, John Harvey, Jonathan Weinberg, José Gláucio Veiga, José María González García, José Mario Pereira, José Murilo de Carvalho, Julie Coimbra, Julietta Harvey, Juliet Mitchell, Kathy Flynt, Marcelo Garcia Pallares Schaeffer, Leslie Bethell, Roger Cooper, Roy Foster, Ruth Livesey, Simeran Gell e Stella Wittenberg, que, de diferentes modos, me ajudaram em vários estágios deste trabalho. Algumas dessas pessoas, especialmente amigos mais próximos e membros de minha família (meu marido, minha mãe, meus filhos e minha irmã Maria Helena) mostraram-se infatigavelmente tolerantes com minha conversação "freyrecêntrica" ao longo dos últimos anos e seguramente deixaram suas marcas neste livro. Agradeço a cada um deles pelo inestimável apoio e pela imensa paciência.

Um agradecimento muito caloroso e especial devo fazer a João Adolfo Hansen, José de Souza Martins, Maria Helena Garcia Pallares Zockun, Maria Isabel Peña Aguado, Peter Burke e Tânia Tribe, que leram este trabalho, na íntegra ou em parte. Muitos erros, inconsistências e pontos obscuros foram evitados por seus comentários perspicazes e por suas leituras pacientes e cuidadosas que, como um pente-fino, detectaram problemas de forma e conteúdo. Os que ainda persistem são de minha inteira responsabilidade.

A Jezio Gutierre, editor-executivo da Unesp, agradeço o interesse que manifestou pelo meu projeto, quando ainda na sua fase inicial, e pelo encorajamento amigo que me deu ao longo de sua consecução.

Meu marido Peter participou de incontáveis (e, para ele, às vezes inoportunas) conversações sobre este projeto, oferecendo-me valiosos *insights*, sugestões, referências bibliográficas enciclopédicas, conhecimento histórico impressionantemente acurado e aconselhamentos sábios e cautelosos, alguns dos quais tentei seguir. Sou grata por tudo isso, mas acima de tudo pela inspiração, companheirismo, paciência e amor.

E a muito leitor repugna ou desaponta a monotonia do sucesso, da glória e até a da virtude na vida do grande homem de quem ele suponha que só sucessos lhe estejam sendo revelados como exemplos ou impostos como lições; e escondidos, abafados e até negados os fracassos ou os insucessos; os despeitos; os ressentimentos; as ambições, os amores ou os interesses contrariados; as invejas; os complexos; as fraquezas. ... Pelo que convém não acreditar nunca na existência de homens em que a vida não tenha deixado cicatrizes, deformações, marcas repugnantes ou apenas lamentáveis. Pois nenhum homem, grande ou medíocre, mas principalmente grande, é até ao fim da vida um só homem ou uma só pessoa, mas vários homens, várias pessoas. E pessoas desiguais, contraditórias, diversas, que nem sempre se completam, que às vezes fazem de um só indivíduo um campo de batalha constante onde muitos lutam e nenhum é vencido de todo.

Gilberto Freyre, "Rio Branco: a estátua e o homem" (1946)

Sumário

Introdução   17

1   Anos de aprendizado: 1918-1923   53

Os anos norte-americanos: a outra província   55
Os anos norte-americanos: a metrópole   69
Finalmente a Europa   84
Viajando e lendo: viagem como leitura e leitura como viagem   89
A lição: imitar para criar   99
A arte de ler: Friedrich Nietzsche e Arnold Bennett   103
Inglaterra e Oxford: finalmente "em casa"   113
Oxford: o apelo emocional e estético   120
Oxford: o apelo intelectual   140

2   Anos de decisão: 1923-1927   149

Deixar Recife? O apelo de São Paulo   156
O clã de Freyre   167
As novas ideias: 178
Os vitorianos nostálgicos e o apelo do meio de origem   183

Os vitorianos rebeldes e o apelo à ação   201

A campanha cultural: de medieval a colonial   231

3   Anos de busca   249

Os projetos alternativos   251

Casa-grande & senzala – algumas antecipações e muitos obstáculos   261

A caminho de um novo paradigma: o encontro com Franz Boas   297

4   O novo paradigma: Freyre e seus interlocutores   329

A inspiração antropológica: Roquette-Pinto   332

A inspiração estética e histórica: Lafcadio Hearn,
G. K. Chesterton e Alfred Zimmern   345

A inspiração teórica e a noção de "equilíbrio de antagonismos":
Alfred Zimmern, Herbert Spencer e Franklin H. Giddings   356

Rüdiger Bilden: um interlocutor esquecido   378

De "Child Life in Brazil" a "The Child in the House":
a contribuição de Walter Pater   407

5   Epílogo   413

Apêndice 1   431

Apêndice 2a   435

Apêndice 2b   441

Apêndice 3   447

Bibliografia consultada   451

Índice remissivo   475

Introdução

Durante o regime Vargas, a polícia de Pernambuco abriu um arquivo sobre Gilberto Freyre, considerando-o um "agitador" perigoso. Uma das evidências contra ele que se encontram nesse documento do Dops é um artigo intitulado "Atualidade de William Morris", onde Freyre resenhava a biografia de Morris publicada pelo escritor norte-americano Lloyd W. Eshleman com o título, aparentemente incriminador segundo as autoridades, de *A Victorian Rebel*.[1] Este livro também irá enfatizar a importância de William Morris (1834-1896), o renomado artista, arquiteto, *designer*, poeta e socialista, assim como a de outros escritores ingleses desse período para a trajetória de Freyre. Nele, entretanto, perguntar-se-á – o que o Dops não fez – o que exatamente Morris significou para Freyre, o que o interesse que esse rebelde polímata vitoriano tinha pela Idade Média e pelas tradições locais (inglesas) lhe revelou, e o que ele achou de sedutor ou útil no trabalho de outros escritores do longo reinado (1837-1901) da rainha Vitória.

---

1 Uma cópia xerox do arquivo do DOPS referente a Gilberto Freyre se encontra na Fundação Gilberto Freyre. O artigo "Atualidade de William Morris", publicado originalmente como artigo de jornal (não identificado), foi reproduzido com o título "Outro Inglês Romântico", in Freyre, 1942a, p.56-9.

Este estudo sobre Gilberto Freyre, um ensaio sobre um pensador que descrevia até seus livros mais longos como "ensaios", não é outra interpretação de *Casa-grande & senzala*. Interpretações desse livro e de seu autor, muitas delas excelentes, já foram feitas várias vezes (por exemplo Ribeiro, 2000; Merquior, 2002; Costa Lima, 1989; Araújo, 1994). Também não é uma biografia ou uma biografia intelectual que pretende responder ao apelo de José Mario Pereira para um estudo exaustivo (2000a) da dimensão da biografia de Werner Kaegi sobre Jacob Burckhardt, que se estendeu por oito volumes[2]. Para dar conta da riqueza da obra de Freyre e dos acervos que a ela se relacionam seriam provavelmente necessários os mesmos 40 anos de estudo que levou Kaegi para escrever sua obra monumental. Bem mais limitado, este é essencialmente um estudo dos "elementos formadores do pensamento de Gilberto Freyre", de seu "caminho para a Casa-Grande", interessado em estudar a relação entre a vida e a obra do autor na sua juventude, especialmente a partir do momento em que ele se afastou do Brasil a fim de se preparar para se tornar um dos "homens fortes" habilitados a "reformar" o país, conforme os conselhos de seu irmão Ulisses (Merquior, 2002, p.1045; Pallares-Burke, 2002, p.821).[3] Mais exatamente, este livro tenta oferecer uma contribuição ao que se tem chamado de biografia intelectual "desenvolvimentista" ou "genética". Para sugerir o que esse tipo de estudo pretende ser, talvez seja útil deixar claro o que ele não é; para isso, uma referência à crítica do historiador Gilbert a Gombrich pode ser esclarecedora.

Em 1970, Ernst Gombrich publicou um livro intitulado *Aby Warburg: an intellectual biography*. Resenhando o livro, Felix Gilbert, historiador de Princeton, queixou-se de que o estudo de Gombrich não era realmente uma biografia intelectual. Por mais valiosa que fosse sua apresentação das "nuances e sombras do pensamento de Warburg", Gombrich borrara "as claras linhas do desenvolvimento intelectual de Warburg" e dissera muito pouco sobre a relação entre suas ideias e as principais

---

2 Além da biografia intelectual de Freyre escrita por Vamireh Chacon (1993), aguarda-se a de Guilherme Giucci e Henrique Larreta, que estão escrevendo uma biografia intectual completa do autor de *Casa-grande & senzala*.

3 Cf. carta de U. Freyre a G. Freyre, 22/5/1916 (a carta citada se encontra no Arquivo da Fundação Gilberto Freyre – daqui em diante referido pelas iniciais AFGF).

tendências intelectuais da época (Gombrich, 1970; Gilbert, 1972, p.424, 435). No caso de Freyre, também há muito a ser dito sobre a relação entre suas ideias e as tendências intelectuais tanto na Europa como nas Américas ou, para usar o conceito esclarecedor de Bourdieu, sobre o "campo intelectual" em que ele viveu.

De acordo com Pierre Bourdieu, um *champ intellectuel* é uma rede de posições intelectuais variadas que se definem pelas relações que têm entre si e pelo lugar que ocupam no campo como um todo, a autoridade ou poder simbólico dos agentes intelectuais sendo diferentes e competindo, por assim dizer, pela hegemonia. Um ponto essencial na definição de Bourdieu é que se, de um lado, todos os setores de um campo intelectual são profundamente afetados pelas ortodoxias dominantes dentro dele, ou seja, até as posições mais heterodoxas são parcialmente moldadas pelas ortodoxias que contestam, de outro todas as posições intelectuais de um campo intelectual estão enraizadas nos tácitos pressupostos culturais ou *doxa*, que são perpetuados por relações sociais e práticas tradicionais consagradas. É nesse quadro que, para se entender um intelectual no seu próprio tempo e discutir o modo como ele pode ter dado continuidade e ao mesmo tempo transcendido o mundo cultural que herdou, é imperativo um esforço de descrever o campo intelectual ao qual ele pertencia (Bourdieu, 1993; Ringer, 1992, p.4-12, 304-5). Este estudo biográfico sobre os elementos formadores do pensamento de Freyre também tentará dar uma contribuição, ainda que limitada, à descrição do campo intelectual rico, complexo e internacional em que ele se moveu.

Uma biografia intelectual no sentido estrito pode ser definida como o estudo do desenvolvimento das principais ideias e interesses do protagonista, observando-se mais a sua jornada do que seu destino final, e tentando-se explicar como um dado escritor, artista ou estudioso se tornou a pessoa que a posteridade conhece. Esse gênero de biografia tem, sem dúvida, suas próprias vantagens, mas também seus perigos. Dois em especial.

O primeiro é o de cair na tentação de tomar a autoimagem ou a autointerpretação do biografado acriticamente e interpretá-las literalmente, parafraseando-as, em vez de usá-las criticamente como uma entre muitas outras fontes para a interpretação histórica do protagonista. O psicanalista Erik Erikson (1968) certa vez advertiu os estudiosos que usam material autobiográfico a prestar mais atenção à epoca em que ele foi escrito: se cedo ou tarde na vida que compõe. Seu argumento é que, à medida que envelhecemos, todos nós, conscientemente ou não, reinterpretamos nossa própria vida. Políticos em fim de carreira são casos óbvios desse fenômeno, já que eles tentam persuadir a posteridade de que suas ações, em vez de serem respostas mais ou menos improvisadas a eventos inesperados, sempre foram o resultado de um planejamento preciso e cuidadoso.

O poeta irlandês William Butler Yeats, que publicou vários textos autobiográficos, incluindo "Reveries over Childhood" (1915), oferece um exemplo dramático de autoapresentação e autointerpretação. No prefácio de seu "Reveries", Yeats fez a seguinte declaração sobre a reconstrução do passado que ali apresentava: "que eu saiba, não mudei nada, mas pode ser que eu tenha mudado muitas coisas sem querer; pois eu estou escrevendo muitos anos após os acontecimentos que relato e não consultei nem amigo, nem carta ou jornal velho; o que faço é descrever o que me vem mais frequentemente à memória" (Yeats, 1955). O biógrafo mais recente de Yeats, Roy Foster, descreveu essa autobiografia como algo que é ao mesmo tempo "uma obra-prima e insincera, que disse muito mais sobre o poeta em 1914 do que sobre sua vida entre 1865 e 1886, o período a que supostamente se estava referindo" (Foster, 1997, p.XXV). Outro biógrafo de Yeats deu a seu livro o título revelador de *O homem e as máscaras* (Ellmann, 1999).

É possível argumentar que, com sua excessiva preocupação com a autoapresentação, Yeats definitivamente não é um padrão; ele é, no entanto, um exemplo típico, ainda que exagerado, de uma tendência geral. Todos nós usamos máscaras ou desempenhamos papéis, e nossos papéis ou máscaras favoritas variam com o passar dos anos, pois nos envolvemos com o que o crítico norte-americano Stephen Greenblatt (1980) chama de *self-fashioning* (autoconstrução). Nossa memória de eventos importantes vai mudando ao longo do tempo, um fenômeno que tem sido amplamente demonstrado pelos praticantes da história oral que entrevistam as mesmas testemunhas mais de uma vez. Além disso, uma tendência muito humana é que, ao descrevermos nossa vida para os outros, tendemos a apresentá-la – e talvez até mesmo a nos relembrarmos dela para nós mesmos – como uma sucessão ordenada de eventos, como se tivesse sempre sido uma busca de objetivos claros e harmoniosos, sem conflitos e desordem. É nesse sentido que estamos sempre reescrevendo o texto de nossas vidas e, portanto, construindo o que alguns historiadores já chamaram de "os mitos pelos quais vivemos" (Samuel & Thompson, 1990).

Quando se está tentando reconstruir a biografia de um escritor talentoso torna-se ainda mais difícil evitar tomar sua autointerpretação como realidade. Foi refletindo sobre essa questão que o historiador Robert Rosenstone fez a seguinte consideração em seu ensaio biográfico sobre o escritor Lafcadio Hearn: "tão prolífico e convincente é Hearn que todo biógrafo tem de lutar para não ser seduzido pela sua prosa e para evitar se tornar uma espécie de espelho, que nada mais faz do que refletir o que ele queria que todos os leitores vissem" (Rosenstone, 1988, p.152). O romancista Thomas Hardy foi ainda mais longe do que outros escritores talentosos na tentativa de produzir a imagem que a posteridade teria dele. Conforme confessou a um visitante indiscreto, "cada dia eu moldo minhas memórias como se fosse minha esposa, na verdade, que as estivesse escrevendo". O papel que ela de fato desempenhou nesse complô foi datilografar as memórias à medida que o marido as escrevia, após o que o manuscrito original era imediata e sistematicamente destruído. O objetivo de Hardy, tal com ele mesmo esclareceu, era bem preciso: "Minha ideia, evidentemente, é fazer que esse trabalho seja publicado após minha morte como se fosse uma biografia minha escrita por minha mulher". A biografia apareceu em dois volumes, em 1928 e 1930, conforme o planejado (Gittings, 1975).

Nesse quadro, não é de estranhar que alguns autores desistam de escrever uma biografia "verdadeira". Dois romances publicados em 1984 escolheram esse problema como tema: *Flaubert's Parrot*, do escritor inglês Julian Barnes, e *Historia de Mayta*, de Mario Vargas Llosa. Este último, por exemplo, conta a história de um historiador peruano que está pesquisando a vida de um guerrilheiro trotskista local, Alejandro Mayta. No decorrer da pesquisa, o narrador faz descobertas cada vez mais desconcertantes. Ao ouvi-lo discorrer sobre uma delas, uma amiga lhe diz que *"eso es una novela"*; ao que o narrador replica levantando a possibilidade de uma história verdadeira poder ser *"una versión muy pálida, remota y, si quieres,* falsa" da realidade: *"No va a ser la historia real, sino, efectivamente, una novela?"* (Vargas Llosa, 1984, p.77). Gabriel García Márquez, em suas memórias recentemente publicadas, afirma que *"la vida no es la que uno vivió, sino la que uno recuerda y cómo la recuerda para contarla"* (2003, epígrafe).

Minha própria posição fica a meio caminho entre o ceticismo desses três romancistas e a confiança dos historiadores empiricistas da "escola" de Ranke, que pensavam estar em condição de reconstruir "o que de fato aconteceu". De um lado, acredito que algumas vezes seja viável apontar para o que não aconteceu, para as lembranças enganosas, supondo a possibilidade de nos aproximarmos mais da verdade, mesmo reconhecendo que a totalidade dos fios da verdadeira história permanece inacessível para nós. De outro, gostaria de sugerir que a autoimagem, ou melhor, as múltiplas autoimagens sucessivas que um indivíduo possa ter não devem ser simplesmente descartadas como se fossem dados nos quais não se pode confiar. A autoimagem de um escritor famoso ou de um estadista revela alguma coisa de sua natureza, enquanto a imagem que um jovem tem de si mesmo, especialmente quando ainda não sabe o que se tornará, é ainda mais importante. Essas autoimagens devem ser usadas – ao lado das imagens que outras pessoas têm desse indivíduo – como auxílio na construção de uma narrativa e na interpretação de uma vida. Em suma, se é verdade que a autoapresentação não deve ser tomada literalmente, ela deve ser, no entanto, considerada seriamente.

No caso de Gilberto Freyre, os materiais de sua autoapresentação incluíam a bengala, o paletó de *tweed* inglês que usava no Recife, mesmo durante o Carnaval, e que o acompanhou em sua viagem ao Estado da Carolina do Sul em pleno verão de 1926, os boatos sobre si mesmo que encorajava os amigos a espalhar, além de uma grande quantidade de material autobiográfico, muito do qual talvez ainda esteja aguardando ser descoberto no riquíssimo acervo, ainda não catalogado, da Casa--Museu de Apipucos (Callado, 1962).[4] Seu *Tempo morto* é o mais longo

---

4 Cf. F. B. Simkins, autobiografia inédita, Simkins Papers, Longwood College, Virginia, c.1942-1949, cap. 2 e 8.

e mais famoso desses textos, que também incluem cartas, um pequeno caderno de anotações que contém notas rabiscadas durante 1921 e 1922, alguns rascunhos de autobiografia (um deles em inglês), um rascunho para a "atualização" e a "nova edição aumentada" do *Tempo morto*, algumas entrevistas e, talvez acima de tudo, as passagens de reminiscências esparsas em profusão em seus livros e artigos, que não podem passar despercebidas mesmo aos seus leitores menos sistemáticos. Há também a biografia publicada em 1945 por seu primo Diogo de Mello Meneses – autor que certa vez confessara a Freyre: "já me viciei a falar através de suas ideias" –, mas que, quase certamente, foi um trabalho de colaboração em que o herói do livro teve um papel dominante, como se Freyre estivesse se inspirando na mencionada estratégia do romancista inglês que muito admirava, Thomas Hardy (Lima, 1993).[5]

A esses textos deve-se acrescentar a apresentação do autor nas muitas edições de seus livros, já que Freyre cuidava disso com especial zelo e carinho. Uma carta de setembro de 1964 nos leva para os bastidores desse, por assim dizer, "espetáculo". Escrevendo ao editor que estava publicando a sua seminovela *Dona Sinhá e o filho padre*, Freyre se refere ao material adicional que estava enviando para a biografia do autor a ser incluída no volume e também sugere que seja usada uma fotografia diferente da que o editor planejara publicar. Como explicava, queria algo "mais romântico, menos clássico. Menos convencional" e estava, por isso, enviando um retrato "ótimo"; ainda mais um, talvez melhor, seria remetido logo a seguir. Outra sugestão era que fosse incluída uma ou duas páginas de trechos de "opiniões nacionais e estrangeiras" sobre suas realizações como escritor. Queixava-se de que "certos camaradas nossos" o tratavam "apenas como sociólogo", ignorando "o escritor, artista, estilista".[6]

Todos esses documentos nos dizem muito sobre a personalidade de Freyre. Como relatos de sua trajetória inicial, os mais recentes são, porém, muitas vezes enganosos porque, compreensivelmente, apresentam seus primeiros interesses e realizações como germes ou "embriões"

---

5 Cartas de D. M. Meneses a G. Freyre, 7/5/1941, 24/3/1941, 18/3/1941 (AFGF).

6 Cópia de carta de G. Freyre a Adalardo Cunha, setembro de 1964 (uma cópia dessa carta se encontra no AFGF).

do que viria depois. Republicando, por exemplo, em 1964 sua tese de mestrado de 1922, Freyre lhe dá o subtítulo de "o 'embrião' de *Casa-grande & senzala*" (Freyre, 1985). Do mesmo modo, escrevendo num período em que se sentia um discípulo fiel do antropólogo Franz Boas, Freyre em geral enfatizava em demasia, no meu entender, seu prévio interesse pelo "mestre de *Columbia*". Ele também publicou em 1952 um texto do *Manifesto Regionalista do Recife* afirmando que o tinha apresentado em 1926, quando o congresso regionalista ocorreu, traquinagem que já mereceu a atenção dos estudiosos (Dimas, 1996; Teles, 1977, p.218-9, 283). O mesmo acontece com seu breve encontro no Texas com o poeta Yeats e a pequena correspondência que trocou com o crítico norte-americano Henry L. Mencken: foram retrospectivamente ampliados em "convívio" próximo e grande amizade pessoal e epistolar. Apesar de ter conhecido Mencken pessoalmente anos após seu tempo em Columbia, ao falar sobre seu passado muitos anos mais tarde Freyre diz que "prendeu-me a ele, durante o meu tempo de estudante de universidade, uma amizade que influiu consideravelmente sobre a minha formação" (Freyre, 1987b, p.296).[7] Semelhante lembrança exagerada também fez que uma única aula a que assistiu do pacifista e professor britânico Alfred Zimmern na Universidade de Columbia em novembro de 1921 se transformasse, em retrospecto, num verdadeiro curso dado por "Sir Alfred Zimmern" (Freyre, 1968a, p.121; 1975, p.49-50, 100).

Quanto ao *Tempo morto*, não há como negar que é um trabalho extremamente atraente e perigosamente sedutor. Seduziu a mim e a muitos outros estudiosos de Freyre, fazendo-nos acreditar que era um relato fiel e sem nenhum verniz do desenvolvimento do autor (Pallares-Burke, 1997). No entanto, como alguns estudiosos suspeitaram há

---

7 Cumpre aqui notar que, apesar de Austregésilo de Athayde testemunhar que num jantar em Nova York em 1931 Mencken se referira a Freyre como seu amigo desde 1921, no texto autobiográfico de Mencken, em seus muitos volumes de correspondência publicada e na vasta bibliografia sobre esse famoso crítico não há, salvo engano, nenhuma referência a Gilberto Freyre; o que parece indicar que as marcas que o encontro com o crítico norte-americano deixou em Freyre não foram correspondidas no mesmo grau em Mencken (cf. Sandroni & Sandroni, 1994, p.284; Fecher, 1989; Teachout, 2002).

algum tempo, este trabalho se revela menos um diário do que uma autobiografia em forma de diário (Needell, 1995; Borges, 2003, p.217).[8] Quando o texto apareceu em 1975, Freyre o descreveu como um "diário de adolescência e de primeira mocidade", parte do qual fora "devorada pelo cupim" e o que restou datilografado por volta de 1960 e publicado quinze anos mais tarde "com um mínimo de revisão"; simplesmente "com um ou outro acréscimo para esclarecer obscuridades", segundo suas próprias declarações (Freyre, 1975, p.VII, XIII). Alguns anos mais tarde, Freyre volta ao assunto dizendo que nem o "estilo – isto é, o modo de escrever" de seu "diário íntimo" fora "atualizado" (Freyre, 1978, p.36).

A despeito dessas declarações, fica claro que o texto foi escrito e reescrito ao longo dos anos, houvesse ou não um núcleo original de entradas feitas na própria época dos eventos que descreve. Quando se comparam, por exemplo, alguns fatos ali narrados com o que outros documentos comprovadamente da época revelam, o caráter memorialístico de *Tempo morto* fica evidente. Um dos casos mais flagrantes que se pode apontar é o que diz respeito à séria tentativa que Freyre fez, quando retornou ao Brasil em 1923, de não se radicar no Recife. Se é verdade, como bem disse Roberto da Matta (1988, p.21), que "o espaço de uma marginalidade provinciana" foi assumido por Freyre "de propósito", ele só o fez após cogitar seriamente se radicar em São Paulo, o assunto que será retomado no capítulo 2. De todo modo, em 1948, mais de vinte anos após grande parte do período de que trata *Tempo morto* (1915-1930), Freyre não deixa dúvidas sobre o fato de seu diário ser, efetivamente, uma autobiografia, quando escreve a seu amigo José Lins do Rego dizendo: "tenho acrescentado várias coisas ao diário sobre V. Está ficando um livro".[9]

---

8 Needell foi um dos primeiros – se não o primeiro – estudiosos a chamar a atenção para as dificuldades na utilização de *Tempo morto e outros tempos* como fonte histórica; Borges descreveu *Tempo morto* muito apropriadamente como "memórias sob a forma de um diário íntimo". Quando, pois, nas páginas que se seguem eu me referir ao "diário" de Freyre, essa referência deve ser entendida como a um "diário-memória".

9 Carta de G. Freyre a J. Lins do Rego, 22/1/1948, em Freyre, 1978, p.132.

Cumpre aqui lembrar que, para Freyre, a definição de diário era bem ampla e que certa vez ele criticou o diplomata e escritor Sir Harold Nicolson por definir o termo "diário" muito estreitamente e dele excluir, portanto, "formas menos estritamente cronológicas". Agradava-o, entretanto, o que Nicolson chamava de "diários introspectivos", que Freyre descreveu como "autobiografias a prestações" (Freyre, 1942a, p.107). Talvez não seja exagero dizer, pois, que *Tempo morto* é mais propriamente uma dramatização da juventude de Freyre, uma obra-prima em *self-fashioning*, ou uma "notável autoinvenção", que, do mesmo modo que as autobiografias de Yeats, dizem mais sobre o Freyre maduro do que sobre sua vida de 1915 a 1930, o período a que supostamente estava se referindo; não é, portanto, mera coincidência que logo em 1981 tenha sido possível adaptá-lo para o teatro.[10]

Outro aspecto a ser lembrado é que Freyre, além de ter feito sua contribuição para tipos de escritos que podem ser englobados na categoria do que é chamado de *ego-documents* (tudo o que for escrito na primeira pessoa, incluindo cartas, diários etc.; cf. Dekker, 2002), era também um grande leitor de autobiografias e diários, como veremos adiante. Muito o intrigava, na verdade, o contraste entre os países protestantes, relativamente ricos em textos desse tipo, e os países católicos, pobres nesse assunto, tendo mesmo sugerido no prefácio à primeira edição de *Casa-grande & senzala* que os diários eram um substituto protestante das confissões orais das regiões católicas (Freyre, 2002, p.22-3). "The English love to write diaries: not so the Latins. We are Latin", escreveu Freyre em seu caderno de anotações (Freyre, 2002, p.22-3).[11]

---

10 A expressão *remarkable self-invention*, utilizada para caracterizar Freyre, foi empregada por Morse (1995, p.48); Freyre & Rocha Filho (1983). Sob a direção de Rubem Rocha Filho e com coreografia de Mônica Japiassu, o balé *Tempos perdidos, nossos tempos* foi representado no Teatro Santa Isabel do Recife entre 26 de março e 12 de abril de 1981.

11 Freyre, *Caderno de anotações* – com a advertência na primeira página "Personal – Do not read it – Gilberto Freyre, New York City, May 22, 1921" (daqui em diante esse texto será referido como CA.1921-22 e quatro de suas páginas são reproduzidas no apêndice deste livro). As anotações, que se iniciam em 1921 e vão até 1922, foram escritas parcialmente em inglês, como o texto citado: "os ingleses adoram escrever diários: não os latinos. Nós somos latinos". Pode-se perceber que vários fragmentos dessas anotações reaparecem em cartas e textos do jovem Freyre.

No que diz respeito a estratégias de autoapresentação e dramatização, há paralelos entre *Tempo morto* e outro livro favorito do jovem Freyre, *The Private Papers of Henry Ryecroft*, de George Gissing (1857-1903), uma obra de ficção em forma de diário, que foi tomada como história autêntica por alguns leitores na época de sua publicação original em 1902. Escrevendo bem mais tarde sobre Gissing, Freyre o descreveu como o autor de "um dos mais sugestivos diários já publicados na língua inglesa" e *The Private Papers* como um "ensaio-memória" ou uma tentativa de transformar o autor "em personagem de ficção", do mesmo modo que Proust fizera com Marcel no *À la recherche du temps perdu* (Freyre, 1975, p.xi; ca.1981, p.71-3).[12]

Contrastando com diários como o de Freyre e Gissing, que se revelam próximos da ficção ou ficção em forma de diário, é interessante salientar o caso de Melville Herskovits, o renomado antropólogo e discípulo de Franz Boas que praticamente iniciou os estudos da diáspora africana nos Estados Unidos. Contemporâneo de Freyre em Columbia, Herskovits iria se tornar um de seus importantes interlocutores estrangeiros após a publicação de *Casa-grande & senzala*. Pois bem, a pesquisa de campo realizada pioneiramente por Herskovits e sua mulher Frances em Saramaka, região do Suriname, no verão de 1928 e 1929, foi tradicionalmente considerada decisiva para os estudos afro-americanos que se desenvolveram desde então. Na forma como foi descrita na publicação que dela emergiu, *Rebel Destiny*, a pesquisa dos Herskovits parecia exemplar, tendo seguido todas as instruções que os etnógrafos, segundo os ideais da antropologia americana dos anos 1920, deveriam estritamente seguir: as informações sobre a vida e a cultura dos saramakas haviam sido obtidas sem intermediários, por observação direta ou pelas informações fornecidas pelos próprios saramakas, cuja língua os dois observadores dominavam. Quando, em 2002, a filha dos Herskovits liberou o diário de campo de seus pais para o estudo dos interessados, um quadro muito diferente dessa famosa pesquisa pioneira foi descoberto. Como os antropólogos Richard e Sally Price demonstraram, um estudo cuidadoso do diário manuscrito de Melville e Frances revela que há uma

---

12 Cf. Tb. Manuscrito inédito sobre *The Private Papers of Henry Ryecroft*, AFGF, s.d.

Maria Lúcia Garcia Pallares-Burke

grande discrepância entre o que eles pensavam que uma pesquisa de campo antropológica deveria ser e o modo como a pesquisa de Saramaka, de fato, se processou. Diferentemente do que era prescrito pelos ideais antropológicos da época, eles não dominavam a língua do povo estudado, não interagiram com os nativos a fim de observá-los do modo mais natural possível e se valeram de intermediários culturais, bem como de intérpretes, guias e servos distantes do ambiente cultural e físico dos nativos que buscavam conhecer – intermediários que "simplesmente 'desapareceram' das publicações" dos Herskovits desde então (Price & Price, 2003). Enfim, pode-se dizer que no caso de Freyre a ficção está no diário; no caso dos Herskovits, o diário é autêntico, mas a ficção veio depois.

É por essas razões que procurei não depender totalmente das informações encontradas nos diários e reminiscências de Freyre, esforçando-me o mais possível em conferir suas asserções mais recentes com fontes mais antigas. Como ele próprio reconheceu, "todo homem, ao voltar-se para o tempo vivido, procura rejeitar parte dele" (1975, p.x). A tarefa do biógrafo, em contrapartida, é tentar restaurar o que o autor, consciente ou inconscientemente, rejeitou ou apagou. Isso às vezes pode parecer estar diminuindo, de algum modo, o protagonista, mas como diria o próprio Freyre é uma operação essencial para a "clarificação e a interpretação de uma vida". Refletindo certa vez sobre técnicas biográficas, ele opôs à que "tende a imobilizar a personalidade estudada em figura convencionalmente heroica ou moral e civicamente exemplar, a que a surpreende também em suas situações menos olímpicas". Ou, como diz, ao elogiar a biógrafa dos "dois Holmes norte-americanos", Catherine Drinker Bowen, "ela não procura transformá-los em figuras de mármore: conserva-os homens. Admite neles imperfeições ou incoerências. E como *on se moque de ce qu'on aime*, deixa-os às vezes em situações que nos fazem sorrir, sem que esse sorriso signifique perda de respeito ou de admiração por eles" (1981c, p.223-4).

É verdade que o problema da confiabilidade, ao menos no que diz respeito ao relato dos eventos, é, em certo sentido, menos sério para os historiadores intelectuais do que, por exemplo, para os biógrafos de líderes políticos, porque uma biografia intelectual está essencialmente preocupada com o que o protagonista publicou ao longo dos anos e em grande parte se baseia nessa produção. Mas mesmo nesse caso existem dificuldades e até armadilhas para os pouco cautelosos, pois, assim como outros seres humanos, os intelectuais se desenvolvem, amadurecem ou decaem no decorrer do tempo, e podem mudar de ideia em algumas questões importantes. Quando republicam trabalhos mais antigos, alguns deles os reproduzem sem alteração; outros fazem alterações silenciosas, e um terceiro grupo assinala as mudanças que faz.

Gilberto Freyre pertencia ao segundo grupo. Ou melhor, se é verdade que não alterava sistematicamente tudo o que republicava, muitas vezes não se referia às mudanças que fazia, e, ocasionalmente, afirmava estar apresentando os textos mais antigos na sua forma original. Seu hábito de emendar ou reescrever seus trabalhos para republicação escondeu, pois, uma parte importante de seu desenvolvimento intelectual. Quando publicou sua tese de mestrado de 1922, originalmente escrita em inglês, na tradução portuguesa ele a ampliou consideravelmente e a revisou mais do que se poderia esperar, considerando sua declaração de que só a estava alterando "em pormenores de superfície" ou em questões "de forma" (Freyre, 1985, p.85). Até alguns artigos que escreveu para o *Diário de Pernambuco* – uma das mais ricas fontes para o estudo dos elementos formadores de seu pensamento e não, como já foi afirmado, "crônicas 'leves' que refletem muito pouco do pensamento mais sério de Freyre" – ele retocou antes que reaparecessem várias décadas mais tarde em *Retalhos de jornais velhos* (1964), não obstante ter afirmado no prefácio que "esses velhos artigos" apareciam "em livro novo quase sem retoque" (Skidmore, 2003, p.30; Freyre, 1964, p.xxxi). Na coletânea publicada quinze anos mais tarde, *Tempo de aprendiz*, o organizador José Antônio Gonsalves de Mello assegurou ao leitor que, diferentemente da coletânea de 1964, os artigos que eram ali reproduzidos não haviam sido "emendados pelo autor", mas que estavam sendo "publicados sem correção, tal como estão nas colunas do 'Diário'". Na introdução à coletânea, Freyre confirmou as palavras do organizador, dizendo que nem corrigira os "excessos" da mocidade ("contradições", "injustiças" e "intemperanças") nem atualizara seu estilo literário (Freyre, 1979a, p.35-6). Apesar de, ao que tudo indica, ser verdadeiro que os artigos aí reproduzidos são em geral fiéis aos originais e contêm alterações ligeiras, ainda assim torna-se necessário estar alerta para modificações que possam alterar a reconstituição da trajetória intelectual que se quer reconstituir, já que ao menos um dos artigos conferidos apresenta modificações substanciais.[13]

Do mesmo modo, quando Freyre republicou os capítulos que escreveu no *Livro do Nordeste* (1925) em seu *Região e tradição* (1941), afirmou ao leitor que "o autor retirou trechos já aproveitados em livros recentes e resumiu outros". Ele não disse, no entanto, que cortara passagens que possivelmente tinham se tornado embaraçosas para ele quinze anos mais tarde, talvez porque mostrassem que, em 1925, ainda não era um seguidor do aclamado mestre da Universidade de Columbia, Franz Boas. É por razões como essas que procurei ser cuidadosa ao comparar alguns ensaios e artigos republicados com as suas edições originais.[14]

O exemplo de *Região e tradição* nos traz para o segundo perigo que ameaça os biógrafos intelectuais. Trata-se do perigo de seguir a linha do que pode ser chamado de interpretação teleológica da vida de uma pessoa, sugerindo que esta segue um percurso linear em direção a um objetivo particular, sem se admitir a possibilidade de o olhar se desviar quer para a esquerda quer para a direita, e muito menos o risco de a pessoa entrar num beco sem saída ou se envolver em projetos alternativos que podem ser, eventualmente, descartados.

Thomas Kuhn alertou para esse perigo também em relação à história da trajetória científica. Devido a uma "tendência persistente de se fazer a história da ciência parecer linear ou cumulativa", os próprios cientistas são levados a reconstituir a história de suas pesquisas teologicamente. Por exemplo, "todos os três relatos incompatíveis feitos por Dalton do desenvolvimento de seu atomismo químico dão a entender que ele estava interessado desde muito cedo somente naqueles problemas químicos de combinar proporções cuja solução o tornou famoso posteriormente". No entanto, esclarece Kuhn, "a verdade é que aqueles problemas parece que somente lhe ocorreram junto com suas soluções, e

---

13 *Diário de Pernambuco*, 17/1/1926. Salvo indicação contrária, os artigos de Freyre para esse jornal se encontram, em ordem cronológica, na antologia de 1979, *Tempo de aprendiz: artigos publicados em jornais na adolescência e na primeira mocidade do autor (1918-1926)*.

14 Ver alguns exemplos no apêndice ao final do livro.

não antes que seu próprio trabalho criativo estivesse quase completo" (1962, p.138-9). Lembramo-nos do passado linear ou cumulativamente, mas sem dúvida há uma forte possibilidade de muito da nossa lembrança não passar de um mito ou do que já foi chamado de "mitobiografia", em vez de história (Passerini, 1990).

O meio de um biógrafo escapar – ao menos em alguma medida – de tal interpretação teleológica foi demonstrado pelo recente estudo sobre o historiador Edward Gibbon desenvolvido pelo neozelandês John Pocock, um dos mais notáveis historiadores intelectuais de nossa época. Pocock focaliza a atenção "na série de decisões" que Gibbon tomou a fim de produzir seu *Decline and Fall of the Roman Empire*, notando seus "recuos, confusões e passos em falso", sua atração por outros tópicos (desde a Suíça medieval à Renascença florentina) e suas hesitações entre uma ênfase no Império ou na Igreja, no Império Ocidental ou no Oriental. Em resumo, sua monografia exemplar torna o leitor consciente dos caminhos que Gibbon seguiu por algum tempo e acabou por abandonar, ao lado dos que ele escolheu e conseguiu trilhar até o fim (Pocock, 1999, v.I, p.3, 284; v.II, p.4, 30).

De modo semelhante a Pocock, o perspicaz Freyre chegou a criticar, mais de uma vez, o tipo de biografia que ele chamou de "triunfal", ou seja, a que esconde os "fracassos" do biografado e se atém à "monotonia do sucesso" tal como o texto que serve de epígrafe a este livro bem ilustra (Freyre,1981a, p.249).[15] Tentando seguir seu próprio conselho, o estudo que se segue procurará evitar um retrato supersimplificado de um Gilberto Freyre que retornou da Europa decidido a se estabelecer no Recife e a escrever uma grande interpretação do Brasil. Ao contrário, irá enfatizar suas hesitações, por exemplo, entre se estabelecer no Recife ou em São Paulo; entre seguir a carreira literária, a jornalística ou a política; entre escrever um estudo sobre a literatura norte-americana, um romance ou uma história da infância; entre enfatizar os fatores culturais ou raciais na história do Brasil etc. Enfim, este é um trabalho que vai argumentar que o caminho para *Casa-grande* teve vários desvios.

---

15 Esse livro republica sete artigos de 1946 em que Freyre, resenhando uma biografia do Barão do Rio Branco, discute a questão da escrita biográfica.

As fontes e os métodos utilizados para reconstruir esses desvios serão vários. Em primeiro lugar, muitas cartas de Gilberto Freyre e para ele, a partir do final da década de 1910, sobreviveram (algumas delas publicadas, enquanto outras permanecem em manuscritos). Se forem estudadas com cuidado e em ordem estritamente cronológica, têm muito a nos dizer.[16] Em segundo lugar, as alterações que Freyre fez em seus textos mais antigos podem ser utilizadas para revelar o próprio desenvolvimento que tentavam ocultar.

O renomado filólogo italiano Gianfranco Contini, que estudou o desenvolvimento de vários escritores – entre os quais Petrarca, Manzoni, Leopardi e Proust – prestando especial atenção aos muitos manuscritos de seus textos, argumentou que as várias "correções" revelam não tanto a mudança de uma formulação provisória para uma definitiva mas, ao menos ocasionalmente, uma verdadeira "mudança de 'personalidade'" (Contini, 1970, p.37). Do mesmo modo, um estudo minucioso das pequenas mudanças que Freyre fez no texto de um artigo ou livro no decorrer de sua tradução ou republicação pode fornecer informações preciosas sobre sua trajetória intelectual. As mudanças são frequentemente exemplos dos "pormenores significativos" que o próprio Freyre era mestre em apontar em seus inovadores estudos históricos e que ele claramente defendia como uma via privilegiada de acesso aos aspectos de uma cultura que tendem a permanecer obscuros (Freyre, 1948a, p.28-9, 217, 296-7; Pallares-Burke, 2000b, p.135-7).

Outra abordagem promissora para reconstituir o desenvolvimento de Freyre é estudá-lo como leitor. Ele amava o que chamava de "meus irmãos, os livros", orgulhava-se de ler assuntos diversos com voracidade, e gostava de se apresentar ao público como leitor aficionado. Uma das mais conhecidas fotografias de Freyre, e aparentemente uma de suas favoritas, mostra-o lendo relaxadamente em sua biblioteca de Apipucos, com uma perna apoiada sobre o braço de sua poltrona favorita, rodeado de livros empilhados no chão e espalhados embaixo da poltrona.

---

16 Sobre a importância e a dificuldade, em alguns casos, de se estabelecer a cronologia, ver capítulo 1, nota 102.

A história da leitura é uma forma relativamente nova de história cultural, praticada por estudiosos de ponta como Roger Chartier e Robert Darnton. O objetivo de tais estudos é recapturar a experiência de leitura num dado tempo e lugar, distinguindo modos diferentes de leitura – rápida ou vagarosa, extensiva ou intensiva, privada ou pública – bem como a diversidade de reações de indivíduos diferentes ou gerações diferentes de leitores do mesmo texto (Darnton, 1984, 1991; Chartier, 1987). Historiadores desse tipo têm sido fortemente inspirados por teóricos da recepção como Michel de Certeau, Hans-Robert Jauss e Wolfgang Iser, que enfatizaram o ativo papel criativo dos leitores na construção de significados (Certeau, 1980; Jauss, 1982; Iser, 1978).

Cumpre aqui acrescentar que muito antes de a história da leitura ter recebido esse nome, o crítico norte-americano John Livingstone Lowes publicou um estudo intitulado *The Road to Xanadu,* no qual demonstra como o famoso poema de Samuel Coleridge, que veio à mente do poeta durante um sonho e se inicia *"In Xanadu did Kubla Khan/ a stately pleasure dome decree",* transformava, de fato, palavras e frases de muitas de suas leituras variadas e de um livro de viagens que o poeta estivera lendo antes de dormir (Lowes, 1978). Não deixa de ser interessante saber que Freyre conhecia o trabalho de Lowes e que as referências elogiosas a seu trabalho sobre Coleridge feitas por Bernard Barber – que o considerou essencial para a sociologia da ciência devido ao papel que Lowes confere à imaginação e à "produção coletiva" na invenção das ciências e das artes – lhe chamaram a atenção de maneira especial (Barber, 1953, p.194-7).[17]

É evidente que a atividade de leitura pode não deixar nenhum indício ou traço. Entretanto, felizmente para os historiadores – mas não para os bibliotecários – muitas pessoas também leem com as mãos e deixam marcas nas páginas que manuseiam. Seus grifos e marginálias recentemente se tornaram objeto da atenção dos estudiosos. Alguns deles analisam a marginália de leitores desconhecidos na esperança de que sejam leitores representativos, enquanto outros se concentram nas anotações feitas por figuras famosas como o rei Henrique VIII e Samuel Coleridge,

---

17 Trechos marcados com orelha, grifos e traços duplos ao longo da margem.

o escritor vitoriano que cunhou o termo "marginália" e foi um dos mais notórios e convictos "danificadores" de livros de que se tem notícias (Carley, 2004; Jackson, 2001).

Felizmente para nós, Gilberto Freyre pertence ao grupo dos leitores ativos, para quem os livros, apesar de serem objetos preciosos, não são tratados com reverência. Diferentemente de Machado de Assis que, como disse Jean-Michel Massa, passou pelos livros "discretamente, na ponta dos pés", Freyre os marcava, algumas vezes sem dó (Massa, 2001). Muitos de seus livros guardam marcas de sua leitura ativa: Freyre fazia muitas orelhas nas páginas que lia, escrevia nas margens, grifava passagens com lápis, caneta e, na falta de outro instrumento, aparentemente até à unha. Um estudo cuidadoso dessas marcas – evidência histórica que precisa ser conservada com carinho e técnica – revela algo sobre o modo particular como Freyre lia. Por exemplo, o fato de ler autores britânicos e sobre eles tendo o Brasil em mente. Nas páginas que se seguem, suas anotações serão frequentemente chamadas como testemunhas.[18]

Um ponto que essas testemunhas comprovam é a heterogeneidade das fontes que nutriram os interesses e os *insights* de Freyre. O historiador Edward Thompson chamou a atenção certa vez para o fato de que, do mesmo modo que a história política, a história intelectual também pode ser vista como "a propaganda dos vitoriosos''; no entanto, como a trajetória de muitos grandes pensadores demonstra, eles frequentemente se inspiram não só em grandes autores e grandes obras, mas também em autores e obras obscuras e em tradições alternativas, distantes da ortodoxia acadêmica de sua época (Thompson, 1993, p.XVIII).

Gilberto Freyre não foi uma exceção a essa regra. Ele muito se inspirou na sociologia de Spencer e do spenceriano norte-americano da Universidade de Columbia, Franklin Giddings, e na antropologia de

---

18 R. Stoddard, em seu catálogo para a primeira exposição sobre marcas de livros realizada em Harvard, Massachussets, em 1984 – *Marks in books, Shown and Explained: an Exhibition Devoted to those Mysterious traces left in Books by Printers, Binders, Booksellers, Librarians, and Collectors* –, refere-se ao importante papel das "salas de leitura especiais", da "biblioteca de livros raros" e dos "bibliotecários-ecologistas" na missão de preservar todo esse rico material (cf. Stoddard, 1985).

Franz Boas, pensadores respeitáveis de seu tempo. Sua abordagem da cultura e da sociedade também se inspirou no trabalho dos irmãos Goncourt, desprezados como amadores pelos historiadores acadêmicos; nos ensaios e narrativas de viagens de Lafcadio Hearn; num romance do alemão Sudermann e na produção de outros autores que, como esses, não faziam parte do cânone da época. Quando jovem, Freyre também foi atraído, como veremos no capítulo 3, pelas ideias ultrarracistas dos escritores norte-americanos Madison Grant e Lothrop Stoddard, ideias que repudiou totalmente mais tarde, não obstante ter mantido a crença de Stoddard sobre a ressurgência do Islão, ideia que depois acreditou ser originalmente sua e não do autor do *The Rising Tide of Color* (1920) e *The New World of Islam* (1921).

Um número considerável dos livros da biblioteca de Freyre que sobreviveram, incluindo os que foram marcados em profusão, é britânico ou sobre britânicos e a Grã-Bretanha. Eles proveem evidência para o argumento central deste livro: a importância dos autores britânicos, especialmente do período vitoriano, para o desenvolvimento intelectual de Gilberto Freyre. Sua atração pela cultura britânica já estava presente desde a adolescência, quando, como relata, escolheu o tema "British Civilization" para o seu primeiro ensaio do curso avançado de história que seguiu no Colégio Americano do Recife. Sua viagem aos Estados Unidos não teria mudado fundamentalmente suas preferências. Rememorando a época em que já estudava na Universidade de Baylor, confessa: "my principal devotion remained for British intellectual and cultural values".[19]

Quando me refiro aos autores que foram importantes na trajetória de Freyre, digo britânicos, em vez de "ingleses" – como Freyre os chamava – porque o escocês Carlyle, os irlandeses Yeats e Moore e o mestiço de irlandês e grego, Lafcadio Hearn, também desempenharam papéis

---

19 "Minha devoção principal continuou sendo para com valores intelectuais e culturais britânicos." A frase está em um rascunho de autobiografia incompleta escrita em inglês, sem data ou título, aparentemente dirigida a leitores estrangeiros, já que há referência ao "leitor" (*the reader*). A certa altura, Freyre diz que "it is now more than 30 years since I was in the United States as a university student" (faz agora mais de trinta anos desde que estive nos Estados Unidos como estudante universitário) – daí ser possível dizer que esse documento foi escrito na década de 1950 (AFGF).

significativos na vida intelectual do jovem Freyre. "Inglaterra" é um termo que Freyre usava, na verdade, em sentido amplo, e nas muitas vezes que manifestou sua admiração pela cultura britânica não se preocupou em fazer distinção: "inglês – inglês, escocês, irlandês – ...", escreveu ele certa vez (1957a). Feita essa advertência, seguirei usando indistintamente um ou outro termo no estilo de Freyre.

Outro famoso anglófilo, Jorge Luis Borges, cuja vida (1899-1986) coincidiu quase exatamente com a de Gilberto Freyre, e que com ele compartilhava seu entusiasmo por autores como Carlyle, Stevenson e Chesterton, descrevia a si mesmo como "un ser victoriano" (Woodall, 1996, p.XXIX. 27).[20] Freyre não se descrevia desse modo nem seu pai era tão anglófilo quanto Jorge Guillermo Borges – que insistia, em Buenos Aires, em mandar o filho para a escola com "roupas ridículas", fantasiado de um "menino de *Eton*" (ibidem, p.18).[21] Dada sua confessa anglofilia – sentimento que compartilhava com grande parte da elite letrada sul-americana –, pareceu-me, no entanto, muito apropriado assim qualificá-lo no título de um livro que pode ser descrito como um estudo de anglofilia na linha do *Voltaire's Coconuts* de Ian Buruma (Buruma, 1999).[22]

As múltiplas realizações inglesas desde o final do século XVI – monarquia constitucional, liberdade de crença, liberdade de expressão, poder industrial, comercial e imperial etc. – haviam gerado, a partir do século XVIII, o fenômeno de anglofilia que se difundira enormente pela Europa e pelas Américas e, com ela, o "desejo de naturalizar" em vários outros lugares o que era visto como instituições e liberdades invejáveis.

---

20 Sobre um paralelismo entre Borges e Freyre, ver Giucci, 1998, p.68-9.

21 Eton é uma das *public schools* inglesas (escolas particulares, em geral de longa tradição) mais seletas e de maior prestígio, onde tradicionalmente os membros masculinos da família real são educados.

22 Nesse livro, que combina história com biografia, Buruma explora a fascinação que a Inglaterra exerceu entre muitos europeus que se viram atraídos pelo liberalismo, pelo espírito de tolerância, pelo esnobismo e outros tantos traços tidos como peculiarmente ingleses. Voltaire, Goethe, revolucionários em exílio (como Karl Marx, Alexander Herzen e Giuseppe Mazzini), e Isaiah Berlin são algumas das figuras pelas quais Buruma estuda os entusiasmos e, em alguns poucos casos, as revoltas que a Inglaterra provocou ao longo dos séculos.

Que se imite o que se inveja, era a palavra de ordem de Voltaire e de todos os que, seguindo-o, descobriram a Inglaterra e a adotaram como padrão de referência. A campanha de Voltaire, que se iniciou com a publicação das *Lettres Philosophiques* (1734), buscava divulgar as glórias da nação vizinha e impedir, portanto, que ficassem "confinadas às fronteiras desta ilha", como ele disse pouco depois de ali chegar em 1726 (Voltaire, 1726, prefácio).[23] Aclimatados a um novo ambiente, naturalizados, instituições e valores ingleses poderiam vingar em outros solos, defendiam aqueles que eram chamados, por seus críticos, de anglomaníacos. Gilberto Freyre pode ser visto, pois, como um representante brasileiro de uma lista de anglófilos que, iniciando-se com Voltaire, incluiu Lessing, Beccaria, Madame de Staël, Goethe, Ralph W. Emerson, Borges e tantas outras figuras ilustres.[24]

É prudente, a esta altura, chamar a atenção para o que está sendo arguido nas páginas que se seguem. Este livro, apesar de não se limitar estritamente aos "ingleses", concentra-se nos autores britânicos que, no meu entender, desempenharam um papel crucial no desenvolvimento intelectual do jovem Freyre. No início da década de 1920, ele mesmo chegou a confessar em resposta a uma pergunta retórica – "não tem o espírito sua árvore genealógica?"– que, considerando a "genealogia" de sua cultura, seus "avós mentais mais queridos" eram escritores ingleses. Shakespeare ou Milton, por exemplo, disse Freyre nessa ocasião, significavam mais para ele do que o próprio Camões.[25] Se não dou destaque, ao longo deste estudo, a esses e outros nomes que Freyre

---

23 Sobre anglofilia, tema sobre o qual há uma vasta bibliografia, ver, p. ex., Graf (1911); Gury (1976); Grieder (1985); Maurer (1987); Pallares-Burke (1995, cap. 1); Langford (2000, p.1-27).

24 Freyre lista entre os anglófilos brasileiros "Mauá, Paranhos I, Carvalho Moreira, Sousa Correia, Joaquim Nabuco, Ruy, Oliveira Lima, Eduardo Prado, Afranio de Mello Franco, Regis de Oliveira II" (cf. Freyre, 1948a, p.67). Sobre a influência da cultura inglesa em intelectuais latino-americanos e anglofilia, ver, por exemplo, Pratt (1992), que se refere à "apaixonada anglofilia" dos intelectuais sul-americanos; e Pallares-Burke (1994). Sobre o intelectual venezuelano Andrés Bello, ver o recente estudo de Jaksic (c. 2001); sobre Visconde de Cairu, ver Monteiro (2004).

25 Carta de G. Freyre a Oliveira Lima, 24/10/1922, em Freyre, 1978, p.203-4; carta de G. Freyre a Anibal Fernandes, reproduzida em Freyre, 1979a, v.II, p.371-3.

também admirava – de Dickens a Livingstone, Thomas Huxley e Disraeli, de Shakespeare a Swinburne, Meredith e Joyce, por exemplo –, é porque a análise de sua produção da juventude revelou que os encontros decisivos para a trajetória intelectual do jovem recifense foram com outras figuras britânicas.

Não é também minha intenção negar, de modo algum, a importância de outras influências, ou inspirações, além das inglesas, pelas quais este livro está particularmente interessado. Dei-me até o direito de tratar esporadicamente de autores não britânicos, quando isso me pareceu relevante para o argumento do livro. O tema "Gilberto Freyre e a Inglaterra" deve ser entendido, pois, como um ponto de ênfase central, mas não como uma camisa de força. Estou ciente de que Freyre muito deve a escritores franceses, como os irmãos Goncourt, por exemplo, por cuja *histoire intime* ele muito cedo se viu atraído, bem como ao pensador monarquista Charles Maurras e aos romancistas Maurice Barrès e Marcel Proust, autor que Freyre aprendera com Havelock Ellis a considerar quase inglês.[26] Ele lia, admirava e citava vários historiadores, sociólogos e antropólogos franceses (cf. Burke, 1997; Lemaire, 2002), entre eles Jules Michelet, Emile Durkheim, Lucien Fèbvre e Georges Gurvitch. Muitos desses autores já mereceram a atenção dos estudiosos de Freyre, mas Barbey d'Aurevilly (1808-1889), um ensaísta aparentemente marcante na juventude de Freyre, ainda permanece uma figura a ser descoberta. Dentre esses vários franceses, pareceu-me apropriado tratar brevemente de Barrès, no contexto do regionalismo do jovem Freyre.

A dívida de Freyre para com grandes autores alemães, como Simmel e Nietzsche, ou para com um autor menor como Sudermann, também é significativa, e sobre esses dois últimos considerei importante dedicar alguns parágrafos. A Rüdiger Bilden (promissor historiador da região do Reno que estudava na Universidade de Columbia), o jovem que facilitou a Freyre o acesso à cultura alemã, além de se impor como um de seus mais importantes interlocutores, dedicarei várias páginas. Freyre também se sentiu estimulado por autores espanhóis, de Cervantes

---

26 *Diário de Pernambuco*, 10/1/1926.

à "geração de 1898", como Unamuno, Ortega y Gasset e Ganivet.[27] Entre os portugueses, como autores especialmente importantes para o jovem Freyre, sobressaem Eça de Queiroz, na figura de Fradique Mendes, e o "autor sem livro" Visconde de Santo-Thyrso, ainda, salvo engano, aguardando merecido estudo.[28] Como já mencionei, Freyre certa vez também manifestou clara intenção de escrever uma história da literatura norte-americana e, de fato, se sentiu atraído por vários autores dos Estados Unidos, desde os poetas Vachel Lindsay e Amy Lowell ao filósofo, poeta, romancista e ensaísta espanhol (que emigrou ainda jovem para os Estados Unidos) George Santayana e o crítico e jornalista Henry L. Mencken. Mas o interesse de Freyre pelos intelectuais estrangeiros não significou um repúdio aos brasileiros. Sua dívida para com o diplomata e historiador Manoel de Oliveira Lima, por exemplo, é inegável e reconhecida, e, como discutiremos adiante, no decorrer deste estudo, o antropólogo Roquette-Pinto se revelou uma figura de central importância na sua trajetória, importância que, no meu entender e salvo engano, não foi até agora suficientemente enfatizada[29]. Consciente da pluralidade das fontes que nutriam sua imaginação e intelecto, o próprio Freyre (1957b, v.I, p.99) disse certa vez com muito humor que em sua obra "entrara 'leite de muitas vacas'; mas ... o queijo era de seu fabrico: criação sua".

Uma biografia intelectual não pode, evidentemente, ser reduzida a uma série de "influências", como se o protagonista fosse completamente passivo. É por isso que alguns historiadores argumentam que o conceito e mesmo o termo "influência" são enganosos e deveriam ser abandonados, desde que o significado de uma ideia é o seu uso (cf. Skinner, 1966, 1969; Certeau, 1980)[30]. De fato, talvez seja mais apropriado e esclarecedor trabalhar com a ideia de "diálogo" ou de "interlocutores", como farei adiante, enfatizando, assim, o aspecto criativo desses encontros com livros e ideias ou o modo pelo qual o jovem Gilberto Freyre já

---

27 Sobre os alemães na trajetória de Freyre, ver Chacon, 1993; sobre os espanhóis, ver Alcântara, 1962; Bastos, 2003; Crespo, 2003.

28 *Diário de Pernambuco*, 28/9/1924.

29 Sobre o papel de Oliveira Lima na formação de Freyre, ver Chacon, 1993; Giucci, 1998; Castro Gomes, 2004.

30 Para uma excelente discussão sobre o tema, ver Oakley, 1996.

demonstrava uma notável habilidade de simultaneamente consumir e transformar os conhecimentos que adquiria.

Pode-se dizer, portanto, que Freyre era um leitor eclético em vez de sistemático, que frequentemente mais folheava os livros do que os analisava em profundidade. Era, enfim, um Samuel Johnson dos trópicos: como uma esponja na sua capacidade de absorver ideias e como uma ostra na sua capacidade de transformar tudo o que lia.[31]

Deve-se aqui assinalar que como um pensador eclético Freyre está em boa companhia. Estudos sobre Karl Marx e William Morris, entre outros, têm enfatizado a diversidade das fontes que alimentaram seus pensamentos (Berlin, 1939; Thompson, 1977). No caso de Freyre, como no de Marx (ou talvez no da maioria dos intelectuais), é util distinguir o período mais antigo, no qual ele era mais receptivo a ideias de outros, do mais recente, quando já desenvolvera as linhas mestras de seu pensamento e lia, muitas vezes, mais para confirmar ou reforçar seus *insights* do que para adquirir novas ideias.

Mesmo levando em conta todas essas considerações e qualificações, o relacionamento do jovem Freyre com a Inglaterra e os escritores ingleses permanece muito especial, apesar de ele ter passado muito pouco tempo nessa ilha. Seu amor pela Inglaterra – "um amor físico e ao mesmo tempo místico" – era tanto que lhe turvava os olhos, como confessou certa vez (Freyre, 1942a, p.21). Sua declarada anglofilia já foi notada mais de uma vez, como, por exemplo, por Darcy Ribeiro, que contrastou dois Gilbertos – "o inglês" e "o pernambucano". Este estudo é uma tentativa de desenvolver e substanciar, dar corpo a essas valiosas sugestões (cf. Callado, 1962; Ribeiro, 2000; Merquior, 2002).

A cultura inglesa em um sentido amplo afetou o modo como Freyre escrevia. Por mais pessoal e mesmo idiossincrático que fosse seu estilo, ele deve muito à tradição do ensaísmo inglês inaugurada por Bacon e desenvolvida e difundida especialmente a partir do sucesso de Joseph Addison e Richard Steele nos famosos ensaios periódicos de *The Spectator*

---

31 Sobre esse grande homem de letras do século XVIII inglês (que Freyre muito admirava), e o papel que as leituras tinham em sua produção intelectual, ver Kernan, 1987, p.204-18; Pallares-Burke, 2003, p.85, 97-9).

no início do século XVIII.[32] A "voz de conversa", o tom nada "doutoral" ou "bacharelesco" e a capacidade de tratar assuntos variados e triviais com graça e originalidade, mas sem pedantismo – traços característicos do ensaísmo inglês – seduziram desde muito cedo o jovem aprendiz de escritor (cf. Pallares-Burke, 2002, p.823-30). A própria língua inglesa, dizia Freyre, era especialmente capacitada para captar a complexidade do social por sua riqueza de "meios tons", "ambiguidades" e "entretons" (Freyre, 1957b, v.I, p.61-7, 90, 96).

Uma de suas ideias-chave, "equilíbrio de antagonismos", também era considerada por Freyre como parte essencial do *ethos inglês* e como "a lição dos ingleses" para o mundo. Tomado originalmente de intelectuais ingleses, nesse caso Thomas Carlyle e Herbert Spencer – e reforçado pelo norte-americano Giddings –, esse conceito foi transferido para novos contextos a fim de interpretar o Brasil, como exporemos adiante, no capítulo 4 (cf. Pallares-Burke, 1997, p.22; 2002, p.846-7; Freyre, 1987b, p.101).

A atenção aos "pormenores significativos", que se tornará parte essencial da abordagem inovadora de Freyre, também era considerada por ele como um legado dos romancistas, biógrafos e memorialistas ingleses, como James Boswell, Lytton Strachey, Rebecca West e tantos outros. Até Herbert Spencer era assemelhado por Freyre aos romancistas ingleses "na atenção que sabia dever o sociólogo ou o antropólogo social dispensar a pormenores significativos do cotidiano" (Freyre, 1964, p.xxv). Sem a obra de muitos desses exímios observadores e retratistas ingleses, como Luccock, Koster, Maria Graham e Burton, disse certa vez Freyre (1948a, p.27-9, 37-8), o Brasil seria menos conhecido em certos "aspectos menos ostensivos da nossa própria formação". O mesmo, segundo ele, se aplica a Portugal: "ninguém pode hoje aprofundar-se no estudo de certos aspectos da vida, da arte ou da história de Portugal, desprezando os livros ingleses". É por essa razão que nos idos de 1923, após deixar Oxford, onde passara, como disse, "a melhor temporada" de sua vida, Freyre chegara a Lisboa "impregnado de literatura inglesa" e vira o país "com olhos de inglês"; a partir daí, conforme confessa em

---

32 Sobre o estilo de Freyre, ver os excelentes ensaios de Nery da Fonseca (1981; 2002).

1942, suas leituras inglesas não o deixavam mais "viajar sozinho" e sua visão de "Portugal inteiro" ficara definitivamente informada e marcada pelas vozes dos poetas, romancistas e viajantes ingleses que lera na juventude (Freyre, 1942a, p.115-9).

Quanto à Espanha, é plausível que tenha sido por meio de Havelock Ellis, o "revolucionário cultural" (Freyre, 1942a, p.111) inglês que Freyre tanto admirava, que descobriu a riqueza do pensamento espanhol representado por figuras como Angel Ganivet[33] e Miguel Unamuno, tal como são analisadas em *The Soul of Spain*, livro que Freyre encomendou a seu amigo Simkins em 1927.[34] É nele que Ellis enaltece a figura de Ganivet como "o profeta de um movimento de renascimento espiritual na Espanha": o autor que se sobressaía em seu tempo, como disse Ellis (em passagem marcada pelo jovem Freyre com traço ao longo da margem e parênteses), "com seu conselho enfático para que seus compatriotas olhassem para dentro de si mesmos e buscassem a salvação [da Espanha] neles próprios e em suas melhores tradições" (Ellis, 1927, p.404).[35]

E o *sense of humour*, qualidade que Freyre tanto valorizava e que parece ter conscientemente adotado como modo de encarar a vida – conforme atesta sua correspondência – era, segundo ele, peculiaridade bem inglesa: o "que há de mais profundo no espírito dos ingleses e de mais característico no seu comportamento".[36] É essa qualidade que tem o poder de contrabalançar, e mesmo corrigir, o pedantismo, a arrogância e o etnocentrismo desse povo que sabe, mais do que nenhum, segundo Freyre (1942a, p.25-6), rir de si mesmo. No Brasil, temos em Machado

---

33 Sobre a especial importância de Ganivet para a trajetória de Freyre, ver o excelente estudo de Bastos, 2003.

34 Carta de G. Freyre a F. B. Simkins, 15/8/1927, Simkins Papers, Longwood College.

35 A cópia de Freyre guarda muitas marcas de sua leitura atenta. Cumpre aqui registrar (mas não evidentemente como prova conclusiva) que nas listas de "autores lidos ou relidos este ano" e de autores a ler ou adquirir do início dos anos 1920 encontradas nos papéis de Freyre, não constam nomes de autores espanhóis (cf. capítulo 1, notas 77 e 78).

36 Cartas de G. Freyre a A. Freyre, 16/2/1931; de G. Freyre a M. Bandeira, 4/12/1930; de G. Freyre a O. Lima, 8/1/1923 (carta datada erradamente no original como 1922); de G. Freyre a O. Montenegro, 24/12/1935; de G. Freyre a R. M. F. de Andrade, Ano Bom 1932-1933 (Freyre, 1978).

Gilberto Freyre

de Assis a "assimilação genial" do *humour* inglês", aponta Freyre (1987a, p.19) com orgulho. Que esse dom de rir de si mesmo era também uma característica marcante de seu comportamento foi algo que Francis Butler Simkins, o amigo que conheceu na Universidade de Columbia, bem notou. Referindo-se, nos anos 1940, à carreira política que Freyre seguira paralelamente à literária – e que ele, de certo modo, lamentava –, Simkins afirmou sobre o brilhante amigo que se tornara "senador do Brasil": "eu diria que Gilberto degenerou em mais um outro político da América do Sul, não fosse eu saber que ele possui senso de humor. Quando ele se pavoneia e faz pose tenho certeza de que há, ao menos, uma pessoa rindo de tudo isso. Essa pessoa é o próprio Senador".[37]

Freyre era bastante familiarizado com o desenvolvimento da literatura inglesa ao longo de séculos, desde Shakespeare, que ele estudou na Universidade de Baylor, até os escritores de sua época. Seus autores favoritos, no entanto, vêm preferencialmente de um período, o vitoriano.

Aos escritores do período anterior, o romântico, Freyre não era indiferente. Mas os líderes do movimento romântico inglês, tais como os poetas Wordsworth, Coleridge, Shelley e Keats, não estão entre seus autores favoritos. Entre os escritores e pensadores ativos na primeira metade do século XIX, o jovem pernambucano admirava o ensaísta e biógrafo Thomas Carlyle (1795-1881) e o eclesiástico John Henry Newman (1801-1890). Freyre, no entanto, muito apreciava o Romantismo num sentido amplo, e chegou a dizer que "romântico" era um "adjetivo caluniado" e que ele próprio era um "neorromântico", "realista-romântico", a quem "a caracterização pura e simples de 'romântico' não me ofende; ao contrário, agrada-me" (Freyre, 1968b, p.61-2; 1968a, p.64). Reconhecendo no seu gosto pela contradição uma "marca romântica", Freyre chega a dizer certa vez que "contradição não é sinal de falsidade; nem a ausência de contradição sinal de verdade" (1968b, p.64). Muitos dos brasileiros que admirava pelo que neles havia de inovador, de experimentador e de antiacadêmico eram qualificados por Freyre também como românticos. Euclides da Cunha e Joaquim Nabuco, por exemplo, ambos por "influências inglesas", eram, em certos aspectos,

---

37 Cf. F. B. Simkins, autobiografia inédita, cit., c.1942-1949, cap. 8.

românticos (Freyre, 1987a, p.31). E teria sido melhor para o Brasil se "D.Pedro II e seus estadistas" tivessem sido românticos. No seu parlamento, lamenta Freyre (1926, p.17, 21), "só houve um romântico: Martinho Campos". O bom senso inglês – que Freyre tanto admirava por se opor a excessos e por ser despretensioso como a própria expressão inglesa *common-sense* revela – era para ele um valor também claramente romântico.[38]

Cumpre lembrar que Walter Pater, um dos ensaístas mais lidos por Freyre, escreveu um belíssimo texto em *Appreciations* – uma obra que Freyre comprou em Oxford em 1922 – exatamente sobre a definição de "romântico", desvencilhando-o do sentido convencional e muitas vezes enganoso a que essa palavra, segundo ele, estava normalmente associada. Nesse pequeno ensaio, que o crítico A. C. Benson considerou um manifesto de "grande valor" das crenças de Pater, o ensaísta de Oxford argumenta que antes de ser usado para caracterizar um movimento específico ao qual certos autores de determinado período se filiaram, "o espírito romântico é, na realidade, um princípio sempre presente e estável no temperamento artístico" (Benson, 1911, p.64-9).[39] Em outras palavras, argumenta Pater, a oposição entre o classicismo, com sua adesão ao princípio da autoridade, e o romantismo, com sua adesão ao princípio de liberdade, é tão antiga quanto a formação da arte e da literatura europeias; são, como ele diz, "duas tradições", "dois princípios" que "compartilham do espírito da arte". O que caracteriza essencialmente o espírito romântico é a "curiosidade e o amor pela beleza" e o caráter, por assim dizer, apaixonadamente voltado para a inovação; e se isso sempre pode ser encontrado em toda "arte excelente", num sentido limitado pode-se dizer que é o produto de épocas determinadas – que surgem especialmente após um "período de estagnação e *ennui*". Como Pater claramente explicita, "o romantismo, apesar de ter suas épocas, é nas suas características essenciais muito mais um espírito que se mostra

---

38 *Diário de Pernambuco*, 17/6/1926.

39 O texto de A. C. Benson foi atentamente lido por Freyre em 1922 (ver capítulo 1) e o trecho em que o autor trata desse ensaio de Pater sobre o sentido de "romântico" foi levemente marcado.

em todos os tempos e em vários graus em trabalhadores (*workmen*) individuais e suas obras" (Pater, 1910c, p.241-91, 255-7).[40]

Importante também é salientar que John Ruskin, o grande mentor de Pater, defendera no seu famoso e influente capítulo de *The Stones of Venice* (1853) sobre a natureza do gótico que o espírito de inovação, de inventividade, e a abertura à imaginação andam lado a lado com a imperfeição, o inacabamento e o fracasso.[41] É por haver, por assim dizer, uma correlação entre inovação e imperfeição, que Ruskin afirma com o que pode parecer um "fantástico paradoxo" que "nenhuma arquitetura que não é imperfeita pode ser realmente nobre". A valorização da imperfeição e do inacabamento – que, cumpre notar, encontraremos também bem marcadamente no ensaísta Freyre – no caso da arquitetura gótica é sinal de "nobreza"; no caso do ser humano e de seus atos, é sinal de humanidade, acrescenta Ruskin. Querer perfeição nos homens, diz ele, é "desumanizá-los". Deficiências, irregularidades e fracassos de vários tipos indicam abertura para mudanças e progresso e são, pois, "sinais de vida" e "fontes de beleza"; querer banir a imperfeição significa, na verdade, "paralisar a vitalidade". Enfim, conclui Ruskin, "aceite isto então como uma lei universal, que nem a arquitetura e nem outro trabalho nobre do homem podem ser bons a não ser que sejam imperfeitos" (Ruskin, 1900, p.4-21).[42]

Vários dos pensadores vitorianos com quem Freyre mais se identificava e que mais o inspiraram – John Ruskin (1819-1900), William Morris (1834-1896) e Walter Pater (1839-1894), por exemplo – também estavam, eles mesmos, enfeitiçados pelo Romantismo e suas críticas à sociedade de seu tempo seguiam uma tradição romântica. Eles, ao

---

40 Esse ensaio aparece como *Postcript* do *Appreciations – with an Essay on Style*. O exemplar de Freyre está autografado e datado "Oxford 1922".

41 Muitos trechos em que Benson se refere à importância de Ruskin para a formação de Pater estão marcados no exemplar de Freyre. O livro de Ruskin (edição Bernhard Tauchnitz, 1906) consta da biblioteca de Freyre em Apipucos e faz parte de uma longa lista de livros encontrada entre seus papéis; lista que, ao que tudo indica, foi elaborada durante sua permanência no exterior e continha os títulos que pretendia ler ou adquirir (ver capítulo 1, nota 78).

42 Um dos indícios de que Freyre conhecia esse texto é o artigo do *Diário de Pernambuco* de 6/7/1924 onde ele faz referência às preocupações com a "linguagem arquitetônica" de Chesterton e a relaciona com Ruskin.

lado de outros em quem Freyre também iria se inspirar – como Dante Gabriel Rossetti e o grupo dos pré-rafaelitas que liderou –, eram o que Graham Hough (1947) chamou de "os últimos românticos". Na verdade, o medievalismo de Ruskin e Morris, assim com o regionalismo do romancista Thomas Hardy, por exemplo, podem ser vistos como românticos num sentido amplo, e não convencional, do termo (Thompson, 1977; Willimas, 1961). Como bem lembrou Raymond Williams (1961, p.165), em certo sentido "não há períodos no pensamento", ou seja, muito depois do fim "oficial" do período romântico (c.1830) podemos encontrar românticos, e muito antes do perído vitoriano oficialmente terminar ele já havia "praticamente se extinguido". Ao que Thompson (1977, p.136) acrescentaria que o que é visto caracteristicamente como parte do "vitorianismo" não surgiu de repente, e que "Wilberforce, o protótipo de tantos homens públicos vitorianos, estava morto antes de a Rainha Victoria ter subido ao trono".[43]

Em sua biografia de William Morris, Thompson mostrou brilhantemente como alguns aspectos da "crítica romântica" ao capitalismo – que costuma ser apressadamente descartada como nostálgica, regressiva, sentimental ou moralista – foram incorporados por Morris em suas ideias socialistas e em sua crítica à sociedade capitalista. Ao final de sua vida, como lembra Thompson (1977, p.809), o próprio Morris se identificava claramente como romântico: "ouço pessoas serem ofendidas por serem românticas, mas o que romance significa é a capacidade para uma verdadeira concepção da história, um poder de fazer o passado parte do presente".

Freyre se sentiu igualmente atraído por escritores mais novos, cujos trabalhos principais foram escritos já no século XX, mas que se formaram na era vitoriana e também foram afetados, em algum grau, pela

---

43 William Wilberforce (1759-1833), membro da elite política e social de seu tempo, foi um político e abolicionista inglês, cujo cristianimo evangélico é visto como tendo ajudado a moldar a era vitoriana. Sobre uma visão mais ampla do romantismo (e do vitorianismo), ver também Greenblatt & Gunn (1992, p.1-11); Ferguson (1992); Levine (1992). Interessante notar que, em sua tese de mestrado de 1922, Freyre se refere ao "idealismo burguês de Wilberforce" informando a oratória do "jovem Nabuco e do Sr. Ruy Barbosa" (cf. Freyre, 1922a, p.607).

tradição romântica: o romancista Arnold Bennett (1867-1931), o ensaísta Gilbert K. Chesterton (1874-1936) e Yeats (1865-1939), o poeta que, em 1931, declarou-se um dos "últimos românticos" (apud Christian, 1989, p.11). Até mesmo o mestiço Lafcadio Hearn (1850-1904) foi caracterizado por Freyre como "romântico inglês" (1951).

A essa altura torna-se necessário ressaltar que seria um erro escrever a história cultural da Inglaterra em termos do contraste entre os românticos visionários e rebeldes do início do século XIX e os sóbrios, reprimidos e conformados vitorianos do fim do reinado da Rainha Victoria. Ambos os períodos são bem mais complexos. O estereótipo dos conservadores e austeros vitorianos deve muito ao escritor Lytton Strachey, cujo *Eminent Victorians* é ao mesmo tempo brilhante e injusto. Esse livro foi publicado em 1918, quando o autor (que tinha vinte e um anos quando a Rainha Victoria morreu), e provavelmente também seus leitores, sentiam necessidade de se rebelar contra a geração de seus pais. Era mais fácil para Gilberto Freyre, que tinha vinte anos menos do que Strachey, ver os vitorianos com interesse e simpatia, do mesmo modo que o historiador cultural inglês Christopher Dawson (1889-1970). Em sua "reavaliação" das ideias e crenças dos vitorianos, Dawson (1949, p.27) assinalou que a era vitoriana era comumente percebida em termos estereotipados como "empolada, convencional e reacionária", mas que ela também fora uma era de revolução, de industrialização, de urbanização, da extensão do direito de voto, e assim por diante. Longe, pois, de ser uma era uniforme, os conflitos entre os indivíduos e grupos eram uma parte essencial da história da Inglaterra vitoriana, do mesmo modo que eram uma parte essencial da história do Brasil na época da juventude de Freyre. Nesse respeito, a visão de Freyre também se assemelhava à do renomado teólogo e ensaísta William Ralph Inge, que num livro sobre a era vitoriana – que Freyre possuía e marcou em trechos significativos – defendeu a ideia de que, não obstante seus excessos, havia muito nela a ser louvado: "desde a idade áurea da Grécia, nenhuma outra era pode vangloriar-se de contar com tantas figuras magníficas ... como o reinado da Rainha Vitória" (Inge, 1922, p.38).[44]

---

44 Trecho marcado com um traço ao longo da margem.

Deve ser aqui assinalado que Freyre não admirava os vitorianos indiscriminadamente. Na palestra sobre Dom Pedro II que deu na Biblioteca Pública do Recife, em 1925, ele deixou claro que condenava o imperador por ele ter feito o Brasil do seu tempo viver uma era cinzenta, uma "espécie de era vitoriana". Como disse na ocasião, "D. Pedro projeta sobre a vida brasileira uma sombra da rainha Vitória, uma sombra de governante inglesa ou suíça rigidamente presbiteriana". Faltou "à sua vida como à sua corte" um espaço, ainda que pequeno, para o pecado; não havia "certo *brilliant setting of sin*", diz Freyre citando, em inglês, um de seus ensaístas favoritos, o esteta vitoriano Walter Pater (Freyre, 1926, p.10).[45] Bem mais tarde, defendendo-se dos críticos que o acusavam de não ter feito "história social e sim história sexual", ele os acusava de serem "ainda impregnados, ao que parece, de moralismo vitoriano" (Freyre, 1968a, p.104).

Para resolver essa aparente contradição deve ser aqui esclarecido e enfatizado que os autores ingleses que Freyre mais apreciava eram vitorianos antivitorianos ou românticos pós-românticos. Ruskin, Morris, Carlyle e mesmo Yeats, por exemplo, eram vitorianos que se opunham corajosamente a muito do que era consagrado em seu tempo, nisso se assemelhando a outros antivitorianos que criticavam sua própria época com uma agudeza que demorou a ser reconhecida pela posteridade. Como argumenta Buckley (1951, p.5), "os vitorianos ainda são os mais severos de seus próprios críticos, possuindo uma capacidade de distanciamento incrível, um singular empenho em fazer denúncias e ... um talento inigualável para a paródia". Talvez com a única exceção de Herbert Spencer, os mentores de Freyre eram denunciadores dos "homens mutilados" (os típicos vitorianos descritos em 1869 por Matthew Arnold em *Culture and Anarchy*), do capitalismo industrial, da feiura da modernidade

---

45 A frase de Pater, tal como Freyre a citou (e que pode ser traduzida como "um meio brilhante para o pecado"), não consegui localizar. É possível que ele estivesse citando de memória a referência feita por Pater à cidade de Milão – "uma vida de pecados brilhantes e divertimentos requintados"– em seu *Renaissance* (Pater, 1910c, p.109). A conferência de dezembro de 1925, publicada originalmente na *Revista do Norte* em 1926, sofreu algumas significativas alterações ao ser republicada em 1944 em *Perfil de Euclides e outros perfis* (Freyre, 1944).

e até, às vezes, da moralidade sexual puritana, como Oscar Wilde e os escritores, poetas e artistas que contribuíram para a famosa e influente revista de vanguarda associada ao esteticismo e decadentismo do final do século, *The Yellow Book* (1894-1897). Essa revista foi inclusive mencionada por Freyre em sua palestra de 1925, e nela há mesmo trechos em que Freyre soa como um verdadeiro esteta vitoriano, na linha de Walter Pater ou Oscar Wilde, autores que também foram especificamente citados nessa ocasião (Freyre, 1926; Merquior, 2002). Enfim, como bem notou Merquior em 1981, "no perfil ideológico do anglófilo Gilberto Freyre", o esteticismo e o decadentismo inglês estavam bem presentes (Merquior, 2002, p.1045-6).

Para finalizar esta introdução, gostaria de retomar o que já aludi anteriormente sobre a clara concepção que, desde muito cedo, Freyre tinha sobre o que uma biografia deveria ser, salientando, nesse momento, por que razão a biografia que admirava e recomendava era "à inglesa" ou "romântica", e não "clássica".

Poucos meses após voltar ao Brasil, depois de cinco anos de ausência, Freyre se queixou perante seus leitores do *Diário de Pernambuco* da inexistência de uma verdadeira biografia de D. Pedro II. Muito do que existia eram caricaturas de biografia, ou seja, panegíricos, apologias. Mas, acrescentava o jovem jornalista, "D. Pedro II não necessita da 'necrofília' de ninguém para continuar moralmente grande".[46]

"Necrofília", esclarecia o jovem Freyre nessa ocasião, era o termo utilizado por A. R. Orage para designar "a superstição da imaculabilidade dos mortos". Significativamente, Orage era um crítico inglês, assim como outros biógrafos que Freyre iria muito citar como exemplares: A. J. A. Symons, Osbert Burdett, Arthur Ponsonby e Lytton Strachey, ao menos o Strachey das obras biográficas menos irônicas e agressivas. O que havia em comum neles era a convicção de que uma biografia deveria retratar um homem e não um "monumento" ou uma "estátua".

Os que insistem em retratar os homens em seus traços olímpicos, sem imperfeições ou incoerências, como que sacrificam a dimensão humana das personalidades estudadas e correm o risco de imobilizá-las

---

46 *Diário de Pernambuco*, 16/12/1923.

em "figuras de mármore", transformando-as em ficção monótona e fria. Esse é o tipo de biógrafo a quem Freyre chama de "clássico". Contentando-se em revelar os triunfos, os sucessos e os traços harmoniosos do seu objeto de estudo, o biógrafo "clássico" esconde e abafa "os fracassos ou os insucessos; os despeitos; os ressentimentos; as ambições, os amores ou os interesses contrariados; as invejas; os complexos; as fraquezas".

Numa linha muito semelhante à defendida por John Ruskin em *The Nature of the Gothic*, como vimos acima, Freyre argumenta que, diferentemente do "clássico", o biógrafo "romântico" ou "à inglesa" é aquele a quem não "repugna o inacabado, o incorreto, o imperfeito", pois sabe que a complexidade e a contradição são marcas de humanidade, e que "convém não acreditar nunca na existência de homens em que a vida não tenha deixado cicatrizes, deformações, marcas repugnantes ou apenas lamentáveis. Pois nenhum homem, grande ou medíocre, mas principalmente grande, é até ao fim da vida um só homem ou uma só pessoa, mas vários homens, várias pessoas". Uma vida analisada sob o "aspecto único da respeitabilidade ou do sucesso, da coerência ou da lógica" atraiçoa definitivamente a verdade. E, aos que temem que a memória de um homem seja maculada se for retratada "sem ruge", Freyre argumenta que os grandes não precisam de "serafismo biográfico nenhum para continuarem a viver na memória de sua gente com suas virtudes e seus defeitos de homens autenticamente grandes" (Freyre, 1981b, p.215; 1981c, p.220-53).

É nesse quadro que o jovem Freyre elogia a biografia do Barão de Mauá escrita por Alberto de Faria (1933). Eis aí uma verdadeira biografia, diz ele em 1926 aos seus leitores do *Diário de Pernambuco*; não uma apologia, estátua ou monumento oficial, mas "a clarificação e a interpretação de uma vida". Trata-se, como diz Freyre, de uma autêntica "biografia à inglesa", em que o autor "procura deixar o leitor sozinho diante da grande figura de Mauá". E, completando, acrescenta um toque de humor caracteristicamente seu, ao contrastar o "biógrafo à inglesa" com os "biógrafos horríveis que a cada página parecem surgir para dizer bem alto ao leitor: 'pois é este o homem! Veja que homem ilustre! Que homem honrado! Que figura gloriosa! Que patriota excelso! Mas você está prestando atenção à grandeza do homem! E que coração! Que pai de família! Que marido! Nunca prevaricou! Uma glória! Leia com atenção, homem!'".[47]

Finalmente, uma nota de última hora e alguns esclarecimentos:

Quando este livro já estava no prelo, a discussão de cotas para negros em universidades brasileiras – que se vem acirrando nos últimos tempos – mostrou quão relevante é ainda hoje a controversa ideia de "democracia racial", uma das ideias de Gilberto Freyre cuja atribulada gênese este trabalho busca rastrear. Em junho de 2005, o antropólogo Peter Fry criticou em entrevistas o sistema de cotas por achar que ele ajuda a criar o mito do conflito racial (que por sua vez encoraja conflitos reais) e se referiu à "democracia racial" com simpatia: a "utopia de uma sociedade a-racista" que vale a pena cultivar como "um ideal a ser alcançado". Antes um severo crítico das ideias de Freyre, Fry o vê agora como aliado (Fry, 2005b; 2005c).

As traduções dos textos em língua estrangeira são minhas, com exceção das de textos em alemão, quando contei com a valiosa colaboração de Stella Wittenberg.

Os textos em português, em que Freyre inclui pequenas passagens em inglês, são citados conforme o original.

Os textos da juventude de Freyre escritos em inglês também serão citados como aparecem no original. Em ambos os casos, a tradução aparecerá ou no próprio texto ou em nota.

Nem sempre foi possível utilizar as mesmas edições dos livros lidos e marcados por Freyre na elaboração deste trabalho. Muitas vezes, portanto, as páginas referidas não coincidem com as de seus livros da biblioteca de Apipucos.

---

47 A resenha de Freyre, com o título "Mauá", foi publicada no *Diário de Pernambuco* em 1926, na época do lançamento do livro (o recorte do jornal, cuja data específica não está visível, encontra-se no AFGF).

1
Anos de aprendizado: 1918-1923

> "Un cerveau de vingt ans est une nébuleuse. Les influences,
> les lectures, les expériences les plus contradictoires s'y
> sont donné rendez-vous, se disputant âprement la conquête
> d'une personnalité qui n'a pas pris conscience d'elle même
> et qui, à proprement parler, n'existe pas encore."
> Victor Giraud (apud Freyre, caderno de anotações 1921-1922)

O escritor Gilbert K. Chesterton nos conta em um de seus ensaios que um dia, quando estava se preparando para viajar, um amigo entrou em seu apartamento no bairro londrino de Battersea e ao vê-lo rodeado de malas perguntou-lhe: "Você parece estar de saída para suas viagens... Para onde vai?" "Para Battersea", respondeu Chesterton. E explicou ao amigo intrigado que, por mais paradoxal que parecesse, de onde estava não podia ver seu próprio bairro, e mesmo Londres ou a Inglaterra. Para chegar aonde já se encontrava precisava perambular pelo mundo; e se ia à França ou à Alemanha, por exemplo, não eram, entretanto, esses países que buscava, mas sim Battersea. "Todo o objetivo de viajar", afirma Chesterton, "não é pôr os pés em terras estrangeiras: é finalmente pôr os pés em seu próprio país como se fosse uma terra estrangeira ... o único meio de chegar à Inglaterra é ir para longe dela" (Chesterton, 1968, p.144-5).[1]

Essas palavras do ensaísta inglês, grandemente admirado e desde muito cedo frequentemente citado por Freyre, podem muito bem servir para caracterizar o profundo significado que tiveram na vida do jovem pernambucano os cinco anos em que se ausentou do país, assunto do presente capítulo.

Aluno do Colégio Americano Batista, onde se destacava por seu brilho e erudição, Freyre sentia-se, no entanto, tolhido pelo que chamava de "aldeia recifense". Viajar para o estrangeiro significava para ele e seus familiares criar condições para que seu grande potencial fosse devidamente desenvolvido e suas perspectivas ampliadas. Fora-se o tempo em que os Freyre se afligiam com o atraso do menino Gilberto, incapaz de ler, escrever e contar até quase os 8 anos de idade. Na verdade, Freyre, assim como Yeats, outro "inglês" que ele iria conhecer pessoalmente e muito admirar, havia sido tomado como "retardado mental" na sua meninice (Yeats, 1955, p.23; A. Freyre, 1970, p.112; Freyre, 1975, p.172). No entanto, após ter sido "salvo" pela "ação como que mágica ... e muito inglesa" de Mr. Williams – o professor inglês que reconheceu bem cedo sua *unusual intelligence* – e revelar-se um estudante de curiosidade insaciável, nenhum sacrifício parecia demasiado à família orgulhosa e empenhada em ajudar o jovem inquieto, ambicioso e extremamente promissor.[2] Não fosse a guerra, a Europa seria a meta escolhida, diria Freyre em seu diário-memória de 1975. Para quem tinha interesses mais literários e filosóficos como ele (e não matemáticos, como seu irmão Ulisses), os Estados Unidos pareciam uma alternativa inferior, mas a única viável nos idos de 1918. Sem dúvida, mais do que no Recife (é no que a família apostava), lá o brilhante adolescente poderia encontrar interlocutores com quem conversar sobre Kant, Nietzsche, Shakespeare,

---

1 Sobre Sérgio Buarque de Holanda e Caio Prado como "companheiros de geração" de Freyre, que também tiveram a experiência de viver no exterior, ver Santos (1990, p.45-66).

2 Cartas de Ulisses Freyre a Gilberto Freyre – especialmente a de 12/9/1921 – evidenciam que a situação econômica da família não era de muita largueza e que a manutenção de Freyre nos Estados Unidos implicava sacrifício por parte de todos. No rascunho de autobiografia em inglês, Freyre se refere à importância de Mr. Williams em sua formação.

Bunyan, Spencer, Bergson, Tolstoi, Stuart Mill e tantos outros pensadores que estava descobrindo com avidez, mesmo nos limites do ambiente recifense. Do Texas, onde estudava, seu irmão Ulisses lhe escrevia em 1916: "... tenho pensado seriamente sobre a tua vinda aqui, e a respeito disto já escrevi algumas linhas a meu pai. Julgo que devias fazer todo o possível para vires, pois não podes avaliar quanto aproveitarás com a tua estadia aqui por alguns anos" (Freyre, 1975, p.3-22).[3]

Os anos norte-americanos

A outra província

O primeiro destino do jovem recifense foi a pequena e não muito promissora cidade texana de Waco, ao sul de Dallas. Aparentemente a Universidade de Georgetown, em Washington D.C., chegara a ser uma das alternativas cogitadas por Freyre, mas a Universidade de Baylor, em Waco, por sua filiação com a Igreja Batista, apresentara-se como a escolha mais fácil para um egresso do Colégio Americano Batista do Recife prosseguir seus estudos nos Estados Unidos:[4] já havia em Baylor uma tradição de receber alunos do Recife, e os "créditos do Colégio Americano" preenchiam suas exigências de admissão.[5] Rememorando na década 1950 esse período, Freyre explica que além de seu pai considerar que os Estados Unidos eram "the messianic nation of the modern world" havia outros motivos para que ele e outros jovens pernambucanos fossem estudar em Baylor.

We were sent to that particular university because our secondaries [sic] studies in the "Colegio Americano" were accepted by it, since most of

---

3 Carta de U. Freyre a G. Freyre, 22/5/1916 (AFGF).

4 Carta de U. Freyre a G. Freyre, 14/8/1918 (AFGF).

5 Ulisses Freyre e os irmãos Edgar e Lauro de Britto são alguns dos nomes de alunos recifenses que frequentaram Baylor nesse período. Segundo o *Baylor University Record Book*, os créditos que Freyre trouxe do Colégio Americano foram: "English 4; Hist. of Brazil 1; Gen. Hist. 1; Natural Hist. ½; Alg. and Phs. 3; Greek 2, Latin 4; Math. 2; History 1; Latin 2/7; Advanced Standing: Spanish 2; French 6".

the Anglo-American directors and teachers of the same 'colegio' were graduates of that university. Also personal care and special assistance to the Brazilian students that went to the same university were promised to their parents in Brazil by the authorities of the 'Colegio Americano' that had, then, among its students, sons of some of the best Catholic families of the Brazilian Northeast: the sons of planters, prominent medical doctors, judges, lawyers, of merchants and industrialists, of members of the National Parliament."[6]

Fundada em 1845 e conhecida como o "Vaticano Batista", pela importância que tinha para essa Igreja protestante, Baylor, apesar de vir a ser classificada pelo jovem Freyre como "terrivelmente provinciana", acabou se revelando um excelente primeiro estágio no exterior (Freyre, 1975, p.30).[7] Ao chegar a Waco, Freyre ainda estava atraído pelo protestantismo e, a crer em um de seus rascunhos de autobiografia, o missionário David Livingstone (1813-1873) era seu grande herói. Mas ao final do seu primeiro ano de universidade, após se dar conta da ignorância e das limitações de muitos estudantes que se preparavam para se tornar missionários, Freyre teria reconhecido que Livingstone era uma exceção, pois a regra entre os protestantes anglo-saxões era ser "a Bible-maniac". A partir de então, nas suas próprias palavras, seu "enthusiasm for the Anglo-Saxon form of Christianity – the Protestant one rather than the Anglo-Catholic – was gone". Em contrapartida, voltava com redobrada força a poderosa influência da tradição latina e católica brasileira que absorvera em casa, especialmente por meio de sua mãe, para quem o protestantismo que abraçara era equivalente a uma heresia. Foi a partir dessa "crisis of immaturity" ou "adolescent's adventure" que Freyre,

---

6 "Nós éramos enviados para aquela específica universidade porque nossos estudos secundários no 'Colégio Americano' eram por ela aceitos, já que a maioria dos diretores e professores anglo-americanos do mesmo 'colégio' haviam se formado naquela universidade. As autoridades do 'Colégio Americano' também prometiam aos pais que cuidados pessoais e assistência especial seriam prestados aos estudantes brasileiros. Filhos de algumas das melhores famílias católicas do Nordeste brasileiro estavam entre os alunos que frequentavam esse colégio: filhos de senhores de engenho, de proeminentes doutores, juízes, advogados, comerciantes, industriais e membros do Parlamento nacional". Em rascunho de autobiografia em inglês (ver "Introdução", nota 16).

7 O motte da Baylor University é "Pro Ecclesia Pro Texana".

como diz, ficou inclinado a concluir que, ao menos sob alguns aspectos, a "Latin Catholic civilization was, perhaps, superior to the Anglo--Saxon Protestant one".[8] Muitos anos levaria ainda para que Freyre, mesmo sem descartar os valores culturais britânicos ou anglo-saxões que prezava, desenvolvesse esse *insight* numa apreciação dos valores "latinos ou católicos".

No ínterim, as variadas atividades culturais do campus de Baylor – concertos, teatro, exposições, visitas de celebridades, como o vice-presidente do país, palestras de grandes figuras literárias, como W. B. Yeats e Vachel Lindsay – bem como os passeios pela região preenchiam sua sede cultural e o mantinham constantemente ocupado. Como diz a seus leitores do *Diário de Pernambuco*, essas atividades livravam o ambiente universitário de qualquer "monotonia e banalidade".[9] A oportunidade de dar palestras sobre o Brasil na Waco High School e no Business Club de Baylor bem como de exercer a função de instrutor de francês e de espanhol, num "curso de leitura em Espanhol sobre a moderna América Latina", também contribuíam para enriquecer as experiências do jovem recifense.[10] E se é verdade que seus colegas – a maioria "ianques sulistas" e divididos igualmente entre homens e mulheres (Freyre, 1975, p.77)[11] – foram um desapontamento do ponto de vista intelectual, Freyre encontrou no dinâmico e empreendedor Andrew Joseph Armstrong "o fascinante 'head of the English Department'", um grande estimulador de suas pretensões literárias e um interlocutor profundamente

---

8 Rascunho de autobiografia em inglês ("entusiasmo pela forma de cristianismo anglo--saxão se foi"; "crise de imaturidade"; "aventura de adolescente"; "a civilização católica latina era talvez superior à protestante anglo-saxã").

9 *Diário de Pernambuco*, 9/2/1919.

10 Carta de G. Freyre a John C. Branner, 22/2/1919, Branner Papers, Department of Special Collections, Stanford University (daqui em diante referido como Branner Papers).

11 Em 18 de outubro de 1918, o *Waco Daily Times-Herald* anuncia que, do total de 867 alunos matriculados no primeiro ano, 439 eram mulheres e 428 homens. Alguns dias mais tarde, 13 de outubro, os dados são revisados e o número de mulheres matriculadas passa a ser 432, enquanto o de homens 435. Desses, 222 eram originários da própria cidade de Waco. Entre os que receberam o grau de bacharel em artes com Freyre em 1920, 136 eram do Texas, 7 eram de outros estados, e só Freyre era estrangeiro (cf. *Waco Daily Times-Herald*, 6 out., 1918 e Baylor University, *The Seventy-sixth Annual Commencement, 1918*).

interessado nos seus projetos de vida.[12] Com ele e sua família Freyre iria desenvolver profundas e duradoras relações de amizade. "Os Armstrongs são os meus melhores amigos nos Estados Unidos", confessa Freyre ao amigo e confidente Manoel de Oliveira Lima, ex-diplomata radicado então em Washington D.C.[13] As calorosas cartas que Freyre e Armstrong trocaram ao longo dos anos, entremeadas ocasionalmente por queixumes ora de um ora de outro por falta de notícia ou de atenção, atestam o profundo significado desse encontro na trajetória do futuro autor de *Casa-grande & senzala*.[14]

Sempre ávido da aprovação de Armstrong, a quem relata periodicamente seus planos e realizações, bem como suas dificuldades, Freyre se mostra às vezes até mesmo inseguro e emocionalmente dependente da palavra amiga do antigo mestre. Alguns exemplos dão cabal testemunho disso. Do exílio em Lisboa, em 1931, escreve uma carta tocante antes de embarcar para Stanford, para onde fora convidado como professor visitante. Que Armstrong, sem falta, lhe escreva para o vapor, "aos cuidados da Companhia ou agente em New York", pois é de grande importância ter suas palavras de boas-vindas logo ao chegar ao país. "O senhor sabe que a memória de nossa amizade é uma das mais carinhosas e agradáveis memórias que eu guardo de minha estada nos Estados Unidos". Feliz e grato "com as bondosas palavras de acolhida" que Armstrong telegrafara prontamente para a linha de navegação, e que o aguardavam em Nova York, Freyre escreve dois dias após chegar a Stanford, comovido com a atenção do amigo.[15] Em novembro de 1934, já autor bem-sucedido, Freyre lhe escreve outra carta bastante signi-

---

12 Carta de G. Freyre a Manoel de Oliveira Lima (daqui em diante referido como O. Lima), 4 de maio de 1919, em Freyre (1978, p.168).

13 Carta de G. Freyre a O. Lima, 9/7/1921 (Freyre, 1978, p.182). Por ocasião da morte de Armstrong, em 1954, Freyre escreveu um comovente artigo no *Diário de Pernambuco* em 25 de julho.

14 A correspondência entre Freyre e Armstrong que examinei abrange os anos de 1920 a 1952 e fornece uma boa amostra dos laços que os uniram desde que se conheceram em Baylor, apesar de ser evidente que inúmeras cartas se perderam.

15 Cartas de G. Freyre a A. J. Armstrong: de Lisboa, 3/3/1931, e de Stanford, 2/4/1931 (Armstrong Papers, Arquivo da Armstrong Browning Library, Baylor University, Waco, Texas – daqui em diante referido como Armstrong Papers).

ficativa. Está ansioso por ouvir a reação de Armstrong ao seu *Casa-grande & senzala*, o que já lhe cobrara meses antes, e um tanto irrequieto, ou mesmo irritado com o seu silêncio, lhe confessa: "O fato é que eu devo muito ao Sr., mas pouco à 'dear old Alma Mater'".[16] Preferência, aliás, notada anos antes pelo próprio Armstrong quando, ao pedir um favor ao antigo aluno, em tom de brincadeira lhe diz: "Se você ama Baylor, o que eu tenho certeza que não, e se você me ama, e eu jamais tive qualquer razão para duvidar disso, por favor faça um esforço especial para me atender".[17]

Demonstrações de amizade e apreço da parte do prof. Armstrong e também de sua mulher, Mary, eram igualmente indiscutíveis e equivalentes. Em novembro de 1920, por exemplo, meses após Freyre ter-se mudado para Nova York, Mary Armstrong (que também era docente do departamento dirigido pelo marido), em nome da família, agradece comovida a "caixa de doces brasileiros" que Freyre enviara aos Armstrong e lhe cobra notícias mais frequentes de modo enfático: "gostamos muito de suas duas cartas ... apesar de que gostaríamos de ter mais. Eu sei que é um rapaz ocupado ..., mesmo assim nós queremos que escreva ao menos a cada duas semanas, porque caso contrário teremos uma sensação muito clara de que algo nos falta".[18] Algum tempo depois, escrevendo ao ex-aluno quando se preparava para uma de suas costumeiras viagens à Europa, Armstrong declara: "Desejaria muito que você fosse conosco" pois "não creio que haja um único outro rapaz que eu gostaria tanto de ter comigo quanto você"![19] Dois anos mais tarde, em dezembro de 1924, preocupado com a angústia pela qual sabia que o ex-aluno estava passando no Recife, dr. Armstrong se queixa de que receber notícias dele por intermédio de terceiros, "é totalmente insatisfatório porque eu acredito que, exceto sua família, ninguém o compreende tão bem quanto eu"[20]. E no cartão de Natal do mesmo ano volta à baila dizendo: "penso em você quase todos os dias. Por que não escreve e me

---

16 Carta de G. Freyre a A. J. Armstrong, 15/7/1934 e 28/11/1934, Armstrong Papers.

17 Carta de Armstrong a G. Freyre, 24/12/1924, AFGF.

18 Carta da sra. Armstrong a G. Freyre, 10/11/1920, AFGF.

19 Carta de Armstrong a G. Freyre, 11/5/1922, AFGF.

20 Carta de Armstrong a G. Freyre, 24/12/1924.

fala sobre os seus planos e sobre o que está fazendo e sonhando? Não deixe os anos e os mares nos separar".[21] Mais de duas décadas mais tarde, em 1946, temos um Armstrong mais velho e sensível mostrando-se ansioso por notícias do agora famoso ex-aluno. Com um pouco de ironia escreve: "... eu nunca ouço nada de você ... no entanto, eu penso que você poderia me mandar uma carta ao menos uma vez por ano, quer no seu aniversário ou Natal ... Mas imagino que você seja agora um homem muito importante para se preocupar comigo".[22]

Não é exagero afirmar que muito do que em Baylor entusiasmou o jovem Freyre fora fruto do incansável empenho do prof. Armstrong. O dinamismo com que esse professor conseguia movimentar a vida da universidade, e mesmo da própria cidade, é algo digno de nota. Waco, cidade texana a 92 milhas ao sul de Dallas, é parte do chamado *Bible Belt*, termo que surgiu para designar as partes do Sul e do Meio-Oeste dos Estados Unidos, consideradas fanaticamente puritanas ou fundamentalistas.[23] Apegada às tradições sulistas e orgulhosa da "civilização do Old South", a Waco que Freyre conheceu em agosto de 1918 ainda tinha muito frescas as marcas deixadas pela derrota na Guerra Civil americana de 1866; não era, pois, de esperar que nesse ambiente conservador houvesse muitas oportunidades de se entrar em contato com movimentos culturais metropolitanos e inovadores. No entanto, a despeito das limitações, A. J. Armstrong conseguia promover atividades que representavam sopros de ar fresco nesse meio potencialmente asfixiante. Grande parte dos concertos, representações teatrais e visitas de personalidades nacionais e internacionais ao campus de Baylor se devia à sua iniciativa. Por ocasião do Jubileu de Diamante da universidade, em 1920, foi ele quem "organizou um dos mais espetaculares conclaves de celebridades que Texas jamais testemunhara", ocasião em que os poetas William Butler Yeats, Vachel Lindsay e Amy Lowell foram algumas entre as muitas figuras convidadas a participar das festividades de Baylor (Douglas, 1951, p.107). Um artigo no diário local intitulado "Nossa dívida

---

21 Cartão de Natal, "Xmas 1924", AFGF.

22 Carta de Armstrong a G. Freyre, 29/4/1946, Armstrong Papers.

23 Segundo Mencken, foi ele próprio quem cunhou o termo Bible Belt (cf. Teachout, 2002, p.1).

para com Dr. Armstrong" manifestava claramente o reconhecimento da cidade pelo seu trabalho de divulgador de cultura: "Aqueles que se beneficiaram das valiosas atrações em Baylor nas várias estações passadas reconhecem sua dívida para com Dr. A. J. Armstrong, por cujos incansáveis esforços e apreço pelo que há de mais elevado em cultura e arte, artistas mundialmente famosos foram trazidos para o nosso meio".[24]

Indivíduo profundamente religioso, que fizera na infância um voto de abstinência de álcool e fumo reverentemente seguido a vida inteira, Armstrong sem dúvida compactuava em linhas gerais com o espírito da região. Sua religiosidade não o impedia, entretanto, de ser suficientemente aberto para sentir que uma "universidade, para ser uma universidade de primeira classe", devia ampliar os horizontes de seus estudantes, colocando-os, como disse certa vez ao presidente de Baylor, "em contato com as forças do mundo e com os gênios do mundo". Na verdade, desde a infância Armstrong se interessava por pessoas geniais e famosas, o que lhe permitiu colecionar autógrafos de figuras como Einstein, Gladstone e Mark Twain, e se empenhar em conhecer e conversar com pessoas como Gandhi (a quem foi apresentado por seu amigo, o filósofo indiano Rabindranath Tagore), o Papa, e até mesmo Mussolini. Aos seus alunos Armstrong procurava transmitir o mesmo interesse e entusiasmo. Aconselhando-os a "ler grande literatura, encontrar pessoas ilustres e se expandir", lembrava-lhes frequentemente de uma frase de Goethe que considerava sábia: "A vida é rica à medida que nós a enchemos com coisas lindas para delas nos lembrarmos mais tarde" (Douglas, 1951, p.42-8, 184-8, 192, 267).[25]

Amante dos livros e anglófilo, pelo menos no que diz respeito à literatura, Armstrong foi grandemente responsável por acentuar o amor de Freyre pelos livros e pela literatura inglesa, amor que, a crer no seu diário de juventude, havia sido primeiramente estimulado por Mr. Williams, o inglês que o ensinara a ler e a escrever (Pallares-Burke, 1997, p.14-7). Das 22 disciplinas cursadas por Freyre em Baylor, nove eram do Departamento de Língua e Literatura Inglesa dirigido pelo dr. Armstrong, e

---

24 *Waco Times-Herald*, maio de 1922 (cf. Douglas, 1951).
25 Carta de Armstrong a S. P. Brooks, 4 de abril de 1921, Armstrong Papers.

muitas delas ministradas pessoalmente por ele próprio: Composição e Retórica, Prosa e Composição, Dante e Literatura Épica, Desenvolvimento do Romance Inglês, Literatura Inglesa em Viagem, Literatura Americana, Literatura Inglesa da Restauração ao Século XVIII, Shakespeare e Inglês Antigo.[26]

O exame das anotações de aulas de Armstrong, bem como dos programas ministrados pelo seu departamento, fornece uma boa amostra da forma como ele abordava suas disciplinas e da amplitude de seus interesses. Especialista em Robert e Elizabeth Browning, tendo dedicado décadas de sua vida a organizar em Baylor a maior coleção sobre esses poetas britânicos hoje existente no mundo, os interesses de Armstrong extravasavam em muito, no entanto, sua especialidade.[27] É verdade que era movido pela paixão pelos Browning, pelo desejo de transformar Baylor em "Meca dos amantes de Browning", e que as várias atividades que promovia no campus – que incluíram ao longo dos anos visitação de mais de cem figuras e celebridades mundiais – tinham por objetivo primordial levantar fundos para a causa da coleção, na qual grande parte dos seus esforços se concentrava (Douglas, 1951, p.2-3, passim). Para a mesma causa eram dirigidos os lucros das viagens culturais, as conhecidas "viagens educacionais Armstrong" que o devotado professor organizou e conduziu no verão ao longo de décadas, muitas delas incluindo "peregrinações" aos lugares referidos ou visitados por Robert Browning na França e na Itália.[28]

Mas, não obstante essa devoção, sua concepção do que um departamento de língua e literatura inglesa deveria oferecer era bem pouco ortodoxa e suficientemente ampla para incluir, ao lado de representantes da literatura inglesa propriamente dita, poetas líricos medievais e escritores gregos e latinos. Assim, os cursos que organizava incluíam, entre outros, os que versavam sobre Dante, o Renascimento italiano, Shakes-

---

26 As demais disciplinas eram: 5 de Sociologia (Princípios de Sociologia, Cidades, Rural, Família, Origens Sociais), 2 de História (Moderna e Contemporânea e América do Sul), 2 de Zoologia (Invertebrados e Vertebrados), 1 de Geologia (Fisiografia), 1 de Economia (Princípios de Economia), 1 de Bíblia e Ética Cristã, 1 de Psicologia (Introdutório).

27 Desde os anos 1950, a coleção se acha na Armstrong Browning Library no campus da Universidade de Baylor, Waco, Texas.

28 Cf. documentação em Armstrong Papers.

Gilberto Freyre

peare, Goethe, "mundo literário vitoriano" (incluindo Carlyle, Ruskin, Rossetti e os pré-rafaelitas), poesia e drama contemporâneo (incluindo Vachel Lindsay, Amy Lowell, Oscar Wilde, Ibsen, Bernard Shaw, e o hoje esquecido alemão Sudermann). Organizou até mesmo um curso intitulado "curso de obra-prima", que tinha como objetivo fazer que fosse lido tudo aquilo "que um estudante com uma educação integral deve ler". Nele, Homero, Virgílio, Dante, Tasso, Ariosto, os líricos Minnesinger, Goethe e muitos outros eram estudados "pela grande contribuição que deram para o pensamento e literatura mundial".[29] Pode-se dizer, pois, que com esse curso Armstrong inaugurava na provinciana Universidade de Baylor discussões sobre "alfabetização cultural", questão que ainda hoje é debatida (Hirsch, 1996; Bloom, 1994).

Mesmo os cursos de "composição e retórica", obrigatórios para calouros, não se concentravam em questões puramente formais, como se poderia imaginar, mas procuravam estimular no estudante "pensamento independente e original" baseando-se no estudo de trechos de autores selecionados (Baylor University, Baylor Bulletin, The Catalog 1918-1919). Foi nesse curso, frequentado nas sessões de outono e inverno do seu primeiro ano em Baylor, que Freyre iria fazer contato com muitos dos ensaístas britânicos que tanto marcaram sua trajetória intelectual. A partir de um livro de antologia de ensaios ingleses – livro que guarda as marcas de um intenso manuseio – Freyre leu, provavelmente pela primeira vez, trechos de Bacon, Milton, Defoe, Addison, Steele, Johnson, Goldsmith, Hazlitt, Lamb, De Quincey, Carlyle, Macaulay, Arnold, Pater, Newman, Ruskin, Stevenson e outros. Data dessa época, na verdade, sua descoberta do *Apologia pro Vita Sua* – em que Newman faz a defesa de sua vida e traça o desenvolvimento de suas opiniões religiosas –, texto que servirá de inspiração para o famoso discurso, *Apologia Pro Generatione Sua,* proferido por Freyre na Paraíba em 1924 (Bronson, 1905).[30]

---

29 Notas de aulas em Armstrong Papers; Baylor University, *The Baylor Bulletin 1919-1920*, v. XXII, n. 2; v. XXIII, n. 3.

30 Obra autografada e datada "Baylor Winter 18". O trecho de Newman reproduzido por Bronson faz parte do capítulo 4 da obra publicada em 1864. (Ver tb. carta de G. Freyre a O. Lima, 4/10/1918, em Freyre, 1978, p.167); Freyre, 1975, p.26-7.

A importância da descoberta do gênero ensaístico pelo futuro autor de *Casa-grande & senzala* deve ser aqui enfatizada. O entusiasmo para com as potencialidades desse gênero pode ser avaliado, desde cedo, pelas inúmeras citações de ensaístas que faz nos artigos que escreve para o *Diário de Pernambuco* e pela biblioteca de ensaios que acumula ao longo dos anos. Matthew Arnold, A. C. Benson, Edward Thomas, Lafcadio Hearn, Edward Muir, George Santayana, Havelock Ellis, G. K. Chesterton, Arnold Bennett, W. B. Yeats, Charles Lamb são alguns dos ensaístas cujas obras Freyre adquire (ou ganha) nesse período inicial de sua formação, ao que se somam ricas antologias de ensaios, que, ao menos desde 1922, passam a ampliar sua biblioteca. *A Century of English Essays*, antologia de cem ensaios adquirida em Nova York em 1922, é complementada com *Anthologie de la littérature anglaise* de 1922 e *Essays of Today*, outra coletânea publicada em 1924; além disso, um breve levantamento de sua biblioteca revela que o interesse de Freyre por esse gênero literário se manteve durante décadas, como atestam três outras antologias publicadas na década de 1950: *The Tenth Muse – Essays in Criticism*, de 1957; *Essays on Life and Literature*, de 1951; e *The Man of Letters in the Modern World*, de 1955. Interessante é apontar que as duas primeiras dessas antologias – que guardam as marcas de sua atenta leitura – são compostas, em grande parte, de ensaios sobre ensaístas como Yeats, Johnson, Ruskin e Nietzsche, velhos conhecidos de Freyre.[31]

Em outra ocasião já explorei mais longamente a presença do ensaísmo da tradição de Addison e Steele na declarada opção freyreana de surpreender o passado "no seu à vontade caseiro" e de procurar "o caráter de um povo", não na história política ou militar, mas na "rotina da vida". Tendo tomado contato com os ensaístas britânicos numa época em que esse gênero ainda não fora associado ao trivial, superficial, subjetivo,

---

31 Ernest Rhys e Lloyd Vaughan (Orgs.), *Essays – a century of English Essays – an anthology ranging from Caxton to R. L. Stevenson*, London, 1920 (autografado: G.F., New York city, May 1922); F. H. Pritchard (Ed.), *Essays of Today – an Anthology*, Boston, 1924; A. Koszul, *Anthologie de la littérature anglaise*, 2 v., Paris, 1922 (dedicado "ao amigo Gilberto Freyre... B. Mello[?] Rio 21/9/924"); H. Read, *The Tenth Muse – Essays in Criticism*, London, 1957; Roberd Lynd, *Essays on Life and Literature*, London, J. M. Dent & Sons, 1951; Allen Tate, *The Man of Letters in the Modern World – selected essays, 1928-1955*, New York, Meridian Books, 1955.

anedótico e inconsistente, Freyre iria considerá-lo um gênero literário respeitável – um "gênero tão nobre", como disse – e extremamente apropriado para expressar a complexidade de tudo o que é humano (Pallares-Burke, 2002, p.823-30; Freyre, 2002, p.22). Tendo agora em mãos as antologias que Freyre leu muito cedo em sua trajetória, importa aqui substanciar um pouco melhor o que antes argumentei, examinando brevemente o modo como o gênero ensaístico era ali apresentado.

Aqueles que estão descontentes com a sociedade em que vivem e que se dispõem a questionar ideias aí consagradas, mas "nunca perdem o bom humor", são os únicos que, tendo talento literário, podem escrever bons ensaios, argumentavam os organizadores dessas antologias. Muito mais eficientemente do que os que apelam para sermões e panfletos inflamados, os ensaístas podem realizar "uma revolução pacífica" na cultura de um povo. Mas, diferentemente do que se pode imaginar, a arte do ensaísta, longe de ser fácil, é uma das mais difíceis da literatura. O que define o ensaio não é o tamanho, já que este pode ser bem curto – "uma única página ou duas" – ou tão longo como um livro; o que define o gênero é o estilo "pessoal, meio meditativo, meio coloquial" e ao mesmo tempo claro, explícito, despretensioso e agradável: "alguma coisa entre a fala e a escrita".[32] Se há uma "lei" que não se pode infringir é a que dita que o ensaio tem de ser "uma expressão de personalidade", ou seja, "germana com a disposição intelectual do seu autor" (Rhys & Vaughan, 1920, VII-IX; Pritchard, 1924, p.11-8). Significativamente também, a coletânea de ensaios de Lafcadio Hearn, *Life and Literature*, comprada por Freyre em abril de 1922, referia-se ao gênero ensaístico como tendo a aparência de trivial, mas sendo, de fato, muito mais durável e valioso que muita ficção. "Um bom ensaio pode viver milhares de anos – tal como atestam os pequenos ensaios de Cícero agora traduzidos em todas as línguas" (Hearn, 1921, p.113).[33] Por sua vez, Walter Pater – o autor que se revelaria especialmente importante na trajetória de Freyre e cuja obra, quase na sua totalidade, ele iria adquirir pouco depois em Oxford – apresentava o ensaio como a forma de escrever própria de uma

---

32 Sobre o estilo ensaístico e a oralidade na prosa freyriana, ver Fonseca, 2002.

33 Texto autografado e datado, "Gilberto Freyre, New York, April 1922".

mente que se relaciona com a verdade de modo não dogmático. Enquanto o tratado, "como instrumento da filosofia dogmática", é o paradigma da forma fechada, o ensaio, "como instrumento da dialética", é a forma capaz de apreender o ambivalente, o opaco, o inarticulado e o dissonante da experiência (Pater, 1934, p.156-71; cf. Pallares-Burke, 1997, p.23-9; idem, 2002, p.828-9). Pode-se dizer que a filosofia da forma ensaística, tal como Pater a desenvolveu, legitimava ainda mais o tipo de literatura apresentado a Freyre nos cursos de Armstrong, articulando, ao mesmo tempo, uma justificativa para os caminhos pouco ortodoxos que o jovem Freyre ensaiava trilhar; caminhos que o levariam a inventar, como bem disse Roberto da Matta, um modo muito especial e perspicaz de perceber a realidade brasileira, em que "o intelectual e o sensível, ... o vivido e o conceitualizado se equilibram" (Matta, 1987, p.5). Os "sumarentos ensaios" (Sousa, 2000, p.17), que compõem as volumosas obras que Freyre insiste em chamar de ensaios e em qualificar de inacabadas ou em permanente estado de construção e de reparo, são o testemunho da profunda e duradoura impressão do primeiros cursos de literatura que seguiu em Baylor.

Além da amplitude de interesses que Armstrong trazia para a sala de aula, seu modo de abordar a literatura também era pouco convencional. Não se restringindo aos aspectos formais ou propriamente literários, ensinava literatura como uma espécie de história cultural, interessando-se por questões relacionadas aos locais referidos nos textos, à cultura material associada a eles e até mesmo à sua recepção em outras culturas. Nesse aspecto, o curso sobre Dante é exemplar. Apesar de focalizar a "leitura e análise da Divina Comédia", outras questões a serem estudadas incluíam a vida da Itália em sua época, a cosmologia de Dante, poemas ingleses sobre Dante, retratos de Dante ao longo dos séculos, e assim por diante.

Se Freyre, portanto, ao chegar em Baylor já era um jovem que se interessava sobremaneira por ler e estudar, a proximidade com Armstrong deve ter seguramente acentuado ainda mais essa inclinação. Suas ideias sobre o poder dos livros devem ter sido expostas muitas vezes aos seus alunos, e a convicção que veiculavam sobre o bem que estes podiam fazer a cada um deve ter repercutido fortemente nos jovens, como Freyre, em formação. As anotações de aula de Armstrong sobre este tema, cujo trecho reproduzimos a seguir, dão bem uma amostra da eloquência e do entusiasmo com que ele falava a seus alunos.

> Os livros não fazem tudo para nós, mas eles podem nos dar a informação para que nós possamos começar a fazer quase tudo ... Os livros não podem tomar o lugar da vida. Os livros não podem nos dar o que a experiência nos pode dar, mas os livros podem ampliar e alargar a vida, e clarificar e enriquecer a experiência. O homem que acrescenta a vida dos livros à sua vida real do dia a dia, vive a vida de toda a raça. O homem sem livros vive somente a vida de um indivíduo. Os livros nos mostram onde pertencemos no esquema das coisas, eles podem nos fazer conhecer o passado. Eles podem nos trazer fatos e pensamentos e compreensão para tornar a vida diária mais rica, mais colorida e mais cheia de propósito e significado.[34]

Ulisses Freyre já fora aluno de Armstrong e é bem provável que sua insistência em que Gilberto fosse para Baylor se devesse à admiração que sentia pelo dinâmico professor e por considerá-lo a figura ideal para guiar o irmão talentoso. Mas, como que prevendo que Freyre poderia se concentrar unicamente nos estudos, ele, em seu próprio nome e no de seus pais, mandava do Recife instruções ao jovem para não só estudar, mas viajar, perambular, encontrar pessoas e, sobretudo, "ver coisas" que valeriam "10 vezes o college course", como dizia o experiente Ulisses.[35] O próprio Armstrong – que apesar de afetuoso era também muito exigente com seus alunos a ponto de merecer a alcunha de *slave driver* – aparentemente também se preocupou com o afã com que o brilhante aluno só lia e estudava (Douglas, 1951, p.61, 253, 268-9; Freyre, 1975, p.35-6).[36] No entanto, o jovem Gilberto estava determinado a aproveitar o ambiente universitário, onde "goza-se da paz necessária para saborear uma página de Terêncio",[37] para mergulhar em mais e mais leituras.

---

34 "Miscellanea", Armstrong Papers.

35 Carta de U. Freyre a G. Freyre, 20/1/1920, AFGF.

36 De acordo com Freyre, Armstrong o chamava alternadamente de *son*, *wisdom* e *genius*, o que talvez revele um entusiasmo especial para com o novo aluno, já que comumente ele se referia aos seus alunos como *daughter* e *sister*, no caso das mulheres, ou *kid*, *son* e mesmo *little boy blue*, no caso dos rapazes.

37 *Diário de Pernambuco*, 9/2/1919.

"Não preciso de férias. Do que preciso é ler. De ler muito e de estudar sem perda nenhuma de tempo. Mas não só por necessidade: também por prazer", confessa Freyre, em 1919, em seu diário-memória (Freyre, 1975, p.35). Sem dúvida, ler parece ter sido desde sempre fonte de inesgotável alegria e prazer para Gilberto Freyre – e escrever era um talento que logo sentiu que devia desenvolver.

Os resultados finais dos estudos de Freyre em Baylor foram bons, mas não excelentes.[38] A nota baixa, um D, que teve no curso sobre Dante – e não em Zoologia ou Geologia, como talvez se pudesse esperar – deve ter abalado, de algum modo, a autoconfiança de um jovem que chegara a Baylor com um histórico escolar exemplar e que, é de imaginar, esperava finalizar seus estudos com uma menção de honra, como aconteceu com catorze de seus colegas (cf. Baylor University, The Seventy-Sixth Annual Commencement, 1918). Dada sua vasta curiosidade, é bem provável que, embora Freyre lesse muito, nem sempre lia o material requerido pelos cursos, tendo, pois, deixado de cumprir rigorosamente todas as suas tarefas de estudante. Além disso, os compromissos que assumira, de ser assistente de francês e espanhol, contra a vontade do irmão, e de enviar periodicamente artigos para o *Diário de Pernambuco*, deviam lhe tomar bastante tempo.[39] De qualquer modo, as dificuldades de adaptação a uma nova cultura e as limitações que uma língua estrangeira usualmente impõem não devem ser desconsideradas. Muito significativas sobre isso são as confissões que Freyre deixa em seu caderno de anotações. Utilizando, talvez pela primeira vez, a metáfora da "dança" que teria aprendido diretamente com Nietzsche ou indiretamente com seu divulgador Havelock Ellis, autor que Freyre muito apreciava, ele realisticamente admite suas limitações nos seguintes termos: "Posso andar em inglês, porém não dançar na ponta dos pés. Tenho de contentar-me em andar – mais nada – e assim mesmo mal: caindo, às vezes. Fica para o Armstrong pensar que em pouco tempo eu poderia

---

38 Das 28 notas que constam de seu boletim final, oito são A ("Excellent"); doze são B ("Good"); sete são C ("Fair") e um é D ("Passed"). Algumas das notas se referem a *"class grade"* e outras a *"exam grade"*.

39 "Não trabalhes <u>absolutamente</u>", dizia Ulisses em carta de 20/1/1920. "Quero dizer, não ensines nem faças qualquer trabalho para ajudar as despesas" (AFGF).

me tornar um 'novo Conrad'". Enfim, é como se sentisse que seu conhecimento era suficiente para escrever corretamente, mas não para muito mais do que isso. Que sua preocupação com a correção da língua era séria e às vezes interferia em suas distrações, fica evidente neste delicioso trecho de suas anotações: "A primeira menina, genus = americanas, a quem mandei uma caixa de *bonbon*, era de X., Ky. Confesso que não a beijei, o que lamento, pois tinha uma linda boca, como uma pitanga madura ou uma ferida aberta. Ela me escreveu, porém não respondi por causa da carta, na qual vinham dois erros de inglês e um borrão de tinta".[40] É, pois, de supor que Freyre tenha ficado um tanto inseguro e ansioso com as avaliações recebidas em Baylor, mas disposto, de qualquer modo, a se empenhar dali em diante mais e mais nos estudos; a "estudar como um frade ou um alemão", como diria pouco depois já em Nova York.[41]

A metrópole

Ao contrário do que se poderia supor, como veremos mais detidamente no capítulo 3, não foi o antropólogo Franz Boas, mas sim o professor de História, William R. Shepherd (1871-1934), que o atraiu para a Universidade de Columbia no final de 1920. A decisão de seguir para esta instituição com a intenção de fazer seu PhD na Faculdade de Ciências Políticas, especializando-se em história da América do Sul – a especialidade do Prof. Shepherd (cf. Shepherd, ca. 1919; 1914; [ca. 1914]) –, deve estar relacionada ao fato de que nesse campo Freyre se sentia mais seguro, pois foi em História que ele teve as melhores notas – quatro AA – em Baylor.[42] Seu colega de Columbia, Francis B. Simkins, lembrava-se de Freyre como uma pessoa extremamente autoconfiante nesse campo:

---

40 Caderno de anotações, 1921/1922.

41 Carta de G. Freyre a O. Lima, 21/9/1921, Oliveira Lima Papers, Oliveira Lima Library, Catholic University of America, Washington, D.C. (daqui em diante referido como Oliveira Lima Papers).

42 Carta de G. Freyre a O. Lima, 15/12/1920, em Freyre (1978, p.169-70). Documentos da Universidade de Columbia certificam que o "subject of major interest" de Freyre fora "History (South American Hist.)". Dois dos AA que Freyre teve em Baylor em História eram "class grade" e dois "exam grade".

Ele me forçou a admitir que era mais bem informado do que eu em todos os assuntos de interesse mútuo, exceto história dos Estados Unidos. Ele se apresentava aos professores ou futuros professores de história latino-americana como um mestre genuíno de estudos hispânicos e, como tal, era alvo de uma fidelidade de tipo servil daqueles admiradores acríticos e frequentemente desinformados dos países abaixo do Rio Grande.[43]

Em Literatura Inglesa, em que Freyre concentrara seus estudos em Baylor e na qual, ao que tudo indica, estava sua paixão, tivera dois AA, seis BB, três CC e um D. Foi talvez se referindo a suas ambições de se dedicar à literatura inglesa, tal como Armstrong o estimulava, e ao reconhecimento de que se achava irremediavelmente tolhido por suas limitações linguísticas, que Freyre escreveu em 1921 em seu caderno de anotações, com certa amargura: "cada ano descobrimos que somos a caricatura do que sonhamos ser breve, 'para o ano', 'quando tiver 21 anos', etc. Os ideais se dissolvem em caricaturas".

Ao chegar a Nova York, era inevitável que o apelo do rico ambiente rivalizasse, ao menos um pouco, com as suas leituras. Logo no início de janeiro de 1921, diante de tamanha variedade de paisagens, atrações e tipos humanos, sente-se, diz Freyre, como "um menino guloso diante de enorme travessa de canjica ou pudim". Não só o cosmopolitismo e o dinamismo do campus o seduzem ("o mero contacto ... com tanta variedade de gente é, em si mesmo, uma educação liberal", diz Freyre), mas também "a cidade mesma está cheia de oportunidades educadoras"; e não só em seus museus, monumentos e colossal Biblioteca Pública, mas em seus parques, "subways", esquinas e "cantos cheios de cor e interesse".[44] Uma de suas primeiras experiências nova-iorquinas foi assistir à aula pública dada por Chesterton num teatro da cidade, tendo pago 5 dólares pela entrada, cinco vezes mais do que pagara para ouvir Yeats na Carroll Chapel em Baylor em abril do ano anterior.[45] "A nota literária em

---

43 F. B. Simkins, autobiografia inédita, c.1942-1949, cap. 8.

44 *Diário de Pernambuco*, 20/11/1921; 20/2/1921; 26/3/1922, e passim; Freyre, 1975, p.43-64, passim; carta de G. Freyre a O. Lima, 17/1/ 1921, em Freyre, 1978, p.171-2; carta de G. Freyre a J. C. Branner, 1/3/1921, Branner Papers.

45 *Diário de Pernambuco*, 29/5/1921 e 5/8/1923.

N.Y. nesta última quinzena" foi dada por Chesterton, que "além de fisicamente pitoresco é-o no falar e no pensar", comenta Freyre.[46]

Curioso, entusiasmado, é de supor que Freyre devorava os diários locais para se inteirar de tudo o que a cidade oferecia e dos debates em que a metrópole estava envolvida. "Ler os próprios jornais da terra" a fim de obter sobre "o outro" a informação mais rápida e segura lhe pareceu, desde muito cedo, obrigação de todo viajante consciencioso.[47] Chega até mesmo a ter o gosto de ver seu nome nas páginas do *New York Evening Post*, quando escreve ao editor corrigindo-o pela notícia equivocada que dera aos leitores alguns dias antes. "A maior e mais bem selecionada coleção de trabalhos da América do Sul nos Estados Unidos" não se achava na Universidade de Yale, como fora anunciado, explica Freyre, mas sim na Catholic University of America, a quem "Dr. M. de Oliveira Lima, um diplomata brasileiro e homem de letras", doou sua biblioteca de trinta mil volumes. Talvez o campo da literatura hispano-americana seja o único em que "Yale University não esteja à frente de todas as suas irmãs menos favorecidas pelos deuses", comenta o jovem leitor-correspondente em tom entre jocoso e irônico (Freyre, 1921).

Alguns dos seus novos professores também lhe pareceram particularmente atraentes, tanto por seu saber como pelos tipos humanos que representavam. O ruivo Franklin Giddings, "conhecida autoridade mundial em Sociologia", dando aula de fraque preto parece a "própria encarnação da inteligência anglo-saxônica nas suas melhores e mais imperiais virtudes", diz Freyre; já o "moreno alatinado" Franz Boas é um "velhote boêmio" que mais parece "um músico que um antropólogo" ilustre (Freyre, 1975, p.61-2).[48] Mas, não obstante essas enriquecedoras distrações, a determinação de Freyre em Nova York parece ter se mantido: priorizar seus estudos.

Em Columbia, entre a primavera de 1921 e a de 1922, Freyre frequentou seis cursos de História, dois de Lei Pública, dois de Sociologia, dois de Antropologia, um de Inglês e um de Belas-artes. O curso de História do inglês Alfred Zimmern, a que Freyre iria se referir inúmeras

---

46 Carta de G. Freyre a O. Lima, s.d., em Freyre, 1978, p.222.

47 *Diário de Pernambuco*, 10/4/1921.

48 *Diário de Pernambuco*, 20/11/1921.

vezes mais tarde como tendo sido marcante na sua formação, não foi, na verdade, um curso, mas unicamente uma aula dada a 3 de novembro de 1921, e pela qual o ilustre palestrante recebeu 50 dólares; aula dada num dia "claro", como registra a documentação, e na qual compareceram 381 pessoas. Um curso propriamente dito Alfred Zimmern só iria dar em Columbia quatro anos mais tarde, em janeiro de 1925, quando ministrou cinco aulas sobre o Império Britânico que atraíram centenas de alunos, com exceção do dia em que, segundo diz o registro, "estava nevando". Em 1921, aproveitando a passagem do professor inglês por Nova York em sua campanha pacifista, Columbia o convidara a falar sobre "A relação do pensamento político grego com os problemas modernos".[49] Essa foi a única aula de Zimmern a que assistiu o jovem Gilberto. Talvez traído por sua memória e levado pela lembrança de um evento marcante de seus dias em Columbia, a aula de 3 de novembro de 1921 adquiriu para ele, com o passar do tempo, maiores proporções. Tudo indica, no entanto, que Freyre tenha sido estimulado nessa ocasião a ler o *The Greek Commonwealth*, a conhecida obra de Zimmern que lhe servia de ponto de referência para suas discussões sobre os problemas da atualidade; obra que, na edição de 1924, consta de sua biblioteca particular. De qualquer modo, ao editar seu diário 54 anos mais tarde, Freyre transformou uma experiência de uma hora em um evento de muito maior duração – prova de que um efêmero encontro na trajetória dos indivíduos pode ter uma importância ponderável, duradoura e até mesmo revolucionária em suas vidas (cf. Pallares-Burke, 2002).[50]

O impacto que as aulas de Zimmern podiam exercer na formação de jovens intelectuais é confirmado eloquentemente pelo grande historiador britânico Arnold J. Toynbee, que as descreve como "uma das mais sensacionais experiências" que teve em Oxford em 1919, durante seu curso de graduação. Zimmern, "um professor nato", conseguia dar vida ao passado e transformar a história antiga em algo relevante para o

---

49 Cartão referente às visitas do prof. Alfred E. Zimmern à Universidade de Columbia, Columbia University Archives-Columbiana Library; *The New York Times*, 6/11/1921, p.2; 3.

50 Por ocasião da redação desse artigo para a edição crítica de *Casa-grande & senzala*, ainda supunha que Freyre assistira a todo um curso de Zimmern, como ele levava a crer em suas várias referências ao assunto.

Gilberto Freyre

presente, diz Toynbee. "Construindo várias pontes sobre o abismo temporal entre a história dos gregos e a nossa", Zimmern mostrava como as ideias, os ideais, sucessos, fracassos e destino dos gregos "deviam ter um significado prático para nós, que estávamos vivendo no mesmo planeta numa época posterior" (Toynbee, 1967, p.49-61). Essa era também a razão pela qual Harold Laski considerava que, ao lado de alguns capítulos de *On Liberty*, de J. S. Mill, a nova geração deveria conhecer profundamente o *Greek Commonwealth* de Zimmern.[51]

Dos seis cursos de História frequentados pelo jovem Freyre – e ministrados pelos professores Hayes, Fox, Kendrick e Bolton –, três se concentravam em "história da democracia norte-americana" desde fins do século XVIII até aquele momento; um quarto curso, intitulado História da Expansão Europeia no Hemisfério Ocidental, tratava de fazer um levantamento "da fundação e desenvolvimento da civilização europeia na América"; e, por último, dois dos cursos propunham-se a relacionar o político com o social e o econômico no estudo da história social da Europa ocidental a partir de meados do século XVIII até 1871. Segundo o programa, esses dois cursos representavam uma tentativa de interpretar a história política europeia, desde meados do século XVIII até aquela época, "à luz das noções populares referentes aos fenômenos sociais e econômicos". Nenhum dos cursos de História frequentados por Freyre se relacionava, portanto, à América Latina.[52]

Foi só aparentemente em um dos cursos de Lei Pública (Public Law e177), ministrado por S. G. Inman, que Freyre teve algum contato com assuntos latino-americanos, e em especial com a questão do pan-americanismo, tão debatida àquela época. Sob o título de "Relações Interamericanas", o objetivo do curso era "estudar as relações históricas

---

51 Carta de H. Laski a J. Holmes, 21/12/1916, cf. Howe, 1953, V.I, p.45.

52 Os códigos dos cursos frequentados por Freyre eram: History 164, 166, 154, 172, 163, 153-4; Sociology 255, 256; Public Law, 122, e 177; Anthropology 101, 102; English 268; Fine Arts, e 70. Descrição dos cursos de Public Law, Sociology e History, cf. Columbia University, *Bulletin of Information, Faculty of Political Science*, 1920-1921; 1921-1922. Cumpre aqui assinalar que Roberto Motta (1993), ao verificar que Freyre tinha sido aluno registrado no Departamento de História, e se esquecendo que as universidades norte-americanas têm um sistema de "major interest", concluiu erradamente que ele não havia sido aluno de Franz Boas.

Maria Lúcia Garcia Pallares-Burke

entre a América Espanhola e os Estados Unidos, tendo em vista descobrir como mal-entendidos passados podem ser evitados e relações futuras melhoradas".[53]

Os dois cursos de Sociologia, ministrados pelo prof. Franklin H. Giddings (Sociology 256 e 255), versavam sobre "o surgimento e desenvolvimento" da civilização e da democracia, desde os sistemas sociais mais antigos até os modernos, focalizando – o que é interessante salientar – as guerras e as "lutas de classe" em todas as várias fases da história. No estudo das origens históricas dos diversos sistemas sociais procurava-se também relacionar suas características com o ambiente.[54]

Foi, ao que tudo indica, somente nas três disciplinas acima que Freyre foi avaliado e aprovado. Nas demais – Inglês, Antropologia e Belas-artes – não obteve nota, mas teve, nas duas primeiras, "somente um registro de frequência satisfatória", afirmação cujo significado é um tanto nebuloso.[55] É plausível que sendo matérias optativas para quem, como Freyre, concentrava seus estudos em História, ele pudesse ter nelas se matriculado sem nenhuma obrigatoriedade, mas por puro interesse intelectual.[56] O curso de Inglês tratava da história do romance americano e é possível que Freyre o tenha escolhido simplesmente para preencher um pouco o vazio deixado pela mudança de rumo de seus estudos universitários que, como vimos, em Baylor se concentraram em literatura.

Já os dois cursos de Antropologia – ministrados por Franz Boas nas sessões de inverno e primavera do ano letivo 1921/1922[57] – foram

---

53 Curso dado pela University Extension (ao que se refere a letra "e" anterior ao número), para o qual se pagava uma taxa extra, o que nesse caso foi de US$24 (cf. informação obtida em Columbia University Archives – Columbiana Library).

54 Columbia University, *Bulletin of Information, Faculty of Political Science*, 1920-1921; 1921-1922.

55 No boletim de Columbia consta que "in graduate courses, P indicates passed; F, failure. H indicates a record of satisfactory attendance only".

56 O curso de Belas-artes, no qual Freyre se matriculou mas aparentemente não frequentou o suficiente, era um curso sobre "apreciação da arte e história da arte", cujo objetivo era estudar pintura, escultura, arquitetura e desenho a partir de seu desenvolvimento histórico. É plausível que Freyre tenha desistido de frequentá-lo devido ao alto custo. Sendo curso ministrado pela Extensão Universitária, os alunos deveriam pagar US$16.00 por sessão.

57 O ano letivo em Columbia era dividido em "winter session" (usualmente de fins de setembro a começo de fevereiro), "spring session"(usualmente de começo de fevereiro e fim de abril) e "summer session" (usualmente de início de julho a fins de setembro).

aparentemente a primeira oportunidade que Freyre teve de entrar em contato com o intelectual que tão importante seria para o desenrolar de sua trajetória. Boas achava-se então profundamente envolvido numa luta relativamente solitária e inglória contra a política imigratória racista que ganhava corpo nos Estados Unidos àquela época.[58] Tendo como objetivo, segundo dizia o programa, introduzir os pós-graduandos nos princípios gerais, métodos, desenvolvimento e resultados da disciplina, os cursos de Boas consistiam

> de uma breve resenha histórica do desenvolvimento da antropologia: uma discussão dos métodos de investigação e dos resultados gerais relacionados ao desenvolvimento histórico das condições culturais presentes. A segunda parte do curso trata do problema do progresso da civilização, e das causas mais importantes que influenciam linhas típicas do desenvolvimento cultural.[59]

Hoje é difícil, se não impossível, recuperar com segurança a razão pela qual em algumas matérias Freyre foi avaliado, enquanto em outras não. Três conjecturas, aparentemente, são possíveis. Talvez fosse viável, por exemplo, alguns alunos frequentarem um curso sem o objetivo de obter créditos, mas é também plausível que, tendo obtido frequência mínima mas não nota mínima, no boletim constasse somente a frequência. No caso de Freyre, é provável também que as exigências de avaliação obrigatória tenham se modificado no momento em que ele, por motivos que não foi possível descobrir, abdicou de sua intenção de obter o grau de doutor e optou pelo de mestre. O próprio Armstrong se revelou surpreso ao saber que o trabalho de Freyre já havia sido entregue como tese de mestrado, pois "esperava que ele fosse somente o primeiro capítulo de sua dissertação de Doutorado".[60] Para quem, como ele, enfrentara dificuldades das mais sérias a fim de obter tardiamente os graus de bacharel (aos 29 anos) e de doutor (aos 35), a desistência de

---

58 Sobre esse assunto, ver capítulo 3.

59 Cf. Columbia University, *Bulletin of information, Philosophy, Psychology and Anthropology, Announcement*, 1921-1922.

60 Carta de Armstrong a G. Freyre, 1/5/1922, AFGF.

Freyre deve ter sido chocante.[61] Ainda em Baylor, Freyre chegara mesmo a cogitar de fazer um "Doctorat d'Université" na França, após um mestrado nos Estados Unidos, em "alguma universidade do leste".[62] E na conversa que teve em Washington com o editor da revista *The Hispanic American Historical Review*, da qual resultou uma nota sobre sua pessoa e seus planos de estudo na edição de agosto de 1921, a "obtenção de um Ph.D. em Columbia" ainda era seu objetivo ("Notes and Comments", 1921, p.519).[63] Parece pois improvável que, àquela altura, ele tivesse o desprezo por graus acadêmicos que mais tarde iria abertamente declarar e que chamasse o Ph.D. "uma prostituição da inteligência", tal como seu colega de Columbia, Francis B. Simkins, iria se recordar décadas mais tarde.[64] É bem possível que um inesperado acirramento das dificuldades econômicas tenha contribuído para que tal mudança de planos ocorresse. Com o "dólar nas nuvens", mesmo tendo obtido uma bolsa de estudos as atrações de viver no Exterior em muito se restringiam. Visitar uma "plantação do Mississippi" com um amigo americano (provavelmente Rüdiger Bilden, cuja esposa era de Mississippi), por exemplo, tornava-se lamentavelmente impossível. "Na verdade a alta do dólar não me permite ir a parte alguma", Freyre se queixa. E mesmo a bolsa de estudos que lhe fora concedida por "méritos literários" cobria somente 1921-1922, e nesse curto período só o mestrado poderia ser obtido.[65] De qualquer modo, a dramática experiência vivida no início de 1923 por seu amigo de Columbia, Francis Butler Simkins, quando passou pelo suplício que foram as duas horas do exame oral que era a principal exigência para o doutorado – a "crise principal da minha vida",

---

61 Arrimo econômico da família e amparo de uma mãe inválida, Armstrong teve de adiar seus estudos e trabalhou arduamente para conseguir finalmente se sustentar, primeiro no Wabash College em Indiana e depois nas universidades de Chicago e da Pensilvânia, onde obteve o doutorado em 1908 com uma tese sobre a ópera inglesa antes de Handel (cf. Douglas, 1951, p.26-8, 51, 54, 69-70).

62 Carta de G. Freyre a J. C. Branner, 23/9/1919, Branner Papers.

63 Carta de O. Lima a G. Freyre, 21/10/1921, AFGF; cartas de G. Freyre a O. Lima, 23/7/1921 e 27/10/1921, em Freyre, 1978, p.185, 190-1.

64 Simkins, autobiografia inédita, c. 1942-1949, cit., cap. 8.

65 Cartas de G. Freyre a O. Lima, 29/4/1921; 17/1/1921; 23/5/1921, AFGF.

como ele próprio qualificou –, deve ter servido para confirmar a sabedoria da decisão de Freyre de abandonar o curso de doutorado.[66]

Não se devem, portanto, minimizar as dificuldades que, como em Baylor, Freyre deve ter enfrentado em Nova York. Os compromissos que assumia, "o lufa-lufa" em que vivia e os exames da universidade o deixavam tenso e "doente dos nervos". Chegou mesmo a sentir, certa vez, necessidade de sair de Nova York, devido ao "cansaço dos nervos", como confessou a seu amigo Oliveira Lima.[67] Seus "pobres nervos" estavam "cansados de *New York* – de estudar, de horas irregulares e de tudo", admitiu.[68] A solidão era também uma realidade às vezes dura. A alegria que sentiu ao rever Armstrong uma noite em Nova York é bastante expressiva sobre isso: "Ontem, estava eu a jantar tristemente e só, quando – quem há de me aparecer? A. J. Armstrong com toda a sua alegria. Do jantar fomos ao teatro".[69]

No Recife, os familiares se preocupavam com as muitas referências que Freyre fazia em cartas ao seu "estado de nervos" e procuravam estimulá-lo e acalmá-lo. Que não lhe esconda seus problemas, que abra seu coração, que confie nele, diz o irmão Ulisses. Que também não se preocupasse mais com dinheiro, pois a dívida para com a Universidade de Baylor já estava contornada. A proposta feita por Freyre de se cortar sua "allowance" para US$100.00 era inaceitável e ele, Ulisses, "o financista da família", junto com o pai, já haviam decidido, na verdade, continuar a lhe enviar US$125.00, pois, como diz, "este surplus te será de alguma utilidade nas tuas 'vocaciones', viagens, visitas, banquetes, teatros, concertos, 'entertainment of friends', extra-clothes, livros, revistas, magazines, e mil outras cousas de que naturalmente careces". E, com carinho, o preocupado irmão completa: "Deverás viajar e 'mix' com o cream of society, o mais que for possível".[70]

---

66 Simkins, autobiografia inédita, c. 1942-1949, cit., cap.8.

67 Cartas de G. Freyre a O. Lima, 18/5/1921, Oliveira Lima Papers; 23/5/1921; 28/7/1921 em Freyre, 1978, p.179-80, 186.

68 Carta de G. Freyre a J. C. Branner, 2/8/1921, Branner Papers.

69 Caderno de anotações, 1921/1922.

70 Carta de U. Freyre a G. Freyre, 12/9/1921, AFGF.

Mas o fato é que, além de seus estudos e de seu afã por explorar as oportunidades educativas da cidade, suas atividades de colaborador assíduo do *Diário de Pernambuco* e de coeditor da revista *El Estudiante* – cargo que assumiu logo ao chegar a Nova York e pelo qual recebia US$40.00 por mês – sem dúvida o sobrecarregavam e lhe tomavam muito tempo. Em Baylor já chegara a cogitar em suspender seu envio de artigos ao jornal do Recife, e em Nova York, considerando que a tese lhe iria absorver muito tempo, pensa novamente em interromper suas atividades jornalísticas. No entanto, a insistência com que o irmão o encorajava a continuar, afirmando que o número de seus admiradores e leitores crescia e que "muita gente fica desapontada quando não acha a secção costumeira dos domingos 'Da Outra América'", deve tê-lo demovido da ideia. Além disso, a direção do *Diário de Pernambuco* prometera, a essa altura, começar a pagar pelos seus artigos, e, como Freyre buscava "todos os meios de auxiliar" seu pai com as despesas, isso deve ter pesado na sua decisão de continuar a escrever, mesmo com a sobrecarga que lhe acarretava.[71]

Outra consideração que deve ter contado em sua decisão era a consciência clara que tinha de quão enriquecedor lhe era o preparo que as atividades jornalísticas forçosamente exigiam. Quem escreve "sobre 'os outros'" precisa "guardar-se da ligeireza de opinião" e tentar "ir ao fundo das coisas", buscando trazer à tona o "ecletismo das opiniões morais" que subjaz ao que se vê, já admitira o iniciante e consciencioso estudante em 1921. Ora, isso exigia muita disposição e empenho em se "misturar com o povo", "aprender-lhe o idioma e os hábitos" e, como já vimos antes, "ler os próprios jornais da terra" a fim de obter sobre "o outro" a informação mais rápida e segura.[72]

Num ponto, ao menos, a experiência metropolitana de Freyre deixou a desejar se comparada com a de Baylor. Ali não encontrou, ao que tudo indica, um substituto do dr. Armstrong para quem fazer confidências e

---

71 Cartas de G. Freyre a O. Lima, 17/1/1921 e 16/6/1921, em Freyre, 1978, p.171-2, 182; cartas de U. Freyre a G. Freyre, 18/4/1920 e 12/9/1921, AFGF. Com a mesma intenção de aliviar seus familiares do ônus que significava sua permanência no exterior, Freyre também fez um trabalho de tradução para a Pan-American Union (cf. carta de G. Freyre a O. Lima, 16/6/1921, em Freyre, 1978).

72 *Diário de Pernambuco*, 10/4/1921.

buscar apoio e ajuda para os impasses e problemas que vivia. A importância de Franklin Giddings e Franz Boas na experiência columbiana de Freyre se confinou ao aspecto intelectual. A crer no depoimento de Simkins, obter qualquer atenção mais personalizada por parte dos professores de Columbia era praticamente impossível. Assoberbados com "a grande multidão de alunos", eles não tinham tempo para conhecê-los, orientá-los ou mesmo corrigir os seus erros. Tanto se irritava com esse "procedimento ... de educação de massa" que, como recordava o ex-aluno, tinha vontade de "dar um tiro para atrair a atenção desses mestres de autômatos".[73] O prof. William R. Shepherd, orientador de Freyre e "na verdade um homem encantador", foi aparentemente o único professor com quem ele teve contato mais pessoal e que se dispôs a ajudar o "conterrâneo" que Oliveira Lima lhe recomendara "em tudo o que estivesse em seu poder para facilitar seu trabalho".[74] Mas Freyre conviveu pouco tempo com Shepherd, já que este se afastou de Columbia para dar aula na Europa por vários meses, a partir de setembro de 1921 (cf. "Notes and Comments", 1921, p.520). Assim, intimidade semelhante à que teve com o dr. Armstrong, Freyre parece não ter desenvolvido com nenhum professor após Baylor.

Seus contatos em Nova York dependiam, ao que tudo indica, de conhecimentos que fizera em Baylor, por meio de Armstrong, e de apresentações feitas pelo amigo mais velho e confidente Oliveira Lima. Coincidentemente, muitas das pessoas com quem manteve relação eram do campo literário. Por meio de Armstrong renovou contato com a poetisa Amy Lowell e com o poeta Vachel Lindsay, que já conhecera durante o

---

73 Simkins, autobiografia inédita, c. 1942-1949, cit., cap.8.

74 Carta de G. Freyre a O. Lima, s.d. (c. início de fevereiro de 1921), em Freyre, 1978, p.222; carta de W. Shepherd a O. Lima, 11/2/1921, em resposta à carta de recomendação a Freyre enviada a Shepherd, a pedido de G. Freyre (cf. carta de 17/1/1921, Oliveira Lima Papers). A partir desse primeiro contato, Shepherd mantém correspondência com O. Lima, pedindo, por exemplo, que recebesse seu aluno (e amigo de Freyre) R. Bilden, que estava preparando um doutorado sobre "a escravidão como um meio de produção no Brasil" (cf. carta de 31/5/1923, Oliveira Lima Papers). Ao prof. John C. Branner, de Stanford, Freyre também dá notícias sobre seu novo contato em Columbia: "Por apresentação carinhosa do nosso amigo Dr. O. Lima travei conhecimento com o Dr. Shepherd, especialista em assuntos hispânicos e pessoa deveras amável" (cf. carta de G. Freyre a J. Branner, 1/3/1921, Branner Papers).

Jubileu de Diamante de Baylor em 1920, e também com Dorothy Scarborough, antiga estudante de Baylor e naquele momento professora de Literatura Inglesa em Columbia. Por meio de Oliveira Lima, conheceu Isaac Goldberg (1887-1938), discípulo de Santayana e autor, tradutor e crítico especialista em literatura da América espanhola e portuguesa; e também Angel Cesar Rivas, historiador venezuelano e tradutor para o espanhol do livro de Oliveira Lima, *A evolução histórica da América Latina*. A visita que Freyre fez a Goldberg em Boston iria ser lembrada algumas vezes com grande entusiasmo e admiração. Seu modo de ser intelectual parece tê-lo encantado e no seu caderno de anotações deixou registradas suas impressões: Goldberg possui a "faculdade crítica. Procura compreender a essência de quanto lê ... O gabinete de G. Todo em desordem. Rumas de livros bohemiamente dispersas".[75]

Na verdade, é importante a essa altura salientar que, não obstante Freyre ter optado pelo mestrado em História, seu interesse, para não dizer paixão pela literatura inglesa ou anglo-americana parece ter-se mantido e até mesmo se acentuado durante seu período nova-iorquino, quando, ao que tudo indica, lia vorazmente ficção, crítica literária e biografias de figuras literárias e do mundo da arte. Sua aparência ao chegar a Nova York também traía, ao que parece, sua paixão literária e seus interesses estéticos. Devido à "sua aparência pitoresca e seus interesses literários, dava a primeira impressão de ser um esteta", diz Francis Simkins ao recordar seu encontro com Freyre em Columbia. "Ele tinha olhos cor de amêndoa, os cabelos pretos e densos de índio sul-americano e as roupas de estação errada e surradas de um boêmio. Esperava-se que escrevesse versos decadentes que ninguém pudesse entender".[76]

---

75 Entre as obras de Goldberg – que também era especialista em literatura moderna iídiche e música – encontram-se: *Brazilian Literature*, 1922; *Queen of hearts: the passionate pilgrimage of Lola Montez*, 1936; *Studies in Spanish-American Literature*, 1920; *The German Jew: his share in Modern Culture*, 1933; *The Man Mencken: a biographical and critical survey*, 1925; *Havelock Ellis: a biographical and critical survey*, 1926. Em seu caderno de anotações de 1921-1922, Freyre se refere ao fato de Goldberg ser discípulo de G. Santayana e B. Wendel. Entre as obras de Rivas, encontram-se *La Colonia y la Independencia: juicios de historiadores venezolanos*, 1949; *Ensayos de historia política y diplomática*, c. 1910-1919 ; *Orígenes de la independencia de Venezuela*, 1909.

76 Simkins, autobiografia inédita, c. 1942-1949, cit., cap.8.

Gilberto Freyre

Quando se atenta para os livros de sua propriedade, autografados e datados desse período – e que constam de sua biblioteca ainda hoje –, seu grande interesse literário fica muito evidente: *Confessions of a Young Man*, de George Moore; *A Pair of Blue Eyes*, de Thomas Hardy; *Salomé*, *The Importance of Being Ernest* e *Lady Windermere's Fan*, de Oscar Wilde; *Orthodoxy*, de G. K. Chesterton; *Mary, Mary*, de James Stephens; *A Century of English Essays*, organizado por E. Rhys; *Life and Literature*, de Lafcadio Hearn; *The Philosophy of Friedrich Nietzsche*, de H. L. Mencken; *Contemporary American Novelists*, de Carl Van Doren; *The Spirit of American Literature*, de John Macy; *Essays*, de Matthew Arnold; *The Art of Aubrey Beardsley*, de Arthur Symons; *Walter Pater*, de A. C. Benson etc. Numa lista de "autores lidos ou relidos este ano" registrada em seu caderno de anotações de 1921-1922, dominam também livros de ou sobre ensaístas e literatos, como Walter Pater, Shakespeare, Lafcadio Hearn, William Morris, Tolstoi, Dostoievsky, Montaigne, Pascal, as irmãs Bronté, Sterne etc.[77] Uma segunda lista, provavelmente da mesma época, também encontrada entre seus papéis, arrola livros de literatura e crítica literária e estética que provavelmente pretendia ler e/ou adquirir. Entre eles, figuram obras de George Moore, Rossetti, Ruskin, Shelley, Mathew Arnold, Jane Austen, Dickens, George Eliot, Thomas Hardy etc.[78]

---

77 A lista completa é a seguinte: "Symons, Studies in the Seven Arts; Hearn, Life and Literature; Benson, A. C., Walter Pater; Brandes, Shakespeare; Huneker; Tolstoi; Dostoievsky; Gilbert Murray; Zimmern, Greek Commonwealth; Montaigne, Essays; Pascal; Benvenuto Cellini, biography; William Morris; Bronté (Charlotte and Emily); [ilegível]; Stevenson, Newman, Sterne, Fielding, De Quincey, Hazlitt, Essays; Lamb, Essays; Keats, and Shelly; Sterne, Tristan Shandy; Fielding, Joseph Andrew; Jane Austen; Newman, Essays, Apologia".

78 O fato de três livros constantes dessa lista terem sido autografados em Nova York e Paris em 1922 (*Essays*, de M. Arnold, "New York City, May 1922"; *A Pair of Blue Eyes*, de T. Hardy, "Paris 1922"; *Poems and Essays*, de E. A. Poe, "Paris 1922") e de seis outros, apesar de não datados por Freyre, serem de edições anteriores a 1922, parece indicar que a lista foi elaborada em Nova York na primavera desse ano, pouco antes de sua viagem à Europa. A lista completa é a seguinte: "George Meredith, The Egoist (2 vols.), George Moore, Celibates, The Lake, Memoirs of my Dead Life; Poe, Poems and Essays, Tales, Fantastic Tales; Rossetti, Poems; Ruskin, The Stones of Venice (2 vols.), The 7 Lamps of Architecture, Mornings in Florence; G. Bernard Shaw, The Perfect Wagnerite; Shelley, A selection from his Poems; Stevenson, Treasure Island, Dr. Jekyll and Mr. Hyde, In the South Seas (2 vols.), Tales and Fantasies; Swinburne, Lyrical Poems; Symonds, Sketches in Italy,

É interessante notar também que, logo ao voltar ao Recife, suas encomendas aos amigos estrangeiros continuam a se concentrar em poesia, arte e literatura. A Rüdiger Bilden, por exemplo, Freyre pede "a obra completa de Rupert Brooks [sic]" e a Francis B. Simkins "tudo o que puder conseguir de Chesterton", além do *Sense of Beauty* de Santayana, *Irish Fairy Tales* de William B. Yeats e "o livro sobre as Índias Ocidentais e o *Interpretations of Literature*" de Lafcadio Hearn. Representantes do chamado esteticismo e do decadentismo literário do *fin-de-siècle*, como Swinburne, Ernest Dowson, Lionel Johnson são listados, ao lado de um dos principais mentores do movimento na Inglaterra, Walter Pater, cuja obra *Marius the Epicurean* era especificada. Dos decadentistas franceses, sobressai a encomenda de um livro sobre o poeta Rimbaud – *"Rimbaud: the boy and the poet*" – de Edgell Rickwood [sic]".[79] Conhecedores de seu gosto por literatura e arte, seus amigos no estrangeiro também se empenham em saciar sua sede literária logo após seu retorno ao Brasil. Francis Simkins, por exemplo, lhe promete livros de poesia (como *American Negro Poetry, The South Carolina Chansons*) e sobre a obra de Henry James (*The Pilgrimage of Henry James*, de Van Wyck Brooks), enquanto Rüdiger Bilden lhe manda o *Don Juan* de Ludwig Lewisohn e comenta as últimas atrações teatrais de Nova York: a atuação de Martin-Harvey em *Édipo Rei* e peças de Ibsen e D'Annunzio. Anos mais tarde, em 1936,

---

New Italian Sketches; Matthew Arnold, Essays in Criticism (2 vols.); Jane Austen, Pride and Prejudice; Arnold Bennett, The Old Wives Tale (2 vols.), Those(?) United States, The truth about an Author and Literary Taste; Carlyle, Essays on Goethe, Essays on German literature; Dickens, Oliver Twist, Sketches; Geoge Eliot, Silas Marner; Emerson, English Traits; Essays and reviews, by?; First Centuries of the English Language; Oliver Goldsmith, Select Works; Thomas Hardy, The Return of the Native (2 vols.), A Pair of Blue Eyes (2 vols.), The ? Men; Nathaniel Hawthorne, The Scarlet Letter; Lafcadio Hearn, Kokoro, Glimpses of, Gleanings in Budha-Fields; Oliver Wendel Holmes, The autocrat at the breakfast table; William Dean Howells, Venetian Life, Italian Jorneys, The Rise of Silas Lapham(2 vols.); Henry James, The Americans (2 vols.), Washington Square (2 vols.); Richard B. Kimball, Romance of Student Life Abroad, Jack London, South Sea Tales; Disraeli, Sybil, Vivian Grey (2 vols.), Contarini Fleming".

79 Carta de R. Bilden a F. B. Simkins, 22/4/1924, Simkins Papers; carta de O. Lima a G. Freyre, 27/8/1926, AFGF; carta de G. Freyre a F. B. Simkins, 9/2/1925; s.d. (c.1924), Simkins Papers. Trata-se da biografia de Rimbaud por Edgell Rickword, livro publicado em Londres em 1924, e pedido a Simkins logo no início de 1925.

Gilberto Freyre

lamenta que a penúria em que vive não lhe permita enviar o belo romance *Gone with the Wind* da escritora da Geórgia, Margaret Mitchell.[80]

É também de se notar como significativo que quando comenta sobre o que está lendo com seu amigo Oliveira Lima, Freyre se concentra em temas literários ou ensaísticos, como se em suas leituras se deixasse levar mais pela inclinação do que pela necessidade de estudos; até mesmo críticos literários alemães e literatura da Escandinávia se acham incluídos. Num determinado momento conta, com satisfação, que acabara de ler o "livrinho" [de Benson] "sobre o meu querido Walter Pater". Em outros, menciona já ter lido Ibsen, estar lendo *Reminiscências de Tolstoi*, de Gorki e os seus "favoritos", Oscar Wilde e Sarojini Naidu, a poetisa e líder política indiana, amiga e colaboradora de Gandhi. Freyre está sempre empenhado também em fazer com que seu amigo não perca as boas novidades do mundo literário: Já leu as "recentes novelas" *Miss Lulu Bett* e *Main Street*? E a novela *Dame Care* de Sudermann? E as crônicas do Visconde de Santo Thyrso, um anglófilo português que seu pai acabara de lhe enviar? Ao prof. John Carter Branner, de Stanford, Freyre também dá notícias de suas leituras em agosto de 1921: "Estou especialmente travando conhecimento com os críticos literários alemães – Hofmannsthal, Hebbel, etc. E dando uns mergulhos nas desconhecidas águas da literatura escandinava".[81]

A "sedução novelística de estória-puxa-estória", perspicazmente apontada por Darcy Ribeiro como estando por trás de muitos traços característicos da obra madura de Freyre, já encontra suas raízes, pois, no início dos anos 1920. Seria sua paixão pela literatura que tomaria a dianteira em *Casa-grande & senzala*, "quase sempre" sem prejuízo da ciência: "é sempre o escritor, o estilista quem comanda a escritura", diz Ribeiro (2000, p.14-7) numa das mais brilhantes interpretações de Freyre que já se fez.

---

80 Cartas de F. B. Simkins a G. Freyre, 18/4/1923, 14/11/1923, 10/5/1925, AFGF; carta de R. Bilden a G. Freyre, 16/12/1923, AFGF.

81 Cartas de G. Freyre a O. Lima, 18/2/1921, 3/3/1921, 2/10/1921, 3/4/1922, em Freyre, 1978, p.174-5, 189, 198) e passim; carta de G. Freyre a J. Branner, 2/8/1921, Branner Papers. Cf. também Freyre, 1975, p.80-125.

Finalmente a Europa

Os poucos, mas intensos meses que Freyre passou na Europa – de agosto de 1922 a março de 1923 – antes de retornar ao Brasil tinham um caráter, por assim dizer, menos livresco. Nesse seu terceiro estágio no exterior – em que esteve na França, na Alemanha, na Inglaterra e em Portugal –, sua formação americana vinha se complementar, ainda que rapidamente, com visitas, observações e ilustrações de um mundo que Freyre ansiava conhecer desde a adolescência, mas que a guerra tornara inacessível. Seu plano, como registrou em seu caderno de anotações, era ambicioso e parecia seguir as recomendações feitas por Nietzsche sobre a necessidade de se levar em conta pontos de vista diferentes ("verschiedene Augen") em toda atividade humana, recomendações que aparecem em *Humain, trop Humain*, obra lida cuidadosamente por Freyre, como veremos mais adiante. Inspirando-se no poema de M. Arnold, nosso jovem viajante diz que pretendia "viajar como uma espécie de *scholar gipsy*" e procurar "os contactos mais diversos" com o objetivo de "compreender os pontos de vista mais diversos". Logo ao chegar à França ele se mostra satisfeito com os primeiros resultados de seu esforço e anota feliz, em seu pequeno caderno, a diversidade de condições que pudera observar.

> De fato, já conheço um estudante católico filiado à ideia da *Action Française*; uma senhora tolstoyana apaixonada de Romain Rolland; o General Grandprey, tipo de aristocrata antigo; um poeta [?] provinciano dos arredores de Avignon que fala um francês cantante e pausado e é federalista. Mais pintores, estudantes (inclusive ingleses, de Oxford) ... E assim procuro compreender os pontos de vista mais diversos. Compreender – não é esta a grande alegria intelectual?[82]

A crer em seu diário-memória, sua preferência pelo Velho Mundo foi confirmada tão logo ele visitou Paris e Berlim. "O que venho descobrindo na Europa é que minhas afinidades com ambientes e gentes

---

82 Caderno de anotações 1921/1922 (muitas dessas mesmas ideias serão expostas a Anibal Fernandes em carta enviada de Paris (cf. "Carta de Paris a A. F.", em Freyre, 1964, p.78-80).

daqui são muito mais profundas que com ambientes e gentes dos Estados Unidos", diz Freyre. De imediato, ficou encantado com a beleza da capital francesa. "What a feast to the eyes is Paris! There is harmony in it", registra Freyre em seu caderno de anotações. Visitando o Museu de Cluny se diz saciado com tanta beleza e tradição. "Senti lá, agudamente, a poesia do tempo", confessa. Tudo sorvia "com a gula dum esfaimado" que lhe sentira "a falta a vida inteira". Na Alemanha, seu segundo destino, Freyre não consegue satisfazer no mesmo grau a fome de beleza, a "hunger for beauty" com a qual nascera, como disse. Outra lhe parecia aí a atração: "Passar da França à Alemanha é passar dum vasto museu ... a um formidável laboratório em ação". Em contraste com a França, onde as construções medievais saciavam sua ânsia pelo belo – a Sainte Chapelle e a catedral de Chartres, por exemplo, lhe pareceram "a dream" –, a arquitetura de Berlim lhe pareceu um "purgante ... Parece que seus arquitetos queriam vencer um concurso de mau gosto", comenta. Em compensação, Nuremberg e Munique lhe agradaram imensamente. Os Rubens, os Dürers, os El Grecos e as pinturas expressionistas que viu de perto nas pinacotecas e exposições que ali visitou serão para sempre lembradas por Freyre como experiências de grande significado em sua formação. Especialmente o movimento expressionista, que vira em primeira mão, impressionou o jovem viajante pela sua força e amplidão: "movimento vastíssimo na Alemanha. Está até nos reclames de cigarettes, nas caixas de bombons e cinzeiros".[83]

A confessa preferência de Freyre pelo Velho Mundo tinha evidentemente muito a ver com seu interesse, ou mesmo paixão, por tudo o que tinha a marca do tempo. Logo ao chegar a Paris ele deixou registrado seu entusiasmo por estar sorvendo, "com a gula dum esfaimado", a "poesia do tempo", da qual sentira "falta a vida inteira". Em contraste, o Novo Mundo, mesmo com suas inovações monumentais, perdia em atrativos para ele: "... tudo novo, tudo cru ou meio cru, tudo cheirando a verniz ou a tinta fresca, sem essa névoa de encanto que até ao que foi, quando novo, feio, faz bonito".[84]

---

83 Caderno de anotações, 1921/1922 ("Que festa para os olhos é Paris! Há aí harmonia").
84 Caderno de anotações, 1921/1922.

Observando a Europa, seu espírito crítico ficara, pois, menos aguça-do do que quando observara os Estados Unidos. De fato, mostrando-se bastante perspicaz e arguto em suas observações, muitas das críticas que Freyre dirigiu aos Estados Unidos que conheceu foram afiadas, maduras e se revelam ainda hoje pertinentes. Irritava-o sobremaneira a mania americana de tudo avaliar pelo preço e se impressionava com o poderio do que chamava de "tentáculos do Senhor Dólar todo-poderoso". Atento às discussões políticas, aos discursos presidenciais, às políticas governa-mentais e ao comportamento religioso e social do cidadão médio, Freyre notou durante sua permanência uma forte tendência norte-americana à mediocridade, ao puritanismo, ao comercialismo e ao imperialismo, que o incomodavam ao extremo e sobre os quais falava abertamente aos seus leitores do *Diário de Pernambuco*.

O sistema político normalmente tão glorificado seria mais bem des-crito, segundo Freyre, como uma "democracia desvairada" que privilegia mais e mais a mediocridade em detrimento dos "homens de gênio", dos verdadeiros estadistas superiores em "competência, virtude e capacida-de de ação". A democracia americana só de quando em quando "puxa para frente, pela gola do paletó, um grande homem". Fora esse o caso de Woodrow Wilson, o presidente que se tornou paladino da Liga das Nações. Em contrapartida, o vencedor da eleição de 1920 – cuja cam-panha ele acompanhara com grande interesse – dera dos males dessa "xaroposa democracia" um eloquente testemunho. Numa época em que a questão central que dominava o cenário mundial era a reconstru-ção do pós-guerra, vencera o candidato que defendia os interesses do "americanismo estreito", em oposição ao "grande plano de arquitetura jurídica e social" da Liga das Nações. Homem do qual não "se conhecem ideias próprias de importância nem iniciativas memoráveis", Warren Harding pertencia, sem dúvida, à "família dos medíocres", afirma Freyre. Seu cérebro vale 25 dólares, em contraste com o milhão de dólares de seu antecessor Wilson, estipula Freyre, imitando jocosamente a mania americana de tudo avaliar por cifras. Já o puritanismo galopante que assolava o país, gerando, de um lado, a famigerada Lei Seca e, de outro, coibindo o desenvolvimento da arte com uma estrita censura, parecia a Freyre sizudo, tirânico e "estúpido".

Muitos desses males se deviam ao espírito "de roncador", um traço cultural norte-americano que Freyre considerava bastante acentuado. Quer por ingenuidade, quer por arrogância, os Estados Unidos em geral, mas "mais do que ninguém" na pessoa do presidente em exercício, escrevia o jovem Freyre em 1921, se acham "liricamente" convencidos de que em tudo – governo, arte, literatura, moralidade, esportes – "estão légua e meia adiante do resto do mundo" e que têm o direito de limitar a soberania dos outros países quando se trata de salvaguardar e promover os interesses nacionais norte-americanos. "Liga das Nações", "Pan-Americanismo", ou qualquer ideal internacionalista que possa se opor ao "americanismo estreito" encontra ali grande oposição, Freyre comenta. O candidato democrata, cuja plataforma era "enfática" no apoio a uma política internacional não isolacionista, fora derrotado porque "assim quiseram os medíocres". Para completar, os americanos são propensos a um patriotismo enganoso e tendem a dar apoio para "as chamadas 'mentiras patrióticas'", como o discurso das "vitórias, glórias e virtudes" de um "povo-deus, imaculado, sempre a vencer os estrangeiros maus", observa nosso crítico com rara perspicácia.[85]

É verdade que, uma vez na Europa, o clima do pós-guerra chegou às vezes a deprimi-lo, apesar do empolgamento que sentia ao visitar catedrais, pinacotecas e museus alemães, franceses e ingleses.[86] Em contraste, os Estados Unidos em certos momentos ganharam em apreço, apesar das "*cruditias* (grosserias) próprias do sistema democrático e à indústria nacional", como disse ao sempre amigo e confidente Oliveira Lima.[87]

De qualquer modo, mesmo com mais distrações e movimentação do que em Baylor, e talvez mesmo mais do que em Nova York, os meses que Freyre passou na Europa tiveram também o seu lado livresco. Nos Estados Unidos adquirira hábitos valiosos que, aparentemente, procu-

---

85 *Diário de Pernambuco*, 3/11/1918; 9/2/1919; 13/6/1920; 29/8/1920; 20/2/1921; 13/3/1921; 1/5/1921; 29/5/1921; 5/6/1921; 18/9/1921; 23/10/1921; 15/1/1922; 5/2/1922; 2/4/1922; 23/4/1922 e passim.

86 Carta de A. C. Rivas a O. Lima, 15/9/1922, Oliveira Lima Papers; cartas de G. Freyre a O. Lima, 18/8/1922, 15/9/1922, 1/10/1922, 24/10/1922; 20/11/1922, em Freyre, 1978, p.200-6.

87 Carta de G. Freyre a O. Lima, 20/11/1922, em Freyre, 1978, p.205-6.

rou manter na Europa, como o de ler os jornais norte-americanos de qualidade que o punham a par dos debates nacionais e internacionais da época. Amigos de Nova York lhe enviavam "pacote de jornais" e "lote de *Nations*" (a melhor revista semanal, segundo sua amiga Amy Lowell) e Freyre podia, assim, continuar com algumas de suas leituras favoritas.[88] É verdade que agora, na Europa, não tinha mais o *status* de estudante, mas na qualidade de visitante podia usufruir de alguma experiência universitária, tanto na Sorbonne quanto em Oxford.

Em Paris, sua primeira parada, frequentou algumas conferências sobre literatura comparada, mas sem grande entusiasmo: Fortunat Strowski (1866-1952), o especialista em Montaigne e Pascal, lhe pareceu "medíocre" (Freyre, 1975, p.88). Em compensação, toda a cidade, com seus "cafés, crêméries e cervejarias" com os nomes de "Racine, Victor Cousin, Voltaire, Claude Bernard", fazia que se visse impregnado de literatura. "A gente sem querer se besunta de literatura. Há como uma viscosidade literária nas calçadas, pegando a sola dos sapatos, nas paredes, no próprio ar".[89]

E em Oxford – que, a crer em seu diário, o fascinou como um centro de saber muito mais criativo do que a famosa Sorbonne – também participara, como convidado, das atividades estudantis: de "lectures", de jogos, de clubes e do "Oxford Union", grêmio que o aceitou como "sócio-hóspede" (Freyre, 1975, p.104-6).[90] Em ambas as cidades, Paris e Oxford, adquiriu muitos livros, novamente concentrados em literatura, e na última – onde permaneceu dois intensos meses ao final de 1922 – dedicou grande parte do tempo à leitura: "... estou lendo muito – quando sair daqui precisarei dumas férias. Mas quem nasceu para beneditino, há de ser sempre beneditino", diz Freyre a Oliveira Lima em carta de novembro de 1922.[91]

Biografias e estudos monográficos sobre figuras eminentes do mundo literário e artístico vitoriano sobressaem em suas aquisições. Há

---

88 Carta de G. Freyre a O. Lima, Paris, 30/8/1922, Oliveira Lima Papers; carta de F. B. Simkins a G. Freyre, 11/5/1923, AFGF.

89 Caderno de anotações, 1921/1922.

90 Carta de G. Freyre a O. Lima, 6/11/1922, Oliveira Lima Papers.

91 Carta de G. Freyre a O. Lima, 6/11/1922, Oliveira Lima Papers.

livros autografados em 1922 em Oxford sobre Rossetti, Lafcadio Hearn, G. F. Watts, Robert Louis Stevenson e William Morris. Obras de romancistas e ensaístas como Walter Pater, Thomas Hardy, Arnold Bennett, Edgar Allan Poe, Henry James, J.-K. Huysmans, James Joyce e Alfred de Vigny também são autografadas e datadas nessa época, quer em Paris, quer em Oxford.

Não há, pois, como negar a voracidade com que Freyre leu em todo esse período de ausência do país. A variedade das referências bibliográficas que aparecem nos artigos que enviou ao *Diário de Pernambuco* entre 1918 e 1922 é um eloquente testemunho dessa sua ávida sede de saber. Praticamente todos os nomes acima, ao lado de outros como Spencer, Whitman, Bernard Shaw, Carlyle, Ruskin, Fielding, Sterne, Boswell e Mencken, são mencionados aos seus leitores recifenses nessa época.

Orgulhoso, desde muito cedo, de ler infinitamente mais e melhor do que seus conterrâneos, ao voltar de sua temporada de cinco anos no exterior, em março de 1923, sua consciência da distância que o separava deles mais ainda se aguça. "O que venho absorvendo de livros em várias línguas estes últimos anos talvez chegue a ser assombroso ... Duvido que alguém leia hoje, de livros sérios na sua especialidade e em literatura e em filosofia geral, metade sequer do que eu leio", confessa Freyre em seu diário-memória da juventude (Freyre, 1975, p.166, 168, 172, 213). E, como sugeriu a seus leitores do *Diário de Pernambuco* em 1926, lia não para causar efeito, como tantos leitores que – semelhantes aos que "viajam para ser vistos" ao invés de ver – leem simplesmente para ser vistos e para poder enfeitar a cabeça com "rótulos de leituras ilustres".[92]

Viajando e lendo: viagem como leitura e leitura como viagem

Antes de continuar a acompanhar Gilberto Freyre na sua viagem de formação e me deter onde, ao que tudo indica, mais ficou fascinado – Oxford e Inglaterra –, uma longa digressão se torna oportuna para que algumas ideias centrais deste capítulo sejam exploradas.

---

92 *Diário de Pernambuco*, 24/10/1926.

Quanto do que somos depende do que lemos? Diante dessa questão, Primo Levi afirmou certa vez que, "dependendo do ambiente em que nascemos, do nosso temperamento e do labirinto que o destino nos impôs", nossas leituras podem determinar desde tudo a nada do que somos. Num extremo, por exemplo, estaria Cristóvão Colombo, cujos diários de bordo exalam o político, o aventureiro e o comerciante, mas nenhum "*input* literário". Em outro extremo estaria Anatole France, que se destaca como "um mestre da vida", mas cujos livros derivam de outros livros, eles próprios livrescos (Levi, 2001, p.3). Nessa gradação Gilberto Freyre – que chegou a se descrever certa vez como alguém que ama "voluptuosamente os livros" – aproxima-se muito mais de Anatole France, e diria até mesmo que o seu desdém pelo puramente livresco foi aprendido nos livros.[93]

Leibniz certa vez comentou que a vaidade de Descartes era tão exacerbada e sua ambição em "se erigir em chefe de partido" tão grande que não só ele não dava crédito aos autores que o inspiravam como até mesmo fingia quase nada ler (cf. Careil, 1857, p.13-9). Desse tipo de vaidade definitivamente Gilberto Freyre não pode ser criticado, pois ao contrário de muitos outros grandes autores (como Hobbes e Spencer, por exemplo[94]) ele insistentemente admitia dever muito de suas ideias e inspiração às ideias de outros. Desde cedo reconhece encontrar-se às vezes nos outros, vendo suas "próprias ideias clarificadas ou coloridas por alguém mais eloquente".[95] Muito dessa atitude Freyre pudera observar nas biografias, autobiografias e cartas de personalidades literárias que aparentemente desde muito cedo se deliciava em ler. Yeats, por exemplo, era pródigo no reconhecimento de seus mentores, e tal era sua admiração por William Morris que chegou a admitir que "se algum anjo

---

93 Carta de G. Freyre a O. Lima, 24/3/1922, Oliveira Lima Papers.

94 Hobbes, de acordo com seu biógrafo e contemporâneo John Aubrey, lia muito pouco e costumava dizer que "se tivesse lido tanto quanto os outros homens, ele não saberia mais do que os outros homens" (cf. Dick, 1976, p.314); Spencer, por sua vez, confessa em sua autobiografia que não tolerava leituras prolongadas e que "sua tendência para o pensamento independente" era tal que se tornou "impaciente com o processo de absorver as ideias que lhe eram apresentadas" em livros (cf. Spencer, 1904, V.I, p.81).

95 *Diário de Pernambuco*, 3/2/1924. Sobre uma visão ultracrítica da vaidade de Freyre, ver Santos (1990).

me oferecesse a escolha, eu escolheria viver sua vida, poesia e tudo, ao invés de minha própria ou de algum outro homem" (Yeats, 1955, p.141). E Havelock Ellis até mesmo lhe chamara atenção à dívida que temos para com as "influências inspiradoras" de algumas poucas pessoas excepcionais que deixaram suas marcas na "tradição humana". Apesar de seus nomes terem sido esquecidos, "elas vivem para sempre na vida do mundo", diz Ellis (1926, p.130).

Seguindo tais passos e empenhado em não cometer o pecado de Descartes e de todos aqueles que procuram ocultar seus mentores, em várias ocasiões Freyre afirmou que sua formação se devia em grande parte a seus contatos no estrangeiro "com novíssimas formas de pensar, de sentir, de viver, de escrever...". Contatos, entretanto, não só diretamente com grandes mestres, como Franz Boas ou Giddings, como insistia, mas também, e indiretamente, com "autores até então entrevistos ou ignorados" (Freyre, 1978, V.I, p.27-8; 1957b, V.I, p.79-80). A escritora Simone de Beauvoir relembra em sua autobiografia (1991, p.55 e passim) o quanto, desde a infância, os livros foram significativos para sua vida. "A meus olhos", diz ela, "o mundo não comportava nada mais precioso" do que livros. Eram eles, e não o mundo empírico, que lhe forneciam "modelos", e em tudo "copiava-os, imitava-os". Os fragmentos autobiográficos que se encontram esparsos em grande parte da obra de Freyre nos permitem afirmar que o relacionamento de nosso escritor com os livros sempre lhe foi igualmente essencial. Não é por acaso, pois, que Freyre deixou marcas e grifos no trecho da carta de Lafcadio Hearn a seu amigo Henry Watkin, em que a importância dos livros em sua vida era enfatizada: "Eu vivo em meus livros e na fumaça de meu cachimbo..." (Bronner, 1925, p.82).

É verdade que muitos dos reconhecimentos dessa dívida para com seus mentores foram feitos por um Freyre já maduro e famoso, e como toda declaração *a posteriori* que busca justificar e ratificar uma trajetória de vida devem ser vistos com cautela. Seu talento de escritor se impondo muitas vezes ao de jornalista ou diarista fazia que a experiência que rememorava fosse ao mesmo tempo revelada e escondida. Às vezes, para produzir um efeito dramático, Freyre, conscientemente ou não, desrespeita a cronologia, omite ou exagera episódios, tornando difícil distinguir o que ocorreu e sentiu num dado momento do que, tempos depois, imagina que seria apropriado, agradável ou interessante que tivesse sentido. Como já assinalamos na introdução, mesclando e fundindo o vivido com o desejado ou lido, o real com o imaginário, os relatos autobiográficos de Freyre, assim como de qualquer outro indivíduo, representam um desafio para o historiador, desafio tanto maior quanto mais sofisticado é o talento literário da figura estudada.[96] O caso de Freyre é semelhante ao de Lafcadio Hearn, outro ensaísta de primeira ordem, cuja arte ao mesmo tempo ilumina e dificulta a tarefa do estudioso, como bem apontou seu biógrafo Robert A. Rosenstone. Também ele, "para obter um efeito, que pode ter sua verdade mais ampla e mesmo simbólica", remexe ligeiramente as evidências e exagera ou minimiza os eventos (Rosenstone, 1988, p.152). Lembremos, como já assinalamos, que o diário de adolescência e primeira mocidade de Freyre, publicado em 1975 com o título de *Tempo morto e outros tempos* como se tivesse sido escrito nos anos 1920 – e onde se é tentado a buscar seus dados biográficos e a linha de sua trajetória intelectual até 1930 –, foi sendo elaborado pouco a pouco.

No entanto, muito menos passíveis de suspeita são as anotações e pistas deixadas pelo jovem Freyre no próprio momento em que sua formação estava em processo. "Ainda não idealizadas pela nostalgia", as recordações dos jovens tendem a ser mais objetivas, como diz Gabriel García Márquez (2003, p.11). No que lia, o estudante recifense parecia buscar não só conhecimento, mas também orientação para o que ler, como ler, e até mesmo como viver e encarar a vida. É reveladora dessa disposição a frase de Bacon sublinhada pelo jovem universitário num dos

---

96 Um de vários exemplos que podem ser arrolados, como já vimos, é a amizade que teria tido com o crítico norte-americano H. L. Mencken desde seus estudos em Nova York, quando na verdade só o conheceu realmente anos depois; "prendeu-me a ele, durante o meu tempo de estudante de universidade, uma amizade que influiu consideravelmente sobre a minha formação", diz Freyre falando sobre seu passado, muitos anos mais tarde (cf. "Da correspondência de H. L. Mencken com um amigo brasileiro", em Freyre, 1987b, p.296). Na vasta bibliografia sobre Mencken e em seus muitos volumes de correspondência publicada não há, salvo engano, nenhuma referência a Gilberto Freyre, o que sugere que as marcas que esse encontro deixou em Freyre não foram correspondidas no mesmo grau pelo crítico norte-americano.

primeiros livros que leu em Baylor para o curso do prof.: "*Abeunt studia in mores*" ou "*studies change into character*" (os estudos transformam-se em caráter), como traduz Freyre ao pé da página (Bronson, 1905, p.10).

Com os livros o estudante Freyre aprendeu, por exemplo, a viajar inteligentemente, e, como o autor de *Voyage autour de ma chambre*, Xavier de Maistre, até mesmo sem precisar sair de casa.[97] Uma frase, aparentemente de Unamuno, que ele anotou ao menos duas vezes como se fosse um provérbio a advertir o viajante sobre a atitude a evitar, dizia: "os que viajam não para ver, nem para ter visto, mas para ser visto [sic]".[98] As leituras podiam transportá-lo a outras eras, lugares e ideias além de suas próprias, como ensinava Armstrong: "O homem que acrescenta a vida dos livros à vida do dia a dia, vive a vida de toda sua raça. O homem sem livros vive somente a vida de um indivíduo".

As cuidadosas anotações que Freyre fez em *Seeing Europe with Famous Authors*, obra autografada na primavera de 1920 e lida, com toda a probabilidade, para o curso de Armstrong, English Literature in Travel, são reveladoras de quão marcante foi essa ideia para ele. Composta basicamente de passagens de vários autores – Dickens, Victor Hugo, Henry James, Goethe, Gibbon, Thackeray e outros mais obscuros para nós hoje – sobre várias localidades europeias, essa obra era uma espécie de guia turístico para viajantes livrescos e sofisticados.

São inúmeras as marcas e pequenos comentários aí deixados por Freyre, sugerindo que ele acreditava que poderia aprender a ver e até imaginar o que não via com certos autores. Especialmente nas partes relativas à arquitetura inglesa (vista em suas catedrais, casas aristocráticas e monumentos históricos) e ao que era chamado de "English literary shrines" [santuários literários ingleses], o interesse de Freyre fica evidente. Por exemplo, "Oxford is the classic ground of old forms and ceremonies", assinala ele; "A thing of beauty is a joy forever. Keats", escreve à margem da descrição da Catedral de Exeter; "he shows the ugliest,

---

97 Agradeço a João Adolfo Hansen pela lembrança desse paralelismo.

98 Cf. trecho escrito na página em branco ao final do livro *Poems of William Blake*, editado por Yeats (livro autografado e datado "Washington, 1926"); o trecho também é escrito na página em branco ao final do *Impressions and Comments 1914-1920* de Havelock Ellis, livro também autografado e datado "New York City 1926".

vilest sides of human life", escreve abaixo do trecho que se refere ao pintor Hogarth; e assim por diante (Halsey, 1914, V.I, p.67, 92; V.II, p.40).[99] É muito provável, pois, que, pensando numa eventual futura viagem, Freyre acatasse a opinião do editor Halsey, que justificara a coletânea dizendo que "acha-se na Europa o que se leva para lá, ou seja, reconhecemos lá fora exatamente aquelas coisas que aprendemos a compreender em casa", atitude, aliás, amplamente compartilhada por Armstrong (Halsey, 1914, V.I, p.V-VI; Douglas, 1951, p.175-6).

Mas, além de viajar por meio das leituras, Freyre aprendeu com os livros que viajar inteligentemente envolvia a "leitura" de monumentos, de pessoas e dos detalhes que, como se fossem textos em língua estrangeira, tinham de ser decodificados para ser compreendidos. Pelos seus edifícios e estátuas, muito se pode aprender sobre seus habitantes, dirá Freyre aos seus leitores, citando Huysmans e G. K. Chesterton como autores que, na mesma linha de John Ruskin, ensinam que as cidades devem ser lidas, pois "falam por meio de sinais".[100]

A noção da "cidade como texto", tão difundida por Roland Barthes em seu ensaio sobre Tóquio, já estava, portanto, sendo empregada por Freyre e seus mestres bem cedo no século XX. "Os Estados Unidos são hoje as primeiras provas tipográficas dum grande livro em preparo", escreve o perspicaz Freyre em 1921 em seu caderno de anotações.[101]

O exame do que resta da biblioteca de Gilberto Freyre, bem como de suas referências a livros em geral, quer de sua propriedade quer não, revela que ele os valorizava talvez mais do que qualquer outro bem material, mas não os tratava com a reverência que se poderia esperar de um bibliófilo. Anotados, sublinhados, marcados de vários modos – linhas verticais (às vezes duplas ou triplas), cruzes, parênteses, círculos envolvendo passagens etc. –, a lápis, caneta, ou mesmo aparentemente à unha, com páginas e páginas "orelhadas" e com várias formas de assinatura sendo ensaiadas de quando em quando aqui e acolá, como faria qualquer adolescente, muitos livros de Freyre fariam o desespero de muito

---

99 "Oxford é o local clássico de velhas formas e cerimônias"; "Uma coisa bela é uma alegria eterna. Keats"; "ele mostra os lados mais feios e vis da vida humana".

100 *Diário de Pernambuco*, 30/9/1923 e 6/7/1924.

101 Caderno de anotações, 1921/1922.

bibliotecário e bibliófilo consciencioso. No entanto, para quem se interessa pela evidência muito frágil – pois facilmente apagável e transfigurável por outros usos ou por eventuais (e discutíveis) práticas de conservação – materializada nos livros, esses objetos "malcuidados" e "vandalizados" são fonte inestimável para se entrever os primeiros passos, preocupações e interesses de nosso jovem leitor (Stoddard, 1985).

O próprio vocabulário usado por Freyre ao se referir aos seus livros é bem indicativo de uma bibliofilia marcada pela intimidade. "Livros velhos camaradas", "meus irmãos os livros, cada vez mais meus irmãos", "meus amigos", "amigos a me fazerem companhia neste meu exílio intelectual no trópico", diz ele em várias ocasiões. Em Nova York, em 1921, ao ter notícias de que seu pai realizara o sonho de ter uma casa própria, Freyre refere-se ao contentamento dos livros com a nova aquisição como se fossem verdadeiras pessoas. "Peregrinar sob tetos de aluguel", diz ele a Oliveira Lima, era "uma tortura para os nossos livros que devem estar doidos de contente".[102] Estar afastado desses seus "irmãos" durante o exílio em Portugal, após a Revolução de 30, era para Freyre não só um suplício como também fonte de permanente preocupação. Era preciso "defendê-los das traições do clima", da "umidade", do "cupim", da "traça"! Ao pai roga insistentemente que deles não se descuide, pois a vida de seus diletos livros depende de "um cuidado permanente". Lamenta que tenham dispensado o "José" que era "ótimo" para "encarregar-se muito bem disso"; que tentem encontrá-lo e

---

102 Carta de G. Freyre a O. Lima, 16/8/1921, em Freyre, 1978, p.187-8 – a data desta carta no original da *Oliveira Lima Library* é 12 de agosto. Comparando as datas de algumas cartas de Freyre publicadas em 1978 com as originais que se encontram na *Oliveira Lima Library*, verificaram-se casos em que, ao serem publicadas, ocorreu erro de impressão; há também outros casos em que o próprio remetente se enganou na datação do ano, especialmente quando a carta estava sendo escrita no início de um determinado ano. Nesses casos, um exame do conteúdo da carta pode possibilitar, muitas vezes, corrigir o engano. Eis alguns exemplos: a carta escrita por Freyre em Paris em 8 de janeiro de 1923, quando pede a Oliveira Lima que lhe escreva "3 cartas para S. Paulo – cartas de apresentação", não pode ter sido escrita em 1922, como consta; é evidente que houve um engano, já que Freyre só chegou a Paris, pela primeira vez, em agosto de 1922. A carta de 4 de fevereiro de 1923, escrita a Oliveira Lima do paquete Flandria, quando estaria chegando em "mais quatro dias" em Pernambuco, também não pode ter sido escrita nessa data, pois Freyre estava então ainda em Lisboa e chegou no Recife em 8 de março desse ano.

conservá-lo até sua volta! (Freyre, 1975, p.206-7).[103] Como dissera certa vez a Oliveira Lima, "ter livros é mais trabalhoso que ter crianças. O que vale é que, como as crianças, eles compensam largamente o trabalho que causam".[104]

Evidentemente não se trata de dizer que podemos reconstruir com exatidão a história de Freyre como leitor, já que os obstáculos a qualquer recuperação precisa são necessariamente insuperáveis. A começar, não se pode garantir que ele leu todos os livros que lhe pertenceram, que marcou todos os livros que leu nem que leu até o fim os que aparentemente começou. Além disso, quando se observa a sua biblioteca, ou a de qualquer outro leitor, não se pode deixar de considerar a evidência negativa, por assim dizer, ou seja, o que não está lá. Livros emprestados de amigos ou de bibliotecas, livros uma vez possuídos mas perdidos, destruídos ou dados, seguramente foram também lidos, e talvez marcados, além dos que hoje sobrevivem em sua biblioteca. Nenhuma lista de livros lidos pode, portanto, ser conclusiva, já que tudo o que Freyre leu de bibliotecas ou emprestado de outros evidentemente nos escapa. Sabemos, por exemplo, que ele frequentou a Public Library de Nova York e que ficou de imediato encantado com a "riqueza" da biblioteca de Columbia.[105] Também sabemos que alguns desses livros ele veio posteriormente a comprar, pretendendo reler "autores" que lera "em biblioteca", e que desembrulhava os pacotes de "livros já muito desejados ... com alvoroço de menino", como confessa em seu diário-memória. Do Recife, sabemos também que Freyre pedia sugestões de livros e os encomendava a Oliveira Lima em Washington e a seus amigos da Universidade de Columbia, Francis Simkins e Rüdiger Bilden (Freyre, 1975, p.206-7).[106] É com pesar que, do exílio, diz ao pai: "Meus livros! Alguns velhos camaradas lidos e estudados com prazer ... e que por serem caros eu não tinha

---

103 Cartas de G. Freyre a A. Freyre, 11/12/1930, 2/1/1931; carta de G. Freyre a U. Freyre, 18/12/1930, AFGF.

104 Carta de G. Freyre a O. Lima, 17/1/1921, em Freyre, 1978, p.171.

105 Carta de G. Freyre a O. Lima, 12/1/1921, em Freyre, 1978, p.171.

106 Cartas de G. Freyre a O. Lima, 28/10/1926, 4/12/1926, 20/2/1927 em Freyre, 1978, p.218-21; cartas de G. Freyre a F. B. Simkins, 26/5/1923, 16/12/1923, 9/2/1925, 8/4/1925, 15/8/1925; Carta de R. Bilden a F. B. Simkins, 22/4/1924, Simkins Papers.

podido adquirir quando estudante. Só agora. E quando me preparava para relê-los, gozando-os ao meu gosto, vem esta separação deles".[107]

Assim, os livros "limpos" de sua biblioteca, e às vezes até mesmo com folhas ainda fechadas, não são necessariamente indício de que não os tenha lido. Pode ser que sejam novos exemplares de livros antes lidos e que simplesmente não os tenha relido para gozá-los ao seu "gosto", como pretendia, ou seja, tomando posse deles, relacionando-se com eles com intimidade; na mesma linha, por assim dizer, de Coleridge, um dos mais famosos "vandalizadores" de livros de que se tem notícia. "Um livro, eu valorizo, eu argumento e discuto com ele do mesmo modo como faço comigo mesmo quando raciocino", anotou Coleridge lendo Schelling (Jackson, 2001, p.82).

Um bom exemplo de livro que Freyre gozou a seu "gosto" no Recife, após tê-lo provavelmente descoberto em Baylor em 1920, é o *Private Papers of Henry Ryecroft*, de George Gissing, autografado e datado por ele em julho de 1926 em Washington, livro que, como já apontamos, deve ter servido de modelo para a elaboração de seu diário-memória.[108] Marcado com abundância de traços, parênteses, grifos, orelhas e com anotações na página em branco do final do texto – praticamente ilegíveis com exceção de palavras esparsas como "doces moles", "coqueiros", "Walter Pater" etc. –, esse livro revela Freyre se reconhecendo num "pioneiro dele próprio" em vários pontos, entre eles na sua ânsia por ter seus próprios livros (cf. Pallares-Burke, 2002, p.837-44). "Eu conheço homens que dizem ter lido de bom grado qualquer livro em uma cópia de biblioteca como um de sua própria estante. Para mim isso é ininteligível. Para começar, eu conheço todo livro meu pelo cheiro, e só preciso colocar o meu nariz entre as páginas para me recordar de todo tipo de coisas", afirma Gissing em trecho marcado por Freyre com parênteses duplos. E, lembrando com que sacrifício os comprava por sentir uma necessidade vital de tê-los, mais vital mesmo do que qualquer alimentação para o próprio corpo, Gissing continua a refletir sobre o tema, em trecho

---

107 Carta de G. Freyre a A. Freyre, 4/5/1931, em Freyre, 1978, p.59.

108 Deve-se notar que a referência à descoberta de G. Gissing por seu "próprio faro literário" em 1920 se encontra em *Tempo morto e outros tempos*, que por ser um diário editado por Freyre em 1975 pode conter deturpações conscientes ou inconscientes.

igualmente marcado pelo nosso jovem bibliófilo: "Eu poderia vê-los, é claro, no *British Museum*, mas isso não era absolutamente a mesma coisa do que tê-los e segurá-los, como minha propriedade, na minha própria estante"(1918, p.29, 32).[109]

Enfim, levando em conta as limitações apontadas, bem como a impossibilidade de reconstruir todo o processo mental que acompanha a atividade da leitura, tal como insistem convincentemente alguns historiadores cautelosos (Machor, 1993; Martin, 1994; Kintgen, 1996), o exame da biblioteca de Freyre associado, quando possível, ao estudo de outras fontes pode fornecer valiosos indícios de sua trajetória intelectual. Mesmo considerando que várias de suas anotações são simples marcas convencionais de passagens e palavras que lhe chamaram a atenção no texto, e que poucas são as notas discursivas à la Coleridge expressando opinião ou reação mais clara ao que lê, muito de significativo pode ser aprendido, inferido e entrevisto lendo e folheando com atenção os livros de Freyre. Afinal, todas as marcas, desde as mais triviais, dizem alguma coisa e permitem fazer uma reconstrução, ainda que precária, da trajetória mental do jovem leitor. Por exemplo, grifos, riscos ao longo das páginas, parênteses ou círculos isolando passagens e cruzes ao lado de certos trechos podem dizer que foram vistos como expressão de ideias centrais ou lidos como especialmente pertinentes, interessantes ou sugestivos. Como certa vez Freyre disse claramente aos seus leitores do *Diário de Pernambuco*, quando lia um trecho admirável de um livro, seu primeiro instinto era lê-lo, relê-lo e "sublinhá-lo a lápis".[110] E a marginália propriamente dita nos faz entrever o que se passava em sua mente e as associações que fazia durante o processo de leitura.

A título de exemplo, três anotações feitas em *English Essays*, de W. C. Bronson, um dos primeiros livros estudados por Freyre em Baylor, como já apontamos, são particularmente reveladoras de quão cedo se manifestaram duas características freyreanas: sua valorização da obra

---

109 Cumpre aqui notar que até recentemente o British Museum era onde estava localizada a British Library, local lendário de estudo de grandes personalidades, incluindo o exilado Karl Marx.

110 *Diário de Pernambuco*, 11/11/1923.

inacabada e a associação de muito do que lê a assuntos brasileiros, mesmo quando o tema é aparentemente muito distante deles. Ao final do ensaio "Aes Triplex", de Robert Louis Stevenson, em que é enaltecida a coragem daqueles que não esmorecem mesmo diante da possibilidade de não finalizarem um trabalho iniciado, Freyre escreve: "quase tudo que M. Angelo fez está incompleto". À margem do mesmo ensaio, na passagem em que Stevenson comemora a vida com humor, apesar da morte que sempre a ronda, Freyre escreve: "Em Olinda, reclinando no capim seco, do lugar onde foi o mosteiro [?], eu recordei imagens de meu passado [ou mundo?]. Uma nação que tem humor tem um passado [ou mundo ?] de que gloriar-se". E acima do ensaio de Richard Steele, "The Club at 'the Trumpet'", Freyre escreve: "Seu delicado, suave humor recorda-me o de Machado de Assis ou o de Machado o dele?" (Bronson, 1905, p.81, 342-4).[111]

A lição: imitar para criar

O que, portanto, podemos entrever que Freyre tenha aprendido com suas leituras sobre o papel dos livros na formação de um indivíduo? Que a imitação é um preâmbulo necessário para a originalidade ele parece ter aprendido com várias delas. Shakespeare, W. B. Yeats, Lafcadio Hearn, Arnold Bennett, William Morris, Havelock Ellis, Walter Pater e Nietzsche certamente lhe ensinaram a ser paciente já que muito tinha de absorver de outros antes de realizar as façanhas literárias em que seus admiradores tanto apostavam. A originalidade, mesmo do gênio, não se alcança sem muito esforço, como dizia Nietzsche, um dos seus primeiros mestres e referência importante de alguns de seus autores preferidos, como Havelock Ellis e W. B. Yeats. "Não fale em dons, talento inatos! Podem-se nomear grandes nomes de todos os tipos que foram muito pouco dotados. Eles *adquiriram* grandeza, tornaram-se 'gênios'

---

111 O que está entre colchetes denota dúvida quanto à palavra pouco legível que os antecedem. Ao topo da página do ensaio de Steele, Freyre também escreve "Swift (1667-1745)". É possível, portanto, que ele estivesse fazendo a comparação de Machado de Assis com Swift, em vez de Steele, já que ambas são plausíveis.

(como dizemos) ... eles todos possuíam aquela seriedade do trabalhador eficiente que primeiro aprende a construir perfeitamente as partes antes de ousar fazer um grande todo; eles se deram tempo para isso...", afirma Nietzsche em trecho do *Humano, demasiado humano*, cuidadosamente lido e marcado por Freyre, pelo menos a partir de 1921.[112] Não à toa Wagner, que fora um dos grandes ídolos de Nietzsche, antes de ser reconhecido como um símbolo da modernidade decadente e uma de suas "doenças" da qual tinha de se libertar, irritou-se com o livro que ousava dispensar toda ideia de gênio como sendo um erro radical (Nietzsche, 1967, p.5, 52). Sobre esse mesmo tema, a biografia de Walter Pater, lida com extremo cuidado por Freyre em março de 1922, chamava a atenção para o fato de que o ensaísta de Oxford enaltecia o grande artista Rafael por ser um "gênio por acumulação", ou seja, um ser humilde que progressivamente aprendera e assimilara influências de outros (Benson, 1911, p.160).[113]

Bennett, Yeats, Hearn, Morris, todos eles confessavam ter imitado outros autores, às vezes servilmente, no período de sua formação. Falar e escrever ecoando terceiros parecia uma norma entre jovens aprendizes, e Lafcadio Hearn era até mesmo descrito como um "eco multicolorido" numa primeira biografia publicada logo após sua morte no Japão em 1904, que Freyre possuía (Yeats, 1955, p.71 e passim; Gould, 1908, p.XIII). Com E. Thomas, outro biógrafo lido por Freyre, ele também aprendia que Hearn desenvolvera seus "próprios standards" por uma junção de "sentimentos naturais" com "imitação" (Thomas, 1912,

---

112 Já conhecedor de Nietzsche desde a adolescência, é plausível que Freyre tenha adquirido a tradução francesa *Humain, trop humain*, publicada pelo Mercure de France (somente nos anos 1980 essa obra seria traduzida para o inglês), sob o impacto do livro do crítico norte-americano Mencken sobre Nietzsche, que ganhara de um amigo nesse mesmo ano (cf. *Diário de Pernambuco*, 23/11/1921). Nela Mencken apresenta essa obra escrita sob a forma de aforismos – que provocara um verdadeiro "horror" entre os "devotos" – como uma tentativa de "examinar o lado negro das ideias humanas" e parte do projeto de Nietzsche de fazer que as pessoas "se acostumassem com a ideia de questionar coisas elevadas e sagradas" (cf. Mencken, 1908, p.38-43). Nos dois volumes de Freyre examinados – as edições de 1921 e 1930 – temos mais um caso de difícil interpretação, já que não podemos excluir a hipótese de a edição de 1930 (onde se encontra a passagem acima marcada por Freyre) ter sido cópia relida de um texto já lido anteriormente.

113 Trecho grifado e com um traço à margem.

p.37).[114] Yeats, por sua vez, recordara em sua autobiografia que, querendo ser "sábio e eloquente", começara a "escrever poesia em imitação de Shelley e Edmund Spenser". Quanto a suas pinturas, confessa que por muito tempo só imitara, sendo muito tímido para "romper com o estilo" de seu pai e de outros ao seu redor (Yeats, 1955, p.66, 80-2 e passim). O inovador e revolucionário William Morris – tal como era apresentado pelo biógrafo Clutton-Brock em livro lido e anotado por Freyre (Clutton-Brock, 1914)[115] – replicara a um Burne-Jones preocupado em não se tornar um "mero imitador" de Rossetti, um dos fundadores do Pré-Rafaelitismo, que ele, ao contrário, já "ultrapassara esse ponto", e queria imitar Rossetti tanto quanto pudesse. E Havelock Ellis insistia na ideia de que "quando começamos a aprender a escrever raramente acontece não sermos imitadores, e em grande parte, inconscientes"; e o que se lê e o que se observa muito cedo na vida vão compondo um "reservatório" de conhecimentos e impressões sensíveis a que os autores – todos eles, incluindo os grandes Shakespeare, Hardy e Proust – necessariamente têm de recorrer. "Quando se é muito jovem, ler é como se fosse verter um jacto de água contínuo numa planície ressecada e virgem. O solo parece ter uma capacidade infinita para absorver o jacto ..." (Ellis, 1923, p.150-7[116]; 1921, p.9).

Assim, não aproveitar devidamente essa juventude receptiva e flexível que se esvai com tanta rapidez significava perder "a grande chance" de uma vida, como advertia G. Gissing em *The Private Papers of Henry Ryecroft*, obra lida e criteriosamente marcada por Freyre como já vimos. "Eu suponho", diz o autor inglês, "que nem um só jovem em cada mil vê metade das possibilidades de alegria natural e agradável esforço que reside naqueles anos entre dezessete e vinte e sete" (1953, p.45). Ou, como Yeats (1955, p.189) dizia, "estou persuadido de que nossos intelectos aos vinte anos contêm todas as verdades que jamais encontraremos", mas nessa época ainda não sabemos quais delas o desenrolar da vida nos

---

114 Página marcada por Freyre; nas páginas 24 e 25 desse texto, o comentário de Gould é reproduzido.

115 Texto lido e anotado por Freyre provavelmente em Oxford e mencionado aos seus leitores do *Diário de Pernambuco* em 9/12/1923.

116 Páginas muito marcadas por Freyre.

mostrará como sendo nossas próprias verdades ou convicções. Foi talvez ecoando tais ideias que Freyre escreveu em 1921 em seu caderno de anotações que não se deve ter "opiniões definitivas antes dos 25 anos".[117]

Em ensaios escritos para um novo curso sobre Shakespeare, frequentado em Baylor no outono de 1920, fica bem evidente que Freyre estava aprendendo muito bem a lição, pois eles registram a marcante clareza com que nosso jovem universitário encarava questões relativas à formação intelectual, tanto de um grande dramatista como Shakespeare quanto, é de supor, de qualquer outro aprendiz de escritor. Acentuando exatamente o aspecto imitativo do período de aprendizado Freyre escreve: "When Sh's [sic] wrote this play [*Midsummer Night's Dream*] he was still in that early stage of mental development when the mind is still imitative". E sobre *The Two Gentlemen of Verona* diz, na mesma linha, que a peça "represents Sh's [sic] dramatic genius in its earliest stage of evolution. Genius – like everything else in this world – evolves. And in the development of genius what we see is this: a gradual freedom from imitation to glorious independent personal creation".[118] Anos mais tarde, em 1924, Freyre iria referir-se novamente a Shakespeare como sendo ao mesmo tempo um gênio e um grande plagiador, e, pois, como exemplo flagrante de que "no mundo da cultura não se cria de modo absoluto"; ao contrário, recria-se.[119]

É com esse intuito que Freyre muito conscientemente, ao que tudo indica, mergulhou sofregamente em leituras das mais variadas durante o período que passou no exterior. Tratava-se de suprir seu "reservatório" com largueza, de fazer que sua mente e sua sensibilidade se nutrissem o mais possível para que, da junção desse aprendizado com outras experiências de vida, finalmente um pensador original pudesse emergir.

---

117 Caderno de anotações, 1921/1922.

118 "Quando Sh. escreveu essa peça ele ainda estava no estágio inicial de desenvolvimento mental em que a mente ainda é imitativa"; a peça "representa o dramático gênio de Sh. em seu estágio inicial de evolução. Gênio – como tudo o mais no mundo – desenvolve. E no desenvolvimento do gênio o que vemos é o seguinte: uma liberação gradual da imitação em direção à criação gloriosa, independente, pessoal". Textos em papel de seda colados em *The Complete Works of William Shakespeare* (cf. Craig & Milford, 1919).

119 Freyre, "Apologia Pro Generatione Sua" (conferência lida originalmente em João Pessoa, abril de 1924) e publicada em 1944 em *Região e Tradição* (cf. Freyre, 1968b, p.87).

Ainda mais flagrante da lucidez com que Freyre encarava sua educação no exterior é o trecho de Victor Giraud copiado, no original francês, no mencionado pequeno caderno de anotações de 1921 e reproduzido como epígrafe deste capítulo. Extraído de um longo artigo sobre a trajetória intelectual e espiritual de Maurice Barrès – autor do então famoso *Déracinés* – publicado em três partes na *Revue des Deux Mondes,* o trecho selecionado por Freyre aponta exatamente para a rica plasticidade de uma mente jovem e para o alto grau de indefinição e incerteza que o futuro de qualquer talento contém. "Un cerveau de vingt ans est une nébuleuse. Les influences, les lectures, les expériences les plus contradictoires s'y sont donné rendez-vous, se disputant âprement la conquête d'une personnalité qui n'a pas pris conscience d'elle-même et qui, à proprement parler, n'existe pas encore. Qui démêlera, parmi ces divers courants, celui qui, la vie aidant, finira par l'emporter sur les autres?" (Giraud, 1922, p.55).[120]

A arte de ler: Friedrich Nietzsche e Arnold Bennett

Uma vez corroborado pelos livros em sua decisão de se deixar formar pelas leituras e de dedicar, portanto, grande parte de seu tempo a elas, como saber o que ler e como ler? Duas lições Freyre parece ter absorvido bem cedo sobre essas questões: em primeiro lugar, definitivamente nem tudo deve ser lido com a mesma intensidade e, em segundo, não se deve temer a nebulosidade que pode advir de leituras aparentemente desconexas. Já no primeiro curso de literatura inglesa, em 1918, o ensaio de Francis Bacon *Of Studies* lhe ensinara a fazer uma discriminação importante: "Alguns livros são para serem experimentados, outros para serem engolidos, e alguns poucos para serem mastigados e digeridos"

---

120 "Uma mente de vinte anos é uma nebulosa. As influências, as leituras, as experiências as mais contraditórias aí se reuniram e disputam a conquista de uma personalidade que ainda não tomou consciência de si e que, propriamente falando, ainda não existe. Qual dentre essas diferente correntes, aquela que, se a vida ajudar, acabará por se impor sobre as demais?" Ao copiar o nome do autor, Freyre cometeu um engano, escrevendo Geraud, em vez de Giraud.

(Bronson, 1905, p.9).[121] Por outro lado, obras biográficas e autobiográficas, bem como estudos críticos como o anteriormente mencionado sobre Barrès, por exemplo, confirmavam que as "influências contraditórias" e as leituras de uma miscelânea de temas e abordagens não eram prejudiciais para a formação de um indivíduo; pelo contrário, tal abertura podia ser mesmo vista como condição para que a criatividade e a independência de um indivíduo emergissem.

Caso se busque no mundo intelectual uma figura à qual Freyre possa ser comparado a esse respeito, diria que tal autor é Samuel Johnson. Na exemplar biografia, *The Life of Samuel Johnson*, o autor James Boswell nos fala longamente sobre o homem que era conhecido como o mais voraz dos leitores de sua época e salienta que Johnson admitia ser fundamentalmente em livros que buscava material para a sua obra. "A maior parte do tempo de um autor é gasta em ler para poder escrever; um homem irá revirar meia biblioteca para fazer um livro", disse ele certa vez a seu biógrafo. Mas o relacionamento de Johnson com os livros não era cuidadoso ou reverente, como talvez se pudesse supor. Ao contrário, ele "lia muito, mas de uma maneira confusa, sem qualquer esquema de estudo, à medida que o acaso punha livros em seu caminho e sua inclinação o dirigia para eles". Ou seja, Johnson lia voraz e rapidamente ("como um turco", dizia) e, tendo desenvolvido a habilidade de, deslizando sobre os livros, neles encontrar ideias, sugestões e mesmo expressões, sua memória prodigiosa permitia que retivesse, para uso a curto e longo prazo, o que de útil achasse em suas leituras esparsas. Bom seguidor dos conselhos de Bacon, a ideia de que alguém pudesse ler um livro inteiro, do começo ao fim, parecia a Johnson, no mínimo, fantástica. Boswell relata uma ocasião em que, ao ouvir um pastor aconselhar um jovem a ler os livros até o fim, Johnson reagiu dizendo: "Sir... Este é um conselho bem estranho... um livro pode não servir para nada; ou pode ser que tenha somente uma coisa nele que valha a pena; devemos, então, lê-lo inteirinho!" (Kernan, 1987, p.204-18).

Cumpre lembrar que logo ao chegar em Baylor, em 1918, Freyre se entusiasmara com o ensaio de Thomas Carlyle sobre "Biografia" incluído

---

121 Trecho sublinhado e marcado por Freyre com parênteses.

na coletânea de ensaios ingleses estudados no curso de Armstrong. Ora, esse ensaio fazia parte de uma longa resenha de Carlyle da nova edição da *The Life of Samuel Johnson*, de Boswell (Bronson, 1905, p.192-221; Freyre, 1975, p.27-8). A crer nas inúmeras referências que fez, desde então, tanto a Johnson quanto a seu famoso biógrafo, Boswell, é lícito acreditar que esses dois representantes da intelectualidade britânica do século XVIII, enaltecidos no ensaio de Carlyle, muito o impressionaram. Na verdade, Freyre identificava seu amigo Oliveira Lima com Johnson, tanto pela envergadura corporal quanto mental – ambos grandalhões e brilhantes – e ao menos uma vez se identificou a si mesmo com Boswell, quando manifesta o desejo de imitá-lo em sua arte de biógrafo (Freyre, 1987a, p.81; 1975, p.28, 58, 93; ver também 1987b, p.175).[122] Certamente o ensaio de Carlyle o fez ler o livro resenhado, pois Freyre refere-se ao trecho em que Boswell menciona a receita que Johnson dá aos autores – de ler uma biblioteca antes de escrever um livro – e compartilha suas dúvidas com os leitores do *Diário de Pernambuco* sobre o teor desse conselho. A leitura em demasia, diz ele, talvez funcione como um "excesso de combustível", prejudicando "o esforço criador".[123] Tal receio, cumpre registrar, parece ter sido logo abandonado, pois no ano seguinte Freyre se refere a Edgar Allan Poe e a Lafcadio Hearn como autores excepcionalmente livrescos, mas ao mesmo tempo pessoais e plenos de imaginação. Como diz aos seus leitores, afinal de contas "o perigo do combustível matar paradoxalmente o fogo não é tão grande como a alguns parece".[124]

A forma relativamente casual, à la Johnson, de ler obras aparentemente desconexas, e a confiança, para não dizer orgulho, com que qualificava suas leituras como "leituras contraditórias" (Freyre, 1979a, p.27-8; 1957b, V.I, p.79-80), Freyre teria desenvolvido, a meu ver, com a ajuda de alguns outros autores, que, por assim dizer, teriam completado a recomendação de Bacon anteriormente citada. Cogitando, a partir de certo momento, em escrever uma obra diferente das consagradas no seu meio e em criar um novo estilo, não é de admirar que Freyre tenha

---

122 Carta de G. Freyre a O. Lima, 15/12/1920, em Freyre, 1978, p.170.

123 *Diário de Pernambuco*, 1/5/1924.

124 *Diário de Pernambuco*, 15/11/1925.

Maria Lúcia Garcia Pallares-Burke

recorrido a autores-guias que o ajudaram nessa aventura de desbravamento do imenso e novo mundo literário com que se deparara nos Estados Unidos e na Europa. Nesse ponto cumpre sublinhar que a abertura de Freyre a aconselhamentos em geral era bastante acentuada, haja vista seu entusiasmo pelo livro de Bennett, *How to make the best of your life*, que recomenda a seus leitores no Recife.[125]

Quanto ao aconselhamento na arte de ler propriamente dita, diria que Nietzsche, num nível mais filosófico, e Arnold Bennett, num nível mais prático, sobressaem no incentivo dado a Freyre para que lesse sistematicamente de modo assistemático – modo, aliás, que lhe devia parecer muito "congenial", para usar uma palavra muito a gosto dos ingleses, que também o seduzia.

Em outubro de 1923, recém-chegado da Europa, Freyre apresenta aos seus leitores do *Diário de Pernambuco* uma classificação dos autores segundo o papel que teriam na formação das individualidades. De um lado, diz Freyre, há os escritores "hors d'oeuvre" – como Nietzsche, Proudhon e Bernard Shaw, por exemplo – que põem nossas convicções "pelo avesso em duras provas de resistência", examinando sem complacência tudo aquilo que "vínhamos placidamente vivendo". São esses escritores da negação e da contradição que têm o poder de "abrir o espírito" do jovem, levando-o a buscar sua "opinião própria quanto aos grandes problemas da vida". Como um "'hors d'oeuvre' picante" aguçam em nós "o desejo das 'entrées, confortadoras", diz Freyre.[126] A crer nas já apagadas marcas deixadas por ele na sua cópia da tradução francesa de *Humano, demasiado humano*, Nietzsche definitivamente funcionou para Freyre como um escritor *hors d'oeuvre*. De acordo com seu diário de juventude, o filósofo alemão já era sua leitura desde a adolescência; e em 1921, quando muito provavelmente estava lendo o *Humano, demasiado humano*, ele confessa que, dentre as filosofias que experimentara desde cedo, a de Nietzsche era uma das que mais o atraíam (Freyre, 1975, p.5, 9, 12, 13, 23, 47, passim). É bem verossímil, pois, que a crítica aos sistemas e a defesa do perspectivismo (*Perspektivismus*) já explicitadas

---

125 *Diário de Pernambuco*, 2/8/1925.
126 *Diário de Pernambuco*, 28/10/1923.

por Nietzsche nessa obra para enfatizar a necessidade de pontos de vista diferentes (*verschiedene Augen*) tenham sido entrevistas e apreciadas por Freyre e o levado a perceber a importância das leituras esparsas que aparentemente já fazia por gosto ou intuição (Muller, 1993; Hales & Welshon, 2000).[127] A frase que Freyre escreve, com humor, no seu caderno de anotações parece se relacionar ao que estava então a aprender: "A verdade é como a esposa adúltera – ora com o esposo, ora com o amante. Flutua. Oscila entre os dois". Mais reveladora ainda das questões que estava sendo levado a refletir é o seguinte comentário que faz a um "romance inglês", cujo título não menciona:

> Eu, se tivesse de escrever este livro, tê-lo-ia feito do ponto de vista da 'girl', menina. Seria, ao meu ver, mais justo. Daria ao trabalho algo que lhe falta: equilíbrio psicológico, além de estético ... O livro para ser harmonioso deveria ser tanto a história de A e B como de C. Entretanto, não o é. A é uma [?] de vermelho intenso; B, de amarelo vivo; C, uma manchazinha de um cinzento esfumado.[128]

Vê-se, pois, que a clara defesa que Freyre faria anos mais tarde ao "modo de ser perspectivista" de Ortega y Gasset – um autor que muito se inspirou em Nietzsche, a quem chamou de "mi Nietzsche" – e à sua crença de que "cada vida es un punto de vista" tem raízes bem antigas (Freyre, 2000d, p.133, 948, 960-1; Märtens, 2001).

Publicado em partes, a primeira em 1878, este segundo livro de Nietzsche era, como ele próprio descreveu, "a memória de uma crise" e, ao mesmo tempo, "expressão de uma vitória". Até então estivera sob a tutela de outros, mas com esse livro, como ele mesmo confessou, "eu me liberei daquilo que não pertencia à minha natureza" (1979, p.89). Abandona sua carreira na Universidade da Basileia, rompe com Schopenhauer e Wagner, o filósofo e o artista da decadência – que tantos desejavam como um ópio, como disse –, e decide que "já era hora de se voltar para si mesmo" (ibidem, p.91-2). Insurgindo-se, assim, contra as tradições

---

127 Sobre o "perspectivismo pluralista" que o próprio Freyre afirma ter adotado em *Ordem e Progresso*, ver Sevcenko, 2001.

128 Caderno de anotações, 1921/1922.

intelectuais e religiosas associadas a um mundo que lhe parecia "humano, demasiado humano", Nietzsche reúne no primeiro volume 638 observações e reflexões sobre os mais variados assuntos relacionados ao homem.[129] O exame de tudo o que é humano e demasiadamente humano parecia-lhe uma condição preliminar para que uma humanidade aprimorada pudesse surgir. "Onde vocês veem coisas ideais, eu vejo – coisas humanas, demasiadamente humanas!... Eu conheço a humanidade melhor...", explicara Nietzsche em *Ecce Homo*, rememorando o impulso para sua obra de 1878. Com "uma tocha na mão", lembra, pudera iluminar o "submundo do ideal" e fazer que "um erro após outro" fosse congelado. "Aqui por exemplo 'o gênio' congela; no próximo canto 'o santo' congela; 'o herói' congela", bem como a "fé", "a chamada convicção", e assim por diante (Nietzsche, 1979, p.89-90).

Como o subtítulo anunciava, esse era um livro para os espíritos livres ("ein Buch für Freie Geister"), para aqueles interessados em liberar-se de toda tutela, a não ser de sua própria. "Você deve tornar-se senhor de si próprio" e, para isso, é fundamental a disposição de colocar em questão o que lhe é dado por tradição e de "aprender a perceber o sentido de perspectiva em todo julgamento de valor", afirma Nietzsche no prefácio. A própria forma aforística adotada, sob inspiração de La Rochefoucauld e Montaigne, se adequava muito bem à sua tática perspectivista. Movendo-se em muitas direções e mantendo-se indiferente a fronteiras e normas disciplinares, Nietzsche exemplificava sua ideia de que a investigação filosófica deve ser feita a partir de diferentes pontos de vista e envolver considerações a favor e contra as várias interpretações e avaliações.

No curso de Armstrong em Baylor, muito provavelmente Freyre já tomara contato com uma das principais características do ensaísmo inglês reforçadas por Nietzsche nesse texto. Como Hazlitt esclarecera, sendo sensível à complexidade de tudo o que é humano, o ensaio "não tenta provar que tudo é preto ou tudo é branco", pois a experiência

---

129 Dois suplementos ao primeiro texto foram publicados: o primeiro em 1879 e o segundo em 1880. Em 1886 Nietzsche republicou a primeira parte com um novo prefácio e, no mesmo ano, o segundo volume reunindo os dois suplementos, também acompanhados de um novo prefácio (cf. Schacht, 1996).

mostra que a "teia da vida" é composta de fios mistos, de "cores variadas" (Pallares-Burke, 2002, p.826-7). É nessa mesma linha que ganha sentido o conselho de Nietzsche, sublinhado por Freyre em seu livro, de que, quando se considera a história, devemos "jogar o jogo cauteloso dos pratos da balança 'de um lado – de outro lado'". É esse o caminho para o "espírito livre", que como Nietzsche enfatiza em trecho igualmente marcado por Freyre, "é um conceito relativo, pois não se trata de dizer que sua opinião é mais correta"; mas que "como regra ... ele terá a verdade de seu lado, ou ao menos o espírito de busca da verdade". Para esta atividade de busca, tudo deve ser considerado material, insiste Nietzsche. Quer seja um gênio quer não, "toda atividade do homem é incrivelmente complicada", pois implica observar o próprio mundo e o dos outros, buscar modelos e incentivos em toda parte com a disposição de combinar, rejeitar, transformar e ordenar esse material variado (Nietzsche, 1996, p.9, 135, 108, 83, 86, 130-1).

Terá cultura mais elevada aquele que "for capaz de tocar um instrumento de várias cordas", que tiver força e flexibilidade suficientes para ser capaz de "dançar" audaciosamente, movendo-se igualmente bem nos domínios do conhecimento, da religião, da metafísica, da poesia etc., diz Nietzsche usando a metáfora da dança que o próprio Freyre iria tantas vezes também empregar. Cumpre aqui lembrar que Havelock Ellis, um dos primeiros ingleses a se interessar por Nietzsche e divulgar seu pensamento para o público de língua inglesa, teria provavelmente funcionado como um incentivador da postura nietzschiana que Freyre precocemente admirava. Desde muito cedo leitor e grande admirador de Ellis, é plausível que Freyre se tenha deparado com muitas das referências feitas pelo autor inglês a Nietzsche como um filósofo cujo ideal era ser um "bom dançarino" e cujo grande mérito era exatamente a ausência de um sistema. "Em todos os melhores trabalhos de Nietzsche", diz Ellis, "nós estamos conscientes deste ideal do dançarino, forte, flexível, vigoroso, e ao mesmo tempo harmonioso e bem-balanceado" (1898, p.69).[130]

---

130 Há também referências a Nietzsche nos seguintes livros de Ellis: *My life Impressions and Comments*, *The Dance of Life* (esses dois livros constam da biblioteca de Freyre).

Os conselhos práticos de Arnold Bennett poderiam ser vistos como complementos aos ensinamentos nada convencionais de Nietzsche. Desde muito cedo Bennett (1867-1931) impressionou Freyre e a eloquência com que este se refere a esse autor não deixa dúvidas sobre isso. Em 1922, é com entusiasmo e grande expectativa que vai assistir em Nova York à sua comédia *What the Public Wants* – um estudo do moderno jornalismo inglês que "assanha o espírito e faz pensar" –, pois sabe que Bennett é exímio na arte de "fixar emoções". Depois de Thomas Hardy, "ele é hoje o que mais me agrada" entre os romancistas ingleses, diz ele nessa ocasião. Quatro anos mais tarde, já de volta ao Brasil, Freyre parece ter intensificado seu apreço por Bennett, quando afirma que "um dos ensaístas ingleses – ensaísta, dramaturgo e romancista – que mais tenho recomendado aos brasileiros em letras inglesas é Arnold Bennett. É admirável de lucidez" (Freyre, 1975, p.186).[131]

Autor de romances de grande popularidade no início do século XX, como *The Old Wives' Tale*, Bennett era também conhecido pela perspicácia das resenhas e críticas literárias e de costume que publicou durante anos em revistas e jornais britânicos. Paralelo a esses, outro campo em que Bennett também se destacou foi no da literatura de aconselhamento, ou de autoajuda (*self-help*), para usar um termo já bem em voga àquela época. Obras como *How to make the best of life*, *How to live on 24 hours a day*, *How to become an author* e *Literary Taste: How to form it* procuravam exatamente satisfazer a demanda de pessoas que, como o jovem Freyre, estavam abertas a sugestões práticas para o aprimoramento de seu pensamento, comportamento e gosto. Sabemos que, ao ler *How to make the best of life*, Freyre se entusiasmou com os conselhos que Bennett dá aos maridos e esposas, tendo recomendado o livro aos leitores do *Diário de Pernambuco*, pois, como proclamou, tem "tão agudas páginas".[132] Nesse quadro, tudo leva a crer que *Literary Taste: How to form it*, obra possuída por Freyre (mas não marcada, ao menos nesse volume), tenha sido amplamente aproveitada por ele. Especificamente dedicado aos interessados em formar o gosto literário e organizar um plano de estudos

---

131 *Diário de Pernambuco*, 30/7/1922.
132 *Diário de Pernambuco*, 2/8/1925.

e uma biblioteca, esse livro, em certo sentido, traduzia em uns tantos conselhos claros e objetivos as várias ideias que Freyre vinha absorvendo de suas variadas leituras.

Na obra, Bennett (1909, p.12-3) discute questões tais como: quais devem ser os objetivos do estudo literário? Que atitudes se deve e não se deve ter para formar o gosto literário? Há gêneros literários mais úteis do que outros para isso? Primeiramente, na mesma linha de Armstrong, propõe que a literatura é útil, não como prova de cultura ou fonte de prazer, mas porque pode afetar em profundidade nosso relacionamento com o mundo e "transformar" nossa existência. Se o que se lê não se traduz na vida do leitor, se não afeta seu "comércio diário com a humanidade", a literatura não está servindo ao seu propósito. Para um jovem que aos 16 anos de idade já defendera a ideia de que "sem um fim social, o saber será a maior das futilidades", as ideias de Bennett devem ter sido muito eficazes (cf. Freyre, 1968b, p.72).

Quanto a saber por onde começar, Bennett é veemente no conselho de se deixar de lado qualquer preocupação inicial com "literaturas no abstrato" ou com teorias literárias. "Apanhe a literatura no concreto, assim como um cachorro agarra um osso", exorta Bennett (1909, p.31).[133] E na escolha dessa literatura no concreto, continua Bennett, esqueça-se das nocivas divisões entre gêneros e ramos literários nos quais os especialistas e pedagogos a dividiram por questão de conveniência; pois a verdade é que "a literatura é toda uma só – e indivisível". Por exemplo, oposições como as de prosa e poesia ou literatura imaginativa, filosófica, histórica, científica devem ser desconsideradas e, no seu lugar, devemos ter bem em mente que a única divisão genuína é entre dois tipos de literatura: a inspiradora e a informativa. É por isso que não importa por onde se comece – romance, poesia, história, filosofia etc. –, contanto que não favoreça um tipo em detrimento de outro (ibidem, p.28).

---

133 Outra distinção a ser desconsiderada, por confundir o leitor, é a entre estilo e forma literária, afirma Bennett, numa argumentação não distante da desenvolvida por Walter Pater, num texto provavelmente muito significativo para Freyre (cf. Pallares-Burke, 1997). "Você não pode dividir a literatura entre dois elementos: isto é forma e isto é estilo", argumenta Bennett, pois, na verdade, "quando um autor concebe uma ideia ele a concebe numa forma de palavras ... [que] constitui seu estilo, e é totalmente governado pela ideia".

O fundamental é começar "onde quer que a inclinação o leve", aconselha Bennett (p.32), insistindo numa ideia que muito deve ter agradado a jovens curiosos que, como Freyre, estavam ansiosos por desbravar os mais variados campos a que sua curiosidade os levava e por ler o que a outros poderia parecer matéria desconexa e contraditória.

> Na escolha da leitura o indivíduo deve contar; o capricho deve contar, pois o capricho é frequentemente o índice mais verdadeiro para a individualidade. Seja desafiadoramente independente, e não se desculpe de você para você mesmo. Você não existe a fim de honrar a literatura... A literatura existe para estar a seu serviço. Onde quer que você esteja, este é, para você, o centro da literatura (p.63).

Quanto ao perigo de perder tempo lendo coisas sem valor, isso é muito improvável de acontecer para leitores sérios, que cedo aprendem a separar o joio do trigo. "A mediocridade não tem muita chance de ludibriar o estudante sério", argumenta (p.122).

Há, no entanto, necessidade de nortear essa liberdade com um sistema ou princípio, exorta Bennett, já que o capricho, se deixado completamente a esmo, pode ser improdutivo. Daí ele recomendar o sistema contido no seguinte conselho: "deixe uma coisa levar a outra. No mar da literatura, toda parte se comunica com todas as outras partes; não há lagos sem acesso ao mar". Se o iniciante começar, por exemplo, pela leitura dos ensaios de Charles Lamb (uma das sugestões de Bennett e, na verdade, um dos ensaístas frequentemente mencionados por Freyre), além de se ver despertado para novas emoções e novas dimensões da realidade, ele entrará em contato com eminentes autores do círculo de Lamb, como Hazlitt, Coleridge e outros. Estes, por sua vez, o porão em contato com ainda outros autores e ideias, e assim por diante (ibidem, p.64-5).

Lendo, pois, sistematicamente de modo assistemático, desde muito cedo, Freyre se teria familiarizado com algumas considerações sobre a vida que devem tê-lo impressionado sensivelmente; e é de crer que, paulatinamente, transformaram-se em parâmetros a informar muito de seu pensamento e ação. As seguintes ideias, algumas com significativa recorrência, encontram-se em suas leituras da juventude: ciência e lógica são muito menos poderosas do que a modernidade supõe, e a crença num progresso inelutável é uma quimera; desprezar os homens simples e incultos é não perceber a riqueza e a relevância que existem na simplicidade de suas manifestações culturais; os contemporâneos de um espírito original raramente o compreendem e lhe dão o devido reconhecimento, haja vista o que aconteceu a Nietzsche: imprimiu apenas vinte cópias do *Assim falava Zaratustra*, mas só achou leitores para sete (Muir, 1924, p.81)[134]; a carreira acadêmica não é a mais recomendada para quem tem uma mente imaginativa e criadora, e o fato de Walter Pater não ter sido devidamente apreciado em Oxford bem ilustra a visão estreita que domina os círculos universitários, círculos que, como Freyre assinalou com grifos e traço duplo à margem do livro de Benson, reservam seu louvor "para homens de altas realizações técnicas ... para professores eficientes de disciplinas específicas ... ao invés de homens de qualidades imaginativas" (Benson, 1991, p.181-2); a verdade tem muitos lados, ou, como diz um personagem de George Moore (1922, p.245) em trecho que Freyre assinalou, "nada é realmente verdadeiro nem inteiramente falso".[135] E, finalmente, uma ideia que nos interessa particularmente para os propósitos do próximo capítulo diz respeito ao apelo que o próprio passado, as próprias tradições têm para todos e cada um de nós.

Inglaterra e Oxford: finalmente "em casa"

Retomando agora as viagens de formação de Freyre, podemos dizer que com a tão desejada viagem à Europa, realizada finalmente no segundo semestre de 1922, o "reservatório" de experiências de Freyre iria ser grandemente ampliado, tal como ele próprio antevia. Com o fim da guerra, Ulisses, "o financista da família" logo acenara com a possibilidade de ele poder visitar a Europa em 1920, acompanhando Armstrong numa de suas viagens de verão. A alta do dólar na ocasião tornara, no

---

134 Livro autografado, "G.F., 1925"; trecho marcado com parênteses.

135 Sobre o mesmo tema, Freyre escreve em seu caderno de anotações: "A razão? Uma mina aonde qualquer pode ir, com sua picareta, extrair razões".

entanto, mais prudente adiar a ansiada visita.[136] Dois anos mais tarde, entretanto, quando as dificuldades econômicas eram ainda maiores a ponto de tornar a viagem incerta, Freyre manifesta disposição de ir de qualquer jeito, de se "virar e mexer à busca de meios para ir", e viajar "mesmo que seja de 'tramp'", como diz em abril de 1922. Afinal, ir à Europa significava completar sua educação no estrangeiro, como insistia seu amigo e conselheiro Oliveira Lima: "A sua educação não ficaria completa sem essa excursão – complementa sua estadia nos Estados Unidos".[137] Enfim, a família Freyre, sempre disposta a se sacrificar pelo talentoso Gilberto, acaba dizendo "sim" e financiando a tão esperada viagem.[138]

O destino principal do jovem era, aparentemente, a Inglaterra e, em especial, Oxford; "ainda em estudos", como diz a Oliveira Lima. Na conversa de 1921 com o editor da já mencionada *The Hispanic American Historical Review*, o jovem Freyre falara sobre seus planos de "passar ao menos um ano em Oxford".[139] As expectativas, portanto, eram grandes, mas a crer em suas confissões, o país em geral, e Oxford em particular, se lhe revelaram acima do esperado.[140] O prazer da experiência inglesa começara já na alfândega. Como ele conta aos seus leitores do *Diário de Pernambuco*, numa época em que "as prevenções contra o pobre diabo que viaja" aumentavam furiosamente, ali os "guardas da alfândega ... tratam os recém-chegados sem aparentar suspeitas, como se fossem todos 'gentlemen'".[141] Na Inglaterra finalmente compreendera por que um "homem de muita alma" como George Santayana não pudera se fixar nos Estados Unidos, onde "quase toda alma muito alma" sente-se "alma-do-outro mundo". E em Oxford, um dos "melhores ambientes" ingleses, aonde chegou provavelmente em 25 de outubro de 1922,

---

136 Cartas de U. Freyre a G. Freyre, 18/4/1920, AFGF; de G. Freyre a O. Lima, 13/3/1922 em Freyre, 1978, p.197.

137 Cartas de G. Freyre a O. Lima, 13/3/1922, 3/4/1922, AFGF; 24/3/1922, Oliveira Lima Papers; carta de O. Lima a G. Freyre, 30/3/1922, AFGF.

138 Cartão de G. Freyre a O. Lima, s.d. (envelope datado de 6/7/1922), Oliveira Lima Papers.

139 Carta de G. Freyre a O. Lima, 23/5/1922 em Freyre, 1978, p.179-80); "Notes and Comments", 1921, p.519.

140 Carta de G. Freyre a O. Lima, 6/11/1922, Oliveira Lima Papers; cartas de G. Freyre a O. Lima, 24/10/1922, 20/11/1922, em Freyre, 1978, p.203-6.

141 *Diário de Pernambuco*, 3/6/1923.

Gilberto Freyre

encanta-se com o equilíbrio existente entre as dimensões especulativa e ativa do homem, percebendo que "as grandes almas" podiam se encontrar "com corpos sadios e belos". "É meu ambiente", escreve em seu diário-memória, "como nenhum lugar já meu conhecido". Sentia como se sempre pertencera àquele lugar e ali reencontrasse "velhos amigos". Chega a confessar que se sentia "incompleto" como americano e que Oxford, além de curá-lo dessa incompletude, dera-lhe uma alegria espiritual nunca antes sentida (Freyre, 1975, p.99, 101, 104-5).[142]

Para Freyre, visitar Oxford significava, de certo modo, ter um gostinho do que sua vida poderia ter sido se tivesse seguido os conselhos do prof. Armstrong de tornar-se cidadão americano. Segundo os planos do dileto professor, era em Oxford, como um "Rhodes Scholar", que Freyre deveria ter completado seus estudos de Baylor (Freyre, 1975, p.74; Pallares-Burke, 1997).[143] Pouco tempo ficou nessa cidade universitária medieval, "que é a modernidade dentro da tradição", como diria mais tarde, mas a brevidade fora contrabalançada pela intensidade. Como diz em seu diário, foram dias "tão curtos e tão intensos!" (Freyre, 1980, p.44; 1975, p.171). Asa Briggs – um dos únicos historiadores ingleses a conhecerem Freyre e sua obra – bem lembrou que a sedução que Oxford, "um lugar lindo, onde o novo flui dentro de um velho quadro", exerceu sobre Freyre é compreensível. A beleza era de grande importância para ele e sua "sensibilidade quase romântica" só pode ter sido esteticamente cativada por Oxford. Além disso, conhecendo muito pouco do resto do país, sua visão de toda a Inglaterra ficou indelevelmente marcada pela curta experiência oxfordiana (apud Pallares-Burke, 2000a, p.76). Cumpre aqui lembrar que, em Oxford, o jovem visitante viveu na pensão The Cottage, atraente construção do século XVII onde John Wesley, o fundador da Igreja metodista, fizera seus primeiros sermões. Podia, pois, regalar cotidianamente seus interesses estéticos e históricos (Freyre, 1975, p.96, 105).[144]

---

142 Em carta de 24 de outubro de 1922 a Oliveira Lima, Freyre lhe comunica que "amanhã" estaria seguindo para Oxford (cf. Freyre, 1978, p.203-5).

143 Carta de G. Freyre a O. Lima, 15/9/1922, em Freyre, 1978, p.201-2.

144 Carta de G. Freyre a O. Lima, 20/11/1922 em Freyre, 1978, p.205-6. Situada em 26 New Inn Hall Street, de onde Freyre podia ir a pé a todos os *colleges* e centros culturais da cidade,

Maria Lúcia Garcia Pallares-Burke

Não há motivo para duvidar da veracidade das impressões sobre a Inglaterra e Oxford deixadas em seu diário de juventude. Apesar de este ter sido editado décadas após os acontecimentos que relata, o impacto que a experiência inglesa teve em sua vida pode ser confirmado, acima de qualquer suspeita, se se atenta para a eloquente confissão feita ao amigo Oliveira Lima em 6 novembro de 1922. A importância dessa carta para os nossos propósitos justifica sua transcrição integral.

Meu caro amigo, Recebeu minha carta de Londres? Escrevi-lhe longa carta de Londres – a bit too long, perhaps...

Esta é minha segunda semana em Oxford, onde, aliás, já sinto que estou "at home". Vou a "lectures" sobre literatura, games [?], clubes, etc. E estou lendo muito – quando sair daqui precisarei dumas férias. Mas quem nasceu para beneditino, há de sempre ser beneditino – principalmente onde o ambiente é congenial.

Os rapazes daqui são encantadores. Quem me está introducindo [sic] aos vários aspectos da "Oxonian life" é um camarada meu, "Rhodes Scholar" de Harvard. Raro é o dia que não me convida alguém para o chá. O chá é aqui uma arte gentil; e a amizade em torno do pote de chá, outra arte, ainda mais gentil.

Confirma-se em mim, neste meu contacto com a vida inglesa, a simpatia que por uma como premonição sempre senti pela Inglaterra. Este é o povo mais romântico do globo – muito ao contrário da ideia que corre mundo do "essencialmente prático" como sinônimo de indiferença às cousas gentis.

Parece-me o povo de inteligência mais equilibrada, de vida mais equilibrada. Porque não nasci inglês ou alemão ou americano – não compreendo... Mas já que sou brasileiro vou tratar de ser o melhor possível – do my best.

Fui convidado para fazer uma palestra na Wadham Literary Society. Provavelmente falarei sobre literatura no Brasil.

Minhas recomendações muito afetuosas a exma. D. Flora e um abraço do ador. e amigo

Gilberto F.[145]

---

a velha casa, hoje bastante restaurada, faz parte do Brasenose College e rememora com uma placa seu importante passado: "on 14th July and on several subsequent occasions John Wesley preached in this building, the first Methodist meeting House in Oxford". Ao que tudo indica, o número 26 estava localizado num pequeno pátio e, ao lado de outras pequenas casas do século XVII, compunha a pensão de Mrs. Coxhill.

145 Carta de G. Freyre a O. Lima, 6/11/1922, Oliveira Lima Papers.

Além dessa, outras confissões dão um peso indiscutível à importância da experiência inglesa na trajetória do jovem escritor em formação. Ao chegar à Inglaterra, "cuja alma tanto me interessa", como disse a um amigo do Recife, sentira-se imediatamente na casa de seus ancestrais espirituais. Em contraste com Paris que, apesar dos atrativos, o desapontara ("Paris de agora me parece banal", registra Freyre em seu caderno de anotações), Londres o empolgou, especialmente por sentir que estava seguindo as pegadas de muitos de seus ídolos literários, como Samuel Johnson, por exemplo.[146] Nessa mesma linha, Freyre também registrou em seu caderno de anotações essas significativas considerações: "Eu, meio deraciné, pertenço um tanto à Inglaterra pela genealogia da minha cultura... Camões está longe de significar para mim o que significam um Shakespeare ou um Milton. Não tem o espírito sua árvore genealógica?", pergunta Freyre usando a mesma expressão que seria utilizada em cartas aos amigos Anibal Fernandes e Oliveira Lima.[147] Interessante também lembrar que, conforme ele se recorda na década de 1950, seu entusiasmo de adolescente pelo protestantismo anglo-saxão era a expressão de seu entusiasmo pela cultura inglesa que Mr. Williams, o professor anglo-católico, lhe transmitira. Não é por acaso, pois, que, como diz, "the first school essay that I wrote for an advanced secondary History class, on a theme of my own selection, was on 'British Civilization'" e que sua "first public lecture" tenha sido sobre "Herbert Spencer and the problem of education in Brazil".[148]

Mas foi em Oxford – que para Freyre se identifica com a universidade que lhe leva o nome – que nosso jovem recifense encontrou um ambiente ainda mais "congenial", como gostava de dizer. Referências da época

---

146 Cartas de G. Freyre a O. Lima, 18/8/1922, 24/10/1922, em Freyre, 1978, p.200-1, 203-4; carta de G. Freyre a Anibal Fernandes, citada em artigo do jornalista Anibal Fernandes, no *Diário de Pernambuco*, 8 de março de 1922 (reproduzido em Freyre, 1979a, V.II, p.372).

147 Caderno de anotações, 1921/1922; carta de G. Freyre a O. Lima, 24/10/1922, em Freyre, 1978, p.203-4; carta de G. Freyre a A. Fernandes, reproduzida em Freyre, 1979a, V.II, p.372.

148 Freyre, rascunho de autobiografia em inglês, s.d. ("O primeiro ensaio escolar que escrevi para uma aula avançada de História, num tema de minha própria escolha, foi sobre 'Civilização Britânica'"; "primeira aula pública"; "Herbert Spencer e o problema da educação no Brasil").

confirmam o que ele diria anos mais tarde sobre os intensos dias que aí passou: "Oxford foi o lugar, o meio onde melhor me senti no mundo. O tempo em que lá estive foi a época paradisíaca de minha vida".[149]

A José Lins do Rego, o primeiro biógrafo de Freyre, já parecera claro nos idos de 1927 que "os curtos meses ali passados" se constituíram "o melhor tempo de sua vida".[150] Tendo contagiado seus amigos com sua admiração pela cidade medieval, Oxford passa a ser, entre eles, sinônimo ao mesmo tempo de sofisticação e de positiva modernidade. "Parecia-me chegado no último vapor de Oxford", diz, por exemplo, José Lins do Rego ao comentar a visita de um amigo em comum recém-chegado (de Pernambuco) à Paraíba com grandes novidades.[151]

Provavelmente desde Baylor o jovem se preparara para visitar Oxford e se deixar seduzir pela como que mágica presença de sua antiguidade e beleza, lendo *Seeing Europe with Famous Authors*. Dependendo dos edifícios que escolhesse, o visitante poderia estar diante de seis, oito ou dez séculos "registrados em pedra", dizia o texto sobre Oxford, em trecho marcado por Freyre. "Em nenhum lugar na Inglaterra, de modo algum, a não ser que seja a Universidade irmã, podem os olhos e a mente se regalar com tanta antiguidade, certamente não com tanta beleza antiga, quanto no lugar onde nos encontramos" (Halsey, 1914, V.II, p.37-8). Coincidentemente, nessa mesma época Freyre estava descobrindo o ensaísta de Oxford com a mesma "fome de beleza" que ele próprio sentia, Walter Pater, cujo esteticismo iria deixar profundas marcas em sua trajetória. E mesmo antes, quando ainda adolescente, Freyre já revelara ter Oxford especialmente em mente quando refletira sobre o drama que estava sendo vivido pelos jovens da Europa em guerra. Comovido com a morte e solidário com o sofrimento dos estudantes em combate, diz em seu discurso de despedida do colégio em 1917: "As velhas universidades inglesas estão desertas, dando a lembrar, com suas torres

---

149 Fragmento de depoimento, precedido da seguinte inscrição, provavelmente feita pelo próprio Gilberto Freyre: "Frase simples e categórica de conversa de Antônio Callado com Gilberto Freyre, em Boa Viagem – (Recife, num dia de Carnaval de 1959")", AFGF; o mesmo trecho aparece no artigo escrito por Callado para o livro comemorativo do 25º aniversário de *Casa-grande & senzala* (cf. Callado, 1962, p.106).

150 José Lins do Rego, biografia inédita de G. Freyre (apud Meneses, 1991, p.29).

151 Carta de J. Lins do Rego a G. Freyre, 15/6/ [ca.1924], doc. 11, AFGF.

góticas e seus edifícios de estilo ogival, cidades mortas da Idade Média. Seus estudantes belos, robustos, louros, que outrora corriam com os braços nus nas regatas de Oxford ... servem de cravos a essa longa fila como que de aço, mas na verdade de carne, que guarnece as fronteiras da França" (Freyre, 1968b, p.70).

John Dryden, o poeta e ensaísta inglês do século XVII, havia impressionado Freyre com a ideia de que os autores descobrem suas famílias espirituais, seus "clãs" literários, sendo Milton, por exemplo, "o filho poético de Spenser" (Bronson, 1905, p.34).[152] Adotando tal ideia, Freyre passa a referir-se a autores ingleses como sendo seus avós espirituais. Para quem, como ele, tanto amava a literatura inglesa, ali se sentira pleno na terra de seus "mais caros avós", dos seus "avós mentais mais queridos", confessa.[153] E Oxford era nada mais nada menos, como vimos, do que a terra de um de seus mais diletos "avós": o ensaísta Walter Pater. É "nesta Oxford de Walter Pater", como enfatizou em seu diário, que lê e relê quase toda a sua obra e se deleita em imaginar o grande homem andando pelas ruas a se concentrar em questões poéticas e de estilo (Freyre, 1975, p.109-10).[154]

É interessante salientar que a preferência de Freyre por Oxford não se explica pelo encontro com figuras da envergadura de Franz Boas, Giddings ou dos poetas Vachel Lindsay e Amy Lowell, que conhecera nos Estados Unidos. É verdade que sendo visitante, e não aluno regularmente matriculado, deve ter-lhe sido difícil manter contato com personalidades equivalentes a essas. As cartas de apresentação de Oliveira Lima lhe haviam aberto algumas portas do mundo da nobreza e da diplomacia europeias, mas, para o mundo acadêmico de Oxford, Freyre tinha de contar consigo mesmo e com alguns oxfordianos que encontrara em Paris.[155] Seria de esperar que, devido a seus interesses, ele teria gostado imensamente de conhecer as duas autoridades da época em

---

152 Frase sublinhada.

153 Carta de G. Freyre a A. Fernandes, reproduzida no *Diário de Pernambuco*, 8/3/1923; carta de G. Freyre a O. Lima, 24/10/1922, em Freyre, 1978, p.203-4.

154 Dentre as obras de Pater na biblioteca de Freyre, ao menos três são autografadas e datadas "Oxford 1922": *Miscellamneous Studies, The Renaissance* e *Appreciations*.

155 Carta de G. Freyre a O. Lima, 27/11/1922, Oliveira Lima Papers; cartas de G. Freyre a O. Lima, 18/8/1922, 15/9/1922, em Freyre, 1978, p.200-2 e passim.

Antropologia e Literatura Inglesa, R. R. Marett e Sir Walter Raleigh, este último um ensaísta de renome que escrevera um estudo de peso sobre Robert Louis Stevenson, outro "avô espiritual" de Freyre. No entanto, o único acadêmico com quem manteve algum contato foi, ao que tudo indica, Fernando de Arteaga y Pereira (1877-1936), filólogo, tradutor, poeta e professor de espanhol, desde 1894, do Taylorian Institute, o centro de estudos de Línguas Modernas da Universidade de Oxford.[156]

Se, não obstante esse senão, Oxford lhe pareceu um lugar idílico onde logo se imaginou "at home", é porque ali se teria sentido, ao que tudo indica, estética, emocional e intelectualmente completo.

Oxford: o apelo emocional e estético

Emocionalmente, o jovem Freyre se completava com a confraternização dos jovens, belos e sofisticados rapazes, tão própria da vida oxfordiana. Nesse aspecto, ao menos, Oxford deve tê-lo surpreendido e cativado. Ele, que uma vez se descrevera como "um faminto de ternura", se viu seduzido de imediato pelos rapazes "encantadores" desse centro de saber. Como disse a Oliveira Lima, comovia-se com a solicitude com que o faziam sentir-se parte da "família" oxfordiana, convidando-o a chás, jantares, jogos e clubes estudantis. Já em Paris, ao encontrar alguns estudantes de Oxford, entre eles um "Rhodes Scholar", se entusiasmara com a promessa de que fariam "agradável minha estadia na velha universidade" (Freyre, 1975, p.210).[157] A crer em seu diário, até os 25 anos de

---

156 Traído em sua memória Freyre parece ter sempre se referido a ele como Francisco, em vez de Fernando. Dentre as publicações de Fernando de Arteaga y Pereira se acham as seguintes: *Doce Sonetos*, London, 1912; *Tierra y Raça: Cuentos Españoles*, Oxford, 1923; E. A. Peers ed., *Tierra y Raça, Petrona, and other stories*, London, 1930; *Tierras Amigas: Poesias*, Oxford 1922.

157 Carta de G. Freyre a O. Lima, 15/9/1922, em Freyre, 1978, p.201-2. Os "Rhodes Scholars" a que se refere eram provavelmente Royall Henderson Snow e Charles Williard Carter Jr., ambos originários de Illinois (cf. Lista de Rhodes Scholars provenientes de Harvard, em Oxford entre outubro e dezembro de 1922, Rhodes Scholarship Trust). Snow e Carter são mencionados no seu diário como alguns "daqueles com quem mais venho convivendo neste centro ainda esplendidamente vivo de saber de onde têm saído tantos grandes líderes da vida pública e das letras inglesas" (Freyre, 1975, p.106).

idade só em Oxford tivera amizades intensas – "amigos compreensivos, afins, fraternos". Fora entre "estes ingleses de Oxford" que se sentira "valorizado como em nenhum outro lugar. Como por nenhuma outra gente" (ibidem, p.202, 101). Nem mesmo no Recife tivera "amizades intensas". Como recordaria José Lins do Rego em 1927, "dos seus colegas do Americano não lhe ficou nem uma grande amizade, nem um desses companheiros que nos deixam marcas de saudade por onde nos encontremos na vida" (apud Meneses, 1991, p.23, 28). Mas em Oxford fora diferente. O aconchego que tivera nos Estados Unidos – especialmente com as manifestações de amizade de Armstrong e de Oliveira Lima – iria também se repetir ali, mas ganhando uma nova dimensão. Diferentemente desses seus amigos, superiores em idade e em conhecimento, os de agora em Oxford eram seus iguais. As referências que fizera antes a seus amigos de Nova York, como ao chileno Oscar Cacitua (o editor de *El Estudiante*), Francis B. Simkins e Rüdiger Bilden, não parecem ter sido nunca tão entusiásticas quanto as que fez a seus novos amigos de Oxford.[158] A amizade "à maneira dos rapazes de Oxford" será sempre lembrada por Freyre como símbolo do real afeto e da verdadeira amizade. "É uma arte, a da amizade, ainda exótica para os países novos como o Brasil. Nós somos um povo muito camaradeiro, isto é, de camaradagem fácil: mas não de grandes afetos. Aos grandes afetos somos esquivos", dirá Freyre em 1924.[159]

Jovens do mesmo sexo, estudantes, afastados da família, a maioria coabitando em moradias estudantis e confinados ao ambiente essencialmente masculino das *public schools* desde ao menos os 10 anos de idade, as condições de vida dos jovens de Oxford eram favoráveis ao desenvolvimento de relacionamentos profundos e às vezes homoeróticos.[160] Era como se na vida oxfordiana houvesse um forte impulso para "intensas amizades de rapazes com rapazes" com algum componente homossexual – possivelmente "transitório" – próprio das antigas amizades gregas,

---

158 Cartas de G. Freyre a O. Lima, 30/11/1921, 18/7/1922, Oliveira Lima Papers e passim.

159 *Diário de Pernambuco*, 20/7/1924.

160 Paradoxalmente, *public schools* na Inglaterra se refere a escolas privadas, tais como Eton e Harrow, que tradicionalmente cobram taxas bastante elevadas e se concentram na educação de meninos e jovens de famílias da classe alta.

como observa Freyre (1975, p.103, 100) em seu diário. Na verdade, essas amizades poderiam ser vistas como "brief echoes of that love of comrades so much celebrated in antiquity", diz Freyre citando, em inglês, as observações feitas por G. Santayana durante sua permanência em Oxford. Este "maior mestre moderno do ensaio", disse Freyre, fora capaz de compreender com grande "sensibilidade" e "penetração" o peculiar pendor da juventude inglesa para uma amizade intensa, caracterizada por ser "a union of one whole man with another whole man", à qual não faltava paixão, sensualidade e erotismo (ibidem, p.171).[161]

Além disso, esse tipo de amizade sentimental, intensa e ocasionalmente erótica entre rapazes continuava, na verdade, uma tradição oxfordiana que recuava ao menos a quase um século, à época dos fundadores do Oxford Movement, tais como E. B. Pusey, John Keble e J. H. Newman, que haviam transformado o tutorado de uma formalidade universitária seca e livresca em veículo de afeição e interesses recíprocos entre alunos e professores; em "parte de um *ethos* no qual crescimento intelectual se fundia com despertar religioso e a instrução pendia para a intimidade" (Dowling, 1994, p.35).[162]

O jovem Gilberto não ficou imune a essa tradição. Teve ali grandes e compreensivos amigos e também se viu atraído sensualmente por um rapaz com quem teve experiência amorosa efêmera, mas significativa, fato que muito relutou em ocultar a despeito dos conselhos que teve em contrário. Em Oxford, como confessou (e pretendeu deixar público em *Tempo morto e outros tempos*), ele teve seu primeiro relacionamento amoroso com um jovem do mesmo sexo – "breve aventura de amor homossexual, no melhor sentido da expressão, sem canalhice alguma".[163] Para

---

161 A citação é do capítulo "Friendship" do livro *Soliloquies in England*, que Santayana escreveu durante sua permanência em Oxford, de 1914 a 1918 – obra que consta da biblioteca de G. Freyre.

162 Sobre as amizades sentimentais e eróticas entre os jovens oxfordianos na primeira metade do século XIX ver Faber (1933). O Oxford Movement (1833-1845) foi um movimento dentro da Igreja Anglicana liderado por jovens de Oxford, com o fim de aproximá-la da teologia e do ritual da Igreja Católica Apostólica Romana.

163 Enviando a Freyre as provas de *Tempo morto e outros tempos*, José Olympio tenta convencer o velho amigo – aparentemente pela segunda vez – de que as confissões sexuais que fizera nada acrescentavam "de importante a seu grande livro" e que deveriam ser totalmente eliminadas. Caso contrário, ele estaria se expondo a todo tipo de interpretação maliciosa.

Freyre, silenciar sobre isso (como o pressionava seu amigo e editor José Olympio, ao lhe enviar as provas do livro, insistindo que fizesse vários cortes) seria, de um lado, trair a verdade histórica e, de outro, dar a impressão de que se envergonhava dos "desvios da chamada normalidade sexual" praticados na mocidade quando, ao contrário, acreditava que por eles pudera experimentar o "amor na sua plenitude e na sua diversidade de expressão".[164]

Em vez de ser descartado como um desvio embaraçoso sobre o qual o estudioso deveria prudentemente calar, um episódio como esse exige ser tratado com tato, sensibilidade e compreensão. E isso não só porque o próprio Freyre dele não se envergonhava e queria trazê-lo à tona, mas porque não se podem minimizar as repercussões desse encontro em sua trajetória, não obstante ser difícil aquilatá-las com exatidão. Muito da confessa anglofilia de Freyre, tão central em seu pensamento, deve ter suas raízes, ao menos em parte, nesse drama humano vivido em Oxford no final de 1922. Na abertura que Freyre demonstrou ao inserir "o domínio da sexualidade na totalidade social", sem mesmo omitir referências ao homoerotismo no Brasil colonial, como mostrou brilhantemente Ronaldo Vainfas, podem-se também encontrar as marcas dessa

---

"Por que, pois, deixar para a posteridade, para o julgamento-interpretação dos homens de hoje, de amanhã e de depois de amanhã? Da Posteridade? Deixe que os Gides, os Oscar Wildes, realmente comprometidos – procedam, como entenderem para o julgamento do mundo. Você, não. Você que é um chefe de família perfeito, modelar, não tem o direito de se expor dessa maneira. Perdoe-me a franqueza". E dizendo que faz esse apelo em nome da amizade que o une a Freyre, a Madalena e aos seus filhos e netos volta a insistir: "Você, seu Gilberto, é grande demais. E não pode, não tem o direito de deixar para seus netos – inclusive o meu afilhado Gilberto Freire Neto – que os homens do mundo de amanhã suspeitem de você" (grifos de J. Olympio em carta-rascunho, s.d.; carta de G. Freyre a Daniel e Adalardo, 23/9/1974; carta de G. Freyre a José Olympio, 5/10/1974, AFGF).

164 Em outro trecho do texto devolvido por José Olympio para que fosse cortado por Freyre, este assim se expressara: "Como omitir-se, num diário como este, qualquer referência a tão efêmeros desvios – raríssimos e um deles lírico, além de sensual – de conduta sexual que devesse ser considerada perfeita? Seria uma traição à verdade de um passado no assunto sexo, como noutros marcado por um pendor para a aventura que corrigiu mais e [sic] uma vez, no autor, seu gosto, desde jovem, pela rotina, levando à antirrotina" (cf. provas de uma versão impressa de *Tempo morto e outros tempos*, com cortes e modificações do autor, AFGF).

experiência da juventude. Sua abordagem positiva e "sem nenhum pejo ou constrangimento" de um assunto que ainda era um tabu não deixa de ser surpreendentemente madura para um estudioso "de seus pouco mais de trinta anos", bem assinala Vainfas (2002, p.771-85).[165] Assim, se nos esforçamos por recuperar alguns elementos que compõem esse episódio amoroso da juventude de Freyre, é porque sua dimensão humana tende a crescer quanto mais o pudermos colocar no contexto social e pessoal que lhe dá sentido.

Linwood Sleigh (1902-1965) foi o jovem oxfordiano com quem Freyre se relacionou num "desvio" que descreveu como "lírico, além de sensual". Fora ele um dos "companheiros mais próximos" que ajudaram a fazer de sua curta estada em Oxford "uma das épocas mais intensas e mais cheias de estímulos em toda a sua vida", época que lhe deixou "grandes saudades", como apontou José Lins do Rego em 1927, num primeiro estudo biográfico sobre o jovem Freyre.[166] "Um clássico gentleman inglês", segundo depoimento de um de seus ex-alunos, e dois anos mais moço do que Freyre, Sleigh era um jovem de "cabelo cor de cobre" atraente e intelectualmente ambicioso e promissor quando ambos se conheceram em outubro de 1922.[167] A crer em referências que fez posteriormente a Sleigh, Freyre se impressionou com o talento de seu novo amigo e previu que, ao lado de outros talentosos estetas e humanistas oxfordianos, ele poderia vir a ter um futuro glorioso no mundo da vida pública ou das letras e artes inglesas (Freyre, 1975, p.106; 1954).[168] Aluno do St. John's College, um dos mais seletos da

---

165 Depois de Freyre, Luiz Mott (1988, p.19-39) explorou o homoerotismo no Brasil colonial. Ver também Green, 2000, p.195-6.

166 "Segundo notas e cartas da época que examinei", diz José Lins do Rego, "Linwood Sleigh, de St. John" [St. John's College, Oxford] e mais alguns outros "foram seus companheiros mais próximos de chás e reniões de Oxford" (cf. José Lins do Rego, biografia inédita de G. Freyre, apud Meneses, 1991, p.28).

167 Depoimento de ex-aluno in "Reflections", St. Michael's College, Hitchin, Herts, 1903-1968. Barbara Sleigh, irmã de Linwood, se refere aos "cabelos cor de cobre" de seu "herói" em sua autobiografia (Sleigh, 1971).

168 O nome Linwood, talvez por ser tão inusitado, foi erradamente grafado como Leonard. L. Sleigh não se tornou famoso como Freyre imaginara. Ao que se sabe, após sair de Oxford ensinou por algum tempo em escolas inglesas, antes de ir para a Holanda, onde, além de ser professor de inglês, foi também arquivista da Embaixada britânica em Haia. Durante

Universidade de Oxford, Linwood fora contemplado com uma das bolsas de estudo que a instituição oferecia aos que mais se destacassem nos exames de admissão à universidade. A partir de 16 anos, sua formação escolar havia sido feita numa das mais conceituadas e requintadas escolas confessionais do país, Ampleforth College, fundada em 1802 pelos monges beneditinos perto da cidade de York, no norte da Inglaterra. Antes disso Linwood estivera na St. Edward's School, escola anglicana localizada em Oxford, de onde saíra após ter-se convertido ao catolicismo. Ao se conhecerem, Linwood estava iniciando seu terceiro ano de universidade e concentrava seus cursos em Literatura Inglesa, após ter-se dedicado essencialmente aos estudos clássicos nos dois anos anteriores.

O momento histórico em que esse encontro ocorreu é muito significativo. A Europa vivia o clima de pós-guerra e tentava se recuperar de um conflito trágico que roubara a vida de 8 milhões de pessoas, sendo a grande maioria jovens rapazes envolvidos nos combates de trincheira. É sabido que em conflitos dessa natureza o clima de emergência, de proximidade com a violência e a morte, de solidão e de carência é propício não só a atos de vandalismo e abusos sexuais, mas também ao desenvolvimento de afetos muito profundos e positivos entre as pessoas, independentemente do sexo. Referindo-se ao efeito que tempos de crise como esses podem ter no comportamento humano, W. H. Auden, um dos maiores poetas ingleses do século XX, comenta: "Em tempos de guerra, mesmo o tipo mais cru de afeição positiva entre pessoas parece extraordinariamente lindo, um símbolo nobre de paz e de perdão do qual o mundo todo se encontra desesperadamente carente" (Auden, 1948, p.104). Ora, a valorização do afeto, da proteção e da admiração mútuas entre os soldados na guerra de 1914 repetia em ponto grande, por assim dizer, o ambiente das *public schools* de onde haviam saído muitos

---

a Segunda Guerra Mundial foi membro da Defesa Civil e exerceu o cargo de intérprete num campo de prisioneiros de guerra alemães. Os últimos postos que ocupou foi como professor de inglês de Hall School, Hampstead, Abbey School, Ramsgate e, finalmente, St. Michael's College, Hitchin, onde ensinava também latim e francês. Escreveu, ao que se sabe, três livros: dois para crianças: *The Boy in the Ivy* e *The Tailor's Friend*; e um relacionado a crianças: *Names for Boys & Girls*, o mais bem-sucedido de todos, contando com várias edições.

dos jovens oficiais do exército britânico e onde os alunos tradicionalmente sentiam a necessidade de relacionamentos afetivos que minimizassem o medo, a insegurança e o desamparo. Como bem disse um estudioso da Primeira Guerra Mundial, "na guerra como na escola tais paixões eram antídotos contra a solidão e o terror" (Fussell, 1975, p.273).

A poesia de guerra dessa época revela igualmente quanto o sentimento de amor permeava esse período. Uma "ternura física singular, uma prontidão para admirar abertamente a beleza corpórea de jovens rapazes, o reconhecimento sem qualquer embaraço de que os homens podem se apaixonar entre si" eram aí temas recorrentes que muito diferem dos da Segunda Guerra Mundial, quando, talvez por causa do pensamento freudiano, havia maior preocupação em não parecer "anormal" (ibidem, p.279-81).[169] Evidentemente o fim da guerra não interrompeu a manifestação de tais ideias e paixões; ao contrário, em meios essencialmente masculinos e particularmente atingidos pela perda de jovens vidas, como Oxford, elas encontravam um ambiente propício para sua manutenção, não obstante o clima de incompreensão e suspeita que podia subjazer em certos círculos desde o julgamento e a condenação por homossexualismo de um de seus mais famosos alunos, Oscar Wilde.

Para que houvesse nos anos 1920 em Oxford uma atmosfera propícia a relacionamentos românticos entre os jovens muito também contribuía a proximidade dessa época com o movimento de reforma que reestruturou essa universidade no período vitoriano, parte de um movimento mais amplo de reformas institucionais impulsionado por liberais helenófilos como Benjamin Jowett, Matthew Arnold, William Gladstone e John Stuart Mill. Inquietos com o que viam como sintomas de estagnação, uniformidade e decadência intelectual da sociedade industrial vitoriana, esses liberais queriam encontrar meios de promover as individualidades criativas que se viam cerceadas pelos tentáculos da modernidade industrial e burocrática. Convencidos de que Oxford poderia vir a exercer um papel central nesse movimento de renovação, desde que fosse

---

169 Sobre a permanência das tradições clássicas e românticas na memória coletiva da Primeira Guerra Mundial e na "poesia da guerra", ver o brilhante estudo de Jay Winter, *Sites of Memory, Sites of Mourning* (1995).

sacudida de uma inércia secular, liberais oxfordianos também se empenharam em encontrar meios de alargar os horizontes dessa instituição, tornando-a influente na esfera cívica e imperial da sociedade; como disse Mark Pattison, que, assim como Jowett, era um dos seus mais entusiastas reformadores, tratava-se de abrir "a universidade para a nação e para o mundo" (Dowling, 1994, p.62-3).

Fundamental para essa mudança foi a reavaliação da filosofia, da literatura e da história da Grécia clássica, onde esses liberais vitorianos, de fora e de dentro de Oxford, acreditavam poder encontrar uma fonte segura para a ansiada renovação sociocultural. Transformados em símbolo de ideais estéticos, políticos e sociais, os clássicos gregos passaram a ter uma preeminência sem precedentes e Platão e Sócrates, vistos como heróis por muitos vitorianos, ganham destaque e destronam, por assim dizer, o até então pouco questionado Aristóteles. Como assinala Jenkyns, para Arnold e Mill Sócrates se transformou num "Cristo", ou num "Espírito Santo", e os diálogos platônicos na própria Escritura. Já para o estadista Gladstone, que era devoto de Homero e queria transformá-lo na "Bíblia dos ingleses", a civilização grega tinha o poder de "assegurar o desenvolvimento bem balanceado" da civilização cristã" (Jenkyns, 1980, p.202-8, 229-31, 241, 274-7 e passim; Dowling, 1994, p.75-6). Nessa mesma linha de volta aos gregos, o curso de estudos clássicos conhecido como *Literae Humaniores* e a análise das obras de Platão passam a ocupar um lugar central no currículo de Oxford a partir de 1850. Não somente o latim e o mundo greco-romano perdem a primazia, substituída agora pela Grécia ateniense e seus ideais – tal como era tratada por Grote em *História da Grécia*, a obra que transformou a visão que os vitorianos tinham de Atenas –, como a própria abordagem dos estudos clássicos se vê transformada. Deixando de lado a ênfase nos aspectos gramaticais, os textos antigos passam a ser estudados com o intuito de se lhes descobrir a contemporaneidade e seu significado mais profundamente filosófico. "Aristóteles está morto, mas Platão está vivo", dizia Jowett em suas aulas, enfatizando para os alunos a sabedoria atemporal do pensamento do filósofo ateniense. Ele "é fresco e florescente, e está sempre gerando novas ideias na mente dos homens" (apud Dowling, 1994, p.74).

No seu brilhante estudo sobre o papel do helenismo na Oxford do século XIX, Linda Dowling mostra como esse movimento de reforma liderado por liberais insatisfeitos com os rumos da moderna cultura britânica industrial acabou por gerar, a despeito de suas intenções, uma valorização e uma legitimação do amor masculino como algo muito mais nobre e criativo do que o amor heterossexual prescrito pelos dogmas cristãos e sancionado pelos tabus culturais. A defesa da diversidade e da individualidade, que intelectuais como Mill e Arnold consideravam parte central do ideal helênico a ser emulado, preparava o caminho, por assim dizer, para o surgimento de um "contradiscurso de diversidade sensual e da dissidência homossexual". Mill, por exemplo, ao fazer a análise da modernidade em seu influente *On Liberty* (1859), defendia ideias de diversidade que podiam facilmente servir para promover a apologia da homossexualidade como manifestação legítima e elevada da espiritualidade e da sexualidade humanas. O próprio trecho de Wilhelm von Humboldt escolhido por Mill como epígrafe de sua obra louvava "a importância absoluta e essencial do desenvolvimento humano em sua mais rica diversidade" (Dowling, 1994, p.59).

Por outro lado, inspirando-se claramente em alguns escritos de Platão e na descoberta das origens marciais da "paiderastia" grega realizada por historiadores alemães, autores vinculados estreitamente ao esteticismo oxfordiano, como Walter Pater e John Addington Symonds, passaram a sugerir que as associações do amor masculino com corrupção moral e efeminação, presentes no discurso republicano clássico (o discurso hegemônico), eram enganosas. Como diz Linda Dowling, o novo currículo de Oxford que trazia o Platão dos diálogos *República*, *Fedro* e *Banquete* para o centro dos estudos clássicos representou para estudantes como Pater e Symonds "uma extraordinária liberação intelectual e mental, pois tornava acessível a eles um novo Platão revolucionário" (ibidem, p.77).[170] Mas, indo mais adiante do que afirmavam seus

---

170 O texto de Walter Pater em que ele mais claramente explora a "dimensão pederástica" da cultura ocidental é o ensaio – na sua versão original e não revisada – sobre Winckelmann, o historiador da arte alemão do século XVIII, incluído no seu livro *The Renaissance* (cf. Dowling, 1994, p.95-100).

mestres, eles passaram a defender a ideia de que a "dimensão pede-rástica do pensamento de Platão" não era simplesmente uma figura retórica – como afirmava Jowett, por exemplo –, mas sim "um elemento constitutivo" de seu pensamento e, por conseguinte, da "própria tradição ocidental". Unindo o estético com o ético, os gregos haviam lançado as bases de uma fusão exemplar, argumentavam Pater e Symonds. Não só o "amor grego", envolvendo um componente espiritual muito forte, era moralmente sadio e belo, mas consideravelmente enriquecedor e criativo, como a própria história grega dava testemunho (ibidem, p.77-81, 95-6 e passim). Interessante aqui salientar que, no livro de Benson sobre Walter Pater, Freyre marcou com grifos e traços toda uma passagem em que o biógrafo do ensaísta de Oxford se refere à leitura que este fez de Platão. Pater conseguira mostrar, diz Benson (1911, p.166), que o filósofo grego era

> por constituição uma natureza enfaticamente sensual, profundamente sensível a impressões de beleza e a relações emocionais com outros; mas que ele [Platão] considerava o apelo dos sentidos como uma espécie de educação moral; que o aprendiz de filosofia passava do particular para o geral, do amor de uma beleza precisa e pessoal para o amor da beleza central e interior.

Como diria Oscar Wilde, talvez o mais renomado discípulo de Pater, esse tipo de amor "dita e permeia grandes trabalhos de arte como os de Shakespeare e Miguelângelo" (apud Ellmann, 1987, p.435).

Nesse quadro, em oposição à procriação humana associada ao amor heterossexual, a procriação espiritual associada ao amor masculino aparecia como condição para a reenergização cultural de uma nação tecnicamente evoluída e rica, mas necessitada de "uma civilização real e um código moral mais elevado", como diz Kainz-Jackson em *The New Chivalry* (1894), uma das várias defesas do homossexualismo de uma época particularmente "positiva em relação ao desejo masculino-masculino" (Dellamora, 1990, p.209 e passim). Enfim, "o *cachet* do movimento esteticista" dera "um certo *glamour*" a um tipo de relacionamento que até então buscara a reclusão e o recato, aponta Jenkyns (1980, p.291) com grande perspicácia.

Pode-se dizer, portanto, que se impõe nas últimas décadas do século XIX um contradiscurso que, invocando Platão e a filosofia grega, dá legitimidade moral e respeitabilidade ao homossexualismo, competindo com a visão dominante vinculada ao pensamento republicano clássico (cf. Turner, 1981; Jenkyns, 1980). Tal competição viria atingir, por assim dizer, o seu ápice e seu momento mais dramático com o julgamento de Oscar Wilde que, formado pelo helenismo reinterpretado por seu tutor Walter Pater e pelos liberais vitorianos, defendeu-se brilhantemente da acusação de sodomia argumentando que o amor masculino era a "forma mais nobre de afeição"; era "puro", "perfeito", "lindo" e "intelectual", um amor que estava na base da filosofia de Platão e podia também ser encontrado "nos sonetos de Miguelângelo e Shakespeare". A "tremenda explosão de aplauso" que essa defesa do amor homossexual provocou de imediato em todo o tribunal talvez fosse reveladora da popularidade que o "contradiscurso da diversidade sensual" estava adquirindo naquela época (Ellmann, 1987, p.435).

Outra tradição de Oxford relacionada ao helenismo importante de ser aqui lembrada é a dos "poetas uranianos", assunto estudado exaustivamente por Timothy d'Arch Smith. A característica comum a todos esses poetas era a celebração da jovem beleza masculina e o amor que esta inspirava. Influenciados pelo "amor grego", pelos decadentistas franceses e por alguns poemas de Whitman, eles seguiam uma tradição que recuava às últimas décadas do século XIX, mas que permanecia ainda bem viva na Oxford dos anos 1920. A palavra "uraniana", derivada da palavra grega Uranos (céu) e empregada amplamente por esse grupo, fora cunhada pelo oficial austríaco Karl Heinrich Ulrichs (1825-1895). Autor de panfletos justificativos do amor homossexual, Ulrichs pressupunha que este era mais elevado e celestial que o heterossexual. De qualidade literária variável, o que unia os vários poemas uranianos era a imersão na tradição clássica e o pressuposto de que o amor espiritual e físico poderia igualmente existir entre homens sem perder qualquer nobreza ou dignidade. Entre os temas recorrentes dessa poesia, sobressaem a amizade romântica e intensa vivida por muitos no mundo oxfordiano, a efemeridade da juventude, a supremacia do amor uraniano que cria laços mais fortes do que o laço conjugal e, finalmente, a celebração do nome de *Antinous* como símbolo da beleza jovem e sensual. A lenda do amante e companheiro de Adriano, morto prematuramente em local sacralizado pelo imperador como Antinópolis, fora apropriada, na verdade, pelos uranianos como símbolo de suas preferências espirituais e sexuais e seu nome aparecia frequentemente em seus poemas. Muito interessante é saber que também Fernando Pessoa escreveu um poema em inglês em louvor do amante de Adriano. Seu "Antinous: a Poem", publicado em Lisboa em 1918 (e em versão revisada em 1921), já era conhecido dos uranianos britânicos no período em que Freyre chegou a Oxford (cf. Smith, 1970).

Contrabalançando o choque que a descrição dessa atmosfera pode causar à nossa sensibilidade moderna, lembremos o que disse Eric Hobsbawm (1988, p.275) a propósito do mundo vitoriano: "é inteiramente ilegítimo ler *standards* pós-freudianos num mundo pré-freudiano ou assumir que o comportamento sexual então deve ter sido como o nosso. A partir dos padrões modernos, aqueles monastérios leigos dos *colleges* de Oxford e Cambridge parecem como casos típicos de patologia sexual ...". Na verdade, porém, "o mundo burguês era obcecado por sexo, mas não necessariamente por promiscuidade sexual". Como bem sugeriu Richard Jenkyns (1980, p.282-9 e passim), a compreensão em profundidade das emoções vitorianas nos escapa, pois Freud ao mesmo tempo nos iluminou e nos inibiu, tornando-nos relativamente incapazes de desenvolver o tipo de amizade romântica do passado e de compreendê-la na sua plenitude.[171] Ora, tais considerações se aplicam igualmente aos anos 20 do século passado que, em certo sentido, ainda faziam parte de um longo mundo vitoriano e preservavam muito da atmosfera

---

171 "Admitidamente nós agora sabemos que muitos adolescentes passam por uma fase homossexual; nós também reconhecemos que instituições que mantêm os homens e mulheres separados prolongam essa fase. Muita homossexualidade grega nas cidades-estado eram deste tipo, não uma inversão irradicável mas um desenvolvimento adolescente prolongado anormalmente por um meio predominantemente masculino. Freud nos iluminou; mas ele também mudou a natureza da experiência. Paradoxalmente ele aumentou nossas inibições: nós achamos difícil descrever os prazeres da amizade na linguagem vigorosa e entusiástica que vinha normalmente aos nossos antepassados, e talvez nós não sejamos mais capazes de formar as ligações assexuais que lhes davam prazer; se assim é, a perda é grandemente nossa" (cf. Jenkyns, 1980, p.286-7).

do século anterior, como atesta a sobrevivência da poesia uraniana. Isaiah Berlin, que chegara a Oxford em 1928, recorda-se da atmosfera homoerótica que ali existia e que chegava a tomar a forma de uma afetação. Mais do que simplesmente uma "disposição sexual", diz ele, o homossexualismo dos anos 1920 era também um "estilo de revolta" de jovens estetas requintados contra o rude anti-intelectualismo de outros jovens provenientes das elitistas *public schools,* muito mais dados ao remo, esportes e bebida do que a coisas do espírito (Ignatieff, 1998, p.46-7).

Foi essa atmosfera que o nosso jovem Gilberto iria encontrar em Oxford em fins de outubro de 1922. Como ele mesmo diria anos mais tarde, fora recebido em Oxford como "pessoa de casa" por jovens humanistas que eram "gente mais do grupo de estetas que dos atletas" (Freyre, 1954). Foi ali também que, a crer em seu diário-memória, sentira-se admirado na sua morenidade; como "um Romeu moreno", diz ele, fora assediado por "lindas inglesinhas" e também "por mais de um louro inglesinho" (1975, p.102). Não é de supreender, portanto, o entusiasmo com que então descreveu os ingleses como "o povo mais romântico do globo".[172]

Nesse ambiente sofisticado, culto, romântico e homoerótico, é muito compreensível que o jovem recifense e o jovem de Birmingham tenham se sentido atraídos um pelo outro, e que Linwood tenha escrito sobre esse relacionamento um poema uraniano em homenagem ao novo amigo.[173] Em comum os dois jovens tinham não só inteligência, brilho e um futuro promissor, mas também pendores literários, interesses artísticos e a experiência de uma marcante crise religiosa na adolescência.[174]

Livresco desde muito cedo, as brincadeiras infantis de Linwood eram sempre baseadas no livro que o estava entusiasmando no momento,

---

172 Vide carta a Oliveira Lima reproduzida anteriormente.

173 No diário editado em 1975, Freyre registra: "Carta de L.S., de Oxford, acompanhada de um poema que me dedica e por ele próprio copiado em letra artística ... carta de inconformado com o mundo e com os tempos imediatos. Mais: nostalgia ou desejo de outros tempos ou outros mundos" (Freyre, 1975, p.134).

174 Luis Jardim comenta sobre a crise religiosa de Freyre e seu temporário apego ao cristianismo evangélico no prefácio que escreveu em 1934 à antologia de Freyre (ver Freyre, 1964, prefácio). Em um trecho da autobiografia escrita em inglês na década de 1950, Freyre se refere ao fato de ter vivido como protestante dos dezesseis aos dezoito anos de idade "sob a influência do protestantismo americano".

como lembra sua irmã Barbara Sleigh, que, assim como o irmão, viria a se tornar escritora de livros infantis de relativo sucesso.[175] A experiência artística era também algo que acompanhava a família Sleigh e que era central em seu cotidiano. Filho do pintor, ilustrador, gravurista, vitralista e professor de arte da prestigiosa Birmingham School of Art, Bernard Sleigh, e de uma de suas alunas de arte, Stella Phillip, Linwood crescera num ambiente economicamente instável, mas esteticamente requintado.[176] Seu pai, artista de relativo sucesso em Birmingham, era um pré-rafaelita da terceira geração, admirador de Rossetti e discípulo de um dos mais importantes membros desse grupo, seu conterrâneo Burne-Jones. Ao menos cinco vezes Bernard fora premiado por seus desenhos de vitrais e por suas ilustrações de livros. Um dos murais que pintou numa paróquia de Birmingham chegou a ser descrito como "o melhor da cidade".[177]

Com os pais, pois, Linwood adquirira uma cultura artística esmerada. Muito dedicado aos filhos até 1914 (quando uma separação dolorosa e traumática deles o afastou definitivamente), Bernard lhes contava histórias sobre Millais e outros pré-rafaelitas e os levava em excursões para ensiná-los a conhecer e a admirar o mundo das artes. O ambiente doméstico, apesar de relativamente modesto, era também esteticamente esmerado. Muitos dos móveis haviam sido especialmente desenhados por Bernard e Stella, e painéis a óleo pintados por Bernard ornamentavam paredes e móveis. Ao menos em uma das casas onde Linwood passou a infância, as cortinas e os estofados eram feitos com as famosas estampas de William Morris, outro pré-rafaelita da maior importância, a cujo socialismo Bernard também se filiava. Fluente em francês, é muito

---

175 Entre os livros de Barbara Sleigh, encontram-se: *Jessamy*, 1967; *Carbonel*, 1955; *Funny Peculiar*, 1975; *West of Widdershins*, 1971.

176 Sobre Bernard Sleigh, ver Cooper (1997). Entre a obra de B. Sleigh publicada, encontram--se *A Handbook of Elementary Design*, 1930; *The Fairy Calendar*, 1920; *A Faerie Pageant*, 1924; *The gates of Horn*, 1926.

177 Apud Cooper (1997). Cinco das melhores pinturas de Bernard Sleigh, que foram originalmente pintadas para a Holy Trinity Methodist Church em Blackwell, podem ser hoje admiradas na imponente Methodist Central Hall, ao lado da Westminster Abbey de Londres. Em uma delas, *Blessing of Little Children*, Linwood e sua irmã Barbara serviram de modelo para as duas crianças que aparecem sendo abençoadas por Cristo.

provável que Linwood também tivesse conhecimentos, ao menos rudimentares, da língua e da literatura portuguesa, pois ao longo de vários anos convivera durante as férias com Henrique, um jovem português de sua idade e de família abastada que estudava numa *public school* (Sleigh, 1971, p.27, 47-54, 75-6 e passim; Christian, 1989, p.112-3).

Enfim, após tantos anos longe do aconchego familiar e ressentindo-se da indiferença dos estrangeiros pela língua e pela cultura luso-brasileira, é de imaginar o entusiasmo do jovem Freyre ao encontrar em Linwood um anglo-saxão diferente, muito provavelmente sensível ao mundo de onde vinha e, ao mesmo tempo, disposto a compartilhar com o jovem brasileiro algo do universo artístico onde crescera. Na verdade, é perfeitamente admissível ter Freyre desenvolvido seus interesses estéticos e artísticos com Sleigh e ter com ele muito aprendido sobre o significado de Rossetti, dos pré-rafaelitas e de William Morris para a cultura britânica; artistas que se mostrarão igualmente importantes para o pensamento e a ação do jovem Freyre ao retornar à sua terra, como veremos adiante. A crer no depoimento feito em seu diário-memória, nessa época ele se regalara com a pintura inglesa que pudera apreciar em solo inglês. Nela encontrara, talvez pelo seu "traço psicológico, um sabor que se assemelha ao da literatura" (Freyre, 1975, p.94). De fato, não se pode considerar mera coincidência o fato de ter sido em Oxford que adquiriu obras sobre o pensamento e a arte de Rossetti, William Morris e G. F. Watts (Benson, 1916; Clutton-Brock,1914; Chesterton, 1920).

Quanto a suas crenças, do mesmo modo como Gilberto se convertera ao protestantismo e se filiara à Igreja Batista, Linwood passara por uma crise religiosa na adolescência e, fazendo um caminho inverso, convertera-se ao catolicismo aos 16 anos de idade, contra a vontade da família. No momento em que se conheceram Gilberto havia-se reconvertido à sua religião da infância e ambos se reencontravam, pois, na fé católica.

O que deve ter contribuído ainda mais para a mútua afeição entre os dois jovens e para o desenvolvimento de simpatia e solidariedade humana entre eles era o fato de Linwood ser também, em certo sentido, um estranho no mundo predominantemente elitista de Oxford, e por seu passado ser marcado por um trauma familiar de incomensurável proporção. Linwood tinha 12 anos de idade quando seu pai saiu de casa por um motivo que, como ele disse à pequena irmã, era "bestial demais para se falar sobre ele". De um dia para o outro, como relembra Barbara Sleigh, o pai, que sempre fora um mentor dedicado e companheiro de passeios e brincadeiras dos filhos, desapareceu de suas vidas. Desde então Linwood nunca mais o viu e, em acordo com a irmã, decidiu dizer aos amigos que o pai "estava morto" (Sleigh, 1971, p.121).[178] A situação econômica de Stella e dos dois filhos – que já faziam parte dos "parentes pobres" de uma família mais extensa e abastada – decaiu sensivelmente a partir dessa ocasião e a manutenção de Linwood e Barbara em seletas *public schools* foi feita com grande custo não só financeiro quanto psicológico. Frequentemente humilhado por colegas e funcionários da escola pela "pobreza da família Sleigh", e carente de uma figura paterna a admirar, não é de surpreender que Linwood tenha se transformado numa pessoa frágil e "tristonha" (ibidem).[179]

Assim, além de terem em comum interesses intelectuais e estéticos, bem como pendores artísticos e literários, outros aspectos mais pessoais aproximavam os dois rapazes. Problemas econômicos, por exemplo, não eram estranhos a Freyre. Rememorando sua meninice, ele diz certa vez ter crescido "menino metade pobre, metade rico": afilhado de uma tia rica que o presenteava com ricos brinquedos, mas também lhe impunha o uso de roupas com gola de veludo e "punhos de renda", fora muitas vezes objeto de chacota dos colegas da escola. Lembra-se também de que houve época em que estando o pai "sem emprego", ele e os irmãos viajavam "em trem urbano, de segunda" com a "ralé" (como dizia sua mãe) e se abaixavam para não ser vistos de fora por "gente conhecida".[180] E a carência de afeto após anos vivendo longe de seu ambiente familiar o tornava igualmente sensível a manifestações do carinho fraterno e sensual, próprias das amizades gregas tão do gosto de Oxford, como ele próprio reconhecia.

---

178 Segundo R. Cooper (artista gráfico e estudioso de Bernard Sleigh), Bernard fora expulso de casa por ter feito avanços inaceitáveis à pequena Barbara. Na autobiografia que escreveu, *Memoirs of a Human Peter Pan*, Bernard não faz nenhuma referência aos filhos.

179 Cf. Roger Cooper, em conversa com a autora, junho de 2003.

180 Manuscrito autobiográfico (c.1980), p.78, AFGF.

O poema de amor claramente erótico – tanto na sua expressão literária quanto visual – que Freyre recebeu de seu amigo Linwood foi, sem dúvida, a mais inesquecível manifestação desse tipo de amizade que o cativou. Entre os "amigos compreensivos, afins, fraternos" que em Oxford o haviam "valorizado como em nenhum outro lugar", Linwood sem dúvida teve um lugar de relevo. O cuidado comovente com que Freyre guardou o pequeno poema ao longo de toda a sua vida confirma o caráter memorável do encontro pelo qual sentia um orgulho profundo e significativo.[181] Por outro lado, o carinho e a arte com que Linwood encadernou o poema artesanalmente – em couro vermelho vivo, com título gravado em dourado e ilustrado com arabescos e um desenho, aparentemente de dois corpos entrelaçados, em estilo filiado à tradição pré-rafaelita – só acresce o significado desse episódio ao mesmo tempo "lírico e sensual", como o próprio Freyre o descreveu.[182]

Intitulado "The Uranian Hymn to the Divine Hero Antinous", o poema de Linwood consiste numa celebração pungente do uranismo e uma súplica para que Antinous, erigido em protetor dos amantes, faça prosperar o seu amor. Cada um dos seus sete versos se inicia com uma espécie de prece ao "Lord of great lovers" e no início e no fim do poema encontra-se a seguinte dedicatória: "This song for the divine Antinous that all my loving may be prosperous". A denominação *uranian* dada ao hino deixa claras as associações gregas de um relacionamento homossexual elevado, "na melhor acepção da palavra", como caracterizou Freyre no diário, na versão que pretendia publicar. Como vimos, ao menos desde as últimas décadas do século XIX a referência a *uranian love*, remontando a Platão, passou a ser corrente entre grupos de escritores e intelectuais britânicos, muitos deles associados a Oxford. "Ter alterado minha vida teria sido admitir que o amor Uraniano é ignóbil", confessou o perseguido Oscar Wilde. "Eu o considero nobre – mais nobre do que

---

181 No poema de Linwood Sleigh, cuidadosamente guardado entre seus papéis, Freyre deixou registrada em papel avulso, com sua inconfundível (e já trêmula) letra, a seguinte informação: "Poema escrito por um brilhante estudante de Oxford, Linwood Sleigh, e dedicado a G. F. quando de seu contacto com a mocidade inglesa (1922)".

182 Muito provavelmente Linwood aprendera a encadernar com sua mãe, Stella Phillips, que era exímia nessa arte (cf. Sleigh, 1971, p.162).

Gilberto Freyre

outras formas", completara.[183] A referência à clássica figura do companheiro e amante de Adriano, Antinous – tema recorrente dos poemas uranianos, como também já apontamos –, reafirma a natureza do profundo e significativo, ainda que efêmero, relacionamento que houve entre o jovem Freyre e o jovem Sleigh.

Quando, mais de cinquenta anos após ter vivido esse episódio, Gilberto Freyre insiste em deixar público em seu diário-memória essa "breve aventura de amor homossexual", sua justificativa guarda as marcas da atmosfera intelectual e emocional que viveu em Oxford. As referências que fez na conferência de 1947 diante da Sociedade dos Amigos da América ao suposto homossexualismo ou bissexualismo de Walt Whitman já revelam a abertura com que Freyre tendia a tratar de assuntos-tabu. Elogiando o poeta "tão cheio de antagonismos e contradições" e seu caráter "tão compreensivamente humano" porque ilógico, incoerente e inacabado, Freyre o descreve como alguém que não "se limitou como poeta a ser de uma classe ou de uma raça ou mesmo de um sexo" (Freyre, 1948c, p.21-2, 34-7). Muitos anos mais tarde, em sua seminovela *Dona Sinhá e o filho padre*, Freyre iria abordar o relacionamento homoerótico entre dois jovens com grande sensibilidade e compreensão, e também ensaiar uma justificativa nos mesmos termos platônicos usados por Santayana. "Romance em que amor e amizade e até religião e sexo se confundem do começo ao fim", seus personagens de meio-sexo, Paulo e José Maria, revelam uma dimensão da humanidade nem sempre lembrada, salientava o autor: que "são os homens, muitos deles, uns mestiços, não só na raça como no sexo, não só nas ideias como nos sentimentos. E, como mestiços, se realizam esses homens, às vezes mais do que os supostos puros de raça, de sexo, de classe, de ideias, de sentimentos". No período em que Paulo, longe do jovem amigo, estudava em Paris, ele tanto se entusiasmara pela obra de Newman e Pater que resolvera conhecer Oxford. E lá, significativamente, "lembrou-se muito de José Maria, ao ver dois inglesinhos de beca em plena efusão de amizade amorosa que lhe pareceu, no melhor sentido da palavra, platônica.

---

183 Carta de O. Wilde a Robert Ross, 18 fevereiro 1898 (?), em Hart-Davis, 1962, p.705.

Platônica porém amorosa. Amizade amorosa pura: sem nenhuma canalhice" (Freyre, 1971, p.36, 117-8, 134).

No diário de 1975, tal como ele pretendia publicar, Freyre também apelou aos gregos, às "antigas amizades gregas", e descartou a visão convencional da "chamada normalidade sexual". E é em nome da rica diversidade de experiências humanas, bem ao gosto de J. S. Mill e de outros liberais e esteticistas britânicos, que ele, rejeitando qualquer insinuação de vulgaridade, legitima e enobrece o episódio da sua mocidade.[184]

Walter Pater, um dos ensaístas favoritos de Freyre como temos repetido, também defendera em seu *The Renaissance* (1873) – um dos textos fundamentais do decadentismo do *fin-de-siècle*, entendido como uma ramificação ou um aspecto da "arte pela arte" do esteticismo – um estilo de vida que usufruísse da multiplicidade de experiências que o acaso oferece. Numa passagem que Oscar Wilde sabia de cor, e que foi cortada pelo autor na segunda edição porque "poderia possivelmente desencaminhar alguns dos rapazes em cujas mãos caísse", Pater insiste na importância de se cultivar cada momento por inteiro, procurando "não o fruto da experiência, mas a própria experiência". Momentos de "paixão", "entusiasmo" e "êxtase" que surgem ao longo da existência humana devem ser intensamente vividos, pois "somente nos é dado um número finito de batidas de coração de uma vida variegada e dramática". Numa existência feita de momentos tão efêmeros e fugidios, e onde a juventude é sofrivelmente breve, "não discriminar em cada momento alguma atitude passional naqueles ao nosso redor ... é ... dormir antes do anoitecer", argumenta Pater (1910c, p.233-9). Seu *Marius, The Epicurean*, outro livro de Pater que Freyre encomendara a seu amigo Simkins, também se referia a "uma sede perpétua e enextinguível de experiência" como uma filosofia de vida.[185] É, pois, nessa mesma linha que Freyre se descreveu como um "experimentador" que não se envergonhava dos "desvios da chamada normalidade sexual ... Ao contrário: lamenta quantos não os conhecem, prejudicados por um puritanismo que lhes

---

184 Sobre a valorização da variedade e das experiências de vida como condição de desenvolvimento e meio de luta contra a mediocridade e conformismo em J. S. Mill, ver Collini (1989) e Gray (1983).

185 Ver nota 79 acima.

Gilberto Freyre

tem limitado a experiência do amor na sua plenitude e na sua diversidade de expressão".[186]

Essa também fora a maneira como Santayana compreendera a amizade entre rapazes que presenciou na Inglaterra poucos anos antes de Freyre ali chegar. É por ter também um caráter sensual e erótico, que "uma psicologia da moda" tende a erradamente considerar esse tipo de amizade como uma "aberração sexual", diz ele no texto descrito por Freyre em 1926 como "o mais inteligente entusiasmo por valores ingleses que ainda se escreveu".[187] Foi dele que Freyre extraiu algumas passagens para publicar em seu diário-memória, como vimos anteriormente. Na verdade, diz Santayana, não se trata de falar em "certo ou errado" quando o que está em jogo é a natureza humana. Como esta "é ainda plástica, especialmente no que diz respeito à emoção", vários "desenvolvimentos alternativos" da "capacidade humana do amor" são possíveis. Em outras palavras, segundo Santayana, um "puro esteta" que Freyre tanto admirava, a amizade intensa e romântica entre jovens rapazes que descobrira "florescer mais frequentemente e mais francamente na Inglaterra do que em outros países" era uma entre várias outras formas nobres e dignas da manifestação do amor humano (Santayana, 1967, p.56-7).[188]

Enfim, não há como fugir à conclusão de que essa intensa aventura emocional enriquecida com elementos estéticos vivida por Freyre em muito explica sua eleição de Oxford como "o lugar, o meio" onde melhor se sentiu "no mundo" e o breve tempo em que lá esteve como "a época paradisíaca" de sua vida. Ao lado das demais experiências que ali viveu, e que Freyre iria qualificar mais tarde como "inesquecíveis aventuras intelectuais e psicológicas", o fugaz encontro com Linwood Sleigh como que ilustra o que disse Proust: "os verdadeiros paraísos são os paraísos que perdemos" (Freyre, 1954; Proust, 1927, cap. 3).

---

186 Cf. provas de uma versão impressa de *Tempo morto e outros tempos*, com cortes e modificações do autor.

187 *Diário de Pernambuco*, 24/1/1926.

188 Em seu caderno de anotações de 1921-1922, Freyre refere-se a Santayana como um escritor de grande sensibilidade e senso de beleza. "Seu inglês ... preciso. Cata a palavra exacta e por ela espera às vezes um segundo ou dois. Puro esteta".

Oxford: o apelo intelectual

No aspecto, por assim dizer, mais intelectual, a antiga Oxford também lhe trouxe conforto. Exemplo de como o horizonte de expectativas pode moldar a percepção da realidade, Freyre ali encontrou concentrado o traço da cultura britânica que alguns autores ingleses já o haviam predisposto a achar e com o qual muito se afinava: o caráter conciliador dessa cultura. A começar pela arquitetura, em Oxford o novo e o velho não entravam em choque, como sua prévia leitura sobre a universidade lhe adiantara.

> Esta grande casa do saber, com suas muitas arquiteturas, tem sido passada de geração a geração, cada geração fazendo seus próprios melhoramentos, imprimindo seus próprios gostos, encarnando suas próprias tendências até o momento presente. É como uma grande mansão familiar, com proprietário após proprietário ampliando-a ou melhorando-a para atender às suas próprias necessidades ou gostos, e que, registrando, portanto, fases sucessivas de vida doméstica e social, carece de uniformidade mas não de interesse vital ou beleza (Halsey, 1914, p.38).

Na verdade, cumpre aqui salientar que o peculiar equilíbrio britânico que se revela na combinação entre traços aparentemente inconciliáveis, como, por exemplo, estabilidade social e desigualdade, liberdade e conformidade, tradição e modernidade, teve o poder quer de seduzir quer de horrorizar muitos estrangeiros. Os espíritos mais radicais se desesperançavam com um sistema que parecia abafar qualquer possibilidade de revolução. Na Inglaterra, até mesmo o trabalhador era burguês, concluiu Marx. Já os anglófilos se regozijavam exatamente por esse mesmo motivo, ou seja, por ser este um país em que radicalismos, soluções extremadas e ideias de salvação universal aparentemente não vingavam. "Ser um revolucionário e um anglófilo era realmente uma contradição em termos", como Alexander Herzen, Isaiah Berlin e outros exilados anglófilos parecem ilustrar (Buruma, 2000, p.118-20, passim).

No caso de Freyre, devemos admitir que, nascido em 1900 e pertencendo, pois, à geração afetada pela Primeira Guerra na sua adolescência, o caráter contemporizador britânico deve ter-lhe parecido, inegavelmente, muito confortador. No Brasil, o perigo que a guerra representava pudera parecer distante, já que esta não exigira muito do "sangue" e da "carne" dos brasileiros. No entanto, como dissera o jovem Freyre em 1916 no discurso de despedida do colégio, a responsabilidade dos jovens do "novo mundo" era "enorme" para com a reconstrução do "mundo social que se levanta das labaredas da Europa" (Freyre, 1968b, p.69-71). Nos Estados Unidos, Freyre presenciara mais de perto os efeitos da guerra. Notícias sobre a ameaça de prisão dos que infringissem a proibição de jogar comida fora, bem como restrições governamentais a viagens de trem devem ter surpreendido o jovem Freyre ao chegar a Waco. E movimentos como os *overall clubs*, quando os próprios estudantes e alguns professores de Baylor se confraternizaram com a população local atingida pela crise econômica do algodão e – deixando de lado seus "fraques e chapéu-coco" – compareceram às aulas vestidos de macacão (*overall*) de algodão grosso, sem dúvida davam um toque ao mesmo tempo pitoresco e sério ao clima mundial. Mesmo a composição de seus colegas de Baylor, que como vimos tinha igual número de alunos de ambos os sexos, devia-se ao recrutamento dos jovens para o campo de batalha.[189]

Ao chegar à Europa, entretanto, o quadro mundial ganhara muito maior tragicidade. Viu de perto as "cicatrizes" profundas que a guerra deixara na alma e no corpo dos europeus e voltara para o Recife, como confessou logo ao chegar, convencido de que cabia aos jovens "reatar a tradição de bom senso" e corrigir os enganos da geração revolucionária que fizera a guerra a partir "dos gabinetes" e que se entusiasmava com as novidades representadas pelo "modernismo, cientificismo e liberalismo".[190]

Desde 1918, quando Freyre lera Carlyle em Baylor, este já lhe chamara a atenção para a sábia acomodação que a classe política inglesa soubera realizar no início do século XIX. Percebendo que as circunstâncias

---

189 *The Waco Daily Times-Herald*, outubro de 1918–agosto de 1920, passim.

190 Discurso de agradecimento à homenagem do Colégio Americano Batista por ocasião da volta de G. Freyre ao Recife, publicado no *Diário de Pernambuco* em 28/3/1923; ver tb. "Apologia Pro Generatione Sua", em Freyre (1968b, p.79-81).

Maria Lúcia Garcia Pallares-Burke

políticas exigiam um "equilíbrio de antagonismos" (na expressão de Carlyle que ficou impressa na mente do jovem Freyre) a fim de que a estabilidade do país fosse garantida, os homens públicos ingleses teriam, segundo ele, inventado, por assim dizer, uma tradição de conciliação em que a Inglaterra iria, daí em diante, ser mestra.[191] Preparado, muito provavelmente pela leitura de Carlyle (escritor pelo qual, como confessou, se apaixonara "grandemente") e igualmente por Spencer e seu discípulo na Universidade de Columbia, professor F. H. Giddings, que faziam o conceito de equilíbrio adquirir um alcance mais amplo, como veremos adiante, sabemos que ao chegar à Inglaterra Freyre encontrou muito do que já estava preparado para encontrar.[192]

Alguns anos depois de seu regresso ao Brasil, recordando o seu período inglês e mostrando ter sido seduzido por um país onde "nunca há excessos nem para a esquerda nem para a direita", Freyre chega a afirmar categoricamente que tudo na Inglaterra "é compensação e equilíbrio" (1942a, p.128). Como comenta José Lins do Rego (apud ibidem, p.14-5), a quem Freyre contagiou com sua anglofilia, encontram-se entre os ingleses figuras de almas largas e altruístas, ao lado de figuras arrogantes e imperialistas: "só a Inglaterra", diz ele, "nos daria um Stevenson e um Lafcadio, ao mesmo tempo que nos dava um Kipling imperial". A mesma ideia Freyre já entrevira logo ao chegar em Oxford, quando enalteceu o inglês como o "povo de inteligência mais equilibrada, de vida mais equilibrada".[193] "Em certa esfera", diz Freyre, "Cambridge corrige Oxford e Oxford corrige Cambridge e num plano mais largo o resto da Inglaterra é corrigido por Oxford e Cambridge e por sua vez as corrige: o bom senso dos mais simples não deixa a inteligência dos mais sofisticados artificializar-se em exageros". Do mesmo modo, no plano do intelecto, diz Freyre, "os grandes insatisfeitos", como Coleridge, Newman, Rossetti, Ruskin, Carlyle, William Morris, Thomas Hardy, Havelock Ellis (todos esses autores descobertos durante os seus anos no estrangeiro) sempre moderaram o apego inglês à estabilidade e

---

191 Sobre a leitura que Freyre fez de Carlyle, ver Pallares-Burke (2002, p.844-8).

192 Carta de G. Freyre a Olívio Montenegro, 26/4/1924, AFGF.

193 Carta de G. Freyre a O. Lima, 6/11/1922, Oliveira Lima Papers.

a ideias estabelecidas, bem como "os ímpetos da 'superbia britanno-rum'", impedindo que se extremassem "no pior dos etnocentrismos modernos" (Freyre, 1942a, p.128, 145, 149, 67, 47 e passim; cf. tb. 1975, p.99).

Completando o horizonte de expectativas que se fora formando à medida que estudava Carlyle, Spencer e Giddings, vários ensaístas, poetas, romancistas e artistas britânicos – Thomas Hardy, William Butler Yeats, William Morris, os pré-rafaelitas, Ruskin, Rossetti, Walter Pater, George Gissing, George Moore e Lafcadio Hearn – chamaram a atenção de Freyre para o valor e a potencialidade das tradições culturais. Cada um deles a seu modo teria contribuído, pois, para tornar o retorno de Freyre ao Brasil algo auspicioso e para compor um quadro potencialmente promissor do que poderia significar sua reimersão no acanhado ambiente recifense.

Na verdade, era o traço conciliador da cultura inglesa que estava por trás desse outro aspecto que Freyre apreciou sobremaneira no mundo inglês que observou: o respeito às tradições sem prejuízo quer do desenvolvimento das individualidades criadoras, quer das conquistas da modernidade. Reconhecendo que os rituais e as tradições se revestem de importantes significados estéticos e morais, os ingleses, segundo Freyre, haviam se erigido em mestres da sábia combinação entre tradição e modernidade. Como fez questão de apontar a seus leitores de Pernambuco, isso ficava bem claro em Oxford, onde as instituições de excelência devotadas ao progresso do conhecimento não estavam obcecadas pelo "delírio modernista" que despreza os rituais e tradições como se fossem "velharias". Nas cozinhas de Oxford, lembrava Freyre, "ainda se assam as viandas a espeto, à moda medieval"; do mesmo modo, aí também se veem as tradicionais becas pretas esvoaçando nas modernas bicicletas, como que ilustrando pitorescamente a verdade de que as tradições e rituais não necessariamente abafam as individualidades inovadoras (Freyre, 1975, p.106-7).[194]

Ao estudar a trajetória de Gilberto Freyre temos de nos precaver contra o perigo de interpretar o que precedeu em virtude do que sucedeu,

---

194 *Diário de Pernambuco*, 8/7/1923, 14/10/1923, 23/12/1923, 19/3/1926 e passim.

já que uma visão anacrônica da história não é prerrogativa da história política ou social. Assim como o século XVIII, por exemplo, foi muitas vezes estudado a partir do grande evento de 1789, distorcendo-se e empobrecendo-se, com isso, uma história rica em dimensões e coloridos, a trajetória de um indivíduo também corre o risco de ser vista de trás para a frente. Assim, a advertência de alguns estudiosos do Iluminismo europeu para que esse período fosse estudado começando pelo início e terminando no fim também deve ser levada em conta no estudo de indivíduos, especialmente quando um grande evento sobressai nas suas histórias (Laprade, 1932; Gusdorf, 1971; Porter, 1981; Rudé, 1972). Por exemplo, no caso do historiador Edward Gibbon já mencionado na introdução deste trabalho, o grande desafio de seu biógrafo John Pocock foi não cair na tentação de assumir de antemão que *Declínio e queda do Império Romano* era a consequência inevitável de sua trajetória intelectual. Apontando as hesitações do autor inglês entre abordagens históricas diferentes, os caminhos alternativos que confrontou e seu "namoro" com outros tópicos, Pocock (1999) conseguiu restaurar o caráter contingente da produção do grande autor. No caso de Freyre, acredito que também temos de nos precaver contra a tendência de descartar o que no decorrer de sua trajetória não o conduziu a *Casa-grande & senzala*: os caminhos trilhados e interrompidos, os recuos, os tateamentos, os excessos de "pontos de interrogação" e períodos de indecisão, quando sofria de "Hamlet mood" tal como se descreveu algumas vezes a seu confidente Oliveira Lima.

Na verdade, durante sua permanência no estrangeiro o jovem Freyre manifestou dúvidas quanto ao caminho a escolher, o que fazer, para onde ir. Quanto à postura intelectual, por exemplo, enfrentar o problema da identidade brasileira e do futuro da nação a partir da abordagem racista que ganhava enorme peso nos Estados Unidos, a ponto de determinar mudanças legislativas quanto à imigração, foi em determinado momento, como veremos adiante, possibilidade acolhida com bastante entusiasmo por Freyre.

Seu retorno ao Brasil também era motivo frequente de seu "Hamlet mood", e ser ou não ser um exilado intelectual foi, aparentemente, uma das dúvidas que muito cedo o inquietaram, já que compartilhava das reservas de seus diletos amigos e conselheiros, Armstrong e Oliveira Lima, quanto ao seu futuro na terra de origem. "Vejo que estás numa grande hesitação se voltas ou se ficas", escreve-lhe do Recife o amigo Annibal Fernandes.[195] Segundo o que confidenciou a seu outro amigo Francis Simkins, sua indecisão sobre o que fazer logo ao chegar ao Brasil era tanta que chegou a pensar em "criar porcos" numa fazenda. "É um negócio rendoso", diz Freyre.[196] Carreira diplomática, a exemplo de Oliveira Lima, jornalismo, carreira docente foram outras alternativas cogitadas. E habilitar-se "para um professorado nos Estados Unidos, em assuntos sul-americanos", num tema que "seja de interesse para o americano", foi possibilidade também considerada, apesar de seu amigo do Recife confiar que, no final, Freyre iria pender para sua terra natal. Seu "pouco egoísmo" e o seu "pouco senso prático", disse-lhe Annibal Fernandes, iriam acabar por impeli-lo "outra vez para Pernambuco".[197]

A crer em seu diário e correspondência, a pressão fora grande para que ficasse nos Estados Unidos ou na Inglaterra, onde seu sucesso literário como um "novo Conrad" ou um "novo Vives" era visto como quase garantido. Até mesmo Fernando de Arteaga em Oxford lhe teria acenado com um futuro promissor. Por motivos diferentes, Armstrong e Oliveira Lima insistiam em que Freyre permanecesse no estrangeiro. Para o primeiro, ser escritor na obscura língua portuguesa era tolher de imediato uma promissora carreira brilhante e internacional; para o segundo, o problema aparentemente insuperável era o ambiente recifense: "Fazer crítica no Recife, Deus do Céu! É o mesmo que querer usar patins [sob um?] céu ardente", exclama Oliveira Lima em resposta à

---

195 Carta de A. Fernandes a G. Freyre, 20/7/1921, AFGF.

196 Carta de G. Freyre a F. Simkins, 26/5/1923, Simkins Papers.

197 Cartas de G. Freyre a O. Lima, 15/12/ 1920, 3/3/1921, 2/6/2921, 21/11/1921, em Freyre, 1978, p.170, 175, 180, 191-2 e passim. É interessante aqui registrar que, em seu caderno de anotações de 1921, o jovem Freyre copiou um poema de Louis Chadourne (1890-1925), extraído de *Land of Canaan* (tradução inglesa de *Terre de Chanaan* de 1921), em que a tensão entre o "espírito inquieto" e a "necessidade de paz" – que talvez se pudesse substituir por "aventura" e "rotina" – era ao mesmo tempo reconhecida como inescapável e valiosa. "Lord, Thou hast put in men's hearts two painfully fighting powers – the unquiet spirit and the need of rest. Praise be to Thee for the disquiet and for the peace".

carta em que Freyre mais uma vez cogita se fixar nos Estados Unidos (Freyre, 1975, p.73, 97, 108).[198]

Quando, finalmente, se vê forçado a voltar da Europa antes do desejado devido a problemas econômicos ("não deverás adiar mais tua viagem de volta devido ao facto de estarem todas as nossas verbas esgotadas", insiste Ulisses, o "financista da família" que normalmente incentivava o irmão a permanecer no estrangeiro), Freyre volta ao Brasil cheio de indecisões e incertezas; e disposto a deixar de novo o país e retornar "à Europa para ser um sub-Henry Jamesinho qualquer", caso não conseguisse abrir "caminho novo e próprio", como escreve a seu amigo Annibal Fernandes.[199] Mas volta amparado, por assim dizer, por ideias que encontrara nos Estados Unidos e na Europa e cujas potencialidades vitais, naquele momento, apenas ocasionalmente entrevia. Dentre elas, uma das mais relevantes talvez fosse a importância de ser paciente e aberto a influências, tal como grandes figuras do mundo literário e artístico haviam sido. A grandeza de Rafael, como Pater apontou (e Freyre bem percebeu e grifou em 1922), muito se devera à sua capacidade de se ver "sempre como um aprendiz, sem nenhum preconceito desesperado a favor da originalidade, sempre aberto a influências, e ao mesmo tempo transfigurando e transmudando a influência em mais e mais elevadas concepções de sua própria criação" (Benson, 1911, p.160). Não parece ter sido, pois, por acaso que Freyre se descreveu em 1944 como um "aprendiz eterno" de escritor (Freyre, 1987a, p.12).

Para finalizar, lembremos o que Freyre disse a seu amigo Oliveira Lima em novembro de 1922: "Porque não nasci inglês ou alemão ou americano – não compreendo ... Mas já que sou brasileiro vou tratar de ser o melhor possível – do my best".[200] Ora, quando premido pelas circunstâncias digeriu a seu modo as ideias que absorvera no exterior; muitas delas passaram a compor o quadro mental em que a acanhada "aldeia recifense" deixava de ser o lugar de onde Freyre cogitava fugir,

---

198 Carta de O. Lima a G. Freyre, 22/11/1921, AFGF; carta de G. Freyre a O. Lima, 21/11/1921, em Freyre, 1978, p.192.

199 Cartas de U. Freyre a G. Freyre, 6/2/1923, 20/1/1920, AFGF; "Carta de Paris a A. F.", em Freyre, 1964, p.80.

200 Carta de G. Freyre a O. Lima, 6/11/1922, Oliveira Lima Papers.

para se tornar o centro promissor de vitalidade e inovação a partir de onde queria, acima de qualquer outro, atuar. Como veremos a seguir, Freyre irá analisar o Brasil com algumas das mesmas noções com que os ingleses vinham se analisando.

Paradoxalmente, pois, batalhar pelo Brasil em seus próprios termos foi a resposta que Freyre encontrou fora do Brasil à sua determinação de "ser o melhor possível" na sua inelutável condição de brasileiro.

Enfim, podemos dizer que assim como Chesterton tivera de se afastar de sua terra a fim de encontrá-la, para chegar à "sua Battersea" Freyre também tivera de ir para bem longe dela.

2
Anos de decisão: 1923-1927

"Lord, Thou hast put in men's hearts two painfully
fighting powers – the unquiet spirit and the need of rest.
Praise be to Thee for the disquiet and for the peace."
Louis Chadourne[1]

Definitivamente Pernambuco não era o único destino que Gilberto
Freyre tinha em mente ao voltar para o Brasil em março de 1923. Não
podia mudar sua sina de não ter nascido nórdico – "inglês ou alemão ou
americano" –, mas, diante do iminente retorno ao seu país, ocorreu-lhe
a ideia de mudar de cidade e tentar a vida numa nova região brasileira.
Talvez tenha sido esse o período da vida do jovem Freyre mais especialmente marcado por dramáticos impasses. Se o intitulo de "anos de
decisão", não obstante reconhecer o quanto é problemática qualquer
tentativa de periodização, é porque um dos principais objetivos deste capítulo é enfatizar o quanto o jovem retornado estava imerso em dúvidas
e incertezas quanto ao rumo de sua vida; e como, de fato, foi por meio
de um processo mais longo e hesitante do que usualmente se supõe
que Freyre iria encontrar o caminho que o levaria a *Casa-grande & senzala*

---

1 Apud Freyre em Caderno de anotações, 1921/1922.

(Needell, 1995, p.59; Giucci, 1998, p.61; Rocha, 2001, p.197). Como ele mesmo muito cedo parece ter reconhecido, o futuro de um jovem está repleto de indefinições e incertezas, pois das múltiplas e contraditórias influências, leituras e experiências que lhe povoam a mente é difícil saber quais delas vão acabar prevalecendo, "se a vida ajudar".[2]

Permanecer nos Estados Unidos ou na Europa foi aos poucos perdendo muito da atração, apesar das promessas de ser glorificado no estrangeiro, como um "novo Conrad" ou um "novo Vives". Por mais estimulante e enriquecedora que tenha sido a experiência que viveu no exterior, sentimentos de nostalgia, ansiedade e desapontamento foram minando qualquer ambição mais forte de se fixar fora do Brasil. Deixara Recife cheio de sonhos – afinal, o "tio Sam" fora o "mestre-escola" de muitos "leaders" no Oriente e na América Latina – e, como é de esperar, a probabilidade de desencanto cresce quanto maiores são as expectativas do viajante.[3] Assimilar o que havia de bom nos centros culturais do estrangeiro, aproveitando os recursos aí disponíveis, tinha sido um processo nada simples e nem sempre agradável. Envolvera, na verdade, uma experiência complexa, exaustiva e ocasionalmente penosa, que forçara Freyre a reavaliar alguns de seus antigos parâmetros, como procuraremos mostrar no próximo capítulo.

Já se argumentou que a "experiência de Roma", para aqueles nórdicos que faziam a peregrinação a esse centro da cultura ocidental sem paralelo, envolvia muitas vezes um choque cultural de caráter psicológico e até mesmo físico, pois a ameaça da malária sempre estava à espreita do visitante. O encontro com a autoridade cultural romana não raro era uma experiência fascinante, mas ao mesmo tempo intimidadora, opressora e arriscada. Goethe descreveu sua experiência italiana como instantânea e indolor. "Em Roma eu encontrei a mim mesmo; pela primeira vez eu estou em harmonia comigo mesmo, feliz e racional." Em contraste, a maioria dos outros escritores e artistas nórdicos em busca da inspiração romana, como Stendhal, Proud'hon e David d'Angers, sentiu-se traumatizada com o isolamento, as dificuldades de adaptação e o

---

2 Cf. texto da *Révue des Deux Mondes* citado por Freyre em seu Caderno de anotações de 1921.

3 *Diário de Pernambuco*, 14/12/1919.

abalo das próprias convicções que a experiência de Roma implicava (Wrigley, 1996; 2000). No caso do jovem Freyre, também houve elementos traumáticos em sua experiência no estrangeiro, especialmente nos Estados Unidos, onde ele ficara tempo suficiente para que o previsível deslumbramento se anuviasse. Na Inglaterra e em Oxford a brevidade da visita preservara muito da magia e do encanto.

Na sua decisão de não mais cogitar em permanecer no estrangeiro foi determinante, em primeiro lugar, o trauma da separação e a consciência do custo sentimental que um "desenraizamento" implicava (Freyre, 1975, p.118 e passim).[4] Mas a falta da família, dos amigos, da comida e da paisagem era relativamente contornável. As fotos, as cartas, os recortes de jornal, as revistas, os doces que lhe eram enviados do Brasil de quando em quando, e até mesmo os "quitutes da Dejanira" com que se regalava durante suas visitas a Oliveira Lima em Washington, podiam contemporizar as saudades que sentia.

Menos contornável deve ter-lhe parecido, no entanto, o caráter postiço de sua condição de estrangeiro. "Temo que, fora do Brasil, eu me sentisse postiço ou artificial, mesmo que o triunfo me consagrasse como consagrou a Conrad...", diz Freyre em seu diário-memória (ibidem, p.97). A consciência de que, no limite, ele sempre falaria como um estrangeiro, seria visto como um estrangeiro e se sentiria como um estrangeiro foi com o tempo se fortalecendo a ponto de prevalecer sobre as promessas, necessariamente incertas, de um futuro glorioso em terra estrangeira. Como vimos, Freyre logo parece ter-se dado conta de que, diferentemente de Conrad, estava limitado a só "andar em inglês"; "dançar na ponta dos pés", como exigiam suas ambições literárias, era um sonho inatingível. Lafcadio Hearn, um de seus autores preferidos, dera provavelmente mais peso ao reconhecimento dessas limitações que, com o tempo, iriam lhe parecer intransponíveis. Em suas aulas na Universidade de Tóquio reunidas em *Life and Literature*, livro que Freyre adquirira em Nova York em 1922, Hearn dissuadia seus alunos japoneses, mesmo os mais criativos e talentosos, de escrever em outra língua

---

4 *Diário de Pernambuco*, 28/3/1923, 20/4/1924. A expressão *déracinement*, cunhada por Maurice Barres, foi muito utilizada por Freyre em seus artigos do *Diário de Pernambuco*.

que não a sua própria. Após muitos anos de prática e de viagens ao exterior, talvez conseguissem escrever mais ou menos corretamente um "documento de negócio" ou mesmo um "simples ensaio que lide com fatos nus", dizia Hearn. Mas "nenhum de vocês pode ter a esperança" de ser eloquente ou "mover o coração das pessoas numa língua que não é a sua". A única forma de ser criativo numa língua estrangeira é "esquecer completamente a sua", mas "o resultado não compensaria o sacrifício" (Hearn, 1917, p.47).

Além disso, inquietava a Freyre a perspectiva de ser um eterno incompreendido, como por exemplo Dante Gabriel Rossetti o fora. Desde 1922, nosso jovem estudante parece ter-se impressionado com a sina desse poeta e artista carismático, fundador da Pre Raphaelite Brotherhood. Inglês de nascimento, mas italiano de formação e temperamento, o destino de Rossetti foi o de nunca ter sido totalmente compreendido. Sendo-lhe impossível "olhar para as coisas a partir de um ponto de vista inglês", ele foi objeto de interpretações equivocadas até mesmo por parte de críticos da envergadura de Walter Pater. O livro de Benson sobre Pater, lido cuidadosamente por Freyre, argumentava que este crítico normalmente brilhante e perspicaz fora, no entanto, incapaz de penetrar no pensamento de Rossetti e de avaliá-lo "a partir de dentro": "o mundo interior da paixão mística em que Rossetti vivia era como um câmara fechada e escura para Pater", concluíra Benson (1911, p.86-7).[5]

Houve ainda na experiência norte-americana de Freyre um desapontamento mais profundo, traumático e determinante da sua desistência de tentar seguir carreira no estrangeiro. Menos contornável e mais difícil de lidar do que os anteriores, este se revelará, no entanto, profícuo para a trajetória do autor de *Casa-grande & senzala*, como veremos adiante.

São poucas, mas reveladoras, as referências que Freyre faz a essa desilusão. Como seu admirado Lafcadio Hearn, Freyre normalmente se

---

5 Livro lido em março de 1922 – cf. carta a O. Lima, 13/3/1922 – e grifado e marcado em vários trechos, inclusive o relacionado à incompreensão de Rossetti por Pater. A obra *Rossetti* (Benson, 1916, p.62) (autografada por Freyre e datada "Oxford, novembro 1922) está igualmente marcada nos trechos relacionados à incompreensão de que Rossetti foi alvo.

cala sobre suas maiores decepções no estrangeiro, quando o período de lua de mel termina e o deslumbramento se vai. Assim como Hearn vira em pouco tempo o Japão se transformar de sua "terra dos sonhos" em uma prisão, o jovem Freyre também deve ter sentido na pele o pesado custo do exílio (Rosenstone, 1988, p.226-8). Observando os Estados Unidos, oscilara entre admiração e crítica e não deixou de mencionar aos leitores do Recife, em suas crônicas, como vimos, os traços da cultura que lhe desagradavam; mas evitou que ali transparecesse, via de regra, seus dramas pessoais. Quando se tratava de sua própria pessoa, aparentemente só se queixava em cartas e, assim mesmo, muito alusivamente, como a querer esconder dos outros, e até de si mesmo, suas dificuldades e decepções mais profundas.

As referências que Freyre fez de quando em quando ao seu "estado de nervos", "cansaços de nervos", já mencionados anteriormente, deixam entrever que sua estada nos Estados Unidos envolveu tensões e ansiedades; que houve elementos traumáticos em sua experiência norte--americana sobre os quais ele normalmente se calou. Quer porque lhe fosse pesaroso reconhecê-los pelas repercussões que tinham em suas convicções, quer porque a autoimagem que queria divulgar era a de contentamento, o fato é que as referências às maiores decepções que teve no estrangeiro foram desde cedo raras e fragmentárias. Entre essas decepções, é de crer que a experiência de ser objeto de preconceito racista foi, para o jovem Freyre, uma das mais dolorosas e desconcertantes.

É difícil, se não impossível, supor que Freyre tenha ficado imune ao racismo que nesse período estava em plena ascensão nos Estados Unidos. Contagioso e destruidor, o racismo era como uma doença nórdica, uma malária, a conspurcar os benefícios culturais que se podiam absorver na terra de Tio Sam. De fato, ser um estrangeiro de origem latina não pode ter sido fácil numa época em que o nacionalismo norte-americano aliado ao "racismo científico" defendia a ideia de que a "América deve ser mantida América", isto é, nórdica e protestante, e não se misturar nem mesmo com os povos de raça branca, mas meridionais, que estavam entrando em grande número no país. Cumpre lembrar que a visão então dominante reservava aos não nórdicos – e não só aos negros e asiáticos – o escalão mais baixo da hierarquia racial. Considerando essas "raças inferiores" responsáveis pela corrupção moral e intelectual que ameaçava o país, eugenistas apoiados por renomados psicólogos, antropólogos e biólogos lutavam pela promulgação de leis imigratórias restritivas, o que iria se efetivar com o *Immigration Restriction Act* de 1924, pouco após o nosso jovem visitante ter deixado o país.

Em seu caderno de anotações de 1921, Freyre fez a seguinte consideração reveladora do clima de desconfiança nada agradável em que vivia e que ocasionalmente deixava vir à tona: "O americano muito pronto para chamar americanos os estrangeiros de reputação – ... Aos criminosos, mesmo que sejam já filhos de estrangeiros, americanos natos, chama 'damn foreigners' (malditos estrangeiros). Uma menina me disse um dia desses: 'gosto tanto de V. que quase me esqueço que V. é estrangeiro'".[6] Até mesmo seu amigo Simkins reconhecia que Freyre podia às vezes parecer "um *dago*".[7] Mais ou menos na mesma época, Rodolfo Valentino, que viera da Itália com sonhos de estrelato, iria também perceber que dificilmente escaparia dos papéis de vilão e bandido que Hollywood reservava aos estrangeiros de tipo não nórdico. Como diz sua biógrafa, "para diretores e produtores americanos, e grande parte da audiência, pele escura implicava contaminação" (Leider, 2003, p.87). Já na Europa, em 1922, é com tristeza que Freyre reconhece que a "intolerância com relação ao estrangeiro" também ali podia ser encontrada.[8]

De volta ao Brasil, meses mais tarde, Freyre volta a aludir a esse desapontamento ao rememorar quão desagradável fora viajar "nestes turvos tempos" em que as "prevenções" contra o estrangeiro o transformam em "contrabandista, anarquista e portador de micróbios – tudo reunido". Como já foi mencionado, fez questão de contar aos seus leitores que a Inglaterra era praticamente o único lugar em que os visitantes eram tratados sem suspeita, "como se fossem todos 'gentlemen'".[9] Que o norte-americano era, no seu entender, um ser obcecado com a preservação

---

6 Caderno de anotações, 1921/1922.

7 Simkins, autobiografia inédita, ca. 1942-1948, cit., cap.VIII. Dago era um termo derrogatório usado nos Estados Unidos para se referir a espanhóis, italianos ou latinos de modo geral.

8 Carta de G. Freyre a O. Lima, 1/10/1922, em Freyre, 1978, p.202.

9 *Diário de Pernambuco*, 3/6/1923.

Gilberto Freyre

da ilusória pureza das chamadas "raças superiores" ele deixa entrever quando menciona, em seu caderno de anotações, que em Paris ouvira "an american speak of 'race mixture' in France" (um americano falar de 'mistura racial' na França), um tema ao qual Freyre não podia ficar indiferente, pois este praticamente dominava os debates norte--americanos, ocupava as manchetes dos jornais e atraía posições apaixonadas e reacionárias durante todo o período em que viveu em Nova York, cidade, cumpre lembrar, cujo porto era o mais importante ponto de entrada da nova e crescente onda imigratória que chegava ao país.

Um correr de olhos pelos jornais e periódicos da época é suficiente para ter uma ideia de quão prevalecente era a ideia de que da preservação da pureza da raça nórdica dependia o futuro dos Estados Unidos e de quanto os representantes dessa raça se viam ameaçados pelo "influxo das hordas alienígenas" que estava inundando a nação. Referências à necessidade de restringir a entrada de povos inferiores – mediterrâneos, alpinos e asiáticos – são feitas franca e abertamente, como se fossem medidas de inquestionável valor patriótico e científico. Grande porcentagem dos novos imigrantes, dizia um alto oficial do governo norte-americano em visita ao porto de Nova York em maio de 1922, tem uma "baixa mentalidade" – inteligência de criança de 11 anos em alguns casos, e de 9, em outros. A razão disso, como afirmou, era evidente: "Originalmente os imigrantes que se estabeleceram nesse país vieram da Europa Ocidental do Norte, e compunham uma estável e benéfica classe de pessoas ... Em anos recentes o influxo maior tem vindo da Europa do Sul e do Leste ...".[10] Nesse quadro, o relacionamento entre os latino-americanos e os norte-americanos não podia deixar de ser afetado. Escrevendo especialmente sobre o efeito do "preconceito anglo--saxão contra os homens de cor" nas relações internacionais, o eminente professor de Freyre em Columbia, Clarence H. Haring, referiu-se exatamente aos "cidadãos de países como o Brasil", como sendo os alvos preferidos de tais preconceitos. Em seu livro de 1928, *South America Looks*

---

10 "Failure of the Melting Pot", *The New York Times*, 12/11/1922; "The Perfect Race", *The New York Times*, 12/12/1922; "Intelligence of Our Immigrants", *The New York Times*, 18/3/1923; "Segregation soon to aid Immigration", *The New York Times*, 30/5/1922; *The Nation*, 5/10/1921, v.112, p.362; *The Nation*, 30/8/1922, v.115, p.198.

at the United States, fruto de um ano de viagem pela América Latina, entre 1925 e 1926 – quando esteve no Brasil e planejou visitar Freyre no Recife –, Haring fez uma declaração bastante reveladora: "O autor conhece um notável estudioso sul-americano, educado parcialmente nos Estados Unidos, que é ao menos veladamente antiamericano em sentimento porque na universidade do Meio-Oeste que frequentou a comunidade era incapaz de distinguir um homem branco de 'todos os outros mulatos e mestiços' de que a América do Sul, de acordo com a opinião popular, supostamente consiste" (Haring, 1928, p.73-4). Estivesse a Universidade de Baylor no Meio-Oeste, poder-se-ia pensar que Haring estivesse se referindo a seu antigo aluno de Columbia, Gilberto Freyre.[11] De qualquer modo, o fato de *Perfil de Euclides e outros perfis* ter sido dedicado a Clarence H. Haring torna plausível pensar que houve entre Freyre e seu professor intimidade suficiente para que algumas das informações sobre o modo negativo com que os sul-americanos viam os Estados Unidos tenham vindo do antigo aluno de Columbia.

Enfim, expectativas seguidas de decepção explicam em parte a decisão de Freyre de retornar ao Brasil, sem que tentasse deixar no estrangeiro um vínculo mais profundo, apesar das promessas de glória com que Armstrong, Oliveira Lima e Fernando de Arteaga lhe teriam acenado.

Deixar Recife? O apelo de São Paulo

Tendo decidido voltar e se estabelecer no Brasil, não foi alegremente e sem hesitação, no entanto, que o jovem Freyre aceitou se estabelecer em sua terra natal. Na verdade, entre os caminhos trilhados e interrompidos, os conflitos, recuos e tateamentos, sobressai na trajetória do futuro "sábio de Apipucos" sua relutância em se estabelecer na "aldeia" de onde se afastara cinco anos antes. Consciente de que Recife não se era uma sina inelutável, outra alternativa lhe pareceu preferível e viável.

---

11 Professor de Yale e de Harvard, Haring foi contratado por Columbia em abril de 1921 como professor visitante de História no período de afastamento de William R. Shepherd, professor de História dessa instituição e orientador oficial de G. Freyre (cf. Columbia University Archives, Columbiana Library). Sobre a intenção de Haring visitar Freyre, o que não sabemos se se realizou, ver carta de Rüdiger Bilden a G. Freyre, 28/1/1926, AFGF.

Foi com o objetivo de tornar realidade essa alternativa que o jovem Gilberto escreveu a Oliveira Lima em janeiro de 1923 de Paris, quando se preparava para voltar ao Brasil. Desde 1920 Freyre manifestara um vago interesse em seguir a carreira jornalística no Sul do Brasil, quando voltasse dos Estados Unidos, e perguntara ao amigo mais experiente se via "oportunidade de se praticar jornalismo, com remuneração decente, no 'Jornal do Comércio' ou no 'Estado de São Paulo'". Na ocasião, Oliveira Lima o desencorajara de voltar, mesmo que fosse para o Sul do país, dizendo-lhe que "no jornalismo lá pouco há que fazer".[12] Mas em 1923, na iminência de seu retorno, Freyre revela quanto o inquietava a perspectiva de se fixar no Recife ao recorrer ao amigo e conselheiro com um pedido muito claro e preciso:

> Aproxima-se o dia de voltar a Pernambuco: cresce minha ânsia de tornar a ver os entes queridos e os coqueiros e cajueiros e a praia de Boa Viagem; ao mesmo tempo crescem diante de mim os pontos de interrogação. O que vou fazer? O Sr. é um dos raros que compreendem minha inquietação, pois teve experiência semelhante ... Poderia, nalguma hora vaga, escrever umas 3 cartas para S.Paulo – cartas de apresentação? Agradeceria muitíssimo.

Que as mandasse a Portugal, para onde seguiria assim que o dinheiro chegasse a Paris.[13]

Ao receber em Lisboa as efusivas cartas de recomendação em que Oliveira Lima apresentava o "jovem conterrâneo e amigo" a paulistas de grande proeminência no cenário político e cultural brasileiro, como Washington Luís e Rangel Pestana, Freyre não escondeu sua satisfação. Era a possibilidade de se juntar ao "êxodo dos desencantados" que há tempos esvaziava o Recife dos seus melhores elementos, como Freyre

---

12 Carta de G. Freyre a O. Lima, 15/12/1920, em Freyre, 1978, p.169-70; carta de O. Lima a G. Freyre, 25/12/1920, AFGF.

13 Carta de G. Freyre a O. Lima, 8/1/1923, em Freyre, 1978, p.194-5 (carta que Freyre datou, por engano, como sendo de "1922", erro comum no início de um ano. Ao escrever essa carta Freyre já estivera em Oxford e de lá voltara para Paris, de onde a remeteu. "Em Oxford trabalhei agradavelmente. Vim de lá há pouco. Foram dois meses deliciosos os que passei na velha cidade inglesa", diz a Oliveira Lima).

diria anos mais tarde (1987a, p.208-9). Profundamente agradecido, e mesmo comovido, escreve:

> Recebi sua amável cartinha e as três cartas de apresentação para São Paulo. Não sei como agradecer tanta gentileza de sua parte. Já não são poucos os incômodos que lhe tenho causado. Sabe que, por motivos da educação um tanto hirta que recebi e talvez mesmo – mas não estou certo – de temperamento, não sou efusivo nem quando escrevo nem quando falo. ... Porém creia, meu caro amigo, que o amo com todo o coração – ao Senhor e a D. Flora, alma irmã da sua, nobre e boa ... Como esta carta é muito íntima não hesito em revelar que o seu nome e o de D. Flora estão não só na minha lembrança como nas minhas preces.[14]

O desenrolar dos acontecimentos provou que essas eloquentes cartas de apresentação não chegaram às mãos dos destinatários e que Freyre não iria conviver com a mocidade de São Paulo – essa "cidade feia, mas simpática ... feia e forte" como diria em seu diário – que ele acreditava então ser "a mais culta do país" (Freyre, 1975, p.192).[15] Ao se tornar pública, sua "intenção de emigrar" havia logo desencadeado, por parte dos "mandarins" recifenses, algumas promessas de emprego, o que contribuía para acentuar seu sentimento de ambivalência quanto a sua cidade-natal. Se esses "mandarins" se mostrassem "sinceros no interesse do 'meu caso'", como confessou a Oliveira Lima um mês após seu retorno, não se veria no "direito de emigrar".[16] O clima parecia especialmente promissor à sua chegada, pois até o governador lhe enviara "cumprimentos através de seu secretário", relata Freyre a seu amigo Simkins.[17] No entanto, "as promessas dos mandarins locais" se revelaram

---

14 Carta de G. Freyre a O. Lima, 5/2/1923 agradecendo-lhe as cartas enviadas de Frankfurt, datadas de 25/1/1923, AFGF. O terceiro endereçado parece ter sido Carlos de Campos (cf. Freyre, 1975, p.143, 191).

15 *Diário de Pernambuco*, 20/5/1923. Em setembro desse mesmo ano Freyre novamente elogia São Paulo como berço de uma necessária elite intelectual do país: "É a sociologia de São Paulo aplicada à função de cultura: os fortes a serviço dos fracos ou, no expressivo original grego, dos 'arthenumatas'" (*Diário de Pernambuco*, 9/9/1923). A afinidade que sentia por São Paulo é reiterada anos mais tarde em carta a Olívio Montenegro de 29 de outubro de 1935: "Sinto afinidade com o meio de São Paulo que não sinto com o Rio, e não digo isso agora, V. sabe: sempre as senti", AFGF.

16 Carta de G. Freyre a O. Lima., 27/4/1923, Oliveira Lima Papers.

17 Carta de G. Freyre a F. Simkins, 26/5/1923, Simkins Papers.

vãs e a indecisão do jovem Gilberto quanto ao rumo a tomar iria ainda persistir por algum tempo.[18] Até ao menos 1926, sua permanência no Recife parecia incerta, mesmo para seus amigos mais íntimos. Boatos de que resolvera ficar definitivamente no Rio, ou até mesmo no "Oriente" corriam pela cidade, inquietavam os admiradores locais e são bem reveladores da singularidade com que era visto por seus conterrâneos. Como comenta um de seus novos amigos, "já é um belo gozo quando se começa a interessar dessa maneira a imaginação dos patrícios...".[19]

A hostilidade do ambiente recifense era grande, como Freyre se queixava, mas sair de lá para tentar a sorte na distante São Paulo se mostrou, diante das difíceis circunstâncias, praticamente impossível. Sentia-se como numa "prisão" cujo desconforto só era compensado pela existência de uma "janela escancarada sobre uma paisagem que eu muito amo", diz em agosto de 1923, cinco meses após retornar ao Recife. Seu "estado financeiro" era dos "piores" e o impedia até mesmo de ir do Recife a Timbaúba. "De modo que uma viagem a São Paulo, sem a certeza de logo arranjar-me por lá, está fora de cogitações", explica Freyre a Oliveira Lima menos de um mês depois.[20]

Difícil não especular sobre a trajetória de Freyre, tivesse o desenrolar dos eventos permitido, por exemplo, que Washington Luís se empolgasse com um jovem apresentado como "dotado de grande inteligência" e "único brasileiro até hoje, penso, que obteve um *scholarship* na Universidade da Columbia". É tentador brincar com a ideia de que a história da sociologia brasileira teria sido diferente se "a luta pelo trono" que se travou mais tarde entre os sociólogos paulistas e o do Recife não tivesse ocorrido, pois Gilberto Freyre, Florestan Fernandes e Fernando Henrique Cardoso teriam estado, em suposto consenso, trabalhando lado a lado (Falcão, 2001). Perspicaz e feliz na distribuição de elogios, Oliveira Lima argumentava que "São Paulo tem o grande dom de atrair, pelas excelências do seu meio, os talentos de outros Estados e com esta poderosa [prodigiosa?] faculdade de atração engrandecer o seu acervo de

---

18 Carta de G. Freyre a O. Lima, 8/6/1923, Oliveira Lima Papers.

19 Carta de Olívio Montenegro a G. Freyre, agosto de 1926, AFGF.

20 Cartas de G. Freyre a O. Lima, 14/8/1923, 8/9/1923, em Freyre, 1978, p.209-10.

ilustrações [?] e competências. Gilberto Freyre, se se fixar em S.Paulo, será uma boa aquisição para o Estado".[21]

É compreensível que bem mais tarde Freyre tenha apagado da lembrança seu empenho em sair do Recife nos idos de 1923. Quando editou seu diário-memória de juventude para publicá-lo 52 anos depois, tornara-se provavelmente impensável para ele a ideia de que poderia ter feito qualquer outra escolha que não Recife. Daí ele sugerir em seu "diário de adolescência" que as cartas de recomendação para São Paulo haviam vindo não em resposta a um pedido dele próprio, como fora o caso, mas por iniciativa de Oliveira Lima que, conhecendo-o "menos do que supõe", como Freyre então afirmou, insistira para que o jovem amigo deixasse Pernambuco (cf. Freyre, 1975, p.143, 191-2). A essa altura talvez possamos dizer que a autoimagem criada pelo autor de *Casa-grande & senzala* ao longo dos anos impunha que se acentuasse sua permanente relutância de radicar-se fora de Pernambuco, de que fazia tempo se tornara verdadeiro arauto.

Se, no entanto, evitarmos buscar na história de Freyre uma linha única de desenvolvimento que, eliminando conflitos, alternativas e becos sem saída, desde sua juventude o teria levado a ser inevitavelmente o autor renomado que se tornou, teremos de reconhecer que o jovem recifense não tinha um rumo definido e que suas ideias eram ainda turvas quando retornou ao Brasil, em março de 1923; simultaneamente, que sua vontade de ação tinha de se fortalecer para enfrentar o ambiente desencorajador que encontrara em sua terra.

Queixas de inveja, incompreensão e provincianismo do seu meio são a tônica de muitas das cartas a amigos e artigos de jornal escritos por ele nessa época. "Sinto que cada vez me odeiam mais aqui os danados intelectuais", queixa-se numa das muitas vezes em que se refere à inveja de que se sente alvo.[22] Ao seu ex-colega de Columbia, Francis Simkins, escreve com a mesma queixa em maio de 1923: "tenho aqui um grande número de pessoas que pensam que eu não passo de um pedante

---

21 Carta de Oliveira Lima a Washington Luis, 25/1/1923, AFGF.

22 Cartas de G. Freyre a O. Lima, 9/7/1923 (datada erradamente em *Cartas do próprio punho*, de 1978, como de 1924); 14/8/1923; 10/12/1924, em Freyre, 1978, p.212, 209, 213.

refinado. Alguém – não sei o nome do estúpido – escreveu um artigo furioso sobre a minha *pedanterie*".[23] De longe, seu conselheiro Oliveira Lima insistia em que ele tentasse São Paulo "onde o meio é maior, maior também o estímulo, e menor a inveja".[24] Na verdade, como bem mostrou Guillermo Giucci (1998, p.57-78), a resistência ao que se chamava de "gilbertismo" se fez sentir fortemente na imprensa recifense tão logo Freyre retornou à sua cidade-natal. O "vício capital" de Pernambuco é a "inveja", queixa-se Freyre num corajoso artigo ao qual seu amigo José Lins do Rego, apoiando-o na denúncia, acrescenta uma ressalva: mais do que inveja, o que há no Recife é "estupidez" e "maledicência".[25] A reação dos críticos à ousadia de algumas das manifestações do jovem Freyre já começara a se manifestar, efetivamente, muito antes de sua volta ao Recife, quando ele, num artigo enviado de Washington, referiu-se a Rui Barbosa como um orador "xaroposo e solene".[26] Dois artigos de *A Província* e um de *A Noite* passaram uma descompostura no jovem irreverente que se erguia como "detrator da pátria no estrangeiro". Enviando-lhe dois dos artigos, seu irmão insistia em que ele não respondesse aos "ataques" e ridicularizava seus críticos, que se diziam patriotas: "defender, respeitar, adorar, lamber a bunda do Ruy é ser patriota".[27]

Continuar a escrever para o *Diário de Pernambuco*, como vinha fazendo já desde 1918, também nem sempre era gratificante para o jovem retornado. Apesar de saber que "o grosso público ... precisa de quem o salve da absoluta estupidez", o fato é que não nascera para ele, confessa Freyre a seu fiel confidente José Lins do Rego em agosto de 1924; "faço algo contra meu temperamento quando escrevo pensando nesse público", arremata.[28]

---

23 Carta de G. Freyre a F. Simkins, 26/5/1923, Simkins Papers.

24 Carta de O. Lima a G. Freyre, 27/11/1923, AFGF.

25 *Diário de Pernambuco*, 13/7/1924; carta de J. Lins do Rego a G. Freyre, 15/7/1924, AFGF.

26 *Diário de Pernambuco*, 11/9/1921.

27 Carta de U. Freyre a G. Freyre, 16/10/1921, AFGF.

28 Carta de G. Freyre a J. Lins do Rego, 13/8/1924, AFGF. "Grosso público" era a expressão utilizada por Arnold Bennett na peça sobre o jornalismo moderno, *What the Public Wants*, assistida por Freyre em Nova York – cf. artigo de Freyre no *Diário de Pernambuco*, 30/7/1922.

A possibilidade de compensar seu exílio intelectual no Recife com uma participação na imprensa norte-americana "de primeira linha" e de dirigir-se a um "público superior" fora-lhe acenada pelo famoso crítico H. L. Mencken, logo após seu retorno ao Recife, mas nada disso se concretizara (Freyre, 1975, p.132).[29] O convite fora feito em maio de 1923 e reforçado e ampliado em agosto do mesmo ano, quando Mencken, agradecendo a Freyre o envio de seu artigo sobre "os bons velhos tempos", comunicara-lhe o seu afastamento da revista *Smart Set* e o lançamento de outra, com o "título provável" de *American Mercury*, o que iria, de fato, ocorrer alguns meses mais tarde, em janeiro de 1924.[30] É compreensível que Freyre tenha recebido o convite com grande entusiasmo. Afinal, era honroso ser convidado pelo autor que estava não só a incitar uma "revolta salutar" no meio norte-americano, mas também a contribuir para "a criação de uma 'minoria civilizada, sofisticada e inteligente'", como dizia o crítico literário Isaac Goldberg, a quem Freyre conhecera por intermédio de Oliveira Lima. Tal convite, conforme apontou em seu diário, significava que o "exigente... discriminado... supercrítico H.L.M." acreditava que ele tinha "farinha no saco", e que havia, pois, uma chance

---

29 As cartas de Mencken relevantes para esse convite auspicioso são de 7 de maio e 18 de agosto de 1923, ambas enviadas de seu endereço em Baltimore. Somente o dia e o mês aparecem originalmente nas cartas, mas a data de 1923 é evidente se se levam em conta as referências à revista *Smart Set* (que Mencken estava abandonando) e a revista *The American Mercury*, que estava a lançar. Em 1931, durante a permanência de Freyre em Stanford, novo convite para escrever no *The American Mercury* foi feito por Mencken (cf. cartas de 18/3/1931, 20/4/1931, AFGF). Aparentemente nessa ocasião Freyre teria lhe oferecido um artigo sobre a "culinária brasileira", pois o crítico norte-americano lhe responde: "Penso que um pequeno artigo sobre a culinária brasileira seria excelente para o nosso departamento da Artes e Ciências. Será que poderia encaixá-lo em 1600 ou 1800 palavras? Se sim, eu ficaria muito contente em recebê-lo" (cf. carta de 20/4/1931, AFGF). Há também indícios nessa ocasião de que Freyre estava com a ideia de escrever um livro sobre o próprio Mencken, ou sobre um tema geral no qual a figura de Mencken teria algo importante a dizer.

30 Trata-se do seu mestrado, que fora publicado no volume 5 da *Hispanic American Historical Review* de 1922. É nessa mesma carta que Mencken sugere a Freyre que "amplie" o artigo em "livro", pois "deve haver muito material sobrando", diz ele. A carta, datada "18 de agosto", é seguramente de 1923 (e não de 1931, como foi afirmado por Larreta & Giucci, 2002, p.730), pois é nela que o crítico norte-americano dá notícia do próximo lançamento da revista *American Mercury*, cujo primeiro número sairia publicado em janeiro de 1924.

Gilberto Freyre

de ele se esquecer do "grosso público" recifense, que tanto o irritava, e se "revelar" a um "público superior".[31] Mas o desenrolar dos acontecimentos provou que, apesar de sua expectativa, partilhada por seus amigos nos Estados Unidos, sua contribuição nas páginas da nova revista não passaria de uma promessa. Não sabemos se foi enviada, mas não aprovada, ou se o jovem Freyre não conseguiu escrevê-la por algum bloqueio. De qualquer modo, isso se tornou um motivo de frustração não só para ele como também para o crítico norte-americano.[32] Em seu diário, Mencken alude à sua decepção nas muitas tentativas que fizera de publicar algo interessante de autor latino-americano em sua revista *American Mercury*. "O melhor que pude conseguir era quase infantil", lamenta (Fecher, 1989, p.214).[33]

A única participação de Freyre na *American Mercury* foi na qualidade de informante de Isaac Goldberg no artigo "As Latin America sees us" publicado em setembro de 1924. Nessa ocasião o jovem Freyre foi apresentado como "um dos poucos brasileiros que fizeram um estudo *in loco* de nossos contemporâneos" e trechos de uma carta informativa sobre o conhecimento que os brasileiros tinham então da literatura norte-americana foram transcritos (Goldberg, 1924, p.465-71).[34] De Waco,

---

31 Comentando a carreira periodista de Mencken, em obra possuída e marcada por Freyre, Isaac Goldberg se refere à disciplina e exigência do legendário e irreverente autor norte-americano, a quem ele se refere como "um anarquista intelectual". A revista *Smart Set* se distinguira por encorajar jovens autores, e vários talentos, como, por exemplo, Eugene O'Neill, foram descobertos por ela. A regra era tratar os aspirantes "com cortesia, mas não com indulgência". O mesmo perfil e as mesmas regras seriam passados para a nova revista, *The American Mercury* (cf. Goldberg, 1925, p.187-97, 290, 295-7, passim; Freyre, 1975, p.132.

32 Carta de F. Simkins a G. Freyre, 14/11/1923 (onde o ex-colega da Universidade de Columbia se oferece a Freyre para ajudá-lo com a revisão do inglês das "suas contribuições"); carta de G. Freyre a O. Lima, 8/9/1923, AFGF; carta de A. J. Armstrong a G. Freyre, 24/12/1924, AFGF.

33 Referindo-se à viagem de Blanche Knopf à América do Sul em 1942 e à sua expectativa de obter algo razoável a ser publicado por seu marido, o famoso editor Alfred Knopf, Mencken recorda ter manifestado "suas dúvidas" quanto a essa possibilidade. "Em meus dias de *American Mercury* eu tentei arduamente desenterrar alguma coisa interessante da América Latina, mas sempre sem sucesso."

34 É provável que Oliveira Lima tenha sugerido ao crítico norte-americano que pedisse ao jovem Freyre que respondesse ao questionário que lhe havia sido proposto (cf. carta de Isaac Goldberg a Oliveira Lima, 24/4/1924, Oliveira Lima Papers).

o antigo professor não economizou palavras para celebrar o que interpretava como o início auspicioso da carreira do jovem Freyre em terras estrangeiras: "Seguramente você deve ter hipnotizado aquele homem, pois ele o citou com o mesmo grau de importância com que ele teria citado Rudyard Kipling, ou Henry James, ou qualquer outro escritor importante da atualidade".[35] Foi provavelmente devido ao elogio tão exacerbado que, ao receber a revista, Freyre conseguiu encarar com humor os cortes e os erros da reprodução de sua resposta a Goldberg: o artigo estava "longe de ser compreensivo e também longe de ser inteligente", e evidentemente teria preferido fidelidade absoluta às suas palavras; "mas não creio que isto vá afetar os destinos do mundo", comenta bem-humorado.[36]

A paisagem urbana do Recife novo também enchia Freyre de desapontamento e amargura.[37] Vítima do "furor imitativo" reinante, a cidade plagiava "cartões postais do Rio e suíços", fazendo que mesmo os recifenses se sentissem estrangeiros em sua própria terra. Ele, que chegara ao Recife "guloso de cor local", tinha encontrado uma cidade que perdia o caráter, em processo galopante de desfiguração de seus hábitos, arquitetura e arte. Não há *déracinement* mais doloroso que o de sentir-se "sem raízes na própria cidade natal", queixa-se Freyre. Nem mesmo Barrès, o denunciador do "déracinement", suspeitara dessa forma ainda mais dolorosa de deslocamento, comenta.[38] Mesmo antes de conhecer a Europa e admirar seu respeito das tradições, Freyre confessara aos seus leitores que, como os ingleses, ele também preferia "às cidades novas as velhas", pois "o tempo poetiza as coisas e as pessoas".[39] Ao voltar para o Brasil continua a louvar o respeito à "cor local", procurando conscientizar os leitores do preço de uma modernização desvairada. "As cidades que se prezam conservam o pitoresco natural e histórico através de suas

---

35 Carta de A. J. Armstrong a G. Freyre, 24/12/1924, Armstrong Papers.

36 Carta de G. Freyre a O. Lima, 17/2/1925, Oliveira Lima Papers; carta de G. Freyre a F. Simkins, 9/2/1925, Simkins Papers.

37 Cf., por exemplo, carta de G. Freyre a Monteiro Lobato, 4/4/1923, AFGF.

38 G. Freyre, "Recife e as árvores", conferência pronunciada em 11/11/1924 durante a "Semana das Árvores" promovida pelo Centro Regionalista do Nordeste e publicada no *Diário de Pernambuco* de 13/11/1924 (reproduzida em Freyre, 1979a, ao final do volume II).

39 *Diário de Pernambuco*, 11/9/1921.

transformações", diz Freyre citando como exemplo sua saudosa Oxford, que se modernizara – com "a luz elétrica, os 'water closets' de porcelana e até os carros elétricos" – sem se descaracterizar!"[40]

De longe, o sempre amigo A. J. Armstrong consolava o talentoso ex-aluno de Baylor, aconselhando-o a ser paciente e otimista, mesmo diante de um quadro aparentemente desanimador: "Estou contando com você vir a fazer grandes coisas, e acredito que se puder sobreviver aos próximos três ou quatro anos de estudo e mal-entendidos tudo dará certo".[41] No ínterim, e como a consolar-se da saudade de tempos mais felizes, o jovem anglófilo se apegava ao bife e carneiro assado "à inglesa", à bicicleta Raleigh "inglesa como ela só" e a um trajar inglês que, sem dúvida, dava-lhe uma aparência esnobe e pedante no Recife tropical. Como lembra Sylvio Rabello, que o conheceu entre 1923 e 1924, naquele tempo Freyre "chamava a nossa atenção de rapazes inexperientes com a sua figura magra, as roupas grossas de outras latitudes, a gravata de fita preta, o monóculo entalado no olho, a bengala de cana muito fina" (Rabello, 1948). A crer em depoimento de Francis Simkins, seu colega de Columbia, Freyre carregava esses hábitos para fora de Pernambuco. Ao visitá-lo na Carolina do Sul em julho de 1926, Freyre lá chegou vestido de roupa de *tweed*, um tanto suja e suada após uma viagem atribulada no escaldante verão norte-americano. A primeira impressão que deu então aos seus parentes, comenta o amigo, era de ser "um grego ou *dago* desrespeitável"; mas, complementa, Freyre logo aliviou a situação "ao exibir charme e distinção maior do que o de um *gentleman* de Virginia ou de um conde inglês".[42]

Na verdade, não foram necessários nem três anos, como Armstrong sugerira, para que alguma coisa começasse aparentemente a dar certo para o jovem retornado. Em abril de 1924 Freyre funda, em colaboração com outros espíritos afins como "o sertanejo-gentleman", Odilon Nestor, e Annibal Fernandes, o Centro Regionalista do Nordeste, que iria tomar algumas iniciativas promissoras para "vencer o meio hostil", o

---

40 *Diário de Pernambuco*, 30/9/1923; 26/8/1923; 14/10/1923; 20/4/1924, 16/8/1925 e passim.

41 Carta de A. J. Armstrong a G. Freyre, 24/12/1924, Armstrong Papers.

42 Simkins, autobiografia inédita, ca.1942-1949, cit., cap.VIII.

Maria Lúcia Garcia Pallares-Burke

"meio parado e acacianizado" do Recife, como afirma Freyre na primeira "Semana da Árvore" promovida em novembro do mesmo ano (Freyre, 1987a, p.201-2).[43] Na mesma época assume a organização do livro comemorativo do centenário do *Diário de Pernambuco*, que viria a ser publicado em 1925; em fevereiro do ano seguinte, promove como atividade do Centro Regionalista o Primeiro Congresso Regionalista do Nordeste reunido no Departamento de Saúde e Assistência do Recife, evento que veio perturbar "a monotonia provinciana", como disse a Oliveira Lima;[44] e, em novembro de 1926, provavelmente se preparando para ocupar o cargo de auxiliar do novo governador Estácio Coimbra, planeja como outra atividade do Centro Regionalista o "Mês da Cidade", em que a questão do "urbanismo no Nordeste" seria discutida.[45]

Sem dúvida, tais iniciativas se revelavam inícios auspiciosos para quem muito cedo dissera em público que o saber é "nada, se o não soubermos dissolver em ação". De fato, já na adolescência Freyre expressara sua determinação de dar um sentido prático ao saber adquirido e de contribuir para que no conhecimento de si mesmo, e não "nos livros estrangeiros", o país achasse soluções autênticas para os seus problemas. Em discurso proferido na solenidade de conclusão do curso secundário, em 1917, o precoce Gilberto criticara o saber que se mantém estéril, atacando o vício da maioria dos bacharéis brasileiros – essa "praga de gafanhotos" – de se esvair numa retórica vazia e manter-se "indiferente às necessidades da nação". Já era "tempo de o Brasil desapegar-se das fórmulas vagas procurando ver e observar os seus problemas", dissera o jovem estudante nessa ocasião (Freyre, 1968b, p.77, 72-3). No que diz respeito ao seu desejo de ação, não deixa de ser bem sugestiva a marca com que ele destaca a fala de Lewis Davenant, o personagem da peça *The Coming of Gabrielle*, de George Moore, texto provavelmente lido durante sua estada em Oxford. Literato vivendo numa cidade da província, Davenant confessa à amada Gabrielle que não pode aceitar a ideia de se

---

43 *Diário de Pernambuco*, 13/11/1924 (esse artigo está publicado ao final do segundo volume de *Tempo de aprendiz* (1979), e não em ordem cronológica como a maioria dos demais).

44 Carta de G. Freyre a O. Lima, 22/2/1925, Oliveira Lima Papers.

45 O projeto do "Mês da Cidade" foi mencionado no *Diário de Pernambuco* em 31/10/1926 e 26/11/1926, mas não fica claro se foi efetivamente realizado; cf. carta de G. Freyre a O. Lima, 20/2/1927, em Freyre, 1978, p.220.

tornar um simples autor, ou seja, "uma abstração intelectual representada por dezessete volumes" (Moore, 1922, p.219).

Fora justamente com o intuito de preparar o jovem talentoso para ser um dos homens a "reformar" o país e tirá-lo da "lama e do lodo" em que se achava, que a família Freyre, em muito estimulada por Ulisses Freyre, havia-o enviado para os Estados Unidos. Como o próprio Freyre admitiu logo ao chegar, ali se encontrava a "nata da mocidade" estrangeira a preparar-se para se tornar "na idade madura, 'leaders' em suas terras", "futuros leaders do mundo".[46] Paradoxalmente, a formação no estrangeiro era vista pelos Freyre como a via de acesso a uma solução autenticamente brasileira para os problemas do país. Escrevendo da Universidade de Baylor em 1916, para o jovem Gilberto no Recife, o irmão Ulisses insistia em que sua vinda aos Estados Unidos "por alguns anos" seria de inestimável valor para sua futura atuação no país. Ao mesmo tempo, lembrava ao jovem irmão que "temos a pretensão ridícula de querermos sempre imitar as nações europeias e os Estados Unidos, quando as nossas condições são inteiramente diferentes, e os nossos problemas resultam de causas mui diversas".[47]

Irrequieto e com grandes, ainda que indefinidas, ambições para seu futuro, Freyre parece ter-se conscientizado muito cedo de que sozinho não as poderia concretizar, mas que lhe caberia arregimentar e liderar outros espíritos talentosos para o que poderia ser vagamente chamado de a "causa brasileira".

O clã de Freyre

Que o papel de convocador de talentos da nova geração foi logo assumido por Freyre fica claro na sua primeira aparição pública após desembarcar no Recife. Dirigindo-se aos jovens estudantes do seu antigo colégio manifesta a ideia de que cabe "aos moços" a responsabilidade de corrigir os desatinos da geração que fez a guerra a partir "dos gabinetes" e cuja "desenfreada mania de modernismo, de cientificismo e liberalismo",

---

46 *Diário de Pernambuco*, 14/12/1919, 14/3/1920.
47 Cf. carta de U. Freyre a G. Freyre, 22/5/1916, AFGF.

bem como de "ganância material", dava "provas ... de sua estupidez". Quanto ao rumo a tomar, ainda que insistisse em que não lhes vinha dizer para seguir "isto ou aquilo" – já que da experiência no estrangeiro não trazia "ideias já digeridas" –, Freyre afirmava com vigor que a reconstrução do mundo do pós-guerra dependia não do "desgarramento das tradições", mas da retomada da "tradição de nossos avós".[48]

Nessa época, o arauto, o "missionário" do regionalismo, como mais tarde Freyre se descreveu, ainda estava por surgir, mas já se percebe que as preocupações que manifestou nessa data, algumas datando da sua adolescência, predispunham-no a buscar ideias que o habilitassem a trabalhar pela nação em termos fundamentalmente brasileiros (Freyre, 1987b, p.32). Quando finalmente as encontra, ou melhor, digere e faz suas algumas ideias que trouxera de fora, Freyre passa a encarar sua permanência no Recife não só como algo promissor, mas também como essencial à causa regionalista que passa a abraçar. Nesse aspecto, é significativo que já desde março de 1922, quando lera "o livrinho [de A. C. Benson] ... sobre o meu querido Walter Pater", o jovem Freyre se impressionasse com a "característica marcante da vida grega" apontada pelo ensaísta de Oxford. Grifou e marcou com parênteses e traço ao longo da margem o trecho em que Benson expõe uma característica admirável dessa civilização que Pater salientara em um de seus textos: "a ausência de centralização, a intensidade com que uma vida tão intensa podia pulsar tão viva e simultaneamente em tantos centros provinciais diferentes" (Benson, 1911, p.73).[49] Talvez fosse essa a primeira vez que Freyre se deparava com a possibilidade de remover "o que há de pejorativo em 'provinciano'", um dos objetivos centrais de seu projeto regionalista dos anos 1920.[50]

Antes de estudar a importância central de alguns pensadores vitorianos para as ideias regionalistas e tradicionalistas do jovem Freyre, cumpre fazer uma breve referência ao círculo de amigos, muitos deles talentosos

---

48 Discurso de agradecimento à homenagem oferecida a G. Freyre pelo Colégio Americano Batista em março de 1923 (publicado no *Diário de Pernambuco*, 28/3/1923).

49 Carta de G. Freyre a O. Lima, 13/3/1922, em Freyre, 1978, p.197.

50 *Diário de Pernambuco*, 7/2/1926.

e promissores, que logo se reúne ao seu redor e que, de certo modo, participam do processo de digestão e amadurecimento de suas ideias.

Que Freyre foi logo erigido em mentor desse grupo, e que essa era uma posição da qual ele se via merecedor não há nenhuma dúvida. Em Walter Pater, um dos seus mais diletos "avós espirituais" desde que o descobriu em Baylor no curso de Armstrong, encontrou uma ideia que, ao que tudo indica, lhe chamou a atenção. No ensaio "Gaston de Latour", o esteta de Oxford sugerira que as novas tendências culturais não são em geral da autoria de uma "estrela", mas sim de uma "constelação" de espíritos (Pater, 1920-1922, v. VII, p.70).[51] Ideia semelhante à de Pater Freyre encontrou em Nietzsche, em seu *Humain, trop humain*, edição francesa de 1921, livro provavelmente adquirido durante sua permanência em Nova York. Numa passagem que seguramente o impressionou, o autor alemão, dando continuidade ao seu propósito já mencionado de "jogar fora toda a ideia de gênio como sendo um erro radical", relativiza a importância dos dotes excepcionais dos grandes espíritos, equiparando-os a um rio que, por si só, não é grande. É a sua união com outros "afluentes" que o torna caudaloso. Do mesmo modo, ser alguém "desde o começo pobre ou rico em dons naturais" não é muito relevante. O que importa é que, da união de todos, "algo significativo pode suceder" (Nietzsche, 1921, p.185-6).[52]

O comentário, sob forma de pergunta, que Freyre deixa registrado à margem do trecho de Nietzsche evidencia que não se convenceu totalmente com a diminuição da importância dos talentos individuais. Já suspeitando ser figura incomum por seus dotes pessoais, sua cultura e sua enriquecedora experiência no estrangeiro, o jovem estudante escreve: "E dar uma direção pessoal aos afluentes, dar [?] cultura não será um dom natural que nem todos têm?".

Foi com uma atitude de deferência, suavizada com sentimentos de camaradagem e amizade, que seus amigos aceitaram o papel de ilustrador e guia que Freyre assumiu perante eles. Seu saber, experiência e aparência o destacavam do seu meio e se a alguns recifenses seu "Derby

---

51 Página orelhada.
52 Trecho marcado à margem com um traço e uma marginália.

hat" e roupas inglesas podiam fazê-lo "antipático, irritante, esnobe", como um presunçoso a vender "empáfia" e "ilustração", a seus amigos Freyre desde logo se impôs como legítimo mestre (Meneses, 1991, p.49; Inojosa, 1968, v.I, p.181, passim).

É compreensível que sua autoridade e liderança tenham sido aceitas de imediato como legítimas. Usando-se conhecidos conceitos de Bourdieu (1991), pode-se dizer que ao longo de cinco anos em centros culturais internacionais, Freyre adquirira um "capital cultural" respeitável e que suas palavras tinham o peso dos "discursos de autoridade", a despeito da sua pouca idade. A colaboração que enviara ao *Diário de Pernambuco* sem dúvida consolidara sua reputação de precoce, culto, sofisticado e de vistas largas. Ao voltar para o Recife em março de 1923, os benefícios desse capital cultural acumulado logo se fizeram sentir no prestígio das ideias que continuou a veicular na imprensa e entre seus velhos e novos amigos. "Fazia gosto observá--lo assim sofisticado no meio provinciano de mil novecentos e vinte poucos", lembra Sylvio Rabello (1948) referindo-se aos intrigantes e inusitados temas abordados por Freyre nos artigos numerados que passou a publicar no *Diário de Pernambuco* a partir de abril de 1923.

Com grande parte desses companheiros Freyre iria desenvolver uma amizade intensa, profunda e duradoura. Suas ocupações e origens eram variadas, havendo entre eles jornalistas, professores, advogados, promotores públicos, médicos, donos de engenho, políticos, artistas, editores, um colecionador de antiguidades etc. Alguns se tornariam figuras de renome nacional e internacional como, por exemplo, os romancistas José Lins do Rego e José Américo de Almeida, o poeta Manuel Bandeira e o pintor Cícero Dias. Já outros como Adhemar Vidal, Álvaro Lins, Anníbal Fernandes, Antiógenes Chaves, Julio Bello, José Tasso, Luís Cedro, Luís Jardim, Odilon Nestor, Olivio Montenegro, Sylvio Rabello, Ulysses Pernambucano tiveram uma importância mais pontual e hoje são pouco lembrados. A esses amigos nordestinos iriam somar-se ao longo dos anos 1920 e 1930 outros do Rio e de Minas, como Rodrigo Mello Franco de Andrade, Gastão Cruls, Octávio Tarquínio de Sousa e José Olympio que, tornando-se também, por sua vez, amigos de muitos dos primeiros, acabam por constituir um verdadeiro clã ao redor de Gilberto Freyre.

Gilberto Freyre

Como membros estrangeiros do seu clã, devemos acrescentar os nomes do norte-americano Francis Butler Simkins (1897-1966) e do alemão Rüdiger Bilden (1893-1980), os antigos colegas de Columbia que se mantiveram, ao longo dos anos, dois de seus mais importantes interlocutores. Alunos, como Freyre, do professor de História William Shepherd – de quem todos os três eram também orientandos –, a comunhão de interesses entre eles desde cedo fora muito grande. Simkins iria dedicar-se à história do "Velho Sul" (Old South) dos Estados Unidos, sua região de origem, mas, significativamente, seu primeiro trabalho publicado foi no campo da história latino-americana; em 1927 chegou mesmo a cogitar escrever também sobre o Brasil. Bilden, ao contrário, logo se decidiu pelo estudo da história brasileira e durante anos, como veremos mais adiante, ficou envolvido num doutoramento muito promissor sobre a escravidão, cujo plano tem uma semelhança desconcertante com questões-chave de *Casa-grande & senzala*. A amizade e a admiração recíproca que uniam os três amigos eram profundas. Simkins, por exemplo, chegaria a dizer que Bilden e Freyre lhe foram mais valiosos que seus estudos em Columbia: "eles me descortinaram novos mundos que, em alguns aspectos, foram mais revigorantes do que tudo o que aprendi nas salas de aula de Columbia".[53] Revelador da afinidade de Freyre com esses dois amigos é o fato de seu primeiro texto publicado após seu retorno ao Brasil, o "Apologia pro Generatione Sua", ter sido dedicado a eles (Patton, s.d., p.28-9; Freyre, 1924).[54] A ligação de Simkins e Bilden ao clã já começara quando se aproximaram de Oliveira Lima e fizeram pesquisa em sua biblioteca em Washington em fins de 1923.[55] As visitas que ambos fariam posteriormente ao Brasil – Simkins, brevemente em meados de 1924, e Bilden, por mais de um ano a partir de dezembro de 1925 – os poriam em contato com muitos elementos

---

53 Simkins, autobiografia inédita, ca. 1942-1949, cit., cap.8.

54 Carta de R. Bilden a O. Lima, 29/8/1927, Oliveira Lima Papers; carta de W. Shepherd a O. Lima, 31/3/1923, Oliveira Lima Papers (a dedicatória de Freyre, 1924, original dizia: "A Francis Butler Simkins, Regis de Beaulieu, Rudiger Bilden").

55 Carta de W. Shepherd a O. Lima, 31/3/1923; carta de F. B. Simkins a O. Lima, 6/1/1924, Oliveira Lima Papers.

da ala brasileira dos amigos e admiradores de Freyre (Freyre, 1964, p.126-7).[56]

O exame da correspondência entre Freyre e vários membros desse grupo deixa entrever que o jovem intelectual foi logo considerado uma estrela de primeira grandeza nessa "constelação" de espíritos, o que só podia incentivá--lo no papel. "Tenho aqui vários entusiastas ferventes", escreve Freyre a seu amigo Simkins, menos de três meses após retornar ao Recife.[57] E não é difícil entender o porquê. Na mesma linha de outros intelectuais brasileiros e hispano-americanos do século XIX, Freyre se preocupava com a falta de autenticidade da cultura do país e buscando sua "expressão genuína", tentava combater o que ele e outros propunham como um dos maiores males nacionais: "nosso gosto de macaquear" o estrangeiro (Ureña, 1952; Pratt, 1992, esp. cap. 8; Verdevoye, 1988). O furor brasileiro para "modernizar", "europeizar" e "americanizar" nada respeita, queixava-se Freyre, referindo--se à atração brasileira pelo exótico e distante e seu desinteresse pelas coisas locais, que "quanto mais nossas, menos nos interessam".[58] Seu preparo para essa batalha contra o que Ulf Hannerz (1992, p.260) chamou muito apropriadamente de "provincianismo de abertura" – esse pendor para abraçar e imitar o que vem do exterior sem crítica – era raro, especialmente num meio relativamente estagnado como o do Recife dos anos 1920, onde, no dizer de um contemporâneo, "não era pequeno o déficit mental... em vários setores do saber" (Barros, 1972, p.150-1, 185 e passim).

E, por mais paradoxal que possa parecer, como já antes apontamos, eram ideias e gêneros que conhecera no exterior que iriam dar a Freyre os instrumentos de combate, assim como anteriormente os haviam dado a seus antecessores. Lopes Gama, por exemplo, autor de *O Carapuceiro*, periódico que iria se constituir numa das mais ricas fontes tanto de *Casa-grande & senzala* como de *Sobrados e mucambos*, já se destacara por combater "nosso gosto por macaquear" o estrangeiro com a apropriação criativa de ideias e práticas vindas de fora (Pallares-Burke, 1996,

---

56 Carta de G. Freyre a J. Lins do Rego, 13/8/1924, AFGF; cartas de R. Bilden a O. Lima, 20/1/1926 e 8/1/1927, Oliveira Lima Papers.

57 Carta de G. Freyre a F. B. Simkins, 26/5/1923, Simkins Papers.

58 *Diário de Pernambuco*, 13/11/1924.

p.125-72). Do mesmo modo que Lopes Gama, Freyre iria ao mesmo tempo se apropriar de ideias inglesas e, em certo sentido, também ser apropriado por elas.

Familiarizado com as tendências e ideias europeias e norte-americanas mais recentes e, portanto, situado no ponto de cruzamento entre culturas locais e metropolitanas, Freyre viria a ocupar a ambígua posição de guardião da cultura brasileira e repórter e intérprete de práticas e ideias estrangeiras. Não é de admirar, pois, que tenha atraído para o seu círculo aqueles espíritos que também sentiam mal-estar diante do que supunham ser a falta de originalidade da cultura brasileira e de "nosso gosto de macaquear", que também ansiavam por uma renovação, mas que se viam, de certo modo, despreparados para a busca de "expressão genuína" do país. Em outras palavras, eles pareciam encontrar em Freyre alguém que articulava ideias que, de certo modo e mais ou menos desarticuladamente, já possuíam.[59] É por isso que, no dizer de um contemporâneo de Freyre, a realização do Congresso Regionalista de 1926 tinha a sustentá-lo um "tradicionalismo já imperante" ao qual, no entanto, seu idealizador acrescentou "outros ângulos". Enfim, como disse certa vez Luís Jardim rememorando a "influência extraordinária" que Freyre exerceu e que, "sem relutância", ele aceitava, "felizmente as ideias dele coincidiam com o pernambucanismo do nosso grupo" (Barros, 1972, p.165, 162-3 e passim).

Assim, pode-se dizer que, a despeito das limitações de sua "aldeia", o jovem Freyre ali encontrara espíritos afins com quem discutir e compartilhar ideias sobre a "desenfreada mania" de modernismo, cientificismo, liberalismo e materialismo que tanto o incomodava nos anos 1920.

O apoio e a colaboração que Freyre recebeu de seus novos companheiros foram amplos e, ao que tudo indica, essenciais para a sua readaptação ao seu meio de origem. Pode-se dizer que, semelhantemente à Pre-Raphaelite Brotherhood – a "irmandade" formada em 1848 em

---

59 Souza Barros se refere aos grupos que se reuniam ao redor da *Revista do Norte* e do poeta Joaquim Cardoso no "cenáculo" da Lafaiete como reveladores de um clima de inquietação e de preocupação com a questão da "brasilidade", que, diferentemente das atividades lideradas por Freyre, deixaram, no entanto, "apenas traços pálidos" na história (cf. Barros, 1972, p.150-1, 209-18, passim).

Londres, reunindo artistas, literatos e uma "constelação de talentos" ao redor da figura central de Rossetti –, o "clã de Freyre" o provia com um ambiente estimulante, amistoso e congenial para a troca e o amadurecimento de ideias controversas num meio relativamente hostil.[60]

Desse grupo, a quem certa vez Freyre se referiu como "my coterie", ele iria receber incentivo intelectual e afetivo sem paralelo ao longo dos anos. É verdade que nem todos eram tão eloquentes como José Lins do Rego, o amigo que fazia declarações efusivas como "você é a minha maior razão de viver" e "cada dia que se passa mais eu sinto que não poderei viver longe de você"; no entanto, demonstrações de carinho e admiração eram comuns a todos eles.[61] Chamando-o frequentemente de "mestre", "querido mestre" e "leader", eles manifestavam abertamente seu afeto, admiração, dependência intelectual e afetiva, e até mesmo ciúmes. A quantidade e a expressividade da afeição de cartas e dedicatórias de Freyre aos amigos muitas vezes eram comparadas entre eles, ao que se seguiam lamúrias que deviam muito envaidecer o missivista, pois como chegou a lhe dizer um dos queixosos: "só se queixa quem ama". Ao receber, certa vez, um poema que Freyre lhe enviara, Manuel Bandeira lhe diz que ficara mais feliz com o "querido" da dedicatória, após compará-la com o mero "caro" que ganhara um amigo em comum.[62] Numa das únicas vezes em que aparentemente houve uma desavença entre Freyre e alguns membros de seu clã, os demais se uniram na indignação contra os desleais e ingratos que tanto deviam ao "mestre". "Sem você eles nada seriam", diz José Lins do Rego ao consolar o ressentido Freyre em nome de outros amigos fiéis.[63]

Mas se, de um lado, seus companheiros podiam rivalizar pelo seu carinho e atenção, de outro, como um clã, uniam-se em sua implacável

---

60 Sobre os pré-rafaelitas, ver William Gaunt, *The Pre-Raphaelite Dream* (1966), uma das poucas obras que fazem um estudo da personalidade dos membros desse movimento. Interessante notar que esse livro, na sua edição original de 1942, foi oferecido a Luís Jardim por Ulisses Freyre, o que revela a difusão do interesse pelo tema entre os companheiros de Freyre (cf. cópia da obra no AFGF).

61 Carta de G. Freyre a F. B. Simkins, 26/5/1923, Simkins Papers; carta de J. Lins do Rego a G. Freyre, s.d.; doc.54, doc.46, AFGF.

62 Carta de Octávio Tarquínio, doc.35, 9/10/1945, AFGF; carta de Manuel Bandeira a G. Freyre, 4/12 (ca. 1927), AFGF.

63 Carta de J. Lins do Rego a G. Freyre, 2/12 (sem ano), doc.102, AFGF.

defesa, quando suspeitavam de que Freyre estivesse sendo desvaloriza-do, incompreendido, invejado, criticado, atacado ou perseguido. Como bem demonstrou Giucci (1998, p.57-67), numa cidade dividida entre dois grupos, "pró Gilberto e contra Gilberto", seus amigos do Recife desempenharam, inegavelmente, um importante papel.

O que muitos membros dessa "coterie" pareciam muito ansiar, no entanto, era por estar fisicamente próximos de Freyre. Receber cartas afetuosas do "mestre" era simplesmente um consolo pela sua ausência. Quando se afastava do Recife, os que ali ficavam insistiam para que voltasse pois sem ele nada era o mesmo: a cidade ficava "pior do que se perdesse o Capibaribe ... mais burra" e o grupo mais "fraco", sem alma, diziam alguns.[64] "Nós ficamos tristíssimos com a sua falta. A cidade para mim diminui de valor ... O nosso Odilon é que tem andado um pouco murcho à falta de seus sopros", escrevia um deles do Recife. "As nossas conversas aqui, com os velhos camaradas, todas elas giram sempre em torno de você ... Na tranquilidade da província os grupos tendem a formar-se como uma necessidade de vida. E o nosso, que se constituiu em torno de você, quase morreu, porque se perdeu em você o melhor e o mais vivo elemento", dizia outro.[65]

Por sua vez, os amigos radicados no Rio, cidade onde Freyre esteve pela primeira vez em 1926, lamentavam sua relutância em visitá-los com assiduidade e se mostravam desorientados "sem o seu comando", como disse certa vez um deles.[66] Mas o que o clã procurava sempre deixar claro para o amigo Freyre ausente é que, não importava a distância, ele era sempre lembrado com afeto. "De você falamos a cada instante ... Você vive sempre conosco; sempre presente", confessam-lhe os amigos José Lins do Rego e Octávio Tarquínio de Sousa em carta que ambos assinam.[67]

Freyre, por sua vez, contava com seu grupo de amigos não só para trocar ideias e refletir sobre alternativas de carreira como também para

---

64 Carta de Olívio Montenegro a G. Freyre, 18/2/1940; carta de Cícero Dias a G. Freyre, s.d., AFGF.

65 Carta de Luís Cedro a G. Freyre, 26/4/1926; carta de Sylvio Rabello a G. Freyre, fevereiro de 1932, AFGF.

66 Carta de Rodrigo Mello Franco de Andrade a G. Freyre, 19/9/1936, AFGF.

67 Carta de Octávio Tarquínio de Sousa e J. Lins do Rego a G. Freyre, Petrópolis, s.d., doc.104, AFGF.

obter ajuda em problemas de ordem prática que tivesse de enfrentar. Levantamento de material para seu trabalho; organização de visitas a engenhos, conventos, casas-grandes; busca e encomenda de livros, correção de provas de texto; interferência junto a editoras, jornais e políticos; e, mais tarde, até mesmo a supervisão da reforma da casa de Apipucos foram algumas das atividades para as quais Freyre teve o apoio constante e fiel de membros de seu grupo. Até mesmo sua primeira viagem ao sertão foi organizada pelos dois amigos Josés, Lins do Rego e Américo de Almeida, em 1924/1925. Em momentos difíceis como o da doença e internamento de sua mãe no Rio, os amigos também assumiam o papel de família e cotizavam-se para fazer companhia a D. Francisquinha na Casa de Saúde São Sebastião e enviar notícias e consolo ao filho ausente.[68]

Em ao menos uma ocasião alguns amigos também colaboraram com Freyre numa grande traquinagem ao concordarem em difundir um boato que visava a alimentar o "mito" que já o aureolava. Tratava-se de espalhar no Recife a notícia de que Freyre, que estava então em Stanford, iria "casar-se por dinheiro com a filha de um milionário", e que essa união já estava repercutindo na "vida magnífica de príncipe" que o noivo estava levando. Para completar esse "estupendo mito", o plano de Freyre previa que, numa segunda etapa, os amigos espalhassem o boato de que ele e o sogro desejavam "comprar a ilha de Itamaracá, um jornal no Recife (Diário, J. Do Recife ou Da Manhã) e uma usina"![69] A traquinagem foi aparentemente bem-sucedida, e a notícia, que fez no Recife "um verdadeiro frevo", chegou até a levar um pouco de divertimento ao exílio do ex-governador Estácio Coimbra, então refugiado na França.[70]

---

68 Cartas de Júlio Bello a G. Freyre, 24/7/1926; 20/1/1927; cartas de José Lins do Rego a G. Freyre, 19/4/1924, 15/7/1924; s.d., doc.18; s.d., doc.51; carta de Sylvio Rabello a G. Freyre, 16/12/1940; carta de Ademar Vidal a G. Freyre, 29/12/1943; cartas de Gastão Cruls a G. Freyre, 11/9/1937; 25/9/1937; carta de G. Freyre a J. Lins do Rego, 14/2/1924; cartas de G. Freyre a José Olympio, 5/7/1943, 10/9/1943, AFGF.

69 Carta de G. Freyre a Olívio Montenegro,18/5/1931, AFGF. Aparentemente, uma das únicas vezes em que Freyre aludiu mais tarde, ainda que vagamente, a essa traquinagem foi no ensaio sobre Mencken, "Da correspondência de H. L. Mencken com um amigo brasileiro", em Freyre, 1987, p.297.

70 Carta de José Tasso a G. Freyre, 27/3/1931; carta de Olívio Montenegro a G. Freyre, 27/7/1931; carta de Estácio Coimbra a G. Freyre, Brides les Bains, 22/8/1931, AFGF.

Ao que parece, Freyre quis pregar outra peça, dessa vez nas alunas de Simkins, mas este não lhe deu a colaboração devida. "Por que destruiu aquela doce história que eu inventei sobre ser um velho solteirão?", escreve ele ao amigo distante.[71]

Das várias contribuições que deu o "clã de Freyre" para a digestão e o amadurecimento das ideias que este trouxera de fora, talvez uma das mais fundamentais foi a de terem sido seus atentos e fiéis ouvintes. Até mesmo quando escrevia para o *Diário de Pernambuco*, Freyre o fazia, muitas vezes, pensando em alguns membros do clã. Como disse a um dos mais íntimos do grupo, José Lins do Rego, "alguns artigos meus tenho escrito pensando em você e em raros como você e inteiramente esquecido desse grosso público...".[72]

A crer em seu diário e em testemunhos de contemporâneos ao longo dos anos, foi com orgulho que Freyre assumiu o papel de repórter e mediador cultural entre o mundo de fora e o Brasil; e foi com especial abertura que seus amigos acolheram o que tinha a lhes dizer. A correspondência entre Freyre e seus amigos deixa entrever que suas recomendações de leitura eram tidas como leis, e que foi por meio dele que certos autores, poetas e artistas foram introduzidos e divulgados no Brasil.

Lafcadio Hearn, por exemplo, fora enviado por ele ao escritor José Américo de Almeida, que o leu e achou "excitante", conforme lhe prescrevera o "mestre". E José Lins do Rego, um dos mais efusivos e fiéis discípulos, reconhece que as lições de Freyre lhe descortinaram um novo mundo: "toda a Inglaterra ia se descobrindo para mim", confessa. O que Lins do Rego diz sobre o impacto de Freyre em sua vida pode-se aplicar, em graus variados, aos demais. Desde que conhecera Freyre, em uma tarde de 1923, confessou o autor paraibano, "a minha vida foi outra, foram outras as minhas preocupações, outros os meus planos, as minhas leituras, os meus entusiasmos" (1968, p.21, 29). O que Cícero Dias disse nessa época a Freyre bem confirma a autoridade que tinha o

---

Apesar de ter ouvido dizer que o *Diário de Pernambuco* dera "a respeito informação circunstanciada", Coimbra se mantém um tanto incrédulo e pede a Freyre que lhe confirme a veracidade da união.)

71 Carta de G. Freyre a Francis B. Simkins, 21/4/1924, Simkins Papers.

72 Carta de G. Freyre a J. Lins do Rego, 13/8/1924, AFGF.

jovem recifense no papel de repórter e intérprete do estrangeiro: "O Lins segue com um livro de Lawrence; você chegou aqui, foi falar neste camarada e o pessoal não quer saber doutros livros, todo mundo é Lawrenciano"![73] Não é à toa pois que, ao visitar Freyre no início de 1926, Rüdiger Bilden ficasse impressionado com o prestígio que seu ex-colega de Columbia tinha na cidade: "Ele realmente faz um excelente trabalho como árbitro de bom gosto e campeão da cultura contra a modernização barata".[74]

Não temos acesso aos encontros em que Freyre iniciava seus amigos em ideias que lhes eram desconhecidas e com eles discutia sua relevância e dificuldades; mas não há como negar que, como acontece com todos nós, no processo de esclarecê-los e de lhes comunicar o entusiasmo pelo que estava a ler, reler ou discutir, ele esclarecia ideias para si mesmo e, adaptando-as a uma nova realidade, ele as fazia propriamente suas.

As novas ideias

Entre as ideias inspiradoras da "missão regionalista" que Freyre iria assumir, poder-se-ia pensar que as de Maurice Barrès (1862-1923) ocuparam um lugar de relevo, especialmente se considerarmos não só as muitas referências que fazia então ao seu nome, como ao fato de que em 1922, em Paris, saudoso das "paisagens do Brasil" e dos seus "coqueiros", ele fizera a seguinte confissão: "Barrès é meu herói".[75] É de supor que não foi tanto o Barrès fundador da antissemita Ligue de la Patrie Française e inspirador dos ideólogos da Action Française que o entusiasmou, mas sim o Barrès filho fiel da região de Lorraine e autor do famoso romance Les Déracinés (1897).

Esse livro, que seria o primeiro da trilogia do que o autor denominou de "roman de l'énergie nationale", opunha ao cosmopolitismo

---

73 Cartas de José Lins do Rego a G. Freyre, s.d., doc.9; de Cícero Dias a G. Freyre, s.d., doc.83, AFGF. Não fica claro de qual Lawrence aqui se trata: o famoso romancista D. H. Lawrence ou o autor de "Seven Pillars of Wisdom", o célebre Lawrence da Arábia, T. E. Lawrence, já que ambos são ocasionalmente mencionados por Freyre nesse período.

74 Carta de R. Bilden a O. Lima, 20/1/1926, Oliveira Lima Papers.

75 Caderno de anotações, 1921-1922.

supostamente sem raízes de Paris a suposta enraizada autenticidade e moralidade da província. É compreensível que o jovem Freyre tenha-se entusiasmado com o autor de um romance que relatava as desventuras de um grupo de sete jovens provincianos de Lorraine que se mudam para Paris com muitas ambições, para lá viverem um drama humano de grandes proporções. Esses jovens da província, diz Barrès, haviam sido iludidos por uma educação que lhes suprimira tanto a consciência de que seu "cantão natal" tinha um passado quanto "o gosto por se aproximar desse passado mais próximo"; é por isso que queriam ir "para Paris ... o *rendez-vous* dos homens, o ponto de encontro da humanidade".

Refletindo sobre o que teria levado dois deles a se transformar em assassinos, o narrador do livro faz o seguinte comentário:

> Arrancando os sete jovens Laurrainianos de sua pequena pátria para entregá-los para a França e mesmo para a humanidade, acreditava-se que eles estariam se aproximando da Razão. Eis já duas cruéis decepções; para Racadot e Mouchefrin, o esforço havia fracassado completamente. A esses desenraizados, não lhe souberam oferecer um bom terreno de "replantio". Não sabendo se os queriam transformar em cidadãos da humanidade, ou em Franceses da França, eles foram tirados de suas casas seculares ... de sua ordem natural, talvez humilde, mas enfim social, eles passaram para a anarquia, para uma desordem mortal (Barrès, 1988, p.102, 480-1).[76]

Incerto sobre seu futuro, impossibilitado de permanecer na Europa por um tempo mais longo, como em alguns momentos confessou, e acometido de sentimentos ambíguos quanto ao seu próximo retorno à "aldeia recifense", a apologia do enraizamento feita por Barrès dava certo conforto a Freyre. Mas, ao que tudo indica, ele logo percebeu o que em abril de 1924, em seu discurso "Apologia Pro Generatione Sua", qualificou de patriotismo e "nacionalismo estreito" do autor francês, descartando-o como fonte inspiradora de suas ideias regionalistas (Freyre, 1968b, p.93).[77] Como confessou mais tarde, suas ideias não deveriam

---

76 Essa obra, na sua primeira edição, de 1897, consta da biblioteca de G. Freyre. É possível que tenha sido adquirida por seu pai, Alfredo Freyre.

77 O comentário que faz nessa ocasião à distância que separa Barrès de André Gide – que coincidentemente publicara seu *Les nourritures terrestres* também em 1897 – revela que Freyre

jamais ser confundidas com nacionalismo, pois este lhe "repugnava, mesmo quando pregado pelo Barrès de *Les Déracinés*" (Freyre, 1987b, p.32).

É verdade que, em algumas ocasiões, Freyre referiu-se às ideias descentralizadoras e antidemocráticas de Charles Maurras e Georges Sorel – não em sua forma pura, mas desenvolvidas e deformadas a seu modo, conforme certa vez sugeriu – como apoio ao seu peculiar regionalismo (ibidem, p.32; Freyre, 1975, p.118). O breve flerte que Freyre e outros seus contemporâneos, como seu amigo Anísio Teixeira, tiveram com Charles Maurras no início dos anos 1920 tinha, sem dúvida, um certo quê de nostálgico, pois o fundador da Action Française acreditava que não era na democracia ou na ciência que a civilização ocidental encontraria soluções para a sua crise, mas sim na volta às tradicionais instituições monárquicas (Pallares-Burke, 1988, p.27-9).

De Lisboa, em janeiro de 1923, Freyre escreve a seu amigo Oliveira Lima, empolgado com o que ali observava: a fraqueza da república portuguesa era evidente, mas "os melhores elementos parecem estar com os monárquicos e as doutrinas de Maurras estão encontrando eco, entre a geração nova. Ainda bem!".[78] Mas, assim como para Anísio Teixeira, as ideias monárquicas de Maurras parecem ter logo perdido seu poder de sedução para o jovem Freyre. Segundo o depoimento de José Lins do Rego em 1927, Maurras e Sorel teriam fortalecido as ideias de Freyre "contra a descentralização e contra a simples democracia política como solução dos problemas de organização humana". Mas, ressalta Lins do Rego, sem que fizesse "desse sistema estreitamente nacionalista e rígido no seu monarquismo o seu sistema messiânico" (Merquior, 1981, p.270).[79]

Diferentemente do caso de Maurice Barrès, há fortes indícios de que foram alguns britânicos e vitorianos que auxiliaram mais profundamente Freyre a se readaptar ao Recife, estimulando sua imaginação e sensibilidade a elaborar as ideias tradicionalistas e regionalistas pelas quais ele e seu grupo iriam arduamente batalhar. Quer ensaístas, quer

---

estava a par da polêmica que *Les déracinés* provocou na França e à defesa do déracinement que Gide desenvolvera na imprensa francesa (cf., por exemplo, *L'Ermitage*, fevereiro de 1898).

78 Carta de G. Freyre a O. Lima, 26/1/1923, em Freyre, 1978, p.206-7.

79 José Lins do Rego, biografia de G. Freyre, em manuscrito, 1927 (publicada em fragmentos em Meneses, 1991, p.33).

literatos, quer artistas, todos eles eram vitorianos mais ou menos descontentes com o mundo em que viviam: John Ruskin, Dante Gabriel Rossetti e os pré-rafaelitas, William Morris, Walter Pater, Thomas Hardy, Lafcadio Hearn, George Moore, George Gissing e William Butler Yeats.

Muito provavelmente seguindo a sugestão de Arnold Bennett de se deixar levar tanto pela própria inclinação e capricho como pelas próprias leituras – "deixe uma coisa levar à outra" era, como vimos, um dos conselhos de Bennett –, Freyre se familiarizou com todo esse círculo de pensadores e artistas irmanados pelo envolvimento na crítica aos valores do moderno capitalismo industrial e unidos na ânsia de regenerar o mundo. Uma vez digeridos por Freyre, todos eles teriam, em maior ou menor grau, reforçado suas próprias tendências e sugerido a ele o rumo a tomar para que sua ânsia de ação se concretizasse.

Vitorianos rebeldes como Ruskin, Rossetti, Morris e Yeats eram estreitamente relacionados e as referências recíprocas que faziam deixava isso bem evidente. Ruskin, por exemplo, fora encorajorador e defensor de Rossetti e dos pré-rafaelitas, e todos eles, por sua vez, reconhecidos mentores de William Morris, dos quais este abertamente se reconhecia devedor. Quanto a W. B. Yeats, o mais novo de todos, não só Rossetti e os pré-rafaelitas haviam sido parte integrante de sua formação (por intermédio de seu pai, o artista John B. Yeats), mas o seu aclamado ídolo fora William Morris, como vimos no capítulo anterior. E autores, por assim dizer, menos *engagés* do que estes, relacionavam-se também, em graus variados, a um ou outro dos críticos vitorianos mais agressivos. George Moore, por exemplo, fora colaborador de Yeats na sua campanha para a criação de um teatro autenticamente irlandês, e Walter Pater, que fora influenciado por Ruskin na juventude, havia sido, por sua vez, importante modelo para Moore e Yeats em diferentes momentos de suas trajetórias. Até mesmo Lafcadio Hearn, que estava fisicamente muito distante deles e era efetivamente o menos britânico de todos, foi um atento estudioso e divulgador das ideias de muitos desses vitorianos tanto para seus alunos japoneses como para seus leitores de língua inglesa.[80]

---

80 *Life and Literature* (Hearn, 1917), texto lido por Freyre entre 1921 ou 1922 (cf. seu caderno de anotações, onde o coloca na lista dos textos "lidos ou relidos este ano"), é um dos

Maria Lúcia Garcia Pallares-Burke

Que Freyre bem se inteirou de que esses vitorianos faziam parte de um mesmo círculo fica evidente se notarmos a frequência com que seus nomes aparecem agrupados nos seus artigos dos anos 1920. Ruskin, quase sempre ao lado de Morris e de Rossetti e dos pré-rafaelitas; Moore ao lado de Yeats; este ao lado de Rossetti e dos pré-rafaelitas, e assim por diante. Na ocasião em que Yeats acabara de receber o Prêmio Nobel de literatura, Freyre confessa a seus leitores que se conhecesse os poetas e artistas William Blake (que iria ser por ele "devorado", como diria mais tarde), Dante Gabriel Rossetti e os pré-rafaelitas quando se encontrara com o famoso irlandês em Baylor, "teria então compreendido melhor o Sr. William Butler Yeats" (Freyre, 1975, p.79).[81]

Entre os autores acima mencionados, Gissing, Moore, Hearn, Hardy e Pater teriam representado para o jovem recém-chegado ao Brasil um reforço ponderável à sua percepção, ainda tênue a essa altura, de quanto o meio de origem, com todas as suas tradições, faz parte da "textura inextricável" de todo ser.[82] Já os mais politicamente atuantes Morris, Rossetti, Ruskin e Yeats teriam dado uma contribuição mais substantiva ao projeto de vida do jovem Gilberto Freyre. Em todos eles Freyre teria encontrado, ainda que em graus variados, um "pioneiro dele

---

muitos livros de ensaios de Hearn – compostos de aulas originariamente dadas aos alunos da Universidade de Tóquio – que se referem a Rossetti, aos pré-rafaelitas, a William Morris, William B. Yeats e outros vitorianos.

81 *Diário de Pernambuco*, 22/11/1923. É interessante notar que ao menos uma seleção de poesias de William Blake se encontra na biblioteca de Freyre: *Poems of William Blake* (Yeats, s.d.) (autografado e datado, "Washington, 1926").

82 Apesar de James Joyce, especialmente o do romance autobiográfico *Portrait of the Artist as a Young Man*, ter podido servir de inspiração a Freyre – pelo paralelismo entre o seu caso e o do jovem artista em formação –, parece não haver evidência de que a trajetória de Stephen Dedalus/Joyce, desde seu nascimento até seu exílio da Irlanda, tenha sensibilizado o jovem Freyre. As referências que faz a Joyce dizem especialmente respeito a seu estilo inovador e, quando trata do *Portrait*, está interessado fundamentalmente na influência da educação jesuítica na prosa joyciana e nos resquícios místicos do jovem Stephen no homem Stephen, tal como aparece em *Ulisses*. De qualquer modo, o jovem Freyre, sempre muito informado, já se utiliza em 1925 de uma obra recém-publicada em Nova York sobre o autor irlandês: *James Joyce: his first forty years*, por Herbert Gorman, 1924 (cf. "Reminiscências católicas em James Joyce", em Freyre, 1964, p.43-4; "A Propósito de Ulysses", *Diário de Pernambuco*, 10/1/1926).

próprio"; ou seja, em suas ideias, imagens, confissões ou experiências ele muito se reconheceu.[83]

Em primeiro lugar, vamos deter-nos na contribuição que os primeiros autores acima mencionados – a quem poderíamos chamar de "nostálgicos" – deram ao indeciso Gilberto Freyre; a seguir, exploraremos mais longamente o papel dos *engagés* na transformação do jovem Freyre em "missionário" do regionalismo brasileiro.

Os vitorianos nostálgicos e o apelo do meio de origem

Comecemos pelo autor "nostálgico", Thomas Hardy (1840-1928), do qual menos evidência direta temos sobre as marcas que deixou na sensibilidade e imaginação do jovem intelectual. Diferentemente dos demais autores mencionados, cópias anotadas de suas obras ou de obras relativas a ele que poderiam corroborar sua influência na trajetória do jovem Freyre não foram localizadas. *The Return of the Native, A Pair of Blue Eyes* e *Far from the Madding Crowd*, as três obras de Hardy que constam da biblioteca de Freyre, apesar de autografadas não contêm as preciosas marcas que nos autorizariam a consubstanciar melhor a relevância do escritor de Wessex para o futuro sábio de Apipucos. E, salvo engano, o jovem jornalista só se referiu a Hardy *en passant* para os seus leitores recifenses do *Diário de Pernambuco*.[84] Em contrapartida, o uso da expressão "retorno do nativo" tanto por José Lins do Rego (1968, p.23) como por Diogo de Mello Meneses (1991, p.47) para referir a volta de Freyre para Pernambuco parece indicar que a frase e a ideia de Thomas

---

83 Em seu diário editado Freyre se refere a livros "nos quais de repente se encontra um indivíduo sob a forma de ideias, de imagens, de confissões, de experiências que parecem ter sido pensadas, sentidas e vividas por uma espécie de pioneiro dele próprio" (cf. Freyre, 1975, p.46).

84 *Diário de Pernambuco*, 30/7/1922, 10/8/1924. A admiração de Freyre para com Hardy fica evidente em 1942, quando em seu livro *Ingleses* publica um ensaio sobre *Tess of the D'Urbevilles*, tratando de um crasso engano de Hardy – que confunde Pará com Paraná – sobre a geografia brasileira. No entanto, apesar de notar a estranheza de um deslize como esse num autor tão "meticuloso com relação à geografia de Wessex", como diz, a questão é abordada com uma grande condescendência para com o escritor dos "romances de Wessex".

Hardy eram correntes no círculo de Freyre.[85] Do mesmo modo, eloquentes depoimentos do próprio Freyre e do novo amigo José Lins do Rego, logo após sua chegada ao Recife, comprovam que Hardy foi um dos parâmetros da renovação cultural em que o jovem retornado firmemente se empenhava.

Escritor profundamente enraizado em sua região, Dorset e seus arredores – a que dá o nome anglo-saxão de Wessex –, o romancista Thomas Hardy também pode ser visto como um historiador social que se esforça por recuperar a paisagem, o folclore e os hábitos dos habitantes de Wessex. Seus romances, que se passam normalmente em uma época um pouco anterior ao seu nascimento e são ricos em descrições de festivais, costumes e rituais do campo, têm um certo quê de nostalgia pela vida rural tradicional de um passado recente, ainda não perturbado seriamente pela modernidade invasora. É interessante apontar que, na década de 1940, Freyre iria fazer uma analogia entre Euclides da Cunha e Hardy, dizendo que *Os sertões* é "uma espécie daqueles romances de Thomas Hardy em que a paisagem está sempre entre os personagens do drama, uma como mensagem de profeta preocupado, como outrora os hebreus, com o destino de sua gente e com as dores do seu povo" (Freyre, 1987a, p.17-8).

Aos leitores "interessados em paisagem, antiguidades pré-históricas e especialmente velha arquitetura inglesa", ele certa vez esclareceu que em seus romances as descrições "tinham sido feitas a partir do real", por mais que fossem "ilusoriamente tratadas" (Hardy, 1981, p.493). Conscientemente regionalista, Hardy acreditava que "as emoções domésticas" dos recônditos de Wessex se equiparavam em intensidade às dos "palácios da Europa". Era, pois, propositadamente, conforme esclarecia, que não imprimia caráter cosmopolita às suas narrativas. Sua intenção não era limitada, já que pretendia que seus romances fossem vistos "como delineamentos da humanidade". O que poderia parecer local, argumenta Hardy, é "realmente universal". Existe "suficiente natureza

---

85 Sobre o rico e complexo significado do "retorno do nativo" na acepção de Hardy, ver o brilhante estudo de Raymond Williams, "Wessex and the Border" (Williams, 1975, p.239-48).

humana em Wessex para os propósitos literários de qualquer um", afirmou ele em 1912 (ibidem, p.492).

Freyre parece ter logo percebido e valorizado o caráter universalista do regionalismo de Hardy, bem como sua relevância para o movimento de renovação cultural que logo procurou estimular em seu meio. A José Lins do Rego, que ainda ensaiava seus primeiros passos de romancista, recomendou a leitura de Hardy e até mesmo lhe enviou alguns de seus romances.[86] Mais revelador ainda da importância do escritor de Wessex para o movimento regionalista que tomava forma por volta de 1923-1924 é o destaque que Freyre lhe dá no seu artigo "A pintura do Nordeste" publicado no *Livro do Nordeste* de 1925. Com um claro tom de manifesto, esse artigo buscava incentivar os artistas a deixar de ser passivamente coloniais, buscando no regional o humano e, na tradição, as fontes de experimentação. "Num país exageradamente sensível ao místico prestígio do exótico e do distante como o nosso é preciso excitar o entusiasmo criador em torno das nossas próprias cousas." Faltam ao Brasil, lamenta então Freyre, intérpretes do nacional ou do regional da envergadura de um Figari no Uruguai e de um Diego Rivera no México. "Já devêramos na verdade ter passado a idade passivamente colonial de decorar edifícios públicos com as figuras das quatro estações que não representam aspectos da nossa vida; com os Mercúrios: com os eternos leões e as eternas moças cor de rosa e de barrete frígio – convenções tão distantes da realidade da nossa história natural e da nossa história social...". Para que isso não fosse confundido com a louvação do provinciano e do caipira e afugentasse os artistas que se queriam modernos, Freyre apela para o exemplo de Hardy. "Ninguém mais inglês nos assuntos e nas raízes. Seus romances não parecem somente trazer o selo inglês porém, mais claro ainda, estampado sobre o selo, o carimbo de Essex [sic] com a data. Entretanto, esse romancista tão regional e tão de seu tempo é o autor de obra de ficção mais universalmente humana que a Inglaterra produziu neste último meio século" (Freyre, 1979b, p.127, 129).[87]

---

86 Carta de J. Lins do Rego a G. Freyre, 8 de julho (ca.1924), doc.3, AFGF.

87 Wessex foi aí confundido com Essex, região a sudoeste da Inglaterra. Na publicação parcial desse artigo em *Região e tradição* o erro foi corrigido.

Pouco mais tarde, durante o Congresso Regionalista realizado em fevereiro de 1926, Freyre (2001b, p.30) novamente lembra o nome do escritor de Wessex ao dizer que toda uma riqueza brasileira estava a aguardar os Hardys, Riveras e demais artistas e escritores que estivessem abertos para senti-la e interpretá-la.

Dos demais "nostálgicos", Walter Pater se distingue por ter sido, provavelmente, o primeiro que Freyre conheceu logo ao chegar aos Estados Unidos em 1918 e, segundo seu primeiro biógrafo, José Lins do Rego, esse autor vitoriano, foi uma das maiores influências na formação do jovem Freyre (Pater apud Bronson, 1905, p.323-36; Rego apud Meneses, 1991, p.21-35).[88] De fato, a crer em seu diário, desde que o lera no curso de Armstrong em Baylor, Pater o cativou e, após seu retorno ao Recife, tornou-se como que um amigo querido a confortá-lo no seu exílio intelectual no trópico (Freyre, 1975, p.135, 207). Seduzido pelo estilo musical do ensaísta, como indicam as apreciações dos críticos que seleciona e registra no livro de texto do curso de 1918, é plausível que Freyre tenha lido outros textos de Pater antes de se dedicar, em 1922, à leitura cuidadosa e anotada da biografia escrita por A. C. Benson (a primeira a contar com o apoio e a ajuda da família do ensaísta e a utilizar correspondência como fonte), tal como comunica a seu amigo Oliveira Lima (Evans, 1970, p.XVI).[89] Foi, entretanto, provavelmente nessa obra que Freyre descobriu, pela primeira vez, o conto "The Child in the House", que viria a ter importância central para a composição de seu *Casa-grande & senzala*. Como veremos adiante, além de despertar – ou acentuar – o gosto de Freyre pelo gênero ensaístico e legitimar sua preocupação com o estilo literário, Pater, especialmente por meio desse conto,

---

88 cf. Arnon de Mello, entrevista com G. Freyre, 1942.

89 Em folhas de papel de seda, coladas nas páginas da antologia de Bronson, Freyre anotou apreciações de críticos sobre os vários ensaístas ali reunidos. No caso de Walter Pater, as anotações feitas por Freyre se referem ao "estilo musical" e à "fome de perfeição" do ensaísta de Oxford; cf. carta de G. Freyre a O. Lima, 13/3/1922, em Freyre, 1978, p.197. A citação de Pater utilizada por Freyre em sua tese de mestrado (Social life in Brazil in the middle of the nineteenth century) provém da seguinte passagem do livro de Benson, marcada com parênteses e sublinhada pelo atento leitor: "I am all for details. I want to know how people lived, what they wore, what they looked like" (cf. Benson, 1911, p.187).

iria inspirá-lo a escolher a casa como tema norteador de sua interpretação da cultura brasileira (Pallares-Burke, 1997).

Descrito por Benson como "a mais doce e delicada de todas as fantasias de Pater" e como o trabalho em que sua arte "mais aproximou-se da música", "The Child in the House" interessou o jovem leitor de imediato, a levar em conta a abundância de marcas que deixou no texto (Benson, 1911, p.4-7, 79-82, passim).

Ao mesmo tempo autobiográfico e alegórico, a narrativa de "The Child in the House" tem um inegável tom nostálgico e deve ter afetado Freyre intimamente pelo modo como defende o ambiente de origem como o elemento central da textura mental e fonte da segurança emocional. Discorrendo sobre Florian Deleal e sua viagem introspectiva, o conto inicia-se com a visão de um sonho numa clássica alegoria da vida como uma peregrinação claramente inspirada em *The Pilgrim's Progress* de John Bunyan, e transforma-se numa reflexão poética sobre a trajetória mental e espiritual dos indivíduos em suas relações com o mundo exterior.[90]

É bem provável que a essa altura o jovem Freyre não tenha percebido a complexidade das nuances filosóficas e alegóricas do conto; no entanto, a crer pelas marcas que fez no texto de Benson, não lhe deve ter escapado quanto o meio de origem pode amenizar a insegurança e a dor necessariamente envolvidas na trajetória humana. A "fome ansiosa do coração por uma pureza, uma simplicidade que uma vez já teve" só pode ser em parte satisfeita por "uma certa disposição áurea para a retrospecção"; e esta, para ser formada, requer a visão dos objetos, paisagens e "velhos lugares", até mesmo os odores do ambiente original, onde o coração já viveu "dias tranquilos" (Benson, 1911, p.79-80). Não é na infância que temos condição de sentir e dar expressão consciente ao que nossa mente absorve, assinala Benson explorando o caráter transbiográfico do conto e a importância da reminiscência. É só "muito mais tarde, na maturidade", que a recordação nos leva à consciência e à reflexão, argumenta, em trecho sublinhado por Freyre (ibidem, p.7).

---

90 Sobre a importância de *The Pilgrim's Progress*, de John Bunyan, para Pater, ver Monsman (1967, p.40-51 e passim).

É com grandes expectativas que Florian Deleal, o personagem central do conto, afasta-se do lugar onde nasceu. "Ele nunca tinha deixado sua casa antes e, esperando muito desta mudança, tinha sonhado muito com ela, contando zelosamente os dias até que a hora determinada para a partida chegasse", escreve Pater. No entanto, não levou muito tempo para que Florian reconhecesse que "uma agonia da saudade" iria manchar para sempre o prazer de "uma coisa tão ansiosamente esperada" (Pater, 1910a, p.195-6).

A partir de Pater, e como que o preparando para apreciar Proust, outros autores ecoaram, por assim dizer, as mesmas ideias: as impressões reais e vívidas que são experimentadas na infância constituem a essência do homem maduro; e o desejo que este, desconsiderando suas origens, possa ter de se reinventar será, no limite, sempre vão. Em 1964, quando admite ter ficado impressionado com essa "pequena obra-prima", "The Child in the House", Freyre também confessa que "antes de Proust, já Walter Pater" lhe comunicara "o gosto pela recaptura" da memória individual estendendo-se para a "memória familial e até tribal ou nacional". De qualquer modo, já em novembro de 1924, quando Freyre pronunciou o discurso sobre "Recife e as árvores", a consciência da dor causada pelo desenraizamento já estava bem amadurecida em sua mente, como o seguinte trecho atesta com eloquência: "Mutila-se o indivíduo que abandona o lugar onde nasceu; onde brincou menino. É sempre perigoso querer corrigir a natureza quando coloca mal os seus pronomes: fiquemos onde estamos – os pronomes mal colocados" (1985, p.37).[91]

Os textos de George Moore (1852-1933) e George Gissing (1857-1903) que, a crer em seu diário, Freyre havia descoberto em 1920 por seu próprio "faro literário", retratam dramas existenciais muito semelhantes aos que enfrentava na década de 1920. Angustiados, divididos entre dois mundos e insatisfeitos com seus meios naturais, tanto Moore quanto Gissing também haviam passado por crises de identidade que registraram em ensaios autobiográficos, *Confessions of a Young Man* e *The Private Papers of Henry Ryecrof*, que marcaram Freyre.

---

91 *Diário de Pernambuco*, 13/11/1924.

Moore, um aristocrata anglo-irlandês, tinha uma relação conflituosa com seu meio natural e social.[92] Tão logo pôde afastar-se da Irlanda, buscou em Paris e Londres a satisfação a que tanto ansiava, mas que logo se lhe revelou efêmera e fugidia. Em *Confessions of a Young Man*, obra mencionada por Freyre a seus leitores do *Diário de Pernambuco* em maio de 1923 e provavelmente lida em 1921 (quando a enviou como presente a seu irmão Ulisses), Moore relata alguns momentos decisivos de sua mocidade, em que sentimentos de angústia e incerteza se mesclavam com autoconfiança e otimismo.[93] O sucesso artístico que ansiara obter em Paris revelou-se ilusório, mas não foi nada fácil voltar a Londres e readaptar-se a seu país de adoção. Moore, como admite em seu texto (1937, p.126, 135, 113, 76-7), identificara-se tão profundamente com as maneiras, ideais e modos de pensar dos franceses que, quando "voltou para casa", o inglês lhe pareceu tão estranho quanto um "esquimó".

Reconciliar-se com a Irlanda se mostrou muito mais difícil. Como confessa, só após quase duas décadas de resistência em que recusou "todos os aspectos de meu país nativo" com um amor "ilimitado" pela Inglaterra, que se reconciliou com seu passado, tornando-se, em certo sentido, cidadão de dois países (ibidem, p.143). Em 1901 volta à Irlanda para se unir a William B. Yeats na campanha por um renascimento irlandês. É então que redescobre suas origens e as experiências na casa-grande de sua infância, Moore Hall. Como diz um de seus biógrafos, na verdade Moore "nunca pudera esquecer que era um Moore de Moore Hall, County Mayo" (Hone, 1936, p.381). Um livro sobre histórias irlandesas, *The Untilled Field* (1903), é o primeiro resultado desse reencontro; mesmo quando volta a Londres desiludido com o projeto de renascimento irlandês, após ter passado dez anos em Dublin, sua terra de origem permanecerá como sua principal fonte de inspiração. Não é à toa

---

92 Os aristocratas anglo-irlandeses compunham um grupo de proprietários de terra de origem inglesa que há séculos viviam na Irlanda e se consideravam irlandeses, apesar de serem frequentemente tidos como ingleses por seus servos e dependentes. Foram eles que construíram as *Big Houses* na Irlanda, muitas das quais foram queimadas durante os conflitos de 1916-1923.

93 *Diário de Pernambuco*, 27/5/1923. O livro de Moore foi enviado de Nova York a seu irmão Ulisses em 1921, com a seguinte dedicatória: "Ao meu querido Ulisses, Gilberto, New York City, Fall 1921".

que Freyre se referiu a Moore como alguém a quem se sentia "fraternalmente próximo" (1975, p.121, 153);[94] fraternidade que, é útil registrar, iria atingir o seu ponto mais alto no destino trágico da casa-grande de Moore, coincidentemente o mesmo que iria atingir a casa dos Freyre em 1930. Vista como símbolo do imperialismo inglês, Moore Hall foi saqueada e queimada pelo exército republicano irlandês (IRA), em fevereiro de 1923 (Hone, 1936, p.381).[95]

Diferentemente de Moore, Gissing era um autor de origem humilde que se sentia intelectual e espiritualmente um aristocrata a viver fora de sua classe natural. Descrito por um crítico britânico como "o romancista com maior consciência de classe dentre os nossos", Gissing fez do "exílio" um tema constante em toda a sua obra. Seus personagens centrais tendem a ser homens de grande mérito, cuja pobreza os obriga a viver "exilados", afastados da elite intelectual à qual naturalmente pertencem (Halperin, 1982, p.1-10). O *Private Papers of Henry Ryecroft* é uma espécie de "ensaio-memória" de Gissing, ou, como propõe Freyre, "uma tentativa de sua transformação em personagem de ficção".[96] Na correspondência com amigos editada em volume comprado por Freyre, Gissing revela-se especialmente satisfeito com seu ensaio-autobiográfico, declarando que *Private Papers* significa mais "do que qualquer outra coisa", pois é "a melhor coisa que já fiz, ou talvez venha a fazer".[97]

Henry Ryecroft, o personagem central que dá nome ao livro, é um escritor desiludido que, aos 54 anos de idade, rememora e reflete sobre várias passagens de sua vida. Nitidamente autobiográfico, o livro discorre sobre o recém-descoberto amor de Ryecroft/Gissing pelo modo de vida inglês, aludindo à sua redescoberta de Wakefield, em Yorkshire (a

---

94 Constam da biblioteca de Freyre, além de *Confessions of a Young Man* enviada ao seu irmão, ao menos as seguintes obras de George Moore: *The Coming of Gabrielle*, Leipzig, B. Tauchnitz, 1922 (com várias marcas); *Celibate Lives*, Leipzig, B. Tauchnitz, 1927; *Muslin* (2 v.), Leipzig, B. Tauchnitz, 1920 (autografado: G. Freyre, Re. 1923). Sobre Moore, há a biografia de Susan L.Mitchell, *George Moore*, Dublin, The Talbot Press, 1916 (com selo da livraria londrina Hugh Rees, em Regent Street).

95 Interessante saber que em 1923, já no Recife, Freyre adquiriu *Muslin*, a obra de Moore que é organizada ao redor do tema da Big House (cf. Noel, 1991, p.114, 120).

96 G. Freyre, manuscrito inédito sobre *The Private Papers of Henry Ryecroft* (s.d.).

97 Cartas a Miss Colet, 16/4/1902 e 24/12/1902, em Gissing, 1927.

região norte da Inglaterra em que nascera), de onde se afastara durante os anos do exílio voluntário em que tinha vagado pelos Estados Unidos e pela Europa continental. Um dos temas aí recorrentes é o da alegria de estar no seu próprio país após ter-se irritado na juventude com "tudo o que era familiar", sendo "consumido pelo desejo de viajar ao estrangeiro". Agora, reconciliado com tudo o que é inglês (inclusive com o clima e a culinária), basta-lhe a recordação esporádica dos bons momentos vividos lá fora. "Viajar, só em reminiscência", diz Ryecroft. Levado pelo sentimento de amor à terra natal e pelo orgulho de ser inglês – que na juventude, como insiste Gissing, haviam estado totalmente obscurecidos –, sua opção é clara: "O que me resta de vida e energia é realmente muito pouco para o desfrute de tudo o que conheço e de tudo o que desejo conhecer desta querida ilha" (1953, p.101, 103, 186-92, 79). Significativamente, o ensaio de Gissing também alude ao mesmo tipo de "introspecção proustiana" que Freyre irá reconhecer futuramente como uma espécie de princípio norteador de sua obra sobre a formação da família brasileira. Gissing recorda-se, por exemplo, de que Ryecroft também experimentara a atração dessa volta ao passado, quando o perfume de uma rosa, um toque, um som ou a visão de um livro escolar ou das amoras pendendo na cerca viva eram suficientes para que o "fantasma da meninice" agitasse seu coração. "Gosto de ligar a infância aos dias de agora", confessa (Freyre, 2002, p.22; Gissing, 1953, p.79, 84, 90-1, 130-1, 152, 160).

As marcas deixadas por Freyre no texto de Gissing são por si sós eloquentes e não deixam dúvidas sobre sua importância para a readaptação do recém-chegado à sua província.[98] A descrição do afeto que Ryecroft descobre sentir por sua terra de origem e por "tudo na redondeza" chama a atenção de Freyre. Até os nomes dos vilarejos da vizinhança enchem o retornado de alegria e é "com interesse" que Ryecroft lê as "notícias locais no jornal de Exeter" (Gissing, 1953, p.100). O descontentamento do autor com o avançado "processo de degeneração rural" e com a feiura

---

98 São muitas as obras de Gissing que Freyre poderia ter lido, mas, até o momento, não há indício de quaisquer outras delas em sua biblioteca, a não ser o volume de cartas, aparentemente mandadas vir de Londres em 1927 (este volume tem o selo da livraria Hugh Rees, Regent Street, London).

das modernas cidades seguramente ecoa em Freyre, que também observava as transformações de sua região com pesar, como já vimos.

Juntamente com os nomes das flores e dos pássaros, as canções e os duendes foram também esquecidos pela população, lamenta Ryecroft. No passado os camponeses tinham "suas canções folclóricas, agora totalmente esquecidas. Eles tinham romances e contos de fada...". E as regiões urbanas, antes repletas de belas arquiteturas e belos jardins, onde o corpo e o espírito satisfaziam a "necessidade de conforto" tão característica dos ingleses, estão agora se destacando na moderna "criação da feiura" (ibidem, p.158-9, 194-7). Mas Ryecroft vê com ceticismo as possibilidades de "reavivar o amor pelo campo por meio de instrução". É de crer que no futuro, lamenta, o lavrador estará cantando "o último refrão do *music-hall* e passará seu tempo de folga na "cidade grande mais próxima" (p.158-9).

Tal ceticismo não se mostra muito profundo ou paralisante, no entanto, pois Ryecroft aponta uma saída baseada na crença de que "é um fato claro que a dieta inglesa e a virtude inglesa – no mais amplo sentido da palavra – são intimamente ligadas"; daí a possibilidade de realizar uma "revolução gloriosa" na "sofrida Inglaterra" por meio da redescoberta das tradições culinárias. O otimismo de Gissing quanto à possibilidade de uma regeneração a partir da culinária inglesa e das tradições das pequenas cidades e da zona rural é recebido com grande entusiasmo por Freyre, a crer nos parênteses e múltiplos traços com que marca o texto. "Um reformador social nem mesmo olharia naquela direção [de Londres], mas voltaria seu cuidado para as pequenas cidades e para os distritos do campo onde o mal possa talvez ser ainda contido, e de onde, algum dia, uma vida nacional reconstituída poderá agir sobre o grande centro de corrupção. Eu preferiria ver a Inglaterra coberta de escolas de culinária que de escolas de tipo comum; isso seria infinitamente mais esperançoso" (p.190-2).

E como que se antecipando a Freyre na sua interpretação do Nordeste – região que já perdera seu antigo poder e prestígio, mas que permanecia fundamental como depositária das mais genuínas tradições brasileiras –, Gissing lamenta a transferência do poder de um polo para outro da Inglaterra; nesse caso, do sul para o norte do país, de onde o mundo industrial se expandia. Em mais um trecho onde Freyre deixou marcas, evidenciando a forte impressão que lhe causou, Gissing lamenta os estragos que a modernidade incontrolada ia deixando pelo caminho. O "industrialismo científico", que tudo submete a um "esquema de vida baseado no cruel, no feio e no sórdido", destronou o velho sul – "aquela Inglaterra verdadeira cuja força e virtude se manifestavam tão diferentemente" (p.197).

Lafcadio Hearn (1850-1904) é outro "pioneiro" inglês objeto das apropriações de Freyre. Ele "foi um dos aliados que eu mais buscava naqueles dias", confessaria Freyre (1951) relembrando a época de readaptação ao Recife. Não propriamente inglês ou britânico de nascimento, Patrick Lafcadio Hearn era na verdade um nostálgico *sui generis*, exatamente por estar sempre em busca de raízes que não sabia bem onde procurar. Filho de uma jovem grega iletrada com um oficial irlandês de origem inglesa e educação esmerada, nascido na Grécia, abandonado pelos pais desde os sete anos de idade, criado na Irlanda e na Inglaterra e emigrado para os Estados Unidos ainda adolescente, ele era fundamentalmente um mestiço desenraizado a cuja alma "faltava paisagem" e a quem "nenhuma pátria o prendia", como o próprio Freyre muito cedo notou.[99] Talvez por isso mesmo sua vida tenha sido marcada pela contínua procura de um lugar congenial, que várias vezes acreditou ter achado em pontos diversos do globo, para logo desiludir-se e retomar a busca inútil. Ao chegar ao Japão, seu destino final onde iria viver os últimos catorze anos de vida, descobriu que mais uma vez se iludira. Morreu nostálgico quando estava prestes a realizar seu sonho de "tocar a civilização ocidental mais uma vez" (Rosenstone, 1988, p.81-4, 224-46, 268 e passim).

Nessa busca sem fim, o encontro de Hearn com as Antilhas marcou profundamente a imaginação do jovem Freyre como grande estímulo para retornar ao seu torrão natal e, por assim dizer, apossar-se dele. José Lins do Rego, seu amigo e companheiro de redescoberta do Brasil desde que retornou ao Recife em 1923, já registrara brevemente o importante papel que Hearn desempenhara na trajetória do jovem recifense. O que

---

99 *Diário de Pernambuco*, 5/10/1924.

ele queria rever, escreveu José Lins do Rego em 1927, era "um Pernambuco de que a leitura de Lafcadio Hearn lhe aguçara o apetite com os seus descritivos rescendendo às terras da Martinica, virgens de vulgaridades industrialistas" (apud Meneses, 1991, p.38).

Há trilhas que podemos seguir para substanciar a afirmação de José Lins do Rego. Primeiramente, podemos dizer que é muito provável que Freyre tenha descoberto Hearn assim que chegou aos Estados Unidos, onde àquela altura seus livros e ensaios eram muito populares. Segundo seu próprio testemunho de 1975, foi contra a vontade do prof. Armstrong, seu dileto mentor de Baylor, que se pôs a ler Hearn. Amante dos clássicos, Armstrong aparentemente não valorizava a leitura dos autores "exóticos" com quem Freyre muito se afinava. "Cada dia eu me torno mais atraído pelo exotismo romântico de Lafcadio Hearn", registra Freyre em seu diário-memória no ano de 1919 (Freyre, 1975, p.37).

O livro *Two Years in the French West Indies* (1890), em que Hearn discorre sobre as experiências emocionais que teve nessa terra tropical que enfeitiça o estrangeiro com uma "magia singular", como diz, deve ter em muito justificado a atração de Freyre. Nele, Hearn revela mais uma vez o que pode ser confirmado em seus artigos de jornal, em sua correspondência e em sua vida pessoal: seu amor pelos trópicos. Não foi por acaso que Patrick Lafcadio Hearn abdicara, a certa altura, da marca nórdica de seu nome, passando a se chamar simplesmente Lafcadio Hearn; decisão tomada, significativamente, ao mesmo tempo que se fixava em Nova Orleans, cidade cuja latinidade e mestiçagem o fascinaram.

É possível que Freyre tenha lido *Two Years in the French West Indies* ainda em Baylor, quer na segunda edição, de 1918, quer mesmo na de 1890, e que a cópia que estava aguardando receber no Recife de seu amigo norte-americano Francis Simkins – o que iria ocorrer em dezembro de 1923 – fosse importante para satisfazer aquele seu desejo, já mencionado, de reler os livros lidos antes em bibliotecas, tendo seus próprios exemplares sempre à mão.[100] De qualquer modo, já em outubro de 1923 Freyre falava a seus leitores sobre Lafcadio Hearn como o

---

100 Carta de G. Freyre a F. Simkins, s.d. ca. novembro de 1923, Simkins Papers; carta de F. Simkins a G. Freyre, 14/11/1923, AFGF.

autor que "amava os trópicos voluptuosamente", não obstante, ou exatamente porque eles afetavam sua "capacidade de pensar".[101]

Uma observação pontual dos livros de sua biblioteca atesta que a atração por Hearn se manteve. Nele constam ao menos nove obras da autoria de Hearn e duas sobre sua vida. Em abril de 1922, compra em Nova York *Life and Literature*, a já mencionada seleção de aulas dadas por Hearn a seus alunos da Universidade de Tóquio; mais tarde, no mesmo ano, já em Oxford, adquire uma biografia de Hearn escrita por Edward Thomas, e tão logo chega ao Recife, em 1923, adquire um livro de Hearn sobre histórias folclóricas japonesas. Em dois natais consecutivos, seu amigo Francis B. Simkins, conhecedor de seus interesses e também grande apreciador de Hearn, manda-lhe de presente, e a seu pedido, livros de e sobre ele; em 1925 Freyre adquire uma coletânea da correspondência de Hearn.[102] Além disso, desde que chega de volta ao Recife, não só o divulga a amigos como José Lins do Rego e José Américo de Almeida, como também, comparando-se ao autor de *Two Years in the French West Indies*, compactua com suas dúvidas quanto à possibilidade de ter uma vida intelectual plena no meio de uma natureza luxuriante e

---

101 *Diário de Pernambuco*, 7/10/1923.

102 L. Hearn, *Life and Literature*, selected and edited by John Erskine, New York, Dodd, 1921 (autografado e datado "New York, April 1922"); E. Thomas, *Lafcadio Hearn*, London, Constable, 1912 (autografado e datado "Oxford, 1922"); L. Hearn, *Kwaidan Stories and Studies of Strange Things*, Leipzig, B. Tauchnitz, 1907 (autografado e datado, "Recife 1923"); idem *Two Years in the West Indies*, New York, Harper & Brothers, 1923 ("with best wishes of Francis, Xmas, 1923"); E. L. Tinker, *Lafcadio Hearn's American days* ("to Gilberto Freyre with the admiration of Francis Simkins, Edgefield, South Carolina, Christmas 1924"); Milton Bronner (Ed.), *Letters from the Raven – being the correspondence of Lafcadio Hearn with Henry Watkin*, New York, Brentano's, 1907 (autografado, "G. Freyre 1925"). Além desses, Freyre possuía em sua biblioteca os seguinte livros de L. Hearn: *Gleanings in Buddha-Fields – Studies of hand and soul in the (Far East*, Leipzig, B. Tauchnitz, 1910) e cinco livros encadernados por Freyre: *Glimpses of Unfamiliar Japan, Out of the East, Essays in European and Oriental Literature, The Romance of the Milky Way, Kokoro* (salvo engano, não há neles anotação que nos permita saber a data de aquisição). De uma lista de livros de literatura e crítica lidos ou a ser lidos e/ou adquiridos consta *Gleanings in Buddha-Fields, Glimpses of* e *Kokoro*. Não se deve esquecer a possibilidade de Freyre ter lido muitos outros textos que jamais chegou a comprar. Por exemplo, em seu caderno de anotações de 1921/1922, na lista de livros "já lidos ou relidos este ano" [1921 ou 1922] constam títulos que se encontram em sua biblioteca, como *Life and Literature* de L. Hearn, mas também outros que dela hoje não fazem parte.

em um ambiente hostil a "toda a alta e pura vocação que surge num Brasil como o de hoje". Numa época em que a solidão intelectual na qual iria viver (e da qual sempre iria se queixar) lhe aparece como muito clara e evidente, Freyre se equipara a Lafcadio Hearn. Sente-se fora de lugar ou, como confessa aos seus leitores do *Diário de Pernambuco*, uma "carta ou telegrama com endereço errado" tal como Hearn se sentira quando sua alma latina se chocara com sua ambição intelectual fundamentalmente nórdica. Talvez fosse o caso de amar o Recife como Lafcadio amara os trópicos, ou seja, "exatamente por lhe servirem de sanatório aos cansaços de pensar" (Freyre, 1975, p.37, 172; 1987b, p.57-81, passim).[103]

Já na biografia de Lafcadio Hearn que Freyre adquiriu em Oxford ele se impressionara com as passagens em que o biógrafo apontava a irritação que Hearn sentia com "toda a civilização e sistema de vida anglo-saxão" e o amor desse desenraizado pelo calor escaldante dos trópicos e pelos países e povos latinos. Em uma das cartas ali transcritas, a paixão de Hearn pelos latinos é expressa com rara eloquência. "Confesso que apenas suporto os tipos mais incomuns de ingleses, alemães e americanos – pois os tipos convencionais me deixam totalmente maluco. Por outro lado, sinto-me em casa mesmo com um vilão se ele for espanhol, italiano ou francês", dissera Hearn a um amigo em trecho marcado pelo jovem pernambucano (Thomas, 1912, p.20, 21, 28, 29, 32, 35 e passim).

Nova Orleans, "o paraíso do sul", como Hearn a chamou, fora o primeiro estágio de seu afastamento da "civilização" do norte. "É hora de deixar Cincinnati quando começam a chamá-la a Paris da América", dissera ele ao amigo da mesma cidade, Henri Watkin, em carta da

---

103 *Diário de Pernambuco*, 7/10/1923, 2/10/1924, 31/1/1926. Numa carta de Freyre a José Lins do Rego (14/6/1924) ele comenta que vai procurar no livreiro Ramiro um Hearn para mandar a José Américo de Almeida, que então estava a escrever *Bagaceira*, o primeiro romance regionalista do Nordeste. "Certos trechos da paisagem dele me dão a lembrar o colorido de Hearn", comenta Freyre. Ao que Lins mais tarde comenta: "Falou-me [José Américo] de Lafcadio Hearn. Para José de Almeida, pelo que você diz de Lafcadio, não há melhor excitante" (cf. carta de J. Lins do Rego a G. Freyre, s.d. (ca.1925), doc.9, AFGF). Por sua vez, seguindo as indicações do "mestre", José Lins do Rego comenta o que estava a ler de Hearn, lamentando, entretanto, não poder "sentir em tudo a sua força", já que "muito deve ter ele perdido de sua cor e do seu pitoresco na tradução para o francês" (cf. carta de 24/12/1924, AFGF).

coletânea *Letters from Raven* que Freyre adquiriu após sua volta ao Recife e que também guarda as marcas de sua leitura cuidadosa. Confessando-se seduzido pela beleza latina e crioula da cidade sulista, Hearn afirma, em trecho marcado por Freyre: "A vida aqui é tão preguiçosa ... os dias tão esplêndidos com verde e dourado, o verão tão lânguido com perfume e calor, que eu quase não sei se estou sonhando ou acordado. Tudo é um sonho aqui". E aconselhando o amigo de Ohio a lhe seguir os passos e deixar a "bestial Cincinnati" insiste: "Mude-se para mais perto da Natureza". Contrariamente ao que se poderia supor, tal ambiente estimula a memória, diz Hearn. "Curiosamente eu recuperei memórias de longo tempo atrás, que eu pensava ter esquecido completamente" (Hearn, 1925, p.42, 46, 59, 79).

Nessa mesma coletânea, Freyre deixa indícios de ter reconhecido entre ele e Hearn certas afinidades. Fisicamente, por exemplo, Hearn puxara da mãe grega a estatura baixa, os cabelos escuros e a tez morena, e é com um quê de satisfação que, de Nova Orleans, comenta com seu amigo de Ohio o efeito do clima quente do sul em sua aparência. Numa passagem que chamou a atenção do jovem leitor, Hearn escreve a Watkin: "O sol do sul transformou-me num mulato. Parei de usar óculos e meu cabelo está rebelde e medonho" (ibidem, p.55). A inclinação nostálgica de Freyre também encontrava ressonância em Hearn. "Às vezes penso que não deveria ter nascido neste século porque estou sempre a sonhar com outros séculos, outras fés e outras éticas", escrevera Hearn de Nova Orleans a seu amigo Watkin (ibidem, p.82).

A ausência de ambição que ocasionalmente acometia Hearn é outro traço que chamou a atenção de Freyre. "Não tenho ambição, amores ou ansiedades". O que sente, confessa, são desejos fugazes: "A paixão pelo vagar é a mais forte de todas", diz Hearn em trecho marcado por Freyre que coincidentemente se sentira atraído pela "vida de vagante" e às vezes também se vira sem grandes ambições (ibidem, p.58-9).[104]

A personalidade paradoxal de Hearn deve igualmente ter fascinado o jovem Freyre que mais tarde iria se descrever, não sem orgulho, como

---

104 Cartas de G. Freyre a O. Lima, 25/8/26, 4/12/26, 8/1/23 (datada erradamente 1922), em Freyre, 1978, p.217, 219-20, 194-5.

um ser paradoxal. Freyre se via diante de um indivíduo que, juntando coisas aparentemente tão contraditórias como a admiração pelo budismo e por Herbert Spencer, tinha-se afastado da cultura ocidental moderna. Apaixonado pelo exotismo dos trópicos e do Oriente, Hearn não ocultou o orgulho da origem inglesa do filho mestiço que lhe nasceu no Japão: "ele não se parece comigo ou com a mãe. Tem cabelos castanho-claros e olhos azuis ... o velho sangue gótico veio à tona ... sua alma é toda inglesa, e também a sua aparência. Eu devo educá-lo no estrangeiro" (ibidem, p.97-8). Finalmente, até mesmo a pequena e provinciana Waco era um ponto de referência comum para o jovem pernambucano e o inquieto Hearn. Em Nova Orleans, durante um período de desalento, cogitara buscar sua sorte no Texas: "O que acha da ideia? – para Dallas ou Waco", perguntara Hearn ao amigo Watkin, em trecho que não passou despercebido ao jovem Freyre (ibidem, p.54).

Mas o paraíso que Hearn pensara ter encontrado em Nova Orleans estava efetivamente mais ao sul, nas Antilhas, como ele veio a descobrir em 1887, e para onde retornou uma segunda vez, pouco depois, com a intenção de lá permanecer "para sempre". Ao retornar de sua primeira viagem às Índias Ocidentais Hearn escreveu novamente a Watkin sobre seu novo achado. "Minha convicção é que você e eu faríamos bem de passar nossas vidas nas Antilhas. Todos os sonhos de Paraíso (até os de Maomé) estão mais do que realizados lá ...". Fora desse paraíso, lamenta Hearn, "sinto-me como expulso dos Céus" (ibidem, p.89). Do Japão, seu último destino e onde viveu de 1890 até sua morte, em 1904, o paraíso tropical lhe parecera ainda mais insubstituível. Após um breve período de encantamento com a civilização oriental, confessou mais uma vez ao velho amigo Watkin: "Eu espero ganhar dinheiro suficiente em um ou dois anos para realizar o meu sonho de uma casa nas Índias Ocidentais; se conseguir, vou tentar convencê-lo a me acompanhar e a viver o resto da vida calmamente e em sonho eterno nesse lugar onde tudo é sol e beleza" (ibidem, p.93).

A leitura ou releitura que Freyre fez do relato de Hearn sobre esse paraíso tropical foi cuidadosa e entusiasmada. O livro *Two Years in the French West Indies*, que Simkins enviou a Freyre no Natal de 1923, guarda as marcas desse entusiasmo. Nessa obra, citada por Freyre primeiramente em artigos do *Diário de Pernambuco*[105] e depois em *Casa-grande & senzala,* Hearn não só relatara como também registrara com fotos suas experiências dessa região paradisíaca onde sonhara terminar seus dias (ibidem, p.93; Freyre, 2002, p.110-1; Bisland, 1907, v.I, p.415, 420).

Lendo-se o vívido e apaixonado relato de sua experiência nas Antilhas, fica evidente que muito do que o seduziu contrastava com o sistema de vida das civilizações industrializadas do hemisfério norte, o mesmo com o qual Freyre tinha que romper de algum modo para se reenraizar no pedaço de Brasil donde vinha. As pequenas anotações feitas aqui e acolá nas páginas do relato de Hearn são reveladoras dos aspectos que marcaram indelevelmente a imaginação do jovem leitor: a paisagem luxuriante com suas cores vívidas e seu perfume estonteante; o clima tropical, com seu poder destruidor e também energizador; o charme, a elegância e a altivez das mulheres negras e mestiças; a força descomunal dos homens de cor; a língua, a música, a dança e a religião dessas "raças escuras"; e até mesmo a previsão de que no meio tropical elas estão fadadas à "supremacia" e, portanto, que era previsível que os escravos do passado se tornassem "os senhores do futuro" (Bisland, 1907, v.I, p.424-5; Hearn, 1923, p.36-8, 44-50, 82-4, 91-2, 99-100 e passim).

Além do mais, a empatia com que Hearn observa os negros e mestiços e a perspicácia e a sensibilidade com que aponta os aspectos positivos da miscigenação, tema ao qual retornaremos adiante, devem seguramente ter servido de inspiração para o futuro autor de *Casa-grande & senzala.* "Como na Bahia", "As in Brazil", frases que Freyre escreve à margem de passagens em que Hearn se refere à mestiçagem cultural e racial das Antilhas, são eloquentes testemunhos da relevância desse escritor em sua trajetória. Não é à toa, portanto, que Lafcadio Hearn é descrito em *Casa-grande & senzala* como um pensador que "enxergava mais, como simples escritor, do que muito sociólogo" (Hearn, 1923, p.220, 341; Freyre, 2002, p.110-1).

Pode-se dizer que o papel de Hearn na trajetória de Freyre foi mais decisivo que o dos demais autores mencionados no que diz respeito à aceitação de seu meio de origem, mesmo que nele ainda provavelmente

---

105   5/4/1925 e 13/11/1924.

se sentisse, em 1924, um "pronome mal colocado".[106] A vida e o pensamento desse desenraizado que tivera uma infância traumática e carregava dentro de si as tensões da miscigenação, davam maior força e dramaticidade às ideias veiculadas por Pater, Moore, Gissing e Hardy. Entre eles, como vimos, ecoava a ideia de que o meio de origem, com todas as suas tradições, e as experiências vividas durante a infância, constituem a essência do homem maduro e, por conseguinte, de que o desejo que este possa ter de se reinventar, desconsiderando suas origens, será, no limite, sempre doloroso, se não vão.

Ora, a biografia, a correspondência, os ensaios e os relatos de Hearn mostravam a Freyre a angústia que acompanhara um indivíduo que não tinha conseguido fixar-se no único lugar onde ao menos uma parte de seu ser se sentira em casa. É de crer, portanto, que Freyre se tenha reconhecido bastante nesse pensador que, assim como ele, sentia-se dividido entre seus apelos intelectuais e sentimentais. Do mesmo modo que Hearn, Freyre também se via intelectualmente como um norte-americano ou europeu, mas sentimental e psicologicamente como um homem tropical, um latino, um brasileiro. É de imaginar que, diante do autor de *Two Years in the French West Indies*, o jovem pernambucano se vira constrangido e pressionado a não abdicar das ricas raízes que, diferentemente de Hearn, a vida tão gratuita e generosamente lhe dera. Era como se, em face desse mestiço infeliz, Freyre se confrontasse com alguém atormentado e enamorado: atormentado por não ter verdadeiras raízes a recuperar e, ao mesmo tempo, enamorado de um meio tropical e latino, muito semelhante ao que o próprio Freyre estava sendo tentado a renegar.

Nesse aspecto, há que registrar uma impressionante analogia entre a trajetória de Freyre e a do personagem de "A conservative", um dos contos do livro *Kokoro*, de Hearn (Hearn, 1896, p.170-209).[107] Temos aí dois notáveis casos de retorno do nativo e dramática redescoberta do seu lugar de origem. Em "A conservative", Hearn conta a história de um jovem que, após ter sido educado para ser samurai, vê seu país progressivamente rejeitar muitas de suas tradições e adotar uma política de velada

---

106 *Diário de Pernambuco*, 13/11/1924.

107 Esse era um dos livros da coleção lafcadiana de Freyre (cf. nota 103).

aceitação do "domínio estrangeiro". Decidido a descobrir as causas do desenvolvimento desse potente e invasivo Ocidente e o segredo do seu poder, o jovem japonês se põe a viajar pelo "mundo de gigantes" europeus e americanos. Muitos anos passa nessa peregrinação, chegando a encantar-se com o povo inglês, pois acha que os seus *gentlemen* muito se assemelham aos samurais japoneses. O encanto com o Ocidente não perdura, porém, e ele acaba sendo levado a finalmente reconhecer que "a civilização estrangeira lhe revelara o que nunca teria podido compreender sem ela: o valor e a beleza de sua própria civilização". A partir daí seu propósito passa a ser um só: "lutar com toda a sua força para a conservação de tudo o que havia de melhor na vida antiga, e destemidamente se opor à introdução de qualquer coisa não essencial para a preservação ou para o autodesenvolvimento nacional" (ibidem, p.178, 191, 202, 206).

Os vitorianos rebeldes e o apelo à ação[108]

Muito cedo em sua trajetória, Freyre fez uma distinção bastante reveladora do modo como estava absorvendo suas leituras. Trata-se da distinção que apresenta no artigo do *Diário de Pernambuco* de outubro de 1923, já mencionada no capítulo anterior, mas importante de ser novamente aqui retomada. De um lado, diz ele, há a "literatura da negação e contradição", que provoca no espírito em formação uma salutar ânsia "de curiosidade e opinião própria quanto aos grandes problemas da vida". Como que nos sacudindo da inércia, essa literatura questiona os nossos "mais íntimos valores intelectuais, morais e estéticos". É assim que escritores como Nietzsche, Max Stirner, Bernard Shaw e Oscar Wilde desempenham um papel extremamente benéfico no desenvolvimento de toda individualidade. Se compararmos o "processo cultural" a um jantar, esclarece Freyre no seu estilo já peculiar, escritores como esses

---

108 Chamo Morris, Ruskin, Rossetti, os pré-rafaelitas e Yeats de vitorianos rebeldes, servindo-me da expressão empregada em 1940 por Lloyd W. Eshleman em seu estudo sobre William Morris, *A Victorian Rebel* (obra referida por Freyre em 1942 em *Ingleses*), expressão repetida por Raymond Williams para caracterizar a tradição vitoriana à qual Morris se filiava (cf. Williams, 1961).

podem ser equiparados a um "'hors d'oeuvre' picante" que aguça "o desejo de 'entrées' confortadoras". É por isso que "depois dum 'hors d'oeuvre' de Nietzsche ou Stirner" Santo Tomás de Aquino se impõe como "muito mais confortador", exemplifica Freyre. Por outro lado, há os " escritores--entrées" cujo papel ultrapassa o dos escritores "hors-d'oeuvre", pois não se contentando em abalar nossas convicções e questionar o que existe, também apontam caminhos a seguir. É este o caso dos que combatem mais os "excessos de certas épocas" do que os "instintos da espécie". Como exemplo, Freyre menciona exatamente John Ruskin e William Morris, dois pensadores que questionam o "industrialismo e a democracia estúpida do século XIX", mas, ao mesmo tempo, são confortantes por oferecerem alternativas.[109] A deles é uma "literatura de ação", conclui Freyre em 1923, já anunciando aqueles que se imporiam como fortes mentores de sua ação regionalista então em gestação.[110]

Nessa ocasião, não chegou a colocar William Butler Yeats e Dante Gabriel Rossetti juntamente com os pré-rafaelitas na categoria de "literatos de ação", mas é de crer, por referências posteriores, que eles também desempenharão, ao lado de Morris e Ruskin, o papel de instigadores e mentores da missão regionalista que, a partir de certo momento, Freyre se impõe. A ligá-los entre si, e também ao próprio Freyre, havia o fato logo percebido pelo jovem intelectual de que neles, surpreendentemente, havia uma "feliz aliança de vocações" – a do pintor e a do escritor. Yeats e Moore haviam começado como pintores, enquanto Morris e Rossetti (ao lado do romântico Blake, que todos admiravam) continuaram sendo ao mesmo tempo pintores e escritores. Enfim, mais um motivo para o artista e escritor ainda amador, Gilberto Freyre, neles reconhecer "pioneiros dele próprio".[111]

Cumpre enfatizar que o questionamento do industrialismo e da democracia, que Freyre claramente percebeu e admirou nesses vitorianos rebeldes, congregara vários espíritos. Apesar de muitas vezes serem

---

109 D.P. 28/10/1923 (texto publicado no apêndice deste livro). Outro "escritor-*entrée*" mencionado é o ensaísta francês Barbey d'Aureville, autor muito presente nos escritos de Freyre durante o período de sua formação.

110 *Diário de Pernambuco*, 9/12/1923.

111 *Diário de Pernambuco*, 22/11/1923.

distintos e até antagônicos, irmanavam-se na sua condenação. Confrontando-se com a nova sociedade que surgia e com as implicações sociais e culturais do novo liberalismo e utilitarismo, os críticos de postura conservadora muitas vezes se confundiam e em parte coincidiam com os de posição revolucionária. E não há nisso nada de surpreendente, como alerta Raymond Williams. O chamado "primeiro conservador", Edmund Burke, e o "primeiro grande tribuno do proletariado industrial", William Cobbett, condenavam a moderna Inglaterra pressupondo categorias e experiências da velha Inglaterra e inauguraram tradições críticas compostas de elementos diversos e mesmo contraditórios. É assim que, como lembra Williams, nos seus primeiros ataques ao capitalismo Marx ecoa o conservador Edmund Burke e o radical Cobbett; do mesmo modo, podem-se encontrar na crítica de Ruskin à sociedade do *laissez-faire* elementos de uma crítica socialista e de um conservadorismo burkeano (Williams, 1961, p.23-4, 38-9, 48-9, 145-6, passim). Não é, pois, de estranhar que Ruskin tenha sido comparado a Karl Marx, já que suas denúncias do modo de produção moderna, que transforma o trabalhador num mero instrumento, assemelham-se às críticas do pensador alemão ao mundo capitalista (Burrow, 2000, p.21). É, portanto, no quadro da filiação do jovem Freyre aos vitorianos rebeldes que devemos entender sua insistência, não vaga mas desde cedo autoconsciente, de que ele não advogava um tradicionalismo comum, mas sim um neotradicionalismo; e de que o seu regionalismo e o de seu grupo não excluía o nacional ou o universal e unia tradição com modernidade.[112] Leitor de Yeats, Ruskin, Morris e Blake, Freyre parece ter aprendido muito cedo a não se perturbar com inconsistências.

O Recife para o qual Freyre retornava também vivia um período crucial em que a democracia e o industrialismo, ainda incipientes, estavam provocando mudanças qualitativas na sociedade. Utilitarismo, cosmopolitanismo, "volúpia de modernismo ou de modernice" e de "materialidade" estavam, no seu entender, dissolvendo o nacional e comprometendo qualquer desenvolvimento de uma cultura criativa. O orgulho que poderia existir em razão do progresso material visível na "quilometragem

---

112 *Diário de Pernambuco*, 11/10/1925, 5/4/1925.

Maria Lúcia Garcia Pallares-Burke

de estradas de ferro" e no "luxo de *water closets* de porcelana" era seguramente infundado, pois, além de se referir a exterioridades, nada disso era, de fato, "nosso", advertia Freyre aos seus leitores.[113]

Durante o período em que vivera nos Estados Unidos, o jovem recifense manifestara seu desagrado com vários aspectos da moderna democracia norte-americana, o "glorificado sistema político" que, confessa, "em vão" tentava apreciar.[114] Como vimos, Freyre criticara a estandardização cosmopolita e o comercialismo e o industrialismo ali imperantes que subordinavam tudo no mundo ao valor monetário, em detrimento de outros valores. Como resultado, o sistema favorecia os medíocres, havendo nele pouco lugar para a valorização dos homens de especial talento, os "Reais Superiores" enaltecidos por Carlyle, outro vitoriano descontente que aparece aqui e acolá nos artigos de Freyre. É por isso que o jovem jornalista se regozijara com a "corrente de opinião antidemocrática" a crescer nos Estados Unidos na década de 1920. Um de seus maiores líderes era o bombástico e paradoxal crítico Henry Mencken, implacável na denúncia dos males da modernidade e no apelo a uma aristocracia intelectual, sem que, no entanto, resvalasse para o reacionarismo que àquela época adquiria novo ímpeto; e que ele, cumpre assinalar, também atacava com igual veemência.[115]

Devemos assinalar que ao longo de sua vida Freyre iria sempre lembrar-se com orgulho do contato que teve com Mencken, pensador que descobriu exatamente na época em que este "se tornara não somente o mais amplamente citado como também o mais discutido dos intelectuais americanos". Sempre muito controverso, autoritário e iconoclasta, Mencken chegara, no auge de sua fama, a ser nomeado para o Prêmio Nobel; ao mesmo tempo, um de seus muitos críticos o considerou um "anticristo" e o intitulou de "líder da malignidade" (Bode, 1969, p.181; Hobson, 1994, p.47, 68, 218, 222, 247-52, passim).

Vamos deter-nos agora em William Butler Yeats, o único entre esses vitorianos rebeldes que Freyre conheceu pessoalmente. Num encontro

---

113 *Diário de Pernambuco*, 8/6/1924, 11/11/1923.
114 *Diário de Pernambuco*, 19/3/1922.
115 *Diário de Pernambuco*, 30/7/1922, 3/4-4/1923.

memorável ocorrido em 1920, a ser orgulhosamente relembrado por Freyre ao longo de toda a sua vida, ele não só ouviu o grande poeta como também trocou algumas palavras com ele. Nessa ocasião o autor irlandês proferia palestras pelos Estados Unidos a fim de angariar fundos para a reconstrução do castelo em ruínas de Thor Ballylee, a propriedade que a duras penas conseguira adquirir na Irlanda, e assunto de profunda importância emocional para ele (Coote, 1997, p.432).

A palestra, proferida em 16 de abril na Carroll Chapel de Baylor – e para a qual Yeats recebeu a substanciosa quantia de 150 dólares –, abria as comemorações do Jubileu de Diamante da universidade organizadas pelo empreendedor dr. Armstrong. Cerca de 1200 pessoas pagaram 1 dólar para ouvir o que era anunciado pelo jornal local como "o maior dos regalos literários de Waco em muitos meses". Intitulada "The Friends of my Youth", a palestra se iniciara com reflexões de Yeats sobre a fundamental importância do pai na sua formação, concentrara-se no círculo de poetas amigos que compunham o Rhymers' Club – a quem ele iria referir-se como "The Tragic Generation" na autobiografia que então redigia – e terminara com a leitura de uma seleção de poemas, alguns seus e outros de seus velhos amigos.[116]

O Rhymers' Club fora fundado em maio de 1890 por Yeats, Ernest Rhys e T. W. Rolleston, e ao longo de quatro anos constituiu-se num fórum onde um grupo de poetas se reunia para ler e discutir versos no Old Cheshire Cheese, um *pub* londrino. Lionel Johnson, Ernest Dowson, John Davidson, Arthur Symons e mais ocasionalmente Oscar Wilde estavam entre os que podiam ser encontrados nas reuniões mensais. Os mais abonados jantavam às 19 horas, antes de se reunir aos demais num salão do segundo andar do bar. O *Book of the Rhymers' Club*, e o *Second Book of the Rhymers' Club*, antologias dos seus vários membros, resultaram dessas reuniões, mas não havia propriamente uma causa que os unisse, a não ser uma vaga oposição ao didatismo e ao sentimentalismo dos

---

116 Cf. depoimento de Roy Foster, biógrafo de W. B. Yeats, em correspondência com a autora, dezembro de 2002; *Waco Daily Times-Herald*, 16/4/1920, p.17; 17/4/1921, p.9. O convite impresso dizia o seguinte: "It will be a very great treat to hear Mr. Yeats. No one interested in world affairs can afford to miss this distinguished visitor. He will speak at 5 o'clock in Carroll Chapel", Armstrong Papers.

versos vitorianos e um ainda mais vago interesse pelos celtas (Coote, 1997, p.87-93, passim).

A palestra de Yeats em Baylor, elaborada por volta de 1910 e proferida desde então em várias ocasiões antes de atingir sua forma definitiva na parte de sua autobiografia intitulada *The Trembling of the Veil*, dava especial relevo a Johnson, Dowson, Davidson e Symons e à alienação, ao espírito anárquico e à intemperança que os haviam levado à autodestruição, da qual Yeats, ele próprio, escapara: Johnson, Dowson e Symons haviam-se destruído pela embriaguez e Davidson cometera suicídio. "Os Rhymers haviam começado a se dissolver em tragédia, apesar de não sabermos disso antes de a peça terminar", recordaria Yeats (1955, p.300) em sua autobiografia.[117]

As palavras de Yeats devem ter surpreendido e até mesmo desconcertado o público provinciano de Waco. A crer no relato da imprensa local, nessa ocasião Yeats resolvera dar ênfase não ao que o distinguia de seus amigos, mas à vida não convencional que levam "muitos homens que têm um lugar permanente na literatura". "A vida nunca é ideal", afirmara Yeats ao falar sobre as "tendências libertinas dos homens de gênio".[118] Como que a querer desafiar a intolerância do puritanismo norte-americano, ainda mais acentuado na pequena e ultraconservadora Waco e sua universidade batista, o poeta lembrava que seus contemporâneos dos anos 1890 eram "escravos do álcool" e escreviam o melhor do seu trabalho quando bêbados.[119] Advertindo que não recomendava a "vida imoral como pré-requisito para a produção literária", Yeats justificava a intemperança, dizendo no entanto que "a sabedoria é alcançada por contraste. É só conhecendo o sórdido que atingimos a percepção genuína de uma vida mais elevada. É vivendo a vida de um pária,

---

117 Alguns biógrafos de Yeats partilham da ideia de que este teria decidido, em sua autobiografia, reconstruir a imagem de seus antigos amigos a fim de salientar o fato de que ele próprio os havia sobrevivido e superado.

118 *Waco Daily Times-Herald*, 17/4/1920, p.9.

119 Cf. depoimento do biógrafo de W. B. Yeats, Roy Foster, à autora, 3/12/2003. A notícia em destaque no jornal local relatava a palestra de Yeats dizendo que "a partir de uma grande riqueza de lembranças, ele contou sobre a vida de vagabundo, a embriaguez e mesmo a imoralidade de muitos homens cujos nomes têm um lugar permanente na literatura" (*Waco Daily Times-Herald*, 17/4/1920, p.9).

de um vagabundo, de um libertino, que o poeta aprecia as alturas de sua visão. É muitas vezes essa vida amoral de liberdade, essa ruptura da vida convencional que se constitui, afinal de contas, a mais sincera".[120]

É muito provável que Freyre estivesse entre os poucos que não se chocaram e que, ao contrário, até mesmo sorveram as palavras do poeta com grande prazer e interesse. Afinal, um dos maiores extremismos anglo-saxões, a Lei Seca – o *National Prohibition Act*, que proibia toda importação, exportação, transporte, venda e fabricação no território nacional de qualquer bebida que tivesse mais do que 0,5% de álcool –, acabara de entrar em vigor em 16 de janeiro de 1920 e foi imediatamente qualificada por Freyre como "estúpida no seu radicalismo", aliás como tudo que provinha do sisudo puritanismo norte-americano.[121] Além disso, havia em Freyre uma inclinação de subverter práticas e valores estabelecidos e "de pôr lugares-comuns pelo avesso", como dizia.[122]

Aparentemente Yeats não se deteve muito a explorar, na ocasião dessa palestra, seu envolvimento na descoberta e na valorização da cultura irlandesa e seu ativo papel na resistência ao imperialismo britânico, mas é de crer que os alunos de Armstrong presentes à palestra estivessem bem informados sobre a fama e as várias realizações do ilustre visitante e preparados para apreciar muito do que iria, três anos mais tarde, torná-lo merecedor do Prêmio Nobel de Literatura.[123] Em 1920, a reputação de Yeats como figura proeminente tanto no movimento nacionalista irlandês quando na literatura estava ampla e firmemente assentada, e seu esforço por não separar sua vida pública e seu trabalho literário era visto como algo distintivo. Como ele próprio disse certa vez, relembrando sua trajetória, "gradualmente meu amor pela literatura e minha crença na nacionalidade se juntaram".[124] Além do mais, o empenho de Yeats em divulgar a essa altura seu "testamento político e literário" deve ter transparecido aos que então o ouviram. É sabido que entre 1919 e 1922 o ilustre poeta e ensaísta irlandês estava reescrevendo sua

---

120 *Waco Daily Times-Herald*, 17 April 1920, 9.

121 *Diário de Pernambuco*, 13/6/1920; 13/3/1921; 25/12/1921 e passim.

122 *Diário de Pernambuco*, 6/5/1923.

123 Sobre o anti-imperialismo de Yeats, ver Said (1994, p.265-92 e passim).

124 "If I were Four-and-Twenty", Yeats apud Ellmann (1999, p.241).

autobiografia iniciada anos antes, reavaliando muitas de suas antigas posições com um objetivo muito claro em mente: divulgar sua filosofia nacionalista (Ellmann, 1999, p.241-2).

Poucos anos depois desse encontro memorável, Freyre compartilharia rápidos instantâneos dessa palestra com seus leitores do *Diário de Pernambuco* e é de crer que o poeta e ensaísta irlandês o tenha marcado tanto pelo efeito poético, imagístico, quanto por sua posição política, nacionalista. Interessante é, pois, apontar que numa entrada de seu diário referente a 1921 em Nova York, Freyre remonta o "critério do regional", com que estava a estudar os problemas sociais, culturais e artísticos, à "influência de movimentos literários por assim dizer antimetropolitanos ... sobretudo o de Yeats, na Irlanda" (Freyre, 1975, p.49).[125] Quanto ao seu estilo imagístico, ele próprio iria admitir que o devia, em parte, a Yeats. Fora, como disse, com um imagismo "um tanto à la Yeats" que procurara dar forma e evocar imagens brasileiras como as da Bahia "de todos os Santos e de quase todos os Pecados", da "casa-grande horizontalmente gorda, completada pela da senzala" etc. (Freyre, 1987b, p.37).[126]

Fora Yeats "o primeiro grande poeta – quase o primeiro artista" que o jovem Freyre conhecia em 1920, e, segundo o depoimento dado aos seus leitores do *Diário de Pernambuco*, o ilustre visitante chegara a dirigir-lhe a palavra, perguntando: "há influências celtas no folclore do Brasil?".[127] Tudo leva a crer que a descoberta de Yeats foi uma revelação para o estudante visivelmente deslumbrado do Recife. Curioso e ávido de conhecimento como era, é de supor que Freyre tenha ido imediatamente ler poemas, ensaios e peças de teatro do famoso irlandês que o cativara, bem como a parte de sua autobiografia já publicada em 1915, *Reveries over childhood and youth*. É também significativo notar que uma seleção das poesias de Yeats, publicada em 1913, consta de sua biblioteca e que seu interesse pelos amigos do poeta se manteve a ponto de

---

125 *Diário de Pernambuco*, 23/11/1923.

126 Sobre o imagismo em *Casa-grande & senzala*, ver Fonseca (2002).

127 *Diário de Pernambuco*, 22/11/1923 – nesse artigo Freyre menciona as seguintes obras de Yeats: *Irish Fairy & Folk Tales, The Celtic Twilight* e *Ideas of Good and Evil*. Mais tarde, ao editar o seu diário, o breve e significativo encontro com o poeta irlandês será descrito como "longas e boas conversas com William Butler Yeats" (cf. Freyre, 1975, p.83).

anos depois, em 1926, ele adquirir *The Poems & Prose of Ernest Dowson*, um dos membros do Rhymers' Club.[128]

Tudo o que Freyre absorveu de Yeats durante sua permanência no exterior e logo após seu retorno ao Recife evidentemente nos escapa, mas com certeza algumas informações sobre isso nos são dadas por referências feitas na época: é assim que sabemos que o jovem Freyre se inteirou de que o poeta abdicara da arte pela literatura e de que fizera um levantamento dos contos folclóricos irlandeses; que em 1922, em Nova York (já a essa altura inteiramente seduzido pelo gênero ensaístico), leu os ensaios reunidos por Yeats em *The Celtic Twilight*; e que, provavelmente tão logo foi publicada a obra autobiográfica completa do poeta, em 1927, fez uma leitura cuidadosa e anotada do livro *Autobiographies*, que tratava de assunto já ouvido em parte na palestra de Yeats em Baylor.[129]

A importância de Yeats na trajetória de Freyre, na instauração de uma fé na capacidade de autoafirmação do seu país e também no seu estilo literário, justifica que nos detenhamos a explorar esse texto auto-biográfico. Suas ideias, tudo leva a crer, ao mesmo tempo inspiraram e reforçaram as convicções patrióticas e regionalistas do jovem Freyre. Se as abundantes marcas, traços, orelhas, parênteses e grifos, bem como as marginálias (em pequeno número mas ricas), que o jovem leitor deixou nessa obra de 1927 não são sempre esclarecedoras do que propriamente o texto lhe sugeria especificamente, revelam, no entanto, um interesse inquestionável de Freyre por Yeats.

Mais do que uma mera autobiografia, como confessa Yeats a uma amiga, seu *Autobiographies* pretendia ser, na verdade, um "testamento político e literário", cujo objetivo era "dar uma filosofia ao movimento" em que ele estivera envolvido desde a juventude. Quando estava ela-borando a última versão dessa obra que seria publicada em 1927, Yeats

---

128 *A selection from the Poetry of W. B. Yeats* (1913) (sem marcas, autógrafo ou datas); *The Prose and Works of Ernest Dowson* (autografado e datado, "Washington 1926").

129 Yeats, "The Last Greeman", *The Celtic Twilight*, in E. Rhys and L. Vaughan, 1920 (autogra-fado, N.York 1922); *Autobiographies: Reveries over Childhood and Youth and the Trembling of the Veil*, New York, The Macmillan Company, 1927 (livro não autografado mas copiosamente marcado por Freyre, especialmente a parte intitulada "The Trembling of the Veil". O fato de a primeira parte, "Reveries over childhood and youth", ter bem poucas marcas sugere que Freyre já a lera anteriormente, como foi aludido acima).

reavaliava suas antigas e mais extremadas posições políticas e, no seu próprio dizer, ambicionava divulgar um "nacionalismo filosófico", que consistia na defesa do "nacionalismo contra o internacionalismo, de pessoas enraizadas contra pessoas desenraizadas".[130] É assim que a "trágica geração" relembrada pelo poeta na palestra de Baylor foi apresentada em seu *Autobiographies* como um grupo talentoso mas relativamente estéril e desesperançado, com o qual ele próprio não se identificara totalmente. Segundo seu depoimento, sua devoção à causa da regeneração irlandesa com a qual estivera desde muito cedo ligado implicara uma atividade incansável tanto na Inglaterra quanto na Irlanda. A Young Ireland Society, à qual se filiara em Dublin no final dos anos 1880, a Irish Literary Society, que fundara em 1892 após o fracasso da primeira liga, a National Literary Society, a New Irish Library, a Irish Literary Revival às quais também se associara, bem como seus planos de criar um teatro irlandês eram todos apresentados no *Autobiographies* como exemplos da vitalidade com que ele se dedicara à tarefa de contribuir para que os irlandeses descobrissem nas suas próprias tradições e literatura as fontes de sua identidade cultural desde muito esquecidas ou menosprezadas. Seu interesse pelo folclore irlandês, consubstanciado na edição da antologia *Fairy and Folk Tales of the Irish Peasantry* em 1888, havia sido um primeiro passo na redescoberta de mitos comuns, de cultura comum e de um passado comum que, como Yeats confiava, poderiam se tornar a base de um futuro glorioso para o seu país.

Avaliando o papel de Yeats na literatura anti-imperialista, Edward Said refere-se ao "senso de comunidade" que ele criara para combater uma atitude inglesa secular: a que, convencida da sua superioridade racial e cultural, insistia em considerar a Irlanda um país habitado por "uma raça bárbara e degenerada". É por isso que, no dizer de Said (1994, p.265-87, esp. 280-2), como um "poeta da descolonização e resistência" Yeats deveria ser considerado alguém cuja importância ultrapassa em muito o meio irlandês, meramente local, para adquirir um "significado universal". O próprio convite para a conferência de Baylor aludia ao fato de que as ideias de Yeats tinham um interesse que ultrapassava

---

130 Carta de W. B. Yeats a Lady Gregory, em Ellmann (1999, p.241-2).

Gilberto Freyre

o especificamente literário e irlandês: "Ninguém interessado em assuntos mundiais pode se dar ao luxo de perder a palestra desse ilustre visitante". Tal dimensão universalista do poeta e ensaísta irlandês deve ter sido, em algum grau, percebida pelo jovem pernambucano, ansioso, a partir de um certo momento, por fazer um esforço de introspecção "própria e nacional" e encontrar no seu próprio ambiente amplas e valiosas fontes de pensamento e ação.[131]

Muitos são os aspectos da vida e da trajetória de Yeats, tal como expostos nesse texto autobiográfico, que chamaram a atenção do jovem Freyre. Em primeiro lugar, o interesse do jovem irlandês pelo passado e sua "rixa com o presente", bem como sua irritação com aqueles que, desdenhando o passado, só se voltavam para o futuro devem ter feito Freyre sentir-se diante de uma alma gêmea (Yeats, 1955, p.114-5).[132] Da mesma forma, a importância que Yeats conferia à família patriarcal de seus avôs, os Pollexfen, e suas memoráveis temporadas na costa de Sligo, onde viviam, deve ter ressoado na imaginação de Freyre, estimulando-o a reavaliar seus tempos de infância e adolescência. Lembremos mais uma vez que o texto autobiográfico *Reveries over Childhood and Youth* (incorporado à obra de 1927), que tratava exatamente desse período, já fora publicado em 1915 e é muito provável que tenha sido lido pelo jovem Freyre ainda em Baylor. Assim como Freyre se mostrará devedor das histórias que na infância ouvira de antigos escravos, Yeats ali se confessava profundamente marcado pelas histórias, lendas e contos de fada que ouvira dos pescadores de Sligo e dos empregados da casa. Até mesmo o desenvolvimento de seu estilo, que de rebuscado à la Pater se transformara em claro e informal, muito se devera, conforme ele admitiu, a seu convívio com as pessoas simples de Sligo – "simplifiquei meu estilo enchendo minha imaginação com estórias camponesas", confessou (ibidem, p.372). Muito do estilo dos ensaios em seu *Celtic Twilight* Yeats admite ser nada mais do que "a fala diária" de Mary Battle, a criada de seu tio George Pollexfen (ibidem, p.71). Já vivendo em Londres, o

---

131 *Diário de Pernambuco*, 26/11/1926; 15/11/1925 e passim.

132 Notar que a paginação da edição de 1955 aqui referida não equivale à da edição lida e marcada por Freyre em 1927.

poeta rememorava suas temporadas na casa dos avós com emoção e se convencia de que era a Irlanda que "deveria ser o assunto" de sua poesia (ibidem, p.149-50).

Priorizando o cultural ao político, o objetivo do poeta e ensaísta irlandês, tal como ele próprio descreveu em seu texto autobiográfico, era moldar a alma dos irlandeses para que, afastando-se da retórica política, eles se abrissem para a história, os mitos e a cultura céltica que compartilhavam. Nisso, ele confessa, fora profundamente influenciado pelo líder do movimento de libertação feniano John O'Leary, na sua fase mais comedida. Seguindo seus ensinamentos, como Yeats admitiu inúmeras vezes, ele passara a compactuar com a ideia de que tanto a liberdade quanto a dignidade irlandesas não seriam asseguradas por meios violentos e que nenhuma nação poderia ser independente enquanto não desenvolvesse uma imagem comum de sua identidade. O que descobrira com a ajuda de O'Leary e da leitura voraz da literatura autóctone é que a base de uma autêntica civilização irlandesa, independente de qualquer hegemonia cristã ou inglesa, existia na antiga cultura céltica.

Mas, contrariamente aos seus antecessores no movimento conhecido já nos anos 1840 e 1850 como Young Ireland, Yeats não considerava que as artes e as letras devessem submeter-se aos ditames da política. Como ele próprio enfatizou em sua *Autobiographies*, não buscava "uma nação unificada somente por uma doutrina política, e ajudada e estimulada pela arte e pelas letras subservientes" (ibidem, p.204). Nesse aspecto, suas fortes convicções em contrário impressionaram tanto o jovem Freyre, que este, além de marcar no texto as ideias de Yeats de quatro modos diferentes (com parênteses, traço único e duplo ao longo da margem, grifos e orelha), deixou registrados à margem os pensamentos e experimentos que aquelas ideias lhe inspiraram (ibidem, p.189-95).

Uma das convicções de Yeats era a de que a resposta à fragmentação do mundo moderno – denunciado por Ruskin, William Morris e outros, como veremos mais adiante – estava no passado mitológico. Era ali que se poderia encontrar uma primeira fonte de unidade e coerência, acreditava Yeats: "Eu pensava que tanto no homem quanto na raça existe alguma coisa chamada 'Unidade do Ser', usando aquele termo como Dante o usou quando comparou a beleza no *Convívio* com um corpo humano perfeitamente proporcionado" (ibidem, p.190). É com essa convicção que Yeats se propôs à tarefa de trabalhar para a redescoberta dessa unidade irlandesa perdida com "a mais desvairada das esperanças". Como expõe em seu texto autobiográfico, em trecho marcado por Freyre com um traço único e duplo ao longo da margem, seu plano fora o seguinte:

> Nós tínhamos na Irlanda histórias imaginativas que as classes não educadas conheciam e até cantavam; não poderíamos, então, tornar essas histórias correntes entre as classes educadas, redescobrindo para o bem do trabalho o que eu tenho chamado de "artes aplicadas da literatura", a associação da literatura com a música, com a fala e com a dança; e finalmente poderia acontecer que se aprofundasse tanto a paixão política da nação, que todos, artista e poeta, artesão e trabalhador aceitassem um desígnio comum? (ibidem, p.194)

A marginália deixada por Freyre ao lado desse trecho é a seguinte: "Um mestre [?]/um amigo/uma raça/ tudo por composição, somando, multiplicando, juntando frações".

A essa, Yeats adicionara outra convicção: a de que "nações, raças e homens individuais estão unificados por uma imagem ou conjunto de imagens relacionadas, simbólicas ou evocativas do estado mental, que é, de todos os estados mentais não impossíveis, o mais difícil para aquele homem, raça ou nação; porque somente o maior obstáculo que pode ser contemplado sem desespero ergue a vontade à sua intensidade mais completa" (ibidem, p.194). Tal ideia sugestiva estimulou Freyre a ensaiar um experimento com várias imagens evocativas de seu meio, a crer na marginália, parcialmente em forma de lista, deixada ao final desse trecho de Yeats: "Incenso, cheiro mystico par excellence/sovaco/ assucar, café/pitangueira/mangusá; gostos: tamarindo/garapa de mel de engenho/coração da Índia/côco de [?]/ café forte/tapioca molhada em folha de bananeira; Fecho os olhos e primeiro me veem carnes nuas enroscando-se pardas, pretas, roxas, tudo enroscando-se hibricamente (sic) numa lama de gente".

Não deve ser subestimado o impacto que a noção de imagem como memória de nação, de raça e de indivíduos teve em Freyre. A levar em conta suas anotações feitas no texto de Yeats, as ideias sobre "unidade de ser" ou de "unidade de cultura" sendo definidas e evocadas por "unidade de imagem" estimularam-no a fazer, por assim dizer, experimentos imagísticos, buscando o que, no dizer de Yeats, era "a imagem certa ou as imagens certas" que podiam provocar descobertas sobre si mesmo e seu meio. Lê-se no texto do poeta irlandês em trecho marcado por Freyre com orelha, traço na margem e grifo, "eu não pedi ajuda de livros, pois acreditava que a verdade que buscava viria para mim como o tema de um poema, de algum momento de experiência apaixonada" (ibidem, p.269). O experimento que Freyre deixou registrado à margem diz: "[a primeira viagem de trem?], a figura de minha mãe de cabelos soltos, sentada na relva, como que abandonada". Mais adiante, registra nova imagem ou lembrança: "O tom da lapinha ... a primeira vez que ouvi morava na rua Joaquim Nabuco, tinha 15 anos. Não dormi, chorei, ouvi os primeiros passos de [empregados ?] passando para a folia com as suas latas de comida ...".

As imagens, diz Yeats mais adiante, podem até mesmo servir de impulso para uma obra criativa. "Quando um homem escreve um trabalho de gênio, ou inventa uma ação criativa, não é porque algum conhecimento ou poder lhe veio à mente de além da mente? É suscitado, como eu penso, por uma imagem", conclui, em trecho novamente marcado por Freyre (ibidem, p.272).

Enfim, o impacto de Yeats no aprendiz de escritor parece ter sido inegável. As palavras que Freyre escreve na última página da autobiografia do poeta como que registram o que ele próprio reconheceu como o significado desse encontro. Referindo-se talvez ao período que se iniciara com a sua volta ao Recife, em 1923, ele escreve: "Por quatro anos [procurei esmagar?] a experiência pela observação, a emoção pelo facto; agora volta a experiência, a emoção, o místico".

É bem possível que o encontro de Freyre com Dante Gabriel Rossetti e os pré-rafaelitas tenha ocorrido em decorrência da palestra de Yeats. A importância de Rossetti e de seu círculo na formação do poeta irlandês estava sempre presente nas suas memórias e dificilmente teria sido omitida na sua apresentação em Baylor. Como vimos, três anos após seu encontro com Yeats, Freyre comentou com seus leitores que teria compreendido melhor o poeta irlandês caso, àquela altura, conhecesse Blake,

Rossetti e os pré-rafaelitas. Não temos muitas pistas sobre a intensidade com que Freyre então se empenhou em estudar os primeiros mentores de Yeats, mas os cursos organizados pelo prof. Armstrong em Baylor eram, como vimos, bastante amplos para incluir Rossetti e os pré-rafaelitas entre as figuras do "Mundo literário vitoriano" a ser estudadas ao lado de Dante, Goethe e autores modernos como Oscar Wilde e Vachel Lindsay.

O que sabemos ao certo é que em abril de 1922 Freyre comprou em Nova York o *Life and Literature* de Lafcadio Hearn, que contém ensaios sobre Rossetti e os pré-rafaelitas, além de outros vitorianos rebeldes como William Morris e William B. Yeats; que durante sua visita a Paris, poucos meses depois, ele de certo modo se preparara para apreciar os artistas irreverentes, registrando seu entusiasmo pelos "sinceros" representantes "d'avant-garde" que querem "libertar as artes, inclusive a literatura, de convenções que não permitem a um escritor ou artista de hoje, senão repetir ou copiar os clássicos";[133] que em novembro do mesmo ano, em Oxford, ele adquiriu a biografia de Rossetti escrita pelo ensaísta Arthur C. Benson, o mesmo que escrevera a de Walter Pater, biografia lida, como vimos anteriormente, com grande interesse pelo nosso jovem estudante em Nova York meses antes; e, finalmente, que já de volta ao Brasil lamenta que seu novo amigo José Lins do Rego, não sabendo inglês, não pudesse ler "estas páginas de Rossetti".[134]

A levar em conta as marcas de Freyre no *Rossetti* de Benson, muito lhe interessou o papel de liderança que o artista havia tido na Pre--Raphaelite Brotherhood. Desde cedo cioso, como vimos, de seus dotes para guia e mentor de espíritos afins, é compreensível que se tenha sensibilizado e solidarizado com a figura carismática e generosa de Rossetti, tal como fora descrita por Benson. Seu caráter e qualidades mentais eram tais que ele "naturalmente tomava a liderança em qualquer grupo de que fosse membro", já que poucos podiam resistir à "irresistível combinação ... de domínio da vontade, força intelectual e nobre simpatia" de Rossetti. Também interessou a Freyre no texto de Benson

---

133 Caderno de anotações, 1921-1922.
134 Carta de G. Freyre a J. Lins do Rego, 16/6/1924, AFGF.

a incapacidade manifestada pelos críticos vitorianos de apreciar as inovações introduzidas pelos jovens pré-rafaelitas e, significativamente – e repetindo o comentário que já lhe chamara a atenção na biografia de Walter Pater –, a dificuldade ainda maior do anglo-italiano Rossetti ser apreciado, quer em seus poemas quer em suas pinturas, devido à sua origem mediterrânea e ao fato de "nunca ter aprendido a olhar as coisas a partir de um ponto de vista inglês". Como dissera Ruskin, "Rossetti não era realmente um inglês, mas um grande italiano atormentado no inferno de Londres" (Benson, 1916, p.14-5, 24-5, 62, 78, 203).

Fundada em 1848, ano marcado por revoluções e instabilidade social e política na Europa, a irmandade pré-rafaelita originalmente congregara três amigos da escola da Royal Academy, descontentes não só com o estado da arte mas também com a sociedade de então: Dante Gabriel Rossetti, William Holman Hunt e John Everett Millais. A eles se iriam unir mais quatro artistas e poetas que, convivendo e discutindo "como verdadeiros irmãos", ligavam-se por um naturalismo de sabor medievalista, um ideal de beleza "de tipo romântico e decorativo" e, o que se foi tornando cada vez mais explícito, por uma crítica à desumanidade e feiura da civilização comercial e industrial do século XIX.[135] Na tradição dos poetas românticos como Blake e Keats, tal como Freyre leu e marcou no texto de Benson, eles se envolviam profundamente na crítica à sociedade em que viviam.[136] Nesse aspecto, é interessante notar, com Raymond Williams, que ainda que aos olhos modernos os românticos pareçam indiferentes a questões sociais e políticas, é evidente que eles, a seu modo e no contexto em que viviam, tinham estado "apaixonadamente compromissados com a tragédia de sua época". E, nesse sentido, como descendentes dos românticos, Rossetti e os pré-rafaelitas se rebelaram contra a classe comercial burguesa à qual se filiavam, encontrando nas

---

135 William Michael Rossetti (irmão de Dante Gabriel, que iria defender os princípios da irmandade na literatura e exercer o papel de secretário), Thomas Woolner, Frederic Stephens e James Collinson compunham o grupo dos sete pré-rafaelitas da primeira geração, ao qual se uniram vários outros associados e simpatizantes.

136 Em visita a Amy Lowell em Boston, Freyre fica sabendo que ela possuía, de Keats, quarenta cartas e "manuscritos virgens" e que estava a preparar um livro sobre o poeta romântico que lhe estava "aumentando os cabelos brancos" (cf. Caderno de anotações, 1921).

"artes da pintura e da poesia uma alternativa para a ordem social e cultural dominante" (Williams, 1961, p.48-50; Williams, 1981, p.77-8). Sem dúvida, Rossetti, o líder do grupo, aprendera com o pai – o poeta e exilado político napolitano Gabriele Rossetti – que a arte podia ter poder político e transformador considerável.

O nome que esses jovens artistas deram ao grupo aludia ao propósito que tinham de desafiar as convenções, técnicas e hierarquias consagradas pela Royal Academy, onde Rafael (1483-1520) era o modelo de tudo a ser reverenciado e imitado. Unidos pelo objetivo de "começar tudo de novo a partir de novas bases", como William Rossetti iria recordar mais tarde, passaram a buscar inspiração na simplicidade da arte medieval e renascentista anterior a Rafael, Leonardo da Vinci e Miguelângelo, os grandes mestres da arte renascentista que, àquela altura, compunham o cânone das grandes escolas de arte. Daí a denominação pré-rafaelitas.

A palavra "irmandade" (*brotherhood*) teria sido acrescentada por Rossetti porque dava maior força à ideia de que uma crença comum os unia, ao mesmo tempo em que emprestava ao nome um quê de mistério, próprio de sociedades secretas ou de células revolucionárias (Upstone, 2003, p.11-2). Além disso, era um nome muito apropriado para um grupo que tinha afinidades com a Idade Média, já que estabelecia, por assim dizer, um elo com as "confrarias" e "irmandades" medievais que se reuniam ao redor de uma profissão ou de um santo particular. É assim que os membros dessa "irmandade" passaram a assinar suas pinturas com as intrigantes iniciais, "P.R.B.", que irritaram consideravelmente o mundo acadêmico da época e acirraram as críticas de que eram alvo. Além de serem atacados por ignorar os princípios da grande arte, foram qualificados de afetados e pedantes que agiam mais por amor à excentricidade do que por amor à arte. Como o próprio Rossetti diria mais tarde, o título havia sido escolhido também por uma espécie de "brincadeira". "Tínhamos naquela época", rememora o velho líder do grupo, "uma antipatia fenomenal pela Academia e, por conta de uma mera paixão por ser dissidentes, assinamos nossos quadros com aquelas famosas iniciais" (apud Thompson, 1977, p.59).

O artista e crítico John Ruskin, além de patrono e defensor desse grupo de dissidentes, fora também um dos grandes inspiradores daquela rebeldia quando, desde 1843, exortara os jovens artistas em seu famoso *Modern Painters* a "se voltarem para a natureza ... nada rejeitando, nada selecionando e nada desprezando". É assim que, "desconsiderando as regras convencionais da pintura" (como diz Ruskin na famosa carta a *The Times* em defesa dos P.R.B., cujos trechos Freyre leu e marcou no *Rossetti* de Benson), os pré-rafaelitas se puseram a pintar de um modo novo tanto temas consagrados como temas então desprezados pela chamada arte verdadeiramente séria. Uma observação minuciosa de detalhes e um esforço de precisão realista passam a ser os princípios do credo pré-rafaelita de "fidelidade à natureza". Foi esse o momento em que os temas bíblicos, históricos e literários deixaram de ser tratados de modo idealizado, mais próximo da imitação de modelos gregos ou renascentistas que da observação da realidade, e que cenas da vida moderna passaram a ser pintadas em pé de igualdade com os "grandes" temas. O quadro "Found", em que Rossetti abordou o tema da prostituição, e que Benson (1916, p.25) descreveu como "o mais caracteristicamente pré-rafaelita de seus trabalhos, e talvez sua maior realização", bem ilustra essa marca dissidente dos pré-rafaelitas.

O lendário magnetismo de Rossetti ter-se-ia estendido para além do grupo de pré-rafaelitas originais, pois muito cedo ficou evidente e assentado que o termo pré-rafaelita abrangia um grupo de artistas muito mais amplo do que os sete membros fundadores daquela associação que, de fato, tivera uma vida efêmera, pois começara a se dissolver já em 1853. Não obstante, ela iria exercer, como Freyre leu em Benson, uma "influência profunda, ainda que indireta, na arte inglesa" especialmente devido "à mente dominante de Rossetti" (Benson, 1916, p.15). Na qualidade de admiradores e associados do grupo, figuraram a poetisa Cristina Rossetti, a outra irmã da talentosa família, artistas já conhecidos como o pintor Ford Madox Brown e outros mais jovens que iriam tornar-se famosos, como os amigos e colegas de Oxford Edward Burne-Jones e William Morris.

Quanto ao desenvolvimento e à expansão do movimento para a geração seguinte, Freyre muito possivelmente se inteirou disso em Oxford com Linwood Sleigh, que crescera imerso num ambiente pré-rafaelita e que, como já sugerimos anteriormente, foi uma figura

Gilberto Freyre

importante também na educação estética do jovem Gilberto. Não obstante a traumática separação de Bernard Sleigh e Linwood, é de crer que uma ligação entre pai e filho, ainda que manchada por muita dor, mantinha-se a distância e que de longe um acompanhava o outro em suas realizações artísticas e intelectuais. A foto do jovem Sleigh com dezenove anos de idade, quando já estudante de Oxford, encontrada nos guardados do pai, oferece um pungente testemunho. E os estilemas pré-rafaelitas dos desenhos com que Linwood ilustrou a poesia oferecida ao jovem Gilberto são indícios de que ele não renegara a cultura artística recebida do pai. Bernard Sleigh, como vimos, era um artista de relativo sucesso da terceira geração pré-rafaelita, discípulo de seu conterrâneo Burne-Jones, um dos mais famosos dos pré-rafaelitas. Promissor desde muito jovem, Bernard chegara a ter a honra de preparar uma ilustração para o romance de William Morris, *The Well at the World's End*, trabalho encontrado na gaveta do grande artista e socialista após sua morte. E, como tantos outros artistas, até mesmo o próprio Morris, Sleigh não escondia a profunda atração que sentira pelo líder dos pré-rafaelitas. Como confessou em sua autobiografia, a "irresistível admiração" que tinha especialmente por Rossetti, e em menor grau por Madox Brown e Burne-Jones, retardara "o desenvolvimento de uma individualidade propriamente sua" (Cooper, 1997, p.88-9).

São poucas mas significativas as referências que Freyre bem cedo fez tanto a Rossetti quanto aos pré-rafaelitas em geral. A primeira delas, aparentemente, foi feita no artigo enviado em 1922, de Oxford, a Monteiro Lobato, onde ele equipara a independência e a rebeldia de Vicente do Rego Monteiro, pintor brasileiro que conhecera em Paris pouco antes, aos "revolucionários ingleses de 1848 – Rossetti & Companhia". Pouco mais tarde iria também reconhecer no traço de D. Fedora do Rego Monteiro a "melodia" dos retratos pré-rafaelitas (Freyre, 1979b, p.129).

Rossetti e Vicente do Rego Monteiro tinham em comum uma ideia que se mostraria muito fértil para o fundador do Movimento Regionalista do Nordeste: a de que no recuo ao passado podem-se encontrar muitas fontes de inovação, ou como Freyre já diz a essa altura utilizando, provavelmente pela primeira vez, dois termos que iriam crescer em importância ao longo de sua trajetória, há "ressurgência que pode ser tão renovadora como uma insurgência". No caso dos pré-rafaelitas, o recuo a uma arte anterior a Rafael tivera um efeito revolucionário; sem conhecê-los e por intuição, Rego Monteiro estava seguindo os seus passos, registra Freyre em 1922 (Freyre, 2001b, p.16-21).[137] A mesma ênfase é colocada poucos anos mais tarde quando Freyre se refere aos movimentos de renovação "de certos poetas e artistas jovens do Brasil", que estavam sendo erroneamente classificados de "futurismo". Na verdade, diz Freyre, entre os melhores dessa leva de jovens a revolta está circunscrita ao passado imediato. Para exemplificar cita novamente Vicente do Rego Monteiro, que inova sem rejeitar totalmente o passado, mas a partir "dos primitivos e dos Pré-Rafaelitas".[138]

Como veremos a seguir, Freyre também encontrará em John Ruskin e William Morris – os autores que classificou como escritores-*entrées* envolvidos profundamente na crítica e na reabilitação da sociedade contemporânea – a mesma ideia de ressurgências conciliando-se com insurgências, ou de tradição com modernização, ou ainda, para usar outra favorita expressão dele, de "conservadorismo revolucionário", ideia que lhe será muito fértil para o desenrolar de seu pensamento e ação. Nesse aspecto, é significativo apontar que já em 1922 Freyre se declarara seduzido pela crença de Chesterton de que "there was never a revolution that was not reactionary" (nunca houve uma revolução que não tenha sido reacionária), enunciado que cita em inglês no artigo enviado de Oxford antes mencionado e publicado por Monteiro Lobato na *Revista do Brasil* (Freyre, 2001b, p.17).

John Ruskin, juntamente com Walter Pater, foi um dos primeiros pensadores vitorianos com que Freyre fez contato por meio da seleção de ensaístas ingleses organizada por W. C. Bronson, texto que, como vimos, Freyre estudou numa das disciplinas que seguiu logo ao chegar a Baylor no outono-inverno de 1918/1919, (Bronson, 1905).[139] Os cursos obrigatórios de inglês, "composição e retórica", sob a responsabilidade

---

137 Os termos "ressurgência" e "insurgência" reaparecerão, por exemplo, em *Aventura e rotina*, obra de 1953, e servirão de título a um dos seus últimos livros, *Insurgências e ressurgências atuais*, de 1983.

138 *Diário de Pernambuco*, 15/11/1925.

139 Carta de G. Freyre a O. Lima, 4/10/1918, em Freyre, 1978, p.167.

do prof. Armstrong, não se concentravam, como já apontamos, em questões puramente formais, mas procuravam estimular no estudante "pensamento independente e original", baseando-se no estudo de trechos de autores selecionados. Ao lado de Bacon, Milton, Addison, Steele, Carlyle, Lamb, Pater, Newman e outros, Ruskin foi estudado com interesse pelo jovem Freyre. As anotações que fez sobre o autor, a partir de um levantamento de apreciações feitas por diferentes críticos, sugere que a dimensão social e moral de Ruskin, assim como a autoridade que usufruía entre muitos vitorianos rebeldes, foi o que mais chamou a atenção do jovem Gilberto. Seu "courageous protest against greed and all sort of moral inconsistencies [?] has brought strenght [sic] to so many souls"; "great in himself and greater because he changed the minds of many", escreve Freyre citando alguns críticos.[140]

Ao menos duas obras de Ruskin foram adquiridas por Freyre, *Mornings of Florence* e *The Stones of Venice* – obras que seriam coincidentemente admiradas por outro grande discípulo de Ruskin, Marcel Proust –, e é de imaginar que tenham sido lidas com grande interesse dado o seu gosto por arquitetura e especialmente por aquela que tem a marca do tempo, que "poetiza as coisas", como pensava Freyre (cf. Painter, 1983, esp. cap. 14, p.241-71 e passim).[141] O fato de Ruskin insistir em chamar a volumosa obra *The Stones of Venice* de "ensaios" também pode ter atraído a atenção do jovem pernambucano que desde muito cedo ficara seduzido por esse gênero literário e iria tornar-se um ensaísta convicto e confesso.[142]

---

140 "Protesto corajoso contra a ganância e toda espécie de inconsistências [?] morais, deu força a muitas almas"; "grande em si mesmo, e ainda maior porque mudou a mente de muitos". Cf. folha anotada, colada à p.251.

141 *Diário de Pernambuco*, 11/9/1921 e passim. *Mornings of Florence* foi autografado por Freyre e datado "Rio, 1923"; *The Stones of Venice*, em dois volumes, é publicação de 1906 da editora Bernahard Tauchnitz, Leipzig, a mesma editora de onde provêm muitas outras obras de Freyre, algumas delas autografadas por ele em Paris, 1922; *The Seven Lamps of architecture* é uma terceira obra de Ruskin que Freyre leu e/ou pretendeu adquirir, pois consta de uma lista de livros de crítica e literatura aparentemente feita por Freyre durante sua permanência nos Estados Unidos.

142 De acordo com Ruskin, a ideia original da obra era que constasse de "dois volumes somente"; no entanto "o assunto a estendeu para três". Cf. Ruskin (1935), "Advertisement", no início do terceiro volume.

John Ruskin, um crítico de arte cujo interesse não era puramente estético, estava interessado na "inter-relação moral de arte e sociedade", uma relação que ia muito além da visão compartilhada pelos demais críticos vitorianos que enalteciam o papel didático e utilitário da arte a partir da moral prevalecente na sociedade capitalista em que viviam (Thompson, 1977, p.64 e passim). É por isso que Ruskin, o crítico de arte, e Ruskin, o reformador social, não podem ser vistos separadamente. Como dizia um livro de 1922 sobre o período vitoriano, lido por Freyre talvez nessa época, a "grande descoberta" de Ruskin fora "a conexão estreita da decadência da arte com organizações sociais defeituosas" (Inge, 1922, p.18-9). Explorando a ideia, que se tornaria muito cara a Freyre, de que as cidades "falam" por meio de seus edifícios e monumentos, Ruskin insistia em que por ser a arte expressão de todo o ser moral do artista, a qualidade de vida da sociedade em que este vive pode ser apreendida através dela. E mais: que uma sociedade deve ser julgada pelas condições que oferece para que a beleza – que se confunde com verdade e até mesmo felicidade – se revele.

Foi especialmente no capítulo de *The Stones of Venice* intitulado "The Nature of Gothic" que Ruskin denunciou os males de sua sociedade a partir do contraste entre as construções do fim da Idade Média e da sociedade contemporânea. "*Leia* a escultura" e as construções e critique-as como se critica "um livro", aconselhava Ruskin. No passado os artesãos góticos tinham no trabalho um meio de autorrealização, enquanto os trabalhadores modernos, aponta Ruskin, devem abdicar de sua criatividade para se tornar mero instrumento de precisão, em que "toda a energia de seus espíritos deve ser usada para fazer dentes de engrenagem e compassos de si mesmos". Igualmente degradante e desumanizadora, segundo denunciava Ruskin, era a separação entre o trabalho manual e intelectual que faz da sociedade uma massa de "pensadores mórbidos e trabalhadores miseráveis", divididos pelos sentimentos de inveja e de desprezo. "Estamos sempre querendo que um homem esteja sempre pensando e outro sempre trabalhando, e chamamos um de *gentleman* e outro de operário; quando, na verdade, o trabalhador deveria sempre estar pensando e o pensador sempre trabalhando, e ambos deveriam, pois, ser *gentlemen* no melhor sentido da palavra". Em consequência, diz

Ruskin, "damos um nome falso" à chamada "grande invenção civilizada da divisão do trabalho", pois "não é, verdadeiramente falando, o trabalho que está dividido, mas o homem: dividido entre meros segmentos de homens – quebrados em pequenos fragmentos e migalhas de vida" (Ruskin, 1900, p.14-5, 19, 30, 80).[143]

Que ao menos alguns aspectos da crítica de Ruskin à modernidade agradaram a Freyre fica claro quando em 1921, em artigo enviado de Nova York ao *Diário de Pernambuco*, recorre ao crítico vitoriano para reforçar sua denúncia da "telefonite" americana como "patologia social".[144] Um dos ensaios de Ruskin estudados por Freyre no curso do prof. Armstrong, intitulado "An idealist's arraignment of the age", exatamente denunciava como ilusórios os benefícios de muitas das invenções e descobertas da ciência moderna. Qual o benefício do telégrafo, de "se falar à distância quando não se tem nada a dizer mesmo quando se está tão perto?", perguntava Ruskin. Mandar uma mensagem para Bombaim e ter a resposta num "flash" não é em si grande coisa. O importante é saber "qual era a mensagem e a resposta? A Índia está melhor pelo que você lhe disse? E você está melhor pelo que ela lhe respondeu?" (apud Bronson, 1905, p.264-5).

É também evidente que a ideia de que as cidades "falam" por meio de seus monumentos e construções muito impressionou a Freyre. Ele irá não só usar a mesma ideia bem cedo para mostrar aos seus leitores que a "arquitetura de confeitaria" do Recife novo muito "fala" sobre seus habitantes – "sua vida, sua moral, seu gosto" – como irá apontar a filiação das preocupações de Chesterton com a "linguagem arquitetônica" ao mestre Ruskin.[145] E, muito mais importante, ainda em Nova York, ao contestar "a ideia de infinito progresso na marcha humana" defendida por Oliveira Lima, Freyre contrasta a atualidade de então com a

---

143 Na conclusão da obra, Ruskin volta a tocar nesses pontos, quando enuncia firmemente "o grande princípio" que subjaz ao que foi dito: "Toda arte é grande e boa e verdadeira somente enquanto ela for distintamente o trabalho da humanidade em seu sentido integral e mais alto: o que significa dizer, não o trabalho de membros e dedos, mas da alma, ajudada, de acordo com suas necessidades, pelos poderes inferiores". Cf. Ruskin (1935, v.III, p.156).

144 *Diário de Pernambuco*, 27/11/1921.

145 *Diário de Pernambuco*, 30/9/1923; 6/7/1924.

Europa medieval nos mesmos termos que usara Ruskin em "The Nature of Gothic": "Na Europa da Idade Média a vida era simples porém bela. Os pratos, os móveis, as vestes eram o trabalho de artesãos. Havia no menor dos objetos um sopro d'arte, a carícia de mãos pacientes, o reflexo d'uma alma" (Freyre, 1922b, p.370).[146]

Nesse quadro, é muito plausível que o crítico de arte inglês tenha preparado Freyre para apreciar a Idade Média e suas catedrais com especial reverência. Recém-chegado a Paris, o jovem Freyre escreve no seu caderno de anotações de 1921-1922, dessa vez em inglês: "Those of us who were born with the hunger for beauty in our eyes owe much to the piety of the Middle Ages; such a creative piety". E comentando sua visita a Chartres, onde se deteve horas a admirar sua beleza, diz: "I shall never forget Chartres ... the effects of colour created by the glow of sunlight on the windows ... are of an exquisite beauty".[147]

Saber quanto mais Freyre leu de Ruskin é questão que fica em aberto; no entanto, é certo que o reencontrou alguns anos depois, em Oxford, num livro sobre William Morris em que a dívida deste para com Ruskin é amplamente reconhecida e onde as paixões de ambos são consideradas praticamente as mesmas. "Além do desejo de produzir coisas lindas, a paixão dominante de minha vida tem sido e é o ódio à civilização moderna", dissera Morris, expondo, com emoção, o que tinha em comum com Ruskin e o que nele o atraíra. Para Morris, afirmava Clutton-Brock, Ruskin se tornara "um Evangelho" pelas possibilidades que o fizera vislumbrar sobre o que a volta ao passado medieval podia representar para o presente (Clutton-Brock, 1914, p.36-7).[148] Não fosse por ele, o mundo de sua juventude teria sido "mortalmente enfadonho", afirmara Morris ao recordar o momento em que seu "ódio à moderna civilização" encontrara um meio de expressão. "Foi através dele que aprendi a dar forma ao meu descontentamento" (ibidem, p.36; cf. também Morris

---

146 Na reimpressão desse artigo em 1964 em *Retalhos de jornais velhos*, Freyre substituiu "o reflexo d'uma alma" por "o reflexo de um espírito criador".

147 "Aqueles de nós que nasceram com a fome de beleza em nossos olhos muito deve à piedade da Idade Média; uma piedade tão criativa"; "Eu nunca esquecerei Chartres... os efeitos da cor criados pelo brilho da luz do sol nas janelas ... são de uma beleza delicada, refinada".

148 Livro autografado e datado: "Oxford 1922".

apud Thompson, 1977, p.63). Como veremos logo a seguir, Freyre iria notar que Morris transformara a indignação de Ruskin contra a sociedade moderna e sua idealização do pré-capitalismo da Idade Média em forte impulso para a ação social reformadora. E foi exatamente na direção da vontade de ação do jovem Gilberto que a descoberta de William Morris foi determinante.

Fundamental para Morris fora a lição dada por Ruskin de que beleza não é luxo ou frivolidade mas, ao contrário, "um acompanhamento natural e necessário do trabalho produtivo". Tal conexão Ruskin mostrara ser decorrente de uma concepção de arte mais rica do que a usual, que incluía considerações políticas e éticas: "arte é a expressão do prazer que o homem sente no trabalho". Sim, porque por mais supreendente que isso pudesse parecer para os que viviam na sociedade industrial do século XIX, alertava o rebelde Morris, a história podia provar que esse prazer tinha sido parte da vida dos trabalhadores do passado. Enfim, dizia, a crua verdade é que "o resultado de milhares de anos de esforços do homem na terra foi a infelicidade geral e a degradação universal". Dando, pois, continuidade ao caminho apontado por Ruskin, Morris argumentava que se a política quisesse ser mais do que um "jogo vazio", seu principal objetivo deveria ser o de "santificar o trabalho pela arte", de lutar para reintroduzir a "felicidade no trabalho". Seria, diz Morris, como se houvesse um "segundo nascimento da arte" (prefácio de William Morris em Ruskin, 1900, p.vii-x).

A peculiaridade do socialista William Morris na tradição romântica à qual se filiava é muito bem explorada no texto de Clutton-Brock comprado por Freyre em Oxford. Nele, fica claro que a reação inglesa contra a civilização industrial, que os vitorianos descontentes haviam orquestrado e que Charles Dickens popularizara, iria atingir em Morris o seu ponto mais radical. Num grau consideravelmente maior do que a dos outros insatisfeitos, inclusive Ruskin, seu descontentamento clamava por efetivas ações transformadoras da realidade. Para Rossetti, por exemplo, "a arte estava sempre numa moldura", diz acertadamente ou não Clutton-Brock, e era para ela que os homens se voltavam a fim de escapar da vida. "Mas Morris, ao contrário, queria transformar toda a vida em arte", continua Clutton-Brock. Sua paixão pela Idade Média e sua arte "não era a seca paixão do mero arqueólogo que estuda o passado porque ele está morto. Morris a estudava porque ele a considerava viva". E se ele se voltava para o mundo gótico pré-capitalista é porque "nele encontrara o Novo Mundo que queria criar". Em outras palavras, Morris "estava preocupado com o futuro, mesmo quando parecia absorvido no passado" (Clutton-Brock, 1914, p.30, 25).

O interesse do jovem Freyre pelo caminho que levou o rico e privilegiado Morris ao socialismo fica evidente nas marcas que deixou na biografia de Clutton-Brock (1914, p.11, 137, 142-5, 157-8, 172-7, 239). Seu desligamento paulatino dos sonhos, temores e valores de sua classe até sua "conversão" ao socialismo foram acompanhadas por Freyre atentamente, com admiração, especialmente pelo questionamento do progresso que a nova crença implicava. Não obstante sua vida poder ser vista como "desperdício de um artista e fracasso de um político", como diz seu biógrafo, ela também podia ser lida como uma lição de esperança de um futuro diferente. Em trecho marcado pelo jovem leitor, Clutton-Brock explica como a crença no progresso, que fazia com que tantos dos contemporâneos de Morris se contentassem com a sociedade em que viviam, havia sido "um pesadelo de otimismo" para ele, até o momento em que acordou para o seu "próprio ansioso pessimismo, a partir do qual ao menos podia exercer sua vontade como um homem lutando contra outros homens" (ibidem, p.157-8).

A fase em que William Morris se dedicou primordialmente às artes decorativas e à arte da impressão é apresentada por Clutton-Brock como um preparativo para o grande salto que foi sua militância política. Mas, sendo amante da beleza e discípulo de Ruskin, dava à arte decorativa um significado muito maior do que o termo "decorativo" parecia implicar. Para Morris, ela envolvia bem-estar e um certo tipo de felicidade tanto para o artista quanto para aqueles a quem os objetos se destinavam. O mesmo acontecia no caso da arte da impressão, que aumentava a beleza de qualquer verso ou prosa. Freyre muito se impressionou com mais esta ambição e habilidade de Morris de dar ao livro "sua dignidade antiga de trabalho de arte" inspirado na "expressiva beleza do livro medieval". Aos seus leitores do *Diário de Pernambuco* não escondeu sua admiração pelo artista, artesão, poeta, crítico e socialista inglês que conseguira o feito de salvar o livro da desvairada industrialização. Era Morris, sem dúvida, um modelo a imitar no Brasil, um país do "livro feio" e malfeito, argumentou Freyre (ibidem, p.115).[149]

Mas a lição de Morris ia além. Nascido com "fome de beleza", como certa vez afirmou, Freyre confirmara com Ruskin, Morris (e Oscar Wilde, discípulo de ambos) o que intuitivamente já sabia: que beleza não é luxo ou futilidade, mas que deve ser associada "à vulgaridade da nossa vida". Como diz a seus leitores, "devemos crescer no meio da beleza material plástica, que nos predisponha para os encantos mais íntimos da beleza espiritual".[150] Poucos anos depois, ao ler a autobiografia de Yeats, Freyre iria encontrar entusiásticas referências do poeta irlandês a Morris como alguém que se dedicara a produzir "organização e beleza por toda parte" e que, por isso, chegava a ser adorado como "um rei medieval" (Yeats, 1955, p.144). E já na década de 1940, ao escrever a pequena resenha de *A Victorian Rebel*, a biografia de Morris por Lloyd Wendell Eshleman – resenha que a polícia considerara, como vimos, prova de subversão –, Freyre referiu-se com admiração aos esforços que o artista britânico fizera para revalorizar o trabalho e a "beleza associada ao quotidiano" (Freyre, 1942a, p.56-9).

Clutton-Brock também discorre com eloquência sobre o que subentendia a dedicação de Morris às chamadas artes menores. Morris, diz ele, "julgava a arte de uma época mais por suas cabanas e suas chícaras do que por suas grandes pinturas, assim como julgava a prosperidade de um Estado mais pelas condições de seus pobres do que pela de seus ricos". Daí poder ser dito de Morris que o compromisso com o aprimoramento e a beleza que ele manifestara desde cedo fora a linha condutora de sua trajetória política. Enfim, ele desenhara e fabricara poltronas, mesas, cadeiras, tapetes, tecidos, papéis de parede e fontes tipográficas porque acreditava que beleza e arte deviam ser parte do cotidiano de todos. Como diz o autor, Morris era não só um artista, mas alguém que batalhava por "fazer o mundo o que ele queria que fosse;

---

149 Trecho sobre a arte da impressão em Morris, marcada no texto com um traço ao longo da margem; *Diário de Pernambuco*, 18/10/1925.

150 *Diário de Pernambuco*, 13/4/1924.

tendo, pois, começado com poltronas, ele terminou com a sociedade" (Clutton-Brock, 1914, p.49-52).

Há fortes indícios para acreditar que a descoberta de William Morris significou para Freyre um forte apelo à ação. Já o conhecia ao menos desde Nova York quando o cita na já mencionada lista de "autores já lidos ou relidos este ano", mas não nos é possível saber a que livro Freyre estava se referindo e o que especialmente, àquela altura, o atraía nesse notável artista, poeta e socialista vitoriano.[151] Sobre o significado de seu reencontro com Morris em Oxford temos, no entanto, mais dados. Uma das características mais marcantes da personalidade dessa figura notável apontada por Clutton-Brock era sua ânsia de transformar pensamento em ação e, desse modo, fazer alguma diferença no mundo. "Pois ele era um daqueles homens para quem crença sempre significa ação e que não pode ter opiniões como luxos intelectuais", esclarece o autor, em trecho que o jovem Freyre salientou com parênteses. Querendo regenerar o mundo, Morris estava consciente de que este não se persuadiria só com "argumento e poesia". Sabia que o mundo "só pode ser convencido de que um homem realmente deseja o que prega pelos sacrifícios que ele faz para isso", afirma Clutton-Brock em trecho novamente marcado pelo jovem Freyre. Na verdade, a distinção entre trabalho intelectual e manual, tão presente em sua sociedade e sua classe, fora algo que Morris logo abandonara. Trabalhando ao lado dos empregados de sua firma Morris & Co. ele agia "como um chefe de turma, mas não como alguém socialmente superior a eles", diz Clutton-Brock (1914, p.142) em trecho igualmente marcado por Freyre com parênteses.

Especialmente estimulante para Freyre foi saber que o passo mais fundamental de Morris na regeneração desse mundo degradado pela civilização industrial fora a fundação, em 1877, da Society for the Protection of Ancient Buildings. Seu objetivo, grifou Freyre, tinha sido a "proteção de qualquer construção que pudesse ser considerada artística, pitoresca, histórica, antiga ou substancial: qualquer trabalho, em resumo, que pessoas artisticamente educadas pensassem que valia a pena defender" (ibidem, p.137-8).[152] Aos que argumentassem que seu interesse

---

151 Ver capítulo 1, nota 77.
152 O trecho foi grifado a partir de "ser considerada...".

por construções antigas era meramente "romântico", Morris respondia que de fato era, "mas o que romance significa é a capacidade para uma verdadeira concepção da história, um poder de fazer o passado parte do presente" (apud Thompson, 1977, p.809). Convencer o público, "mesmo o mais ignorante", era visto por Morris como uma necessidade. Daí ele se empenhar, como lembra o autor citando carta do próprio punho do artista, em criar uma associação dedicada, "por todos os meios", literários ou não, "a despertar o sentimento de que nossos antigos edifícios não são meros brinquedos eclesiásticos, mas monumentos sagrados do desenvolvimento e da esperança da nação" (Clutton-Brock, 1914, p.137). Este trecho, fortemente marcado por Freyre – com um traço duplo na margem e salientado por parênteses –, irá aparecer, no original inglês, em artigo do *Diário de Pernambuco* de 9 dezembro de 1923.

O momento em que esse artigo foi publicado é significativo. Até então Freyre estivera a denunciar muitos aspectos da realidade recifense e brasileira: seu "furor imitativo", sua sedução pelo "futurismo", pelo "delírio modernista" e pela "democratização da cultura" em detrimento das tradições, dos rituais, das aristocracias intelectuais, do pitoresco da cor local etc.[153] Faltava a Freyre, no entanto, adicionar ao descontentamento que alardeava uma linha de ação a ser seguida. E é nesse ponto que William Morris veio em seu auxílio.

Chegado havia poucos meses de sua longa ausência do país, indeciso quanto ao rumo a tomar, mas seguramente insatisfeito com muitas características da modernidade que ameaçavam até mesmo o mundo provinciano de onde vinha, Freyre estava especialmente predisposto a se entusiasmar com um pensador como Morris que não se contentava com a retórica vazia tão do gosto de muitos intelectuais. O texto de Clutton--Brock comprado (e provavelmente lido pela primeira vez) em Oxford, quando Freyre vivia imerso num meio esteticamente privilegiado, iria dar grande grande impulso à sua ação, impulso que desde muito jovem Freyre certamente sentia, como antes apontamos. "Sejamos ... idealistas práticos ... Sem um fim social, o saber será a maior das futilidades", já dissera quando adolescente (Freyre, 1968b, p.72, 77).

---

153 *Diário de Pernambuco*, 29/4/1923; 20/5/1923; 8/7/1923; 9/9/1923; 11/11/1923.

No final de outubro de 1923, Freyre já publicara o artigo mencionado acima, em que Ruskin e Morris são enaltecidos como escritores-*entrée*, ou seja, aqueles que questionam a realidade mas também oferecem alternativas para a sua transformação. O artigo de dezembro dava, no entanto, maior substância àquela qualificação, pois apresentava Morris aos leitores como autor que, talvez mais do que ninguém, contrariara "na Inglaterra e nos Estados Unidos a vitória absorvente da Máquina e do chamado Progresso". A sociedade que fundara, ambicionando "sobretudo 'awaken a feeling that our ancient buildings are not mere ecclesiastical toys but monuments of national growth and hope'", diz Freyre citando Morris em inglês a seus leitores, avivara, por vários meios, "o gosto pela antiguidade". Que servisse, pois, de inspiração para o que o Brasil urgentemente necessitava: "uma campanha que nos eduque no gosto da antiguidade. No gosto do nosso passado. Da nossa tradição". E também no "senso da beleza", que "requer cultura" e não se improvisa, acrescentaria meses depois.[154] Um culto ao passado não por mero saudosismo ou escapismo, como iria tantas vezes repetir, mas porque ele é necessário para pôr em ação a energia criadora. "O instinto de criação alimenta-se do passado; só o da aquisição prescinde dele", argumenta Freyre com eloquência. Semanas antes ele já investira contra a preponderância dos valores materiais e utilitários no Recife modernizante, onde "progresso nacional" se confundia cada vez mais com conforto físico e se media por exterioridades como elevadores, estradas de ferro, *water closets* etc.[155]

No artigo de dezembro em que louva os esforços de Morris, Freyre também saudava o projeto do deputado Luís Cedro Carneiro Leão de criar "uma inspetoria do monumento histórico" dedicada a protegê-lo e restaurá-lo; sem dúvida era um excelente começo, mas era imprescindível, sugere, que uma campanha mais ambiciosa à la Morris fosse acrescentada para contrariar "a volúpia da novidade" de que o país padecia e estimular o "instinto de criação" pelo gosto do passado e da tradição.

---

154 "sobretudo 'despertar o sentimento de que nossos antigos edifícios não são simplesmente meros brinquedos eclesiásticos, mas monumentos do desenvolvimento e esperança da nação'". Cf. *Diário de Pernambuco*, 13/4/1924.

155 *Diário de Pernambuco*, 11/11/1923.

Gilberto Freyre

A campanha cultural: de medieval a colonial

É a partir dessa data que vemos Freyre envolver-se em atividades que poderiam estimular, mais do que já o fazia com suas denúncias na imprensa, aquela campanha para o desenvolvimento do gosto da antiguidade, do passado e da tradição que complementava suas denúncias. Cumpre registrar que a campanha de Morris, que logo se expandira, tinha contado com a ajuda de outros espíritos afins. E isso Freyre significativamente o registrou no artigo de dezembro de 1923, como a querer atrair mais adeptos à sua causa: "Na Inglaterra, a sociedade fundada por William Morris, com o concurso de escritores, artistas e aristocratas de gosto, cedo criou raízes de fundo e extenso prestígio. Tornou-se, segundo o Sr. Clutton-Brock, o terror dos arquitetos de fancaria de todo o país".[156]

É nesse quadro que as iniciativas de Freyre e seus amigos e simpatizantes, que ganham corpo em 1924, adquirem maior significado. A fundação do Centro Regionalista em abril de 1924, sob cujos auspícios iria ser promovida a Semana da Árvore em novembro do mesmo ano e o Congresso Regionalista em fevereiro de 1926, e a organização do *Livro do Nordeste*, a ser publicado em 1925 eram, todas elas, iniciativas que vinham tornar mais efetiva a campanha à la Morris de que o Brasil necessitava. Um documento dessa época também pode ser visto como parte dessa campanha, ou até mesmo como uma espécie de manifesto, apesar de não ter sido apresentado como tal: O "Apologia Pro Generatione Sua", discurso pronunciado por Freyre na Paraíba em abril de 1924.

Esse primeiro "manifesto" é um texto apaixonado em que Freyre fala sobre a "consciência da geração" de uma mocidade ainda atônita diante do "holocausto de sangue dos seus irmãos mais velhos". Explorando mais longamente os exemplos do americano Randolph Bourne e do francês Ernest Psichari, Freyre ilustra com carne e osso a necessidade de segui-los nos seus esforços de luta tanto contra o "furor neófilo" e as ideias de progresso que dominavam e cegavam a geração mais velha, quanto contra o complexo de inferioridade cultural de que o Brasil, assim como os Estados Unidos de Bourne, também padecia. Coincidentemente,

---

156 *Diário de Pernambuco*, 9/12/1923.

esse jovem intelectual norte-americano se impusera o papel de arregimentador de jovens talentos para que, trabalhando em comum, pudessem transformar a "humildade cultural dominante" em "orgulho criador". Segui-los no Brasil, sugere Freyre, significava envolver a mocidade num urgente "inquérito" sobre as raízes brasileiras, a partir do qual "o nosso destino e a nossa missão" se esclareceriam (Freyre, 1968b, p.79-98).

Discurso tenso e apaixonado, mas com mensagem ideológica não muito explícita, Freyre o sentiu como "talvez o melhor" de seus esforços, não obstante suspeitar de que era "para poucos": "dos ouvintes, três ou quatro o perceberam. Dos leitores, quase o mesmo número o perceberá".[157] Que seu discurso podia efetivamente ter a força persuasiva de um manifesto ele iria saber meses mais tarde por um membro estrangeiro de seu clã, Francis Simkins, que ensinava então na Universidade da Carolina do Sul. Companheiro de Freyre em Columbia e, como ele, inconformado com as consequências do liberalismo e da democracia moderna, Simkins traduzira (com a ajuda de um aluno) o seu "Apologia" pois estava convencido (junto com outros espíritos afins) dos efeitos que ele teria entre os jovens: "abre para os pobres rapazes, tão vitimados pelos professores liberais, todo um mundo de novas ideias".[158] No seu caso, diria Simkins anos mais tarde, esse "ensaio autobiográfico" – onde Freyre renega a filosofia urbana de seu pai em favor da "fé agrária de seu avô senhor do engenho" – iria instá-lo a descobrir e valorizar as "tradições do Velho Sul" e afastar-se das "várias formas de modernismo" que vinha namorando.[159]

A necessidade urgente de um inquérito sobre as raízes brasileiras, que esse "manifesto" anunciava, foi o que o livro em homenagem ao centenário do *Diário de Pernambuco*, primeiro, e o Congresso Regionalista pouco depois, procuraram efetivamente atender. E se o que ficou conhecido como o *Manifesto Regionalista de 1926* efetivamente não foi produzido enquanto tal nessa época, mas só tomou forma em 1952, muitas

---

157 Carta de G. Freyre a Olivio Montenegro, 26/4/1924, em Freyre (1978, p.225).

158 Carta de F. Simkins a G. Freyre, 10/5/1925, AFGF.

159 Simkins, autobiografia inédita, ca.1942-1948, cit., cap.8.

manifestações de Freyre entre 1924 e 1926 podem ser vistas como parte de um claro, contundente e nada convencional manifesto regionalista em composição. Sim, pois como foi sugerido com grande perspicácia por Antonio Dimas, de várias fontes – dos pequenos artigos de Freyre publicados na imprensa diária, dos longos artigos escritos para o *Livro do Nordeste* de 1925, e mesmo do próprio espírito do livro que organizou – pode-se extrair uma "declaração de princípios" de um projeto cultural inovador (Dimas, 1996, p.23-44).

No espírito de Morris, vemos então ganhar ímpeto uma campanha por reformas e restaurações não deturpadoras, que evitassem, por exemplo, reduzir "a catedral de Olinda àquele arremedo de gótico que tanto dói nos olhos". O programa de reformas previa um "urbanismo inteligente" que não destrua igrejas, velhos chafarizes, ruas irregulares e jardins antigos e acolhedores "pelas suas plantas coloniais"; um planejamento de expansão que não fosse avesso aos benefícios da modernização e da higiene, mas que respeitasse "a fisionomia, a plástica e a alma de nossas cidades"; a retomada da tradição culinária que teria efeitos nacionalizadores, não se podendo negar que a nutrição age "sobre a alma"; e assim por diante.[160]

Em todas essas várias iniciativas, a tônica constante era a necessidade de promover o desenvolvimento de uma cultura brasileira autêntica pelo retorno a seu passado e suas tradições e riquezas regionais; e a insistência de que, assim como o medievalismo dos vitorianos rebeldes não era nostálgico ou sentimental e estava relacionado a suas propostas para a sociedade presente e futura, a retomada do passado brasileiro estava voltada para o presente e o futuro da nação. É essa característica marcante da visão freyreana que Eduardo Portela (2002) descreveu, com grande perspicácia, como "o compromisso moderno, porém saudavelmente impuro", ou seja, o que une "modernidade com memória, o passado como futuro anterior". É significativo que, na abertura do Congresso Regionalista em 7 de fevereiro de 1926, Freyre tenha lançado mão do exemplo da Idade Média e de suas catedrais, de um modo não de

---

160 *Diário de Pernambuco*, 13/11/1924; 25/2/1926; 3/5/1925; 5/4/1925; 3/8/1924; 16/8/1925; 3/3/1925; 3/8/1924; 31/10/1926; 7/9/1924; 26/3/1926 e passim.

todo muito claro, para dissipar o engano, aparentemente bastante difundido, de que então se pregava no Nordeste um regionalismo separatista, bairrista e retrógrado.[161]

Mesmo que o foco dessas iniciativas variasse – a Semana da Árvore, por exemplo, concentrava-se na campanha para o plantio de árvores autóctones, e não no de árvores de cartões-postais, enquanto o *Livro do Nordeste* fazia uma abrangente tentativa de "introspecção econômico-social" do Nordeste –, o apelo era sempre o mesmo. Que o autêntico e o local fossem fortalecidos no seu orgulho e autoconhecimento para não se verem mais ameaçados pela tirania desse "papel-de-pegar-mosca que é o Rio intelectual" ou pelo "furor neófilo" de modernistas macaqueadores do estrangeiro, dois males que, na verdade, se justapunham.[162]

Retomando, para um ligeiro balanço, os traços dos vitorianos descontentes e rebeldes nas ideias do jovem Freyre, podemos dizer que o interesse pelo passado e pela tradição era relativamente comum a todos eles, indo desde o distante passado pré-capitalista medieval a servir de suporte para a crítica e a transformação da sociedade industrial, com Rossetti, Ruskin e Morris, até à ideia de que a retomada das tradições culinárias populares pode ser o caminho para a regeneração cultural de uma sociedade em vias de descaracterização, com Gissing. Mas, evidentemente, a sociedade que Freyre enfrentava com fragmentos das ideias desses vários críticos estava num estágio muito diferente da situação da sociedade imperialista vitoriana da segunda metade do século XIX, satisfeita com sua estabilidade política, seu triunfo econômico inconteste e seu papel de dirigente de grande parte do mundo. O satisfeito Mr. Podsnap, personagem do *Our Mutual Friend* de Dickens, que tinha de seu mundo e de si mesmo uma elevada opinião, representava tudo o que Morris odiava. Sua "podsnaperia" era enunciada com "sonora pompa" e inabalável confiança. "Ele nunca podia entender por que todo o mundo não estava bastante satisfeito, e tinha consciência de que dava um exemplo social brilhante ao se mostrar extremamente satisfeito com a maioria das coisas, e, acima de todas as coisas, com ele próprio". Mr. Podsnap

---

161 *Diário de Pernambuco*, 7/2/1926.
162 *Diário de Pernambuco*, 24/2/1924.

não tinha nenhuma dúvida de que a Inglaterra era uma ilha abençoada e de que as qualidades do país e dos ingleses eram únicas; seria esforço vão procurar entre diferentes povos e "entre as Nações da Terra" outros equivalentes (Thompson, 1977, p.137; Dickens, 1981, cap.11).

Ora, num Brasil de indústria incipiente e cultural e economicamente dependente do estrangeiro, as ideias de críticos britânicos como Morris tinham de se aclimatar, tropicalizar-se. O contraste nesse caso não era entre a sociedade medieval e a insensibilidade do industrialismo e comercialismo filisteu, mas entre a sociedade patriarcal do passado colonial e o furor neófilo e a ganância mercantil da cidade em processo de modernização. Pode-se dizer que, no Nordeste, o equivalente ao industrialismo moderno dos textos de Morris era a indústria da cana. Ainda que mais timidamente apontados do que o faria mais tarde, os vilões do Nordeste eram, segundo Freyre, a usina e os usineiros. "Essa forma artificialíssima de exploração industrial e comercial das terras de cana", que seria denunciada com contundência anos depois no seu *Nordeste*, seguramente já atraía seu olhar crítico em meados dos anos 1920. Arrogantes, os "canaviais das usinas insaciáveis" invadiam e faziam desaparecer "essas notas identificadoras da nossa paisagem e do nosso passado", não só no campo como na cidade, lamentava Freyre em agosto de 1925 (Freyre, 1989, p.164).[163]

No seu artigo sobre a vida social do Nordeste no livro do centenário do *Diário de Pernambuco*, ele lamentava as mudanças que "as usinas de firmas comerciais" trouxeram para "a vida nos engenhos", onde "faltam as condições de permanência e o ritmo patriarcal de outrora". As usinas "trouxeram para a indústria do açúcar o mecanismo das fábricas burguesas: as relações entre patrões que fumam charutos enormes ... e operários que só conhecem o patrão de vista". Nelas não mais existe a "subserviência como que filial dos antigos trabalhadores aos senhores de engenho" (Freyre, 1979c, p.79).[164] Do mesmo modo, o passado medieval que devia inspirar o presente vitoriano, segundo os críticos ingleses,

---

163 *Diário de Pernambuco*, 7/9/1924; 16/8/1925.

164 O trecho está ligeiramente modificado na edição de *Região e tradição*, onde, por exemplo, a referência à "subserviência" dos trabalhadores é abolida.

transformava-se com Freyre no "grande passado brasileiro", como diz, talvez pensando no barroco tão rico de sugestões. No caso específico pernambucano, a fórmula referia-se a "seu passado vivamente romântico" e em sua "paisagem deliciosamente tropical".[165]

Conhecedor de Morris e Ruskin, Freyre aprendera muito bem a lição do que se devia entender pelo ideal de "fazer o passado parte do presente". Sem dúvida, não era fazer o mesmo "absurdo" que os "novos--ricos" de São Paulo estavam fazendo: levantar uma "catedral gótica" desconsiderando as "sugestões locais de vida e de arte", tão próprias do "verdadeiro espírito católico".[166] Como o próprio Freyre diria anos mais tarde, utilizando terminologia de Lewis Mumford, "Morris, na Inglaterra paleotécnica", assim como "Yeats, na Irlanda", haviam contribuído para que a cultura nacional encontrasse seu "ponto central" ao extraírem do passado, "um passado projetado sobre o futuro", um conjunto de valores no qual o pessoal e o nacional de certo modo se confundem; ou, como disse desde 1933 no prefácio de *Casa-grande & senzala*, no qual o passado da nação se "emenda com a vida de cada um" (2001c, p.259).[167]

Num artigo de fevereiro de 1926 sobre "espírito colonial", Freyre desenvolve e explicita o que fora tratado mais breve e vagamente em outros lugares. A importância de suas considerações sobre um tema que tem repercussões notáveis em sua concepção de história justifica uma longa citação. Expondo aos seus leitores do *Diário de Pernambuco* suas ideias sobre "espírito colonial", diz que este não deve ser confundido com "estilo", como se o colonial fosse um "estilo já fixo ou estratificado, a solução completa e fácil do problema da construção expressivamente brasileira. Semelhante simplismo só nos poderia conduzir a um perfil de construção tristonhamente parecido às mascaras da morte". Ao contrário,

---

165 *Diário de Pernambuco*, 24/11/1925.

166 *Diário de Pernambuco*, 15/11/1925.

167 Autor de *The Culture of Cities*, obra que tem as marcas da influência de Ruskin e Morris e que Freyre iria no futuro admirar e citar, Lewis Mumford era um homem de muitos talentos – crítico literário, crítico social e da arquitetura. Aparentemente Freyre o descobriu por meio da leitura do livro de Odum e Moore citado adiante, e logo lhe dedicou dois artigos no *Correio da Manhã*: "O romântico Mumford", 23/7/1938 e "Um livro de Mumford", 23/6/1939.

o espírito colonial de casa ou de edifício representa não a sobrevivência de uma época tristemente morta, mas um fio cuja energia criadora se interrompeu, sob a fúria da macaqueação do toscano, do Luís XV, do chalé suíço, do normando francês!...Voltar a essa energia brasileira interrompida, mas ainda rica de sugestões, é voltar a uma fonte de vida. A um ponto de apoio honesto, autêntico, vindo da nossa própria experiência. A um ponto de partida seguro. A uma raiz ... Do "colonial", o que vale é a sugestão, a nota de permanente simpatia com o meio brasileiro, a linha a ser continuada, ampliada, modernizada ...[168]

Se o interesse pelo passado e pelas tradições era comum aos vitorianos descontentes e rebeldes, o mesmo não pode ser dito sobre o regionalismo. Dentre eles, somente Thomas Hardy aceitaria o rótulo de "regionalista", pelos motivos a que ele mesmo aludiu, como vimos anteriormente. Quanto aos demais, especialmente Ruskin e Morris, a questão que os preocupava não dizia respeito à identidade nacional, e muito menos regional, mas sim às características da moderna sociedade capitalista industrial que a Inglaterra, por circunstâncias históricas, pioneiramente assumira no mundo ocidental.

Assim, quando Freyre admitiu que sua orientação regionalista se devia "sobretudo" a Yeats, ele estava a fazer uma tradução cultural bastante significativa das ideias do poeta e ensaísta irlandês. O interesse, ou mesmo obsessão, de William Butler Yeats sempre fora a questão de identidade nacional e não regional. Diante de uma Irlanda dominada política e culturalmente pela Inglaterra, ele se voltara, como vimos, para o passado da nação invadida, em busca de tradições irlandesas e célticas que pudessem servir de plataforma para um programa de liberação.

A questão de identidade que Freyre enfrentava era, evidentemente, menos dramática que a de Yeats, e o domínio cultural (e econômico) de seu país pelo estrangeiro muito mais difuso. Quando Freyre se referia tanto ao nacional quanto ao regional, ambos eram definidos em oposição ao cosmopolitismo e ao modernismo europeu e norte-americano que, sem enfrentar resistências, estavam dando à realidade brasileira um caráter postiço execrável, segundo sua perspectiva. Diante da ameaça

---

168 *Diário de Pernambuco*, 21/2/1926.

de domínio estrangeiro, Freyre chega a admitir nessa ocasião que "a salvação do nosso país" estava no "imperialismo paulista" a servir de "contrapeso ao imperialismo norte-americano".[169] Assim, é de crer que o jovem Freyre tenha percebido a dimensão universalista de Yeats e que, diante de um país grande como o Brasil, tenha-se inspirado em algumas estratégias de descolonização e resistência que o poeta aplicara à sua pequena Irlanda, adaptando-as à realidade brasileira; uma realidade tão vasta, variada e complexa que até mesmo pessoas como ele próprio – informadas e interessadas no país em geral, e em sua região em particular – desconheciam.

Parece indiscutível que a importância dada por Yeats à conversa com as pessoas simples de sua região – os pescadores e camponeses rudes e analfabetos normalmente menosprezados – para a descoberta e a valorização da cultura irlandesa foi uma das estratégias que repercutiu em Freyre. Na autobiografia de Yeats, Freyre aparentemente se entusiasmara com a descrição que o poeta irlandês fizera do modo como se aproximara das tradições irlandesas. Ele e seu tio George Pollexten, seu companheiro de busca, se empenhavam, conforme relata, em "estudar as visões e pensamentos dos camponeses, e algumas conversações campesinas, repetidas por um ou outro, com frequência nos davam matéria para discussão de todo um dia" (Yeats, 1955, p.265, 328-9).[170] Essa era uma ideia que vinha, na verdade, reforçar o que Freyre aprendera com o prof. Armstrong e o poeta Vachel Lindsay sobre o valor das baladas, cantigas, danças e crendices dos montanheses de Kentucky e dos ex-escravos norte-americanos. Lembremos que um dos lugares-comuns que o jovem Freyre se divertia em pôr pelo avesso logo ao voltar ao Recife era o "messianismo da alfabetização", ou seja, a ideia de que o alfabetismo é um valor inquestionável para o indivíduo e para a nação. Como reservatórios da imaginação pura e de tradições vitais de um povo, os analfabetos, dizia Freyre, questionando tal "verdade", têm muito mais a contribuir para a cultura de uma nação que os "meio-cultos" e "meio-letrados" que, no caso do Brasil e Portugal, somam à sua super-

---

169 *Diário de Pernambuco*, 21/10/1926.

170 O último trecho foi marcado por Freyre com grifos, traço duplo e orelha.

ficialidade a "mania de estrangeirice". É por isso que Freyre diz a seus leitores preferir "um menestrel dos nossos sertões a toda legião de poetas meio-letrados cá do litoral".[171]

É nesse quadro que, como parte do esforço de "introspecção própria e nacional" que estava recomendando em sua campanha regionalista, Freyre resolve conhecer uma parte do Nordeste que até então desconhecia totalmente: o sertão. Aspecto de sua vida não muito conhecido, ele é, no entanto, bastante revelador do seu interesse pelo outro Nordeste, o "que quase não sugere senão secas", como diria anos mais tarde no seu *Nordeste*. Nessa ocasião ele esforçou-se por fazer acompanhar a publicação do seu livro sobre o "nordeste do açúcar" por um que o complementasse, tratando do "nordeste pastoril", para o qual, efetivamente, sugeriu o nome de *O outro Nordeste*.[172]

É até com certa ansiedade que em 1924 escreve a seu amigo José Lins do Rego, o organizador (em parceria com José Américo de Almeida) de sua primeira viagem ao sertão: "Preciso dessa paisagem não só para conhecer uma paisagem e um meio social que me interessam, como também em benefício da minha vida interior".[173] A viagem, que viria a ocorrer no ano seguinte na companhia do autor de *A bagaceira*, marca o início de um interesse mais intenso de Freyre pelo sertão. "Em contraste com o caráter da 'mata', que é sanatorial no repouso que oferece às forças propriamente mentais", a paisagem do "agreste", "ascética e dura", pareceu-lhe "estimulante" e "riquíssima de sugestões".[174] E, talvez inspirado pelas leituras de Ruskin e Morris, dá asas à fantasia e vê em algumas de suas cidades "de um ar piedoso", "um aconchego um tanto medieval"; enquanto seus chique-chiques também lhe sugerem motivos eclesiásticos, associados a um trocadilho com as flores vermelhas do cacto "coroa de frade": "fazem pensar, ora em candelabros de

---

171 *Diário de Pernambuco*, 30/7/1922; 6/5/1923; 9/9/1923; 30/8/1925, 6/12/1926 e passim.

172 Carta de G. Freyre a José Olympio, 1/1/1937, AFGF. O livro de D. Meneses *O outro Nordeste*, conforme pedido de G. Freyre, foi efetivamente publicado na Coleção Documentos pelo editor José Olympio em 1937, quase ao mesmo tempo em que o *Nordeste* era publicado.

173 Carta de G. Freyre a J. Lins do Rego, 14/6/1924, AFGF.

174 *Diário de Pernambuco*, 11/6/1925 (artigo não reproduzido em *Tempo de aprendiz*).

igreja, ora em patíbulos dos quais rolassem às vezes 'coroas de frades'".[175]
É significativo também sabermos que, poucos anos depois, quando foi o
primeiro professor da primeira cadeira de Sociologia da Escola Normal
do Recife, "O problema do Cangaceirismo no Nordeste" foi um dos
temas sobre os quais suas alunas deviam realizar trabalhos de pesquisa
de campo (Chacon, 1989, p.112; 1993, p.201).

Para os nossos propósitos não se trata de aqui nos estendermos
sobre esse tema, mas sim registrar que as preocupações regionalistas
de Freyre, que tomavam forma nos anos 1920, foram suficientemente
amplas para que alguns anos mais tarde ele chegasse a pensar em escrever um livro sobre essa parte de um Brasil misterioso, sugestivo e
sofredor, que fora o palco dos mais dramáticos "antagonismos de raça,
e principalmente de cultura" que jamais houve no país (Pallares-Burke,
2001a; Freyre, 2000c,11). Grande admirador de Euclides da Cunha,
autor "cheio de intuições geniais", que era ao mesmo tempo cientista,
poeta, profeta e artista, Freyre reconhecia, no entanto, que o retrato
que ele pintara do Brasil ainda estava marcado pelo "determinismo
biológico" em voga em sua época. O autor de *Os sertões*, diz Freyre,
identificara-se "com a dor do sertanejo e com a tristeza ... da vegetação
regional" e acrescentara os sertões não só à sua personalidade, como
também ao "caráter brasileiro", mas não pudera se libertar totalmente
do "pessimismo dos que descreem da capacidade dos povos de meio
sangue – ou de vários sangues – para se afirmarem em sociedades
equilibradas e em organizações sólidas de economia, de governo e de
caráter nacional" (Freyre, 1987a, p.17-51). Tivesse Freyre escrito seu
livro sobre os sertões, é de crer que teria se inspirado em parte em
Euclides da Cunha, mas enfatizando os traços de "patologia social"
que este confundira com patologia biológica.

Para finalizar, podemos dizer que a campanha liderada por Freyre
para educar o brasileiro para o gosto pela antiguidade, pelo passado e
pela tradição não atingiu, pelo menos naquele momento, os resultados
que desejava. A inspetoria dos monumentos históricos, cuja fundação

---

175 *Diário de Pernambuco*, 20/1/1926; carta de G. Freyre a J. Lins do Rego, 3/6/1925, AFGF;
carta de G. Freyre a O. Lima, 3/6/1925, Oliveira Lima Papers.

Freyre saudara com entusiasmo, "não alcançou a repercussão que merecia", como reconheceu logo em janeiro de 1925.[176] O *Livro do Nordeste*, pelo qual tanto se empenhara e que lhe valeram "os primeiros cabelos brancos", ficou também aquém do esperado. Era muito difícil realizar no Recife "tudo que sobe um pouco da mediocridade ... e do louvor a poderosos do dia!", como se queixou a Oliveira Lima. Entretanto, mesmo tendo provocado o "despeito de muita gente" no Recife com sua iniciativa, mostrara-se disposto a provar que ao menos nos seus "dois estudos (e no próprio domínio dos despeitados – que é a história)", o livro seria sólido. A certa altura, com seu artigo sobre pintura já pronto, ele comentou satisfeito: "tem deliciosas passagens. É incisivo. Tem sabor. Talvez nunca se escreveu assim sobre o assunto".

As dificuldades para a organização do livro foram, no entanto, maiores do que previra. Quatro de seus mais fortes convidados – José Lins do Rego, Rüdiger Bilden, José Américo de Almeida e Barbosa Lima Sobrinho –, com quem contava garantir a qualidade do livro, desistiram de enviar suas colaborações. Além disso, alguns dos artigos recebidos lhe pareceram "fraquinhos". Até mesmo o de Oliveira Lima, em que punha tanta fé, não era "dos mais felizes ... um tanto sem vida, quase simples relato". Próximo do fechamento do livro, mostra-se resignado: "O livro terá bastante porcaria, porque não posso improvisar talento nos outros, nem tampouco omitir certas coisas...", confessa a Lins do Rego.[177] A

---

176 *Diário de Pernambuco*, 11/1/1925. Cumpre aqui lembrar que seu amigo e admirador Rodrigo Mello Franco de Andrade foi o primeiro diretor do Serviço do Patrimônio Histórico e Artístico Nacional e considerava-se discípulo de Freyre nesse ofício. Em carta de 14/9/1966, após mais de três décadas ocupando esse posto, se diz "velho discípulo" do "Mestre" e lhe confessa: "O ofício que tenho exercido e que, ao cabo de mais de 30 anos, já me vem pesando muito, comecei a aprendê-lo sobretudo com o Lúcio Costa e com você" (AFGF). Muito possivelmente ele se inteirara do espírito e das realizações da Society for the Protection of Ancient Buildings, de Morris, por meio de conversas com Gilberto Freyre. Sobre o "papel fundamental" de Freyre na ideia de patrimônio histórico nacional e na sua conservação, ver o excelente artigo de Puntoni (2001); e também Williams (1994).

177 Cartas de G. Freyre a J. Lins do Rego, 6/6/1924; 19/11/1924, AFGF; cartas de G. Freyre a Oliveira Lima, 22/4/1924; 28/6/1924; 12/10/1924; 10/12/1924, em Freyre (1978, p.210-3); carta de Barbosa Lima Sobrinho a G. Freyre, 8/1/1926, AFGF; carta de R. Bilden a G. Freyre, 5/3/1925, AFGF.

possibilidade de vê-lo publicado, em parte, pela Duke University Press – o que acabou não ocorrendo – deve tê-lo tomado de surpresa.[178]

E, por último, os efeitos do movimento lançado pelo Centro Regionalista também foram decepcionantes, apesar de na ocasião ter havido alguma repercussão em outros pontos do Nordeste (Chacon, 1989, p.68-72). De imediato, no entanto, Freyre não supôs que sua iniciativa estivesse sendo devidamente valorizada e muito menos imaginou que no futuro fosse servir de inspiração aos esforços de reconstrução da educação brasileira do grande Anísio Teixeira. Pudesse ele saber que o criador dos "centros de tomada de consciência das culturas regionais do Brasil", os Centros Regionais de Pesquisas Educacionais, em 1957 lhe confessaria que "muito da inspiração do que vimos procurando fazer vem do que aprendemos com você e com sua obra", o desalento de Freyre teria sido, em muito, minimizado (Pallares-Burke, 2001b, p.107-11).[179] O reconhecimento de seu amigo Francis B. Simkins a Freyre pelo orgulho que lhe ensinara a ter da sua região, o Sul dos Estados Unidos, era coisa que ele já sabia desde 1926, quando o ex-colega de Columbia dedicara seu primeiro livro ao "amigo estrangeiro que me ensinou a apreciar o passado de meu Estado nativo" (Simkins, 1926). Simkins, comentara então Freyre com seus leitores, era ilustrativo de uma postura de "honestidade intelectual" muito pouco brasileira. Anos mais tarde, o novo reconhecimento de Simkins, quando ele já era um historiador consagrado, deve ter sido apreciado mais ainda por Freyre. "É claro que você e o seu Nordeste me ensinaram a grandiosidade do regionalismo – regionalismo expresso nas peculiaridades da religião, da raça e da comida".[180]

A curto prazo, entretanto, o que Freyre sabia era que seus esforços por defender a ideia de que "o bom brasileirismo é o que junta regionalismos" não haviam repercutido como esperava.[181] Alguns anos mais tarde, revendo sua luta por um "regionalismo por zona de cultura e, é

---

178 Carta de Francis B. Simkins a Oliveira Lima, 3/3/1927, Oliveira Lima Papers; carta de G. Freyre a F. Simkins, 15/8/1927, Simkins Papers.

179 Carta de A. Teixeira a G. Freyre, 12/10/1957, Fundação Anísio Teixeira.

180 *Diário de Pernambuco*, 4/7/1926; carta de F. B. Simkins a G. Freyre, 26/4/1944, AFGF.

181 *Diário de Pernambuco*, 15/11/1925.

claro, que sem sentimento separatista – e não por Estado político", reconhece sem rodeios o malogro do movimento: "Não pegou".[182]

A desanimá-lo de prosseguir na batalha por um país autenticamente brasileiro, seu amigo Júlio Bello lhe sugeria, em 1927, que novas tentativas estariam fadadas a novamente se tornar lutas inglórias: "O seu sonho é e será sempre um sonho. Não farão isto do Brasil, ou melhor, não consentirão que o Brasil seja naturalmente isto que V. deseja: hão de obrigá-lo a macaquear outra gente de hábitos diversos e origens contrárias, e ele irá pelos séculos adiante seguindo como um indivíduo constrangido e empurrado por um caminho que não conhece e lhe é absolutamente hostil, deixando outros por onde com desembaraço iria alegre, com passos firmes e sem guias ... Continuará a receber tudo de fora: uvas, charleston, peras, fox trot, cocaína, ópio, cabelos *à la garçonne*, *whisky white-horse*, e palitos Marquezinho de Portugal; tudo, absolutamente tudo".[183]

Anos mais tarde, essa decepção seria em parte compensada com o reconhecimento de que fora um pioneiro nesse campo. Ao ler o livro de H. Odum e H. Moore sobre o regionalismo americano, Freyre deixa clara a satisfação de ver nesse livro de 1938 muitas ideias que defendera pioneiramente. Em páginas copiosamente marcadas, aponta muitas semelhanças significativas entre as condições do Sul norte-americano e do Nordeste brasileiro; entre as do Nordeste norte-americano e as do Sul do Brasil. O regionalismo que pregara e o que era analisado e defendido no livro de Odum e Moore estimulavam integração, não a separação ou a estandardização. "Like the Brazilian North or Northeast"; "my old idea", "narcisismo nortista", "paulistas" são algumas das marginálias reveladoras de sua satisfação. A seguinte passagem, que Freyre grifa no final desse livro, talvez tenha sido a mais gratificante de todas as compensações pelo insucesso do passado: "Longe de ser arcaico e reacionário, o regionalismo pertence ao futuro" (Odum & Moore, 1938, p.16-119, 23, 31, 386, 330, 145, 630, passim).

---

182 Freyre, "Um livro americano que faz pensar no Brasil", manuscrito, ca.1932, AFGF.
183 Carta de Júlio Bello a G. Freyre, 27/9/1927, AFGF.

Satisfação semelhante iria aparentemente se repetir sempre que Freyre encontrasse em futuras leituras ecos de suas ideias pioneiras, como atestam, por exemplo, os muitos grifos com que marca os trechos sobre regionalismo do livro de Herbert Read de 1957. Um deles diz o seguinte: "O regionalismo, apesar de suas origens locais, é sempre universal ... Tristram Shandy, um livro totalmente enraizado ... no ethos de uma determinada região rural é, no entanto, universal" (Read, 1957, p.68-74).

Resta retomar a questão com que iniciamos este capítulo: as dúvidas de Freyre quanto a se fixar no Recife, essa "aldeia" de onde seriamente pensara em afastar-se. Um breve exame de sua correspondência ao longo de alguns anos nos permite dizer que a indecisão com a qual retornou a Pernambuco foi-se dissipando, até se transformar num apego, ao mesmo tempo inabalável e sempre queixoso, às suas raízes locais. Era como se, aos poucos, como ele próprio reconheceu, o ambiente o estivesse "narcotizando" e transformando seu apego em algo "quase doentio", diante do qual os apelos do Rio e de São Paulo iam perdendo qualquer força de atração e os conselhos em contrário dos amigos iam tendo cada vez menor atuação.[184] Uma permanência no Rio ou em São Paulo por ao menos seis meses é um "passo essencial para o seu desenvolvimento", insistia Rüdiger Bilden no início de 1926, supondo que Freyre ainda estivesse "desejando ardentemente vir para o sul". Escrevendo a ele do Rio, onde se estabelecera após tê-lo visitado no Recife, o amigo da Universidade de Columbia foi enfático: "Acredito que ficar muito tempo em Pernambuco não é bom para ninguém com interesses mentais e artísticos, e sei que aqui você encontrará novos estímulos e alimento para seu esforço criativo".[185]

O retorno de Freyre aos Estados Unidos, em abril de 1926, a fim de representar o *Diário de Pernambuco* no Congresso Panamericano de Jornalistas, foi provavelmente decisivo para colocar um ponto-final em sua indecisão quanto à escolha pelo Brasil tropical. De Washington escreve ao amigo português, Fidelino de Figueiredo, sobre sua reação a uma

---

184 Ver cartas de G. Freye a O. Lima, 10/12/1924; 25/8/1926; 26/9/1926; 28/10/1926.

185 Carta de R. Bilden a G. Freyre, 28/1/1926, AFGF; carta de R. Bilden a O. Lima, 20/1/1926, Oliveira Lima Papers.

nova recaída na "áurea tentação" de se estabelecer fora de seu meio: "logo lhe senti, ou julguei sentir, o postiço dos encantos. Um tropical há de ser sempre um tropical"; "é lá que quero viver", diz Freyre.[186]

Talvez lhe tenham sido também muito sugestivas as palavras de Havelock Ellis contra a popularidade da "doutrina do progresso" em livro comprado pelo jovem viajante nessa mesma ocasião em Nova York; palavras que, na verdade, ecoavam muitas das reservas que o próprio Freyre vinha fazendo ao materialismo e ao cientificismo modernos, tão enaltecidos na civilização norte-americana. "Nós estimamos a doutrina popular do Progresso ... no entanto, não seria melhor se considerássemos o Progresso como retrógrado?". E quanto aos chamados "fatos sólidos" e "fatos estatísticos" tão enaltecidos pela mente dita moderna e científica, basta maior amadurecimento para perceber quão "incrivelmente moles" na verdade eles são; até "os mais simples fatos estatísticos estão mudando a cada instante, e são os mais relativamente sólidos de todos os fatos" (Ellis, 1926, p.149-51, 161-2).[187] Enfim, a essa altura Freyre parece ter-se definitivamente decidido a não engrossar o "êxodo dos desencantados" que havia tempo vinha trocando o Recife pelas metrópoles mais desenvolvidas e progressistas do Sul ou do estrangeiro (Freyre, 1987a, p.208-9).

É nesse quadro que talvez se devesse entender sua decisão de colaborar com o novo dirigente de Pernambuco, Estácio Coimbra, no final de 1926, decisão que surpreendeu e desconcertou alguns amigos. "Eu me pergunto por que ele foi aceitar uma posição tão política", comenta Simkins com Oliveira Lima, o ex-colega a quem Freyre confidenciava suas indecisões e impasses. A surpresa de Simkins se justificava, pois poucos anos antes Freyre lhe havia claramente anunciado seu "desdém sincero pelo nosso mundo oficial, pelos pilares desta república extremamente ridícula".[188] Seu outro amigo de Columbia, Rüdiger Bilden, que conhecera Estácio Coimbra durante sua viagem ao Brasil em 1926, também

---

186 Carta de G. Freyre a Fidelino de Figueiredo, 3/5/1926, AFGF.

187 Passagens marcadas por Freyre com orelhas e traços calcados no volume autografado e datado "New York City 1926".

188 Carta de F. Simkins a O. Lima, 3/3/1927, Oliveira Lima Papers; carta de G. Freyre a F. Simkins, 26/5/1923, Simkins Papers.

se mostrou desconcertado com a sua decisão de trabalhar com "um político vazio e empolado" como ele. Freyre teria "o trabalho de preencher o vácuo de Coimbra com suas ideias brilhantes", escreve Bilden a Oliveira Lima.[189] "Para que os ríspidos choques de uma caricatura de ação que é a vida pública do Brasil?", pergunta-lhe José Lins do Rego, tentando dissuadi-lo de aceitar o convite de Coimbra. Mas colaborar com Estácio Coimbra significava para Freyre fixar-se na sua "raiz principal" e, ao mesmo tempo, dar nova oportunidade aos seus "sonhos" regionalistas. "O Estado vai recuperando certo prestígio no país", diz Freyre com otimismo logo no início do novo governo. "De Estácio, sim, se pode assegurar que quando tiver ação livre fará bancada na qual a cultura e as tradições de Pernambuco tenham sua justa expressão...".[190] Do mesmo modo, aceitar a nomeação para a primeira cátedra de Sociologia da Escola Normal do Recife em 1928 era outra oportunidade de estimular nas jovens locais o interesse pelo regional e fazê-las participar do esforço de introspecção social e econômica que o *Livro do Nordeste* procurara inaugurar.[191]

Com o passar dos anos esse apego de Freyre por seu pedaço do Brasil só foi se acentuando, não se deixando abalar nem mesmo pela amargura do exílio involuntário que o afastou de Pernambuco em 1930. Seus amigos, ansiosos por tê-lo por perto, às vezes lhe escreviam, entre queixosos e admirados, palavras de leve recriminação: "Este amor desmedido pelo Recife não dará folga a V.?"; "É o diabo esse seu romantismo provinciano"; "Recife é tudo para voce"; "o Barrès [autor de *Les déracinés*] pregava tranquilamente em Paris o retorno a Lorraine".[192]

Enfim, talvez possamos dizer sem incorrer em engano que, no final dos anos 1920, do antigo despeito de Freyre por não ter nascido um nórdico – "inglês ou alemão ou americano" – só restava uma certa

---

189 Carta de Rüdiger Bilden a O. Lima, 6/12/1926, Oliveira Lima Papers.

190 Cartas de G. Freyre a Oliveira Lima, 26/9/1926; 4/12/1926; 20/2/1927, em Freyre (1978, p.219-21).

191 Cf. notas de aula, apud Chacon, 1989 (p.111-3 e 1993, p.200-2); Freyre (1975, p.218-9, 225-6); (2001b, p.46-55).

192 Carta de J. Lins do Rego a G. Freyre, s.d., doc.32, AFGF; cartas de Rodrigo Melo Franco a G. Freyre, 3/6/1936; 16/4/1935; 23/2/1935; 28/8/1934, AFGF; carta de G. Freyre a Olívio Montenegro, de Stanford, s.d., em Freyre, 1978, p.239.

mitificação do estrangeiro e a conhecida tendência lamuriosa de dizer que só os estrangeiros lhe davam o devido valor, reconhecendo-o como um "real superior". Como disse certa vez, repetindo a queixa usual de que no Brasil, e especialmente no Recife, ele era pouco amado, "é aqui que sou menos acarinhado, menos aplaudido".[193] A notícia dada por seu amigo Bilden, no início de 1926, de que dois eminentes historiadores norte-americanos, dr. Haring, de Harvard, e dr. Percy Martin, de Stanford, queriam visitá-lo em Pernambuco só deve ter servido para acentuar esse traço que se foi tornando mais e mais marcante ao longo dos anos. "Veja só, acadêmicos visitantes americanos estão te invadindo em rápida sucessão: três em poucos meses".[194]

A essa altura, no entanto, totalmente reconciliado com sua condição de brasileiro e de pernambucano, Gilberto Freyre estava pronto para amadurecer e ampliar seu projeto regionalista e chegar a *Casa-grande & senzala*.

---

193 Entrevista de G. Freyre, *Jornal de Brasília*, 2/9/1973, AFGF.

194 Carta de R. Bilden a G. Freyre, 28/1/1926, AFGF. Tratava-se do prof. Clarence Haring, que assumira a supervisão de Freyre na ausência do prof. William Shepherd em Columbia, e de Percy Martin, o professor de Stanford que, no período do seu exílio em Lisboa, o convidaria a dar um curso na Califórnia em 1931. O terceiro visitante referido era provavelmente o próprio Bilden, que acabara de visitar Freyre no Recife.

3
Anos de busca

"A verdade é como a esposa adúltera – ora com o esposo,
ora com o amante. Flutua. Oscila entre os dois ...
Não há razão. Há razões. A razão está um pouco em toda a parte ...
A razão? Uma mina aonde qualquer pode ir, com sua
picareta, extrair razões ..."
Gilberto Freyre[1]

Há alguns meses tenho vivido com minha juventude e infância, nem sempre escrevendo, é verdade, mas pensando nisso quase todo dia, e estou triste e perturbado. Não é que eu tenha realizado muito pouco dos meus planos, pois não sou ambicioso; mas quando penso em todos os livros que li, nas palavras sábias que ouvi, na ansiedade que dei aos meus pais e avós e nas esperanças que tive, toda essa vida, medida pelos padrões de minha própria vida, me parece uma preparação para alguma coisa que nunca acontece. (Yeats, 1955, p.106)

Essas foram as desalentadoras palavras com que William Butler Yeats finalizou a primeira parte de sua autobiografia, "Reveries over Childhood and Youth". Desalento semelhante teria Freyre manifestado caso tivesse

---

1 Caderno de anotações, 1921/1922.

escrito um balanço de sua vida no final dos anos 1920. Muita ansiedade e esperança haviam produzido, até então, parcos resultados e ele chegara a suspeitar que seu destino fosse "ser a 'magnificent failure' dos ingleses".[2] "Desencantado de todo o esforço, de toda a ação", como se descreveu a seu amigo Oliveira Lima em dezembro de 1926, sentia-se incerto quanto ao seu futuro: "não sei se obterei sucesso, nem como. Escrevendo? Nenhum estímulo. Ação social? Para quê?".[3]

De fato, após o *Livro do Nordeste*, onde publicara os textos mais substanciais desde sua volta ao Recife, dos quais, como vimos, muito se orgulhava e dos quais provavelmente esperava grande repercussão, Freyre parece ter sido dominado por grande torpor e apatia. Entre 1925 e 1926, além do *Livro do Nordeste* publicou a conferência sobre D. Pedro II e a "edição particular de 17 cópias" do poema "Bahia de todos os Santos e de quase todos os pecados".[4] Durante anos parecia que sua produção terminara por aí.

O desencanto iria persistir ainda por algum tempo e anos mais tarde, ao fazer uma espécie de pequeno balanço de sua vida, ele descreveria seu estado de espírito a partir de 1926 como sendo semelhante ao do poeta Rimbaud (1854-1891). Sem fazer nenhuma menção às suas ocupações de oficial de gabinete de Estácio Coimbra, como se elas nada tivessem a ver com sua improdutividade, Freyre confessa ao amigo e incentivador Armstrong: "Desde 1926 caí num 'Rimbaud mood', não escrevi nada". Para quem assim se descrevia, a atividade jornalística que exerceu na segunda metade da década parecia nada contar. Ser diretor do jornal *A Província* e autor de muitos artigos ali publicados, a maioria sob pseudônimos, eram realizações que, ao que tudo indica, não preenchiam as ambições intelectuais do jovem Freyre (Jardim, 1964, p.XVII;

---

2 Carta de G. Freyre a Fidelino de Figueiredo, de Washington, D.C., 3/5/1926, AFGF. O "magnificent" desse "fracasso magnífico", dizia Freyre, "dá à tristeza da palavra 'failure' certo sabor".

3 Carta de G. Freyre a O. Lima, Rio, 4 de dezembro de 1926, em Freyre, 1978, p.219-20.

4 Freyre, "Dom Pedro II, imperador cinzento de uma terra de sol tropical", conferência de 1925 publicada em edição de 1926 da *Revista do Norte* e republicada em 1944 em *Perfil de Euclides e outros perfis*; cf. carta de G. Freyre a A. J. Armstrong, de Lisboa, 3/3/1931, Armstrong Papers. Sobre "Bahia de todos os santos e de quase todos os pecados", ver a leitura interessante de Sinkevisque (2002).

Freyre, 1975, p.237, 189). Como o brilhante poeta francês que interrompera uma promissora carreira ainda na juventude, para nunca mais retomá-la, o jovem Freyre também aparentemente suspendera sua carreira de escritor, para a tristeza dos seus amigos e admiradores.[5] Que a vida inusitada desse poeta lhe interessava, fica claro no pedido que fez a Simkins em fevereiro de 1925 de lhe enviar a biografia de Rimbaud que Edgell Rickword acabara de publicar.[6] Esse "menino" que revolucionou a poesia francesa, dizia o autor, escreveu seu último poema antes dos dezoito anos e sua última linha de prosa antes dos dezenove. Foi então que queimou todos os seus manuscritos e passou o resto de sua curta vida longe da literatura, tendo inclusive se tornado um comerciante de sucesso no nordeste da África. Ao que se saiba, depois de sua renúncia às letras, Rimbaud só se referiu duas vezes, e com desdém, à sua prosa e poesia. Até mesmo a atividade epistolar de Freyre foi, aparentemente, afetada pelo seu *Rimbaud mood*. "Há muito tempo que não escrevo carta. Rompi há quase 2 anos com as minhas últimas relações nos Estados Unidos e Europa...", diz ele a Estácio Coimbra em dezembro de 1928.[7]

Quando, pois, podemos encontrar fortes indícios de que, alguns anos depois, Freyre publicaria a primeira grande obra de sua vida, aquela que, no dizer de Jorge Amado (1962, p.31-6), Antonio Candido (1983, p.xi-xii) e tantos outros (Ribeiro, 2000; Teixeira, 1962), liderou uma "revolução cultural" que "sacudiu o Brasil"?

Os projetos alternativos

Se é verdade que ao retornar ao Recife o jovem pernambucano "trazia em gestação sua obra inaugural" e que vários de seus temas já haviam

---

5 Carta de G. Freyre a A. J. Armstrong, de Lisboa, 3/3/1931, Armstrong Papers.

6 Carta de G. Freyre a F. Simkins, 9/2/1925, Simkins Papers. *Rimbaud: the boy and the poet*, de E. Rickword, fora publicado em Londres, pela editora William Heinemann, em 1924.

7 Carta de G. Freyre a Estácio Coimbra, 26 e 27 de dezembro, 1928, em Freyre, 1978, p.103. A correspondência dos amigos Simkins, Bilden e Armstrong parece interromper-se nesse período, confirmando esse afastamento temporário de Freyre (cf., p. ex., carta de F. B. Simkins a G. Freyre, 4/2/1931, AFGF; carta de Rüdiger Bilden a O. Lima, 28/7/1927, Oliveira Lima Papers).

aparecido aqui e acolá na década de 1920 antes de adquirir sua forma definitiva em 1933, como vários estudiosos têm muito bem apontado (Chacon, 1993; Dimas, 1996, p.40; Needell, 1995, p.65-6, passim; Larreta & G. Giucci, 2002, p.726; Skidmore, 2003, p.48; Borges, 2003, p.218-9), o fato é que escrever uma obra inovadora sobre a história brasileira foi uma dentre as várias e vagas ambições manifestadas por ele. Seguir carreira docente, eventualmente nos Estados Unidos; estabelecer-se como jornalista, talvez no Rio ou em São Paulo, apesar do alerta de Oliveira Lima de que deveria ficar no estrangeiro, já que "no jornalismo lá pouco há que fazer"; entrar para o serviço diplomático, a exemplo do mesmo Oliveira Lima; entrar no "negócio rendoso" de criar porcos; e até ingressar na política foram alternativas que estiveram, em algum momento, em seus horizontes.[8] Quanto a essa última alternativa, seus amigos divergiam. Da parte de Júlio Bello, o conselho era que a vida pública constituía a melhor opção para alguém com seu talento. Estimulando Freyre a aceitar o convite para ser oficial de gabinete do novo governador Estácio Coimbra, Bello argumentara em 1926: "Penso que apenas como uma espécie de estágio na vida isto lhe poderia convir, se depois você, apoiado por um homem público de posição eminente, quisesse entrar na diplomacia". Ingressar no magistério como seu pai e "viver apagadamente, mas tranquilamente, uma vida na Província" significaria cortar as possibilidades "de mostrar seu raro merecimento". Já José Lins do Rego, a quem Freyre confidenciara suas dúvidas quanto a aceitar ou não o convite de Estácio Coimbra, "o melhor partido a tomar" seria permanecer em casa. Bastante cético, diz ao amigo indeciso: "para que os ríspidos choques d'uma caricatura de ação que é a vida pública em nosso Brasil? Um homem com a sua sensibilidade não nasceu para servir".[9] Mais pessimista ainda, seu amigo Rüdiger Bilden, que não via nenhuma qualidade em Estácio Coimbra, considera que o mundo

---

8 Cartas de G. Freyre a O. Lima 15/12/1920; 2/6/1921; 21/11/1921; 4/12/1926, em Freyre, 1978, p.169-70, 180-1, 191-2, 219-20; carta de O. Lima a G. Freyre, Washington D.C. (Hotel Grafton), 25/12/1920, AFGF; carta de G. Freyre a F. Simkins, 26/5/1923, Simkins Papers.

9 Carta de J. Bello a G. Freyre, 24/7/1926, AFGF; carta de G. Freyre a J. Lins do Rego, 22/9/1926, AFGF; carta de J. Lins do Rego a G. Freyre, s.d., doc.24, AFGF.

Gilberto Freyre

intelectual talvez tivesse perdido Freyre para sempre. Ao amigo em comum, Oliveira Lima, escreve com lamento: "Gilberto parece ter pulado
definitivamente para a arena política. Acredito que infelizmente terei que
estudar o nordeste sem a ajuda desse messias pernambucano [Estácio
Coimbra] e de Gilberto".[10]

Sua tese de mestrado, cumpre também lembrar, não fora originalmente concebida como parte de um projeto mais ambicioso. O trabalho
sobre a vida social do Brasil apresentada em maio de 1922 na Faculdade
de Ciências Políticas da Universidade de Columbia fazia parte das exigências acadêmicas a serem cumpridas pelo jovem aspirante ao título de
mestre.[11] Uma vez tendo decidido o tema com a ajuda de Oliveira Lima
e seu orientador, dr. Shepherd, Freyre planejara publicar uma versão
em inglês intitulada *Social Aspects of Brasil* (1850) e outra em português,
"sob o título que me parece insinuante", como diz, de "Brasil dos nossos
avós".[12] Nessa ocasião, uma nota na *Hispanic American Historical Review*
deu notícia sobre a tese de Freyre a ser apresentada na Universidade de
Columbia; o tema anunciado na nota era um pouco mais amplo do que
o que, finalmente, seria desenvolvido. Esse anúncio evidencia que, em
razão de seus dotes e suas ligações, o jovem estudante era alvo de uma deferência especial no meio latino-americanista. Nesse caso, por exemplo, a
nota era o resultado de seu encontro, durante uma de suas visitas a Oliveira Lima em Washington, com um dos editores da revista, Robertson,
que se interessara pelos seus planos de trabalho.[13] Mas, provavelmente

10   Carta de R. Bilden a O. Lima, 8/1/1927, Oliveira Lima Papers.

11   Cartas de G. Freyre a O. Lima, Nova York, s.d. (ca. janeiro de 1921); Waco, Tex.,
     15/12/1920; Nova York, 18/2/1921, em Freyre, 1978, p.174-5, 222.

12   Cartas de G. Freyre a O. Lima, Silver Bay, N.Y. (on Lake George), 12/8/1921 (a data da
     carta original na Biblioteca Oliveira Lima é 12 e não 16), em Freyre, 1978, p.188.

13   Sua tese em "Notes and Comments" da *The Hispanic American Historical Review* era assim
     descrita: "Social Conditions of Brazil from 1855 to 1860, including the organization of
     the family, the social life, the means of traveling, business customs, and the industrial
     and economic organization". Além de seu orientador William R. Shepherd, amigos de
     Oliveira Lima, alguns dos quais Freyre conhecera por seu intermédio, faziam parte do
     corpo editorial da revista, como, por exemplo, Percy Alvin Martin, William S. Robertson e
     James A. Robertson. Carta de O. Lima a G. Freyre, 21/10/1921, AFGF; cartas de G. Freyre
     a O. Lima, 23/7/1921; 27/10/1921, em Freyre, 1978, p.185, 191; carta de G. Freyre a O.
     Lima, 15/5/1921, Oliveira Lima Papers.

253

por ter tomado consciência da complexidade do tema e da imensidão de fontes a pesquisar, alguns meses após ter anunciado a Oliveira Lima sua intenção de publicar sua tese, Freyre chama modestamente o trabalho quase pronto de "meu estudinho", manifestando o desejo de "aprofundar a sondagem" iniciada nesse "preliminary enquiry". É assim que, em abril de 1922, anuncia a seu amigo de Washington: "é possível que algum dia este seu amigo apareça com dois volumes debaixo do braço – uma História social da Família Brasileira (durante os dois impérios)".[14] Pouco depois, com o mestrado já aprovado, fala sobre um plano mais concreto de escrever "um livro digno de ler-se" sobre "O Brasil de nossos avós", do qual o mestrado era "apenas o esqueleto da obra" que sonhava produzir. O fato do prof. Clarence Haring (1885-1960) – o historiador premiado de Yale que assumira o aluno de Shepherd durante seu afastamento na Europa – ter gostado de sua tese e recomendá-la para publicação, tão logo foi aprovada em maio de 1922, deve ter dado um grande impulso às ambições do jovem mestre.[15] Precisaria, entretanto, de "mais dois anos de pesquisa e trabalho" para terminar um livro "digno de ler-se".[16]

Esse projeto ficou praticamente parado por vários anos, mas é de crer que tenha permanecido nos horizontes do jovem recém-retornado ao Recife, não somente ao lado das demais possibilidades de carreira mencionadas, mas também ao lado de outros projetos de livros, paralelos ou alternativos. Um deles era escrever uma obra sobre as "tendências atuais na literatura americana", tema muito útil e pouco explorado. "Há uma falta a suprir na literatura latino-americana: a dum bom livro sobre a outra América, a saxônia", escreve em seu caderno de anotações de 1921. Os que existem, "enquanto iluminam certos aspectos, deixam outros nas sombras duma meia noite, ou no lusco-fusco". Esse seria

---

14 Carta de G. Freyre a O. Lima, New York City, 3/4/1922, em Freyre, 1978, p.198.

15 Sobre C. Haring, ver Whitaker, 1961, p.419-23; Garraty & Carnes, 1999. Carta de G. Freyre a O. Lima, 15/5/1922. O mesmo número de julho de 1921 da *The Hispanic American Historical Review* que dera notícia sobre os planos de Freyre dava também a notícia de que o prof. Shepherd estaria dando aulas primeiramente na Espanha e depois na Inglaterra de setembro de 1921 até a primavera do ano seguinte.

16 Carta de G. Freyre a O. Lima, New York City, 15/5/1922, em Freyre, 1978, p.198-9.

"assunto para um possível livro". Para isso recolhera muitas notas, metade das quais perdera devido ao seu estilo nada sistemático, e mesmo caótico, de anotações. Tomara notas "em tampas de cigarros Pall mall, em envelopes, em margens de livros, em cartões postais. Um horror", reconhece. As anotações sobre as grandes qualidades que deve ter um crítico feitas nessa época aparentemente faziam parte do preparo para o desenvolvimento desse projeto. Citando Francis Hackett, respeitável crítico e jornalista americano, Freyre anota em inglês: "a critic should be a linguist, a philologist, a psychologist, a man who knows literary and aesthetic ideas as well as history, social and economic and political; but all of it is cold inanimation unless the flame of sympathy is touched to it. Criticism is an art limited by the capacity of the critic for emotion".[17] E, poucas linhas adiante, completa com suas próprias palavras: "Preferência não é crítica. Preferir o cão ao gato, não é criticar o gato nem o cão. O gato deve ser criticado em relação a qualidades felinas".

Considerando o quanto Freyre se interessava por literatura, é muito provável que por algum tempo tal plano não tenha sido de todo abandonado. De concreto, o que se sabe é que sobre esse mesmo tema Freyre deu uma pequena contribuição ao artigo já mencionado de Isaac Goldberg, "As Latin America Sees us", sua única aparição na revista *American Mercury* de Mencken.[18]

Mais importante, no entanto, para a futura grande obra em gestação foi outro projeto a que Freyre se referiu bem cedo em sua trajetória e que, estranhamente, passou até agora despercebido dos estudiosos: uma história sobre um menino inspirado no herói de *Dame Care*, tradução inglesa do romance *Frau Sorge* de Herman Sudermann. Era esse um dos seus "sonhos" em agosto de 1921, na exata ocasião em que reconheceu que a tese iria lhe "absorver muito tempo" e que, por isso, deveria

---

17 "Um crítico deve ser um linguista, um filólogo, um psicólogo, um homem que conhece ideias literárias e estéticas tanto quanto história social, econômica e política; mas tudo isso é fria inanimação a não ser que seja tocado pela flama da simpatia. A crítica é uma arte limitada pela capacidade que tem o crítico para a emoção" (cf. caderno de anotações, 1921-1922).

18 Há também evidência de que, em 1931, outro trabalho que esteve nos horizontes de Freyre era sobre o crítico H. Mencken.

suspender sua colaboração para o *Diário de Pernambuco*.[19] Seu entusiasmo pela "novela" foi afirmado com eloquência quando a enviou a Oliveira Lima, querendo compartilhar com o amigo sua descoberta. "Segue a novela de Sudermann, da qual, como já disse, gosto muito. E digam que os diabos dos alemães são pesados demais para novelas! Desculpe algumas margens sujas de garatujas e [sic] lápis. São notas. ... Um dos meus sonhos é escrever uma novela sobre um menino e o herói de Sudermann se parece muito com o que vive há tempo na minha mente onde talvez venha a morrer." Era Sudermann, por assim dizer, mais um "pioneiro dele próprio" a inspirá-lo e estimulá-lo a seguir um caminho que vagamente já talvez por si mesmo cogitara. Querendo registrar tal coincidência, Freyre escreve na capa do livro que o entusiasmara a seguinte frase em inglês: "I swear I had the idea of the psychology of the prematurely old boy before I read this book!".[20]

Uma novela sobre um menino Freyre jamais escreveu. José Maria, o personagem de sua seminovela *Dona Sinhá e o filho padre*, de 1964, tem "ar de menino triste", mas não é prematuramente velho como o pequeno Paul de *Dame Care* (Freyre, 1971, p.124 e passim). No entanto, a história do menino brasileiro, um dos mais antigos projetos de Freyre, em parte abandonado mas presente em "fragmentos", como já se argumentou, em *Casa-grande & senzala* e em *Sobrados e mucambos*, guarda muitas marcas do herói de Sudermann.[21] Publicado em 1887, *Frau Sorge* evocava a região leste da Prússia onde o autor havia passado sua infância. O texto fazia parte do movimento literário do final do século XIX denominado *Heimatkunst* (Arte da Terra Natal), que encorajava a literatura regionalista e estava fadado a ter sua história maculada pela atração que seu viés nacionalista iria exercer sobre o nacional-socialismo alemão (Boa & Palfreyman, 2000; Stroinigg, 1995).

O romance se inicia com o nascimento de Paul Meyerhofer na "Weisse Haus" (Casa Branca) da propriedade rural que a família arruinada

---

19 Carta de G. Freyre a O. Lima, Silver Bay, N.Y., 12/8/1921, em Freyre, 1978, p.188.

20 "Eu juro que tive a ideia sobre a psicologia de um menino prematuramente envelhecido antes de ler este livro." O volume que Freyre mandou a Oliveira Lima – *Dame Care*, New York: The Modern Library, 1918 – está autografado "G.F. NYC Spring 1921".

21 Sobre a importância da história da infância na obra de G. Freyre, ver Burke, 2002, p.786-96.

está sendo obrigada a vender naquele exato momento. Desde muito cedo, a casa passa a representar para o pequeno e nostálgico Paul "o que o 'Paraíso Perdido' é para a humanidade". Muito próximo de sua mãe, mulher amorosa, mas tiranizada por um marido indolente e brutal, Paul cresce desde os seus primeiros anos como um menino sério, solitário e triste, traços que o caracterizam ao longo de toda a juventude. O que o faz "tão prematuramente sério" e sem verdadeira infância é, acima de tudo, o fato de ter nascido sob o domínio de uma fada da má sorte, "Frau Sorge", figura de um conto folclórico alemão. Personificação de preocupações e cuidados, Frau Sorge faz que "criaturas como nós", como sua mãe certa vez lhe explica, "renunciem à felicidade ... e não a vejam, não importando quão próxima ela esteja de nós, pois alguma coisa triste sempre se interpõe entre nós e a felicidade" (Sudermann, 1891, p.12-3, 16-7, 43-5, 290-2 e passim).

As pequenas marcas que Freyre deixou no texto de *Dame Care*, as "garatujas a lápis" que referiu a Oliveira Lima e que ainda são parcialmente legíveis, revelam que o romance de Sudermann atiçou sua imaginação, levando-o a fazer algumas analogias com experiências de sua infância e com a realidade brasileira de sua região. Referências à seriedade de Paul, a seus olhos tristonhos, aos seus desapontamentos, às "linhas de expressão preocupada que sempre o faziam parecer velho", e à sua convicção de que "há tão poucas coisas engraçadas no mundo" são muitas vezes grifadas ou marcadas com parênteses e traços ao longo das margens (ibidem, p.36, 40, 45-54, 71, 87, 102). Mas as poucas marginálias que Freyre garatujou são reveladoras de que, além da velhice prematura do menino, outros aspectos do romance de Sudermann lhe chamaram a atenção. Referências à cultura material e ao poder que os objetos têm de provocar fortes e duradouras sensações; às lembranças das brincadeiras e dos cuidados confortantes que alguns poucos adultos haviam tido para com o pequeno Paul; às lembranças também de seus desejos, de seus sonhos e de suas dificuldades escolares; e à chegada à fazenda de uma velha locomotiva a vapor em que Herr Meyerhofer acreditava estar o segredo de um enriquecimento certo, mas que provou ser um fiasco, foram trechos que suscitaram reações como as seguintes: "O guarda roupa ... o cheiro dos gavetões"; "Quando Savino [?] me pegou de cabeça para baixo ..."; "Desejo de ser padre. Sonho [?] azul dos 12 anos. ... Brigas com o irmão"; "Jornalismo na escola. V. Lombroso [?]; "Estudo da vida num engenho pernambucano – começo de industrialismo" (ibidem, p.34, 42, 44, 46, 58).

Não há dúvida de que o romance de Sudermann marcou indelevelmente a imaginação de Freyre e que por algum tempo ele deixou isso transparecer com clareza, especialmente no que diz respeito à ausência de meninice que caracteriza o brasileiro, provavelmente intrigando seus leitores com a referência a um título desconhecido de todos ou quase todos. Críticas à falta de estimulantes da alegria infantil, como brinquedos, gramados e livros apropriados bem como à rapidez com que os meninos brasileiros chegavam à "sisudez de gente grande" foram, em certas ocasiões, acompanhadas por analogias com "o ar de velhice" do "menino do romance de Sudermann" e com a privação de cores e alegria dos que cresceram sob a tutela da "Mulher de Preto ... da lenda alemã". Quer por efeito do clima, da educação ou de uma sina infeliz, somos uma nação "quase sem meninice", em que o menino já "nasce de meia idade", lamenta Freyre, acrescentando certa vez que "a terra de Frau Sorge é o Brasil". Vítima do mesmo triste destino, Dom Pedro II teve uma meninice ainda menos livre e feliz que o comum dos brasileiros. "Alguma Frau Sorge cá do trópico", conclui Freyre, "decerto o viu nascer; e sobre ele deitou toda a acidez do seu olho mau. Sob a influência desse mau olhado, quase não brincou nem riu o filho de Pedro I, antes se fez homenzinho aos nove ou dez anos..." (Freyre, 1979b, p.129; 1979c, p.83; 1922a, p.618; 1987a, p.116, 119).

Por que Freyre, em geral tão pronto a reconhecer suas dívidas e orgulhoso de revelar o vasto espectro de suas fontes inspiradoras, não mencionou Herman Sudermann quando desenvolveu em *Casa-grande & senzala* e em *Sobrados e mucambos* ideias que tão pouco antes, em seus textos de 1925, relacionara ao romance do alemão?

Nada teria sido mais apropriado do que fazer referência a uma misteriosa *Dame Care* e reafirmar que "a terra de Frau Sorge é o Brasil" quando em 1933 e 1936 escrevia novamente sobre um país quase sem meninice devido a um sistema que oprimia o menino, querendo-o "homem o mais breve possível" (Freyre, 2002, cap.5, e passim; 2000c, p.111 e passim). Teria, sem dúvida, dado um toque pitoresco, e mesmo requintado, aos textos, algo que sempre agradava a Freyre. Se não o fez, ainda que *en passant*, uma razão plausível é ter-se reprimido, a essa altura, conhecendo a opinião desabonadora que Henry L. Mencken tinha de Sudermann. Citado logo nas primeiras páginas do prefácio de *Casa-grande & senzala* como o "mais antiacadêmico dos críticos" que o estimulara a expandir em livro sua tese de mestrado, Mencken aí aparece como um intelectual de autoridade que não convinha mais uma vez desapontar (Freyre, 2002, p.25-6). Para esse "'enfant terrible' da literatura americana",[22] Sudermann era um autor superficial, incoerente e sentimental, cuja obra, com exceção de seus contos, não valia a pena ser lida. "Desconsidere 'Das hohe Lied', 'Frau Sorge' e todas as suas peças de teatro", era a palavra de ordem do incisivo Mencken na primeira série de seu controverso *Prejudices*, livro comprado por Freyre em Nova York no outono de 1921 (Mencken, 1921, p.105-13).[23]

Mas, voltando a 1926, encontramos um jovem que parece estar muito longe de realizar quaisquer de seus projetos da primeira metade da década. Seus esforços de ação, como vimos, pareciam-lhe vãos e faltava-lhe estímulo para realizar suas ambições intelectuais. Talvez a tristeza que José Lins do Rego notou em seu amigo durante sua permanência no Rio, após retornar dos Estados Unidos em agosto de 1926, estivesse relacionada a esse estado de espírito.[24] Não que Freyre se considerasse incapaz, pois, como disse a Fidelino de Figueiredo, era consciente de que possuía "inteligência e outros elementos que concentrados poderiam dar obra de certo valor". O que o impedia de ir adiante era uma "vontade sempre em crise, duvidosa do 'vale a pena' de qualquer esforço longo".[25] O "rame-rame" do Recife de certo modo também o paralisava e, às vezes, ele sentia que aquela "monotonia" lhe ia "matar o espírito".[26]

A limitada produção de Freyre após 1926 confirma essa apatia. Limitou-se a artigos de jornal – a maioria, ao que parece, no *A Província*.

---

22 Expressão usada por Freyre em seu caderno de anotações de 1921 para caracterizar Mencken.

23 Livro autografado "G. Freyre, New York City, Fall 1921".

24 Carta de J. Lins do Rego a G. Freyre, 29/8/1926, AFGF.

25 Carta de G. Freyre a Fidelino de Figueiredo, Washington, D.C., May 3, 1926, AFGF.

26 Carta de G. Freyre a J. Lins do Rego, 10/12/1925, AFGF.

Talvez por sua efemeridade, era muito pouco para um jovem com tantas ambições, preparo, e, nas palavras de Júlio Bello, "raro merecimento".[27] Nada, enfim, parecia anunciar o desenvolvimento da obra inovadora e substancial que seus dotes prometiam.

Ao retornar ao Brasil em 1923, seu projeto de escrever sobre literatura norte-americana logo deve ter-lhe parecido inapropriado para quem vivia "debaixo das nossas gordas bananeiras" e longe de bibliotecas bem providas. Seria o mesmo que "querer alguém nadar numa bacia que mal chegasse para um semicúpio decente", como diz Freyre ao comentar a tese, de certo modo heroica, de seu amigo Olívio Montenegro sobre a "Igreja na Idade Média". Trabalho sério, elegante, honesto e perspicaz, mas inevitavelmente limitado, conclui Freyre. Exemplo da "quase melancolia desses nossos esforços de sul-americanos" de pretender escrever profundamente sobre assuntos estrangeiros.[28]

Ao brasileiro com ambições intelectuais, explicitara Freyre nessa ocasião, cabia se aprofundar "no estudo daquilo que é alongamento ou extensão da nossa própria vida", estudo para o qual as limitações bibliográficas até podiam ser vistas como vantajosas. As sombras das "gordas bananeiras" nos livram, de certo modo, de modismos igualmente limitadores como, por exemplo, a sociologia de Gustave Le Bon, comenta Freyre. E tais ignorâncias garantem, potencialmente, maior alcance aos poderes de intuição, de observação direta e de introspecção dos brasileiros. No ano anterior, o *Livro do Nordeste* fora, como vimos, um primeiro grande esforço de introspecção regional. Os três textos publicados nele representaram sua própria tentativa de levar mais adiante a investigação sobre aspectos da região nordestina despercebidos de seus conterrâneos. O que ali se descobria, como disse José Lins do Rego (1968b, p.23), "era o Pernambuco que ninguém via".

Quanto aos demais projetos, todos parecem ter estado suspensos na segunda metade da década de 1920. Mesmo a publicação da versão portuguesa de sua tese de mestrado, o projeto aparentemente mais viável a curto prazo, foi adiada por décadas. Talvez as palavras de Armstrong

---

27 Carta de J. Bello a G. Freyre, 24/7/1926, AFGF.
28 *Diário de Pernambuco*, 26/11/1926.

tenham tido grande peso nessa decisão. Cauteloso e moderado, o professor, admirador e amigo de Waco o aconselhara a não publicar sua tese de imediato, especialmente se ela contivesse coisas que iriam "aborrecer os brasileiros", tal como ele supunha, levando em conta conversas prévias com o jovem Freyre: "você é muito jovem pra dizer coisas tão atrozes ... Espere mais ou menos cinco ou dez anos. Você está colocado na fila de promoção pelos brasileiros, e não deveria atrapalhar sua própria chance dizendo coisas que as pessoas não receberão muito bem. Espero sinceramente que você leve isso em consideração".[29]

Casa-grande & senzala – algumas antecipações e muitos obstáculos

É de supor que no final de 1929 a apatia de Freyre estivesse arrefecendo. Pouco antes de se ver levado pelas novas circunstâncias políticas a acompanhar o governador Estácio Coimbra no exílio em Lisboa, uma carta sua a Manuel Bandeira pedia ajuda para um "projeto secreto" que, já vagamente anunciado desde sua tese de 1922, mas adiado "pela falta absoluta de entusiasmo", estava aparentemente ganhando mais força e corpo àquela altura.[30] Era o projeto da história do menino brasileiro que substituía o da novela sobre um menino à moda de Sudermann, seu sonho de 1921 e que, como ele previra naquela ocasião, estava fadado a "morrer" em sua mente. "Uma fagulhasinha de entusiasmo" por esse antigo projeto estava aparecendo, confessa Freyre ao amigo poeta.[31]

Finalmente, no início de 1931, temos a confirmação de que a sina de Freyre não seria a mesma de Rimbaud. Se é verdade que, como confessou, durante anos não escrevera nada e só lera e estudara, "especialmente etnografia brasileira e antropologia", agora, em Lisboa, diante das demonstrações de reconhecimento de seus méritos intelectuais e

---

29 Carta de A. J. Armstrong a G. Freyre, 11/5/1923, AFGF.

30 Referências de Freyre à falta de meninice do brasileiro e a seu interesse pelo tema da infância podem ser localizadas em (Freyre, 1922a, p.616-20); *Diário de Pernambuco*, 26/3/1922; 15/4/1923; 16/12/1923; e em textos de 1925 publicados no *Livro do Nordeste*.

31 Carta de G. Freyre a M. Bandeira, 6/12/1929, AFGF.

literários, via-se revigorado. Ironicamente, era no doloroso exílio que sentia seu interesse por literatura voltando "depois de quatro anos de indiferença" e seu entusiasmo por escrever sobre o Brasil reaparecendo.[32] Uma carta dessa mesma época a Manuel Bandeira confirma que a "fagulhasinha de entusiasmo" do final de 1929 estava a crescer e que o projeto secreto de escrever sobre *Child Life in Brazil* permanecia em seus horizontes.[33] De qualquer modo, deve-se aqui acrescentar que por volta de 1927 o interesse de Freyre por livros sociológicos e históricos estava crescendo. A Oliveira Lima, por exemplo, encomenda no final de 1926 o *The Boy Through the Ages*, além de "o melhor livro novo sobre 'city planning'".[34] Ainda mais ilustrativa dessa nova fase de estudos que então se inaugurava é a lista de livros que enviou a seu amigo Simkins pedindo-lhe o favor de remetê-los para o Recife. Diferentemente dos pedidos anteriores, estes não mais se concentravam em literatura ou crítica literária, mas sim em história e sociologia. *Social History of the American Family* (de Calhourn), *Adolescence* (de Hall), *Institutional History of Virginia in the 17th Century* (de Bruce), *Economic and Social History of New England* (de Weden), *Child Life in Colonial Days* (de Earle) e *The Soul of Spain* (de Havelock Ellis).[35]

O que faltava, então, para Freyre chegar a *Casa-grande & senzala* na segunda metade dos anos 1920 se, como ele próprio iria admitir mais tarde, na sua tese de 1922 já se encontrava o "livro embrião" da obra de 1933?[36]

No seu caderno de anotações de 1921, Freyre deixou registradas, talvez pela primeira vez, suas ideias sobre os requisitos que deveria preencher um pensador que se pretendesse criador. Inspirado nas quali-

---

32 Carta de G. Freyre a A. J. Armstrong, de Lisboa, 3/3/1931, Amstrong Papers. Nessa ocasião Freyre se refere a convites de revistas francesas e portuguesas para escrever sobre o folclore brasileiro, sobre a aristocracia social e política brasileira, e a pedidos de permissão para republicar um de seus antigos ensaios e poesia. As revistas mencionadas são: de Paris, *Révue de l'Amérique Latine* e *Nouvel Age*; e, de Lisboa, *Descobrimento*.

33 Carta de G. Freyre a M. Bandeira, Park Hotel, Lisboa, s.d. (ca. fevereiro 1931), AFGF.

34 Carta de G. Freyre a O. Lima, 4/12/1926, em Freyre, 1978, p.219-20.

35 Carta de G. Freyre a F. Simkins, 15/8/1927, Simkins Papers.

36 "O Livro Embrião de Casa-Grande & Senzala" é o subtítulo dado por Freyre à tradução portuguesa de sua tese de mestrado, *Vida Social no Brasil nos meados do Século XIX* (1964).

dades que via em Georges Sorel, Proust e Michelet, nosso jovem aprendiz se refere aos grandes pensadores como aqueles que se afastam das convenções "tantas vezes inimigas do gênio verdadeiramente criador" e, contrariamente ao que parece "aos lógicos, aos corretos, aos acadêmicos", insurgem-se contra as regras "de medida, de correção, de clareza". Mas, mais do que consegue expressar nessa ocasião, Freyre logo deve ter-se convencido de que os grandes pensadores eram não só os que se insurgiam contra as regras formais, mas também, como os seus próprios três exemplos de 1921 testemunhavam, eram aqueles para quem novas formas implicavam novos conteúdos; em outras palavras, grandes eram os que se afastavam de ideias convencionais e, questionando o estabelecido e consagrado, ousavam pensar com a própria cabeça. E isso era um processo que exigia tempo e reflexão.

Para chegar a *Casa-grande & senzala* faltava a Freyre, creio, muito mais do que o estímulo que seu meio acanhado podia lhe dar. Com base em seus próprios parâmetros, o que se impunha como essencial para a realização de seus anseios de originalidade era o estímulo de ideias que considerasse efetivamente revolucionárias e arrebatadoras. E, para aquilo que sua obra de 1933 iria representar de mais revolucionário – ensinar o brasileiro a se reconciliar com sua "ancestralidade lusitana e negra, de que todos nós nos vexávamos um pouco", como disse Darcy Ribeiro em 1977 (cf. Ribeiro, 2000) –, a tese de 1922 e o texto de 1925, "Vida social no Nordeste – aspectos de um século de transição", não tinham muito a dizer. Ou melhor, a lição que ensinavam ia, em certo sentido, na direção oposta.

Uma leitura atenta desses textos nas suas versões originais, acompanhada de uma comparação com os textos tal como foram preparados para edições posteriores, é suficiente para verificar que o aluno de Franz Boas não se tornou seu discípulo senão após um período de estudo, observação, amadurecimento e reflexão mais longo do que se imagina. Não é, pois, de admirar que nem seu nome nem suas ideias sobre a relevância dos efeitos culturais e ambientais sobre os traços raciais estivessem presentes nesses textos. O que tentaremos mostrar a seguir é que a atitude que Freyre louvava – e que pretendia desenvolver – de "ver e viver velhas coisas brasileiras como se as visse e como se as vivesse pela primeira vez" exigira um questionamento profundo de ideias estabelecidas que foi de difícil e lenta execução.[37]

Uma das razões para o seu aprendizado relativamente lento das ideias de Boas, cumpre registrar, pode ser o fato, lembrado por Freyre anos mais tarde, de ele não primar pelas qualidades didáticas convencionais. De "palavra difícil" e "de todo antieloquente quer falando ou escrevendo", faltava a Franz Boas o poder persuasivo do didata "exemplar" que fora seu outro professor, o sociólogo Giddings (Freyre, ca. 1981, p.60-1). Corroborando essas impressões, outros discípulos de Boas se recordam de seu estilo didático fundamentalmente informal e não explícito: tinha "horror à erudição", a exames e livros-texto, não fornecia aos alunos lista bibliográfica e muito raramente sugeria que lessem seus textos. Boas assumia, como diz Margaret Mead, que "iríamos apelar para eles" quando efetivamente precisássemos (Mead, 1959; Herskovits, 1953). "Aprendia-se o que se precisava quando se precisava", confirma outra ex-aluna de Boas, Ruth Bunzel. "O que era importante era ter o senso do problema. Ele sempre aconselhava os alunos a dispenderem menos tempo lendo e mais tempo pensando" (apud Mead, 1959, p.34). O aproveitamento de suas lições era, pois, tanto maior quanto mais o aluno estivesse envolvido num determinado tópico de estudo e tivesse um problema definido a solucionar, o que era feito tanto por contato pessoal como por participação em seminários onde o andamento das pesquisas de campo era relatado e seus problemas discutidos. Eram, portanto, os alunos de pós-graduação, que já desenvolviam seus próprios trabalhos antropológicos sob a direção de Boas, que tinham maior acesso às suas ideias inovadoras. No caso de Freyre, pode-se dizer que no início da década de 1920, quando frequentou os cursos de Antropologia em Columbia e quando estava a elaborar seu mestrado, a questão da mestiçagem, como bem lembrou Needell (1995, p.65-6), ainda não ocupava o centro de suas preocupações e não era sobre ela que o trabalho que então desenvolvia ia versar.

---

37 *Diário de Pernambuco*, 15/11/1925. É interessante lembrar que, em 1924, Oswald de Andrade também falava de "ver com olhos livres", quando lançou o manifesto da Poesia Pau-Brasil. Agradeço a João Adolfo Hansen por me chamar a atenção para essa coincidência.

Não se trata, absolutamente, de negar as inovações desses textos de 1922 e 1925 que, em vários aspectos, antecipavam ideias que seriam exploradas em *Casa-grande & senzala*, *Sobrados e mucambos* e, especialmente no caso do texto de 1925, que contém brilhantes antecipações de obras muito posteriores, como *Ingleses no Brasil* e *Ordem e progresso* (Freyre, 1979c, p.76-8).

Quanto à tese de 1922, a começar por sua caracterização como "ensaio" – o que Freyre faz logo na primeira linha – e pelo uso de grande variedade de fontes normalmente desprezadas, as antecipações são muitas:[38] a equiparação dos engenhos de açúcar a sistemas feudais e a do poder dos seus proprietários ao dos "senhores absolutos"; o contraste da "vida de querubim" que levavam os escravos com a dos maus-tratos dos operários industriais europeus, ingleses e continentais; a ausência de meninice das crianças brasileiras que já nasciam "de meia-idade"; os "preconceitos mouros" que faziam as mulheres prisioneiras da casa enquanto os homens passavam a vida na rua; o duplo padrão de moralidade que permitia aos homens brancos se relacionar sexualmente com as escravas, daí resultando "mestiços ladinos", alguns dos quais ascenderam socialmente; a aparência das casas e de suas mobílias pesadas etc.

Enfim, a exemplo do que queria Walter Pater da história, como Freyre apontou logo na primeira sentença da tese, ele também queria evocar o passado por meio de uma descrição vívida e deliberadamente "superficial" da família patriarcal, descrição que seria retomada e desenvolvida, primeiro no texto de 1925 e depois em sua grande obra de 1933. Pater, segundo seu biógrafo Benson, concentrava sua atenção nos "detalhes e valores externos" e chegara a dizer certa vez que estava "bem cansado de ouvir as pessoas falarem sempre sobre as causas da Revolução Francesa". Isso definitivamente não lhe interessava. "Sou todo por detalhes. Quero saber como as pessoas viviam, o que vestiam e que aparência tinham". Foi exatamente com esse trecho – que Freyre marcara com parênteses e grifo "no livrinho ... sobre o meu querido

---

38 Relatos de viajantes, diários, periódicos e até mesmo entrevistas com "sobreviventes da velha ordem" foram as fontes utilizadas. Dain Borges (2003, p.220) se refere ao estilo ensaístico usado habilmente por Freyre já na tese de 1922, estilo que lhe permite anunciar sua visão da história da escravidão.

Walter Pater" lido em março de 1922 – que daria início à sua tese de mestrado.[39]

Mas, no que diz respeito à questão da mestiçagem, a tese de 1922 estava muito distante de *Casa-grande & senzala* e muito próxima das opiniões então prevalecentes sobre raça e as benesses da eugenia nas questões raciais. As referências a escravos e à mestiçagem "ocorrendo livremente" sem dúvida existem, mas não ocupam ainda o papel central que têm em seus textos futuros; e a forma adocicada pela qual as relações raciais são descritas não é contrabalançada com reflexões sobre os efeitos maléficos da escravidão, tema que enfrentará mais tarde (Freyre, 1922a, p.607, 614, 600 e passim). Quanto à proximidade de seus enunciados sobre raça com as opiniões em voga na época, as evidências são poucas, mas contundentes. Em primeiro lugar, Freyre alude a um aprimoramento da raça em andamento. Sem dar muito relevo, como se as ideias ali expostas fossem assentes, o que de fato eram, Freyre se refere a um "melhoramento da raça escrava" (*an improved slave breed*) em decorrência do fato de o pai da criança nascida do relacionamento com uma jovem escrava ser "em muitos casos ... um português – digo etnicamente, não civilmente – do melhor sangue" (ibidem, p.611). Era o Brasil branqueando a raça no tempo da escravidão, o que, naquele início de século, a Argentina estava fazendo com grande eficácia, como Freyre já apontara a seus leitores em outubro de 1920. "Temos muito que aprender dos vizinhos do Sul", afirmara Freyre resenhando o livro de Oliveira Lima, *Na Argentina*, propondo que a solução do "problema da raça" é uma das lições que a república vizinha tem a nos dar. "Parece que neste ponto a República do Prata leva decidida vantagem sobre os demais países americanos. Em futuro não remoto sua população será praticamente branca. Tão inferiores em número à caudalosa maré caucasiana são os elementos de cor que o processo de clarificação da raça argentina será relativamente breve, fácil e suave".[40]

Mais chocante e inesperada, talvez, mas igualmente compreensível no quadro mental da época e do lugar onde escrevia, foi a infeliz analogia

---

39 Carta de G. Freyre a O. Lima, 13/3/1922, em Freyre, 1978, p.197. O trecho utilizado por Freyre foi extraído da página 187 de Benson, 1911.

40 *Diário de Pernambuco*, 31/10/1920.

que Freyre fez da aparência dos homens numa procissão religiosa brasileira, "Encomendação das almas", com os "cavaleiros da Ku Klux Klan americana" (1922a, p.623).

Quando, décadas mais tarde, finalmente levou avante seu projeto de publicar uma versão em português de sua tese de 1922, esses trechos foram cortados, não obstante seu "esforço de autocrítica" e sua decisão de somente alterar "pormenores de superfície" (Freyre, 1985, p.28). Tanto a referência ao "melhoramento da raça escrava" devido à mistura com uma raça superior, ou, como disse, "do melhor sangue", quanto a analogia com a famigerada Ku Klux Klan devem ter-lhe parecido embaraçosas em demasia (ibidem, p.89, 201-1).[41] Os substanciais acréscimos que fez na versão portuguesa também alteram, no meu entender, mais do que em "pormenores de superfície" o texto original.[42] As muitas adições de dados sobre a mestiçagem no Brasil, por exemplo, por si só fazem que essa questão cresça em importância. A ênfase na promiscuidade entre senhores e escravos, bem como na severidade da disciplina doméstica e nos "extremos de sadismo" do branco para com o negro, também minimizam substancialmente, no meu entender, a idealização das relações raciais tal como foram apresentadas em 1922 (ibidem, p.59-60, 72, 88-90, 102 e passim).[43]

O texto de 1925, muito mais maduro e crítico do que o de 1922 e "verdadeira súmula de uma carreira futura", como já foi bem assinalado (Dimas, 2003, p.331),[44] apesar de ser, sob muitos aspectos, admirável pela originalidade e pela amplitude de questões que tratou com rara perspicácia e erudição, também revela que o discípulo de Boas ainda

---

41 No trecho em português, Freyre adiciona, quando se refere às "escravas moças" (slave girls) o seguinte qualificativo: "e quase sempre belas e sadias".

42 Uma contagem de palavras dos dois textos revela que a versão portuguesa tem praticamente o dobro das do texto de 1922 – este com 12.718 palavras e a versão portuguesa com 23.994. Mesmo considerando que se trata de duas línguas diferentes, a diferença parece substancial.

43 Notam-se também vários acréscimos que advêm da utilização de recortes de jornais e retratos como fontes, que na tese original, salvo engano, não constam. A referência à noção de *conspicuous waste* de Veblen para caracterizar os cuidados com os escravos como sendo "ostentação da fartura patriarcal" também não consta na tese de 1922.

44 Needell (1955, p.66) também se refere a esse texto de 1925 como "o verdadeiro antecessor de *Casa-grande & senzala* e a transição-chave entre sua tese e sua grande obra".

estava por surgir (Freyre, 1979c).[45] O branqueamento da população não mais é apontado como a solução para o suposto problema racial e só *en passant* há referências a um "possível clarificamento étnico" em curso e ao argumento de alguns que afirmavam que "o sangue da raça superior deve finalmente transmudar o todo". Mas definitivamente o "mestiçamento" brasileiro não é uma questão já resolvida para Freyre.

A "zona dos velhos engenhos" é descrita como a "mais contaminada pelo sangue negro" e o lugar onde "o mataborrão ariano dificilmente chupa, apenas atenua, o colorido das muitas manchas escuras". Diante desse aspecto inelutável da realidade brasileira, Freyre se revela incerto e confuso quanto ao seu significado; confusão e incerteza que seus referenciais e suas fontes brasileiras e estrangeiras não pareciam poder sanar já que expressavam posições "as mais divergentes". Umas minimizavam as desvantagens do "mestiçamento" salientando quão interessante e bela era a raça mestiça, enquanto outras consideravam tanto o mestiço quanto o negro responsáveis pelo "aspecto terrível", feio e triste do brasileiro. Para o bem ou para o mal, a "penetração negra" no Brasil era vista por uns e por outros como inegável. Uma única de suas fontes, Lord Bryce, parecia ter uma posição mais sensata, suspendendo o juízo sobre os efeitos da mistura de sangue diante da disparidade de opiniões, mas, ao mesmo tempo, como salienta Freyre, revelando ter bem entranhado "o seu medo do escuro", tal como se percebe na seguinte passagem: "Não se pode deixar de temer que os portugueses do Brasil tropical ... sofram com uma contínua infusão de um elemento cuja fibra moral é conspicuamente fraca".[46]

Ironicamente, a única vez em que a ideia cara a Franz Boas sobre a importância do meio ambiente, do "exterior das circunstâncias", é vislumbrada por Freyre, ele a usa não para eximir o mestiço de qualquer inferioridade racial ou moral, mas exatamente para mostrar que

---

45 Republicado sob o título "Aspectos de um século de transição no Nordeste do Brasil", em Freyre, 1968b, p.125-99.

46 Continuando o trecho em que cita Bryce, Freyre acrescenta para a edição de 1941 de *Região e tradição* a seguinte frase: "às expressões "fibra moral ... conspicuamente fraca" – como característico de raça – e 'raça superior', falta rigor científico; escreveu-as talvez o imperialista anglo-saxão" (Freyre, 1968b, p.193).

"a sobriedade e elegância moral" que Lord Bryce detectara em alguns "homens de sangue mesclado" eram "casos excepcionais" sem nenhum valor representativo. Fruto, "talvez ... quase todo", diz Freyre, do "exterior das circunstâncias". Afirmação que implicava, pois, a ideia de que em circunstâncias diversas a raça voltaria a exibir sua inferioridade natural ou, para usar o argumento dos eugenistas, a de que as qualidades adquiridas por indivíduos não são transmissíveis a seus descendentes (Freyre, 1985, p.89; Freyre, 1968b, p.194).

Enfim, aparentemente abalado na sua absoluta certeza de que no branqueamento estava a solução do suposto problema racial, Freyre não tinha ainda em 1925, no entanto, a convicção de que mestiçagem não implicava patologia. Reconhecia que "a formação e a vida da família brasileira" haviam sofrido "a influência africana" e que havia um legado a ser valorizado na nutrição, no sentido melódico e na imaginação e espiritualidade do menino brasileiro. Mas a mistura racial, mesmo concedendo a possibilidade de ela ter "trazido à plástica brasileira uma nota de exótica beleza" e de resistência ao clima hostil, não foi considerada por Freyre, nessa ocasião, como característica da qual os brasileiros pudessem, sem nenhuma dúvida, orgulhar-se. Para chegar a essa convicção Freyre tinha de se libertar de preconceitos contra negros e mestiços muito difundidos em seu tempo. E nisso, mais uma vez, a ajuda de pensadores e ensaístas britânicos lhe será essencial, como veremos adiante. Quando, anos depois, republicou esse texto de 1925 em *Região e tradição*, as alterações que fez nele são novamente reveladoras daquilo que o embaraçava em seu ensaio de juventude.

Palavras, expressões, trechos ou comparações que denotam sentimento de superioridade racial e certo desprezo pelo mestiço e pelo negro foram em vários pontos abolidas; e, dançando com a língua portuguesa, como era capaz, Freyre fez acréscimos estratégicos para se distanciar de ideias que não mais compartilhava. Por exemplo, onde se referira aos "tão interessantes" estudos de Nina Rodrigues sobre o "que se poderia chamar de patologia da miscigenação", ele acrescentou a seguinte passagem que impôs distância crítica entre ele e o autor baiano: "patologia social por ele confundida com a biológica". O mesmo distanciamento ele conseguiu ao substituir a frase "sabe-se que a mulata é

Maria Lúcia Garcia Pallares-Burke

uma superexcitada sexual" por "alguns proclamam a mulata uma superexcitada sexual". Onde falara sobre o tratamento dado aos escravos "nem sempre dóceis", a referência aos "castigos às vezes necessários" foi habilmente transformada em 1941 em "castigos às vezes julgados necessários", constituindo o autor, portanto, numa posição de observador mais imparcial. A descrição da "zona dos velhos engenhos" como "a mais contaminada pelo sangue negro" citada acima irá reaparecer em 1941 como "a mais cheia de sangue negro", enquanto o trecho sobre o "mataborrão ariano" foi cortado. Ao referir-se ao estímulo que os jovens recebiam dos pais para se relacionar sexualmente com as escravas, Freyre transformou o que fora originalmente apresentado como "a contaminação" em "o intercurso sexual do filho com as negras" (Freyre, 1979c, p.88, 87, 89, 85; 1968b, p.191, 190, 183, 192, 174).

Aparentemente cuidadoso em extirpar do texto o que talvez mais o incomodasse, duas outras referências ao relacionamento sexual com as escravas como "contaminação", entretanto, lhe escaparam (1979c, p.174).

Alguns outros trechos aparentemente inaceitáveis para o Freyre pós--Boas foram igualmente cortados. É assim que uma analogia extremamente desrespeitosa dos negros desaparece, bem como alguns trechos que revelam um tácito endosso à "subserviência" filial em que viviam os escravos e aos castigos que, por necessidade, os senhores e as senhoras do engenho infligiam aos que não fossem dóceis: "Negros havia que só com o dorso arroxeado de açoites aprendiam a trabalhar fielmente" e "eram menos dóceis e mais difíceis de dirigir e educar, os pretos e as negras, que os cavalos e bichos de circo", são algumas das passagens que iriam desaparecer na edição de 1941 (ibidem, p.81,79, 87; 1968b, p.156, 144, 183).

Reconhecer que Freyre foi representativo de seu tempo e de seu meio e que, por algum tempo, aderiu ao racismo científico que descobriu e admirou durante sua permanência nos Estados Unidos, constitui um passo essencial para se compreender sua trajetória e a obra revolucionária que produziu no início dos anos 1930. Como já foi apontado brevemente, uma profunda decepção com a solução racial norte-americana se seguiu ao grande entusiasmo com que Freyre inicialmente observou sua eficácia em lidar com uma questão que dizia respeito a todos os americanos, do norte ao sul do continente. Enquanto esse entusiasmo

Gilberto Freyre

não fosse de todo eliminado, Freyre não estaria pronto para absorver, em profundidade, os ensinamentos de Franz Boas.

Quando partiu para os Estados Unidos em 1918, Freyre compartilhava ideias sobre o Brasil então correntes. Sua posição quanto aos destinos do país não era muito diferente da retratada por Graça Aranha em seu *Canaã*: pessimista como o personagem Paulo Maciel quanto às possibilidades de sua terra, seus olhos se voltavam nostalgicamente para uma Europa "quase mística". Os Estados Unidos haviam sido, como vimos, uma segunda opção diante da impossibilidade de seguir para a Europa em plena guerra. Como reconheceu mais tarde, durante décadas a Europa era, para muitos jovens intelectuais brasileiros, "o lugar ideal, de que real ou imaginariamente se utilizavam para fugir ao colonialismo brasileiro". Como resultado, mesmo os que não saíam do país viviam "intelectualmente na Europa" (Freyre, 1945a, p.170).

Qual a razão desse desalento? Ao lado dos males do clima tropical, os "vícios de nossa origem mestiça", como dizia Paulo Prado, eram tidos como obstáculos praticamente insuperáveis para o desenvolvimento e a independência do país. Indolência e fraqueza intelectual e moral, considerados defeitos inerentes ao brasileiro mestiço, pareciam incapacitar o país para qualquer progresso. Tratada em geral como assunto de patologia física e social por estudiosos, só excepcionalmente "algumas almas solitárias", como diz Skidmore (1993, p.113), consideravam a mestiçagem como algo positivo.

Uma carta de Ulisses, irmão mais velho de Freyre e seu grande incentivador, dá bem a medida do pessimismo característico que esses jovens partilhavam com tantos de sua época. Ao mesmo tempo em que estimulava o irmão adolescente a deixar o Recife a fim de se preparar devidamente para "reformar o seu país", Ulisses se referia à questão crucial que os homens de talento e responsabilidade social eram chamados a enfrentar: "O nosso maior problema é o das raças. No meu pensar, se as cousas continuarem como vão agora, no fim de cinco gerações, no máximo, seremos um país de mestiços; não de branco e índio, mas de africano e branco".[47]

---

47   Carta de U. Freyre a G. Freyre, 22/5/1916, AFGF.

O branqueamento, nesse quadro, parecia a única solução viável, tal como Oliveira Lima e tantos outros pensavam (cf. Skidmore, 1993; 1990). Em 1920, resenhando para os seus leitores de Pernambuco o livro em que o amigo diplomata relatava suas impressões sobre a Argentina, Freyre se referira à "caudalosa maré caucasiana" que anunciava uma "raça argentina ... física e moralmente bela".[48] No depoimento pelo qual Freyre tanto se entusiasmara, o visitante brasileiro havia se referido às ondas civilizatórias de europeus que vinham se alastrando pelo país, levando consigo a cultura superior, ao mesmo tempo que contribuíam para o enfraquecimento das raças inferiores. Os "tipos africanos" já haviam desaparecido "praticamente da circulação" e era de esperar que "em algumas dezenas de anos" uma nova raça de europeus-argentinos estaria lendo "nas suas horas de recreio ... as crônicas das extintas raças indígenas, as histórias da mestiçada raça gaúcha que retardou a formação da raça branca argentina ..." (Lima, 1920, p.24-33).

Enfim, o que Oliveira Lima ali defendia era, por assim dizer, parte da sabedoria então consagrada: da "necessidade constante de uma boa imigração" dependia o futuro de qualquer país contaminado com raças inferiores como as indígenas e africanas. Sem esse elemento corretor, qualquer ideia de desenvolvimento não passaria de ilusão. Os dados sobre esse processo de formação da "argentinidade" em andamento eram surpreendentes. Entre 1853 e 1910 a população de estrangeiros crescera de 3.200 para 2.300.000. Não é de admirar que Freyre tenha dito então a seus leitores que esse incentivo à boa imigração era uma das lições que tínhamos "que aprender dos vizinhos do Sul".

Ele escrevera a resenha do livro *Na Argentina* durante o período em que estudou em Baylor onde, como era de imaginar, seus preconceitos se fortificaram. Recordando nos anos 1950 sua chegada a Waco, Freyre diz que tivera de se familiarizar com as "etiquetas" sulistas que incluíam lidar com os negros "as the member of a superior race in regard to an inferior one" (como o membro de uma raça superior em relação a um inferior) e jamais chamá-los de "Mister".[49] Ele mesmo iria mais tarde

---

48 *Diário de Pernambuco*, 31/10/1920.

49 Freyre, manuscrito inacabado de uma autobiografia em inglês, AFGF.

reconhecer que seu orgulho de branco inicialmente muito se insuflara no ambiente texano; ambiente que, como logo iria descobrir, era um "dos centros mais vivos da mística etnocêntrica anglo-saxônica" (1957b, v.I, p.72-4). Era, pois, natural que seu desconforto com o aspecto físico de grande número de seus compatriotas e sua ansiedade sobre o futuro do Brasil crescessem nesse meio. Numa conhecida passagem sobre suas experiências norte-americanas que ficou gravada nas primeiras páginas de *Casa-grande & senzala*, Freyre recorda-se de seu choque ao ver em Nova York os marinheiros de um navio brasileiro, provavelmente o Minas Gerais. Era como se estivesse defronte de "caricaturas de homens" (2002, p.7). Aparentemente a ocasião desse encontro fora a solene inauguração da estátua de Simón Bolívar no Central Park pelo presidente Harding; e, no meio de uma seleta audiência de embaixadores, ministros, cônsules e convidados especiais, nossos compatriotas "mulatos e cafuzos" devem ter adquirido, por contraste racista, um aspecto ainda menos agradável ao olhar. O rápido escurecimento da população brasileira o alarmava profundamente, como disse na ocasião ao seu amigo Oliveira Lima. "A gente de cor deve ser mais de 75%" e a ela "precisamos opor ... o imigrante branco".[50]

Nos artigos que enviou ao *Diário de Pernambuco* durante seu período americano Freyre deixou ocasionalmente transparecer os preconceitos que, com toda a probabilidade, compartilhava com muitos de seus leitores. O que se estava a assistir em Pernambuco, disse o jovem jornalista em 1921, é o "triste fim de uma aristocracia". O grupo que antes liderava o país está em plena decadência, a maior parte dessa aristocracia já se achando "no chão esparramada como uma jaca mole podre de madura". Aqueles que eram "nossa *gentry*" estão reduzidos a um "estado execrável", lamenta. São agora "tipos sem dignidade ... magricelas amasiados com mulatas gordas de cabelo encarapinhado". É com nostalgia que se recorda dos bons velhos tempos em que a vida no Brasil era tranquila e os "africanos fiéis", sugerindo que no passado as pessoas conheciam e aceitavam o seu lugar na hierarquia social.[51]

---

50 *Diário de Pernambuco*, 5/6/1921; carta de G. Freyre a O. Lima, 18/2/1921, em Freyre, 1978, p.175.

51 *Diário de Pernambuco*, 23/10/1921; 1º/1/1922.

A analogia que Freyre fez nessa ocasião entre a aristocracia rural pernambucana e a do "old South" dos Estados Unidos também é significativa. Os bons velhos tempos do sul escravocrata são ocasionalmente lembrados pelo jovem estudante com clara nostalgia. Ali, onde "a flor da aristocracia" florescera, "havia lazer, havia fausto, havia escravos e havia maneiras gentis". Essa "coisa deliciosa que foi o Sul de antes da Guerra Civil" acabou, no entanto, sendo destruída pelo Norte industrial e "uma onda de metodismo, de democratismo e de estupidez" simplesmente "varreu o Sul depois da guerra".

É nesse contexto que se deve entender a condescendência de Freyre para com a Ku Klux Klan, essa "espécie de maçonaria guerreira" organizada pelo velho Sul num esforço de resistir à humilhação que o "arrogante" Norte lhe infligira, como ele esclareceu a seus leitores em 1926. Mas ainda há vestígios da antiga "gentileza de espírito e de maneiras dos tempos idos", e o estudioso John Casper Branner, seu correspondente ao chegar aos Estados Unidos, era, segundo ele, um belo exemplo a citar. Como disse ao lamentar sua morte em abril de 1922, a dignidade desse professor de Stanford interessado nas "coisas e pessoas do Brasil ... deixava entrever sua origem sulista".[52] Francis Simkins, o amigo de Freyre oriundo da mesma antiga região escravocrata, elogiava-o pela capacidade de compreender o *ethos* nacional: conhecendo os Estados Unidos "por dentro", ele era "suficientemente tolerante com os impulsos nativos para justificar o comportamento da segunda Ku Klux Klan e dos demagogos do sul".[53]

É verdade que, no Texas, Freyre tinha estado muito próximo das atrocidades que se cometiam contra os ex-escravos e não podia deixar de reconhecer, portanto, que havia algo profundamente desumano nesse "velho Sul" que admirava. A crer em seu diário-memória, durante uma excursão aos arredores de Waco ele chegou a sentir o cheiro de carne humana queimada, e foi informado "com relativa simplicidade" de que era mais um "negro queimado" pelos "boys", o que, de fato, constituía acontecimento corriqueiro naquele período. Poucos anos antes, após

---

52 *Diário de Pernambuco*, 27/11/1921; 25/12/1921; 4/7/1926; 16/4/1922.
53 Simkins, autobiografia inédita, ca. 1942-1949, cit., cap.8.

presenciar uma dessas violências assombrosas, o trágico herói de James Weldon Johnson (um dos futuros líderes do movimento "Harlem Renaissance") refere-se à "insuportável vergonha" de ser identificado com "um povo que podia ser tratado, com impunidade, pior do que animais. Pois certamente a lei restringia e punia a queima proposital de animais vivos" (Johnson, 1990, p.139).

A batalha por uma lei federal antilinchamento, que seria travada a partir de 1919 por Johnson e outros defensores da causa da *National Association for the Advancement of Colored People*, gerou muita discussão na imprensa e no Congresso, mas não chegou ao Senado norte-americano (Johnson, 1945, p.361-74). Tudo parece indicar que o conhecimento que Freyre teve das violências hediondas praticadas contra os negros no Texas não resultou, pelo menos a curto prazo, no questionamento do racismo que fundamentava todo o *ethos* sulista com suas tradições de "genuíno humanismo" e seus princípios anti-industrialistas.[54] O que parecem ter provocado, sim, foi o abalo do antigo respeito de Freyre pelo protestantismo anglo-saxão e o despertar de uma nova percepção do catolicismo, visto então como mais verdadeiramente cristão e humano; uma ironia, como lembrou Freyre, quando se considera que eram esses protestantes, esses "Bible maniacs", que saíam a pregar pelo mundo afora com a pretensão de "dar lições ao 'romanismo, e ao 'papismo'" (Freyre, 1975, p.32-3).[55]

É a partir desse quadro que se pode entender o entusiasmo de Freyre ao observar a destreza com que os Estados Unidos enfrentavam a questão racial e tomar conhecimento do racismo científico que fundamentava sua política imigratória e eugênica. Como Francis Simkins bem notou, durante sua permanência nos Estados Unidos Freyre soubera apreciar as "discriminações raciais como uma força construtiva do nacionalismo americano".[56] Diferentemente do Brasil que permanecia relativamente passivo diante de sua triste realidade de país mestiço e, consequentemente, atrasado, o jovem Freyre notava que os Estados

---

54 Sobre os "princípios" do Sul americano nas primeiras décadas do século XX, ver Twelve Southerners (1951).

55 Cf. tb. Manuscrito inacabado de uma autobiografia em inglês, AFGF.

56 Simkins, autobiografia inédita, cit., cap.8.

Unidos estavam a discutir ativamente seus problemas raciais e a buscar uma solução satisfatória; solução que anuncia brevemente, mas com entusiasmo, a seus leitores em fevereiro de 1921.

É com admiração que o jovem pernambucano relata nessa ocasião sua visita a Ellis Island, o mais importante porto de entrada de imigrantes da costa leste norte-americana desde sua fundação em 1892, até seu fechamento em 1954. Podendo ser vista como uma "ilha de esperança" para onde acorriam milhares de pessoas de várias partes do mundo fugindo de perseguições ou de dificuldades econômicas, a verdade é que, à medida que as restrições cresciam, Ellis Island foi-se transformando numa "ilha de lágrimas" para os rejeitados que eram ali confinados antes de ser, finalmente, deportados para seus países de origem (Brownstone, Franck & Brownstone,1986).

Aparentemente indiferente às denúncias da desumanidade que ali ocorria e aos abusos da seleção física e mental a que os recém-chegados eram submetidos – coisas que um leitor assíduo da imprensa nova-iorquina não podia desconhecer –, o jovem Freyre se empolga com o modo como só os imigrantes classificados como física e moralmente melhores tinham concedida sua permanência no país. Era "a sociologia copiando da biologia a vitória do mais apto", comenta em tácita aprovação do que estava observando nessa "refinaria de gente", tal como ele chama a ilha. A eficácia do processo de discriminação entre "boas" e "más" aquisições o encanta. Os recém-chegados, relata a seus leitores, são submetidos "às, cada dia, mais difíceis exigências de seleção, por meio das quais os Estados Unidos procuram apropriar-se somente do elemento capaz de colaborar no seu progresso e de manter o alto padrão americano de eficiência e saúde física e moral".[57]

A habilidade com que os funcionários dessa "refinaria de gente" faziam os imigrantes aprovados adquirir "os primeiros toques de americanização" também impressiona o jovem visitante. É com admiração que descreve a seus leitores o "processo de digestão social" pelo qual os dois mil imigrantes ali presentes nesse dia, italianos e judeus na maioria, começaram, por assim dizer, a se livrar de seu passado diante de seus próprios

---

57 *Diário de Pernambuco*, 27/2/1921.

olhos. Nem mesmo os judeus, tão apegados a suas tradições, pareciam capazes de resistir a tão eficaz processo, comenta Freyre entusiasmado.[58]

Que a seleção dos imigrantes em Ellis Island fazia parte de um quadro mais amplo de preocupações eugênicas, Freyre parece ter logo percebido e aprovado. O "espírito social" de instituições, agências e indivíduos norte-americanos devotados ao "melhoramento da raça" o impressiona pelo otimismo e pela praticidade que revelavam. Referências ao anseio norte-americano de "regenerar o mundo" e de "promover o melhoramento da espécie" foram então feitas com interesse e entusiasmo. É assim que a campanha da "maternidade voluntária" liderada pela progressista e intrépida Margaret Sanger foi apresentada como medida de inquestionável importância para o "melhoramento da raça", dada a sua fundamentação científica e econômico-social.[59]

Fundadora do movimento que denominou de Birth Control e autora do *Woman and the New Race*, Sanger era uma feminista batalhadora que lutou para dar às mulheres a possibilidade de escolher se e com que frequência ficariam grávidas, fornecendo-lhes informações sobre controle da natalidade, o que na época era considerado pornográfico e criminoso. Mais importante aqui é assinalar que, para Sanger, o controle da natalidade era fundamentalmente um problema eugênico. No seu livro "ainda úmido do prelo", como Freyre anunciou a seus leitores, e prefaciado por seu conhecido Havelock Ellis, a autora falava a linguagem dos eugenistas referindo-se aos entraves que os "débeis mentais", os "deficientes" e os "incapazes" de toda espécie representavam para a sociedade e para o desenvolvimento de uma "maior raça americana". Apresentando o "controle de natalidade como um meio de chegar a uma Nova Raça", Sanger dizia defender "nada mais nada menos do que a facilitação do processo de eliminação dos incapazes, da prevenção do nascimento dos defeituosos ou daqueles que se tornarão defeituosos". E, muito afinada com a visão prevalecente sobre a ameaça que os novos imigrantes representavam para a "raça americana", Sanger aceitava como inquestionáveis os testes de inteligência que "demonstravam" que a maioria

---

58 Idem.

59 *Diário de Pernambuco*, 20/3/1921 (onde Sanger aparece erroneamente como Songer); 25/12/1921.

das crianças mentalmente fracas (*feebleminded* era o termo eugênico usado) descendia de imigrantes (Sanger, 1920, p.29-30, 229 e passim).

Se as manifestações de Freyre mencionadas não bastassem para indicar o namoro que manteve com o racismo científico descoberto no momento em que era defendido e professado por muitos dos mais respeitáveis pensadores e reformadores progressistas dos Estados Unidos, o entusiasmo que demonstrou por Madison Grant e Lothrop Stoddard, dois dos mais combativos membros da American Eugenics Society e da Eugenics Research Association, deve afastar qualquer dúvida.

Um mês e pouco após ter iniciado seus estudos na Universidade de Columbia em Nova York, Freyre escreve a Oliveira Lima uma carta onde, além de lhe agradecer as sugestões que recebera para a dissertação de mestrado, recomendava-lhe duas leituras que o estavam entusiasmando sobre "small town stuff" e duas outras sobre questões raciais. *Miss Lulu Bett*, de Zona Gale, e *Main Street*, o segundo romance de Sinclair Lewis – coincidentemente tratando ambos do provincianismo das pequenas cidades americanas e tendo uma mulher como protagonista –, destacavam-se em meio do "grande oceano de ficção barata" que enchia as livrarias americanas, comenta o ávido leitor.[60] Quanto aos outros dois livros, era bem possível que o autor do *Na Argentina* os conhecesse, pois tratavam de assunto que também muito o alarmava. "Já leu *The Rise of the Color Tide* e *The Passing of a Great Race*? Li o último há meses e estou no meio da leitura do primeiro. São interessantes estudos do problema de raças, mistura, etc. do qual o nosso Brasil sofre. Precisamos opor ao 'salt atroz' o imigrante branco. Quanto mais estudo o problema do ponto de vista brasileiro, mais alarmado fico. Estive a notar outro dia a tripulação do 'Minas': a gente de cor deve ser mais de 75%".[61]

---

60   Carta de G. Freyre a O. Lima, 18/2/1921 (onde *Miss Lulu Bett* aparece erradamente como *Miss Lulu Bello*), em Freyre, 1978, p.174-5.

61   Trata-se de *The Rising Tide of Color* e *The Passing of the Great Race*, títulos de obras famosas na década de 1920 (e lamentavelmente ainda populares entre os defensores da supremacia branca como atestam as *webpages* racistas da *internet*) e que aparecem na carta de Freyre com os títulos ligeiramente errados; "Salta atras", que também aparece erradamente como "salt atroz", é uma das muitas expressões – como Mulato, Morisco, Chino, Lobo, Gibaro, Albarozado, Canbujo, Sanbaigo, Calpamulato, Tente en el Aire, Noteentiendo, Torna Atras – usadas nos Estados Unidos e no México para designar aqueles que possuíam ancestrais africanos.

O significado desse entusiasmo de Freyre nesse momento de sua trajetória intelectual não me parece que deva ter sua importância minimizada; e se me detenho a tratar desses autores, que para nós hoje só podem parecer desprezíveis, e do contexto em que atuaram, é porque isso nos ajuda a compreender os impasses que o jovem autor teve de enfrentar para chegar a *Casa-grande & senzala*. Exatamente porque Grant e Stoddard defendiam posições diametralmente opostas às que Freyre iria poucos anos depois elaborar e difundir, é que o momento desse entusiasmo temporário adquire maior significado. É como se o jovem Freyre tivesse de conhecer e admirar o racismo numa de suas formas mais extremadas para que, finalmente, pudesse se livrar dele.

Do que tratavam, enfim, esses dois "interessantes estudos" e quem eram seus autores?

Comecemos pela obra que Freyre já lera "há meses", *The Passing of the Great Race*, de Madison Grant. Nascido em 1865 numa família tradicional de Nova York que "adornava a vida social de Manhattan desde os tempos coloniais", Grant era extremamente orgulhoso de sua classe e de sua origem anglo-saxã (Higham, 1955, p.155). Além de ser especialista em genealogia e membro fundador da Society of Colonial Wars, entidade destinada a perpetuar a memória dos que lutaram para a preservação das colônias americanas, Grant era especialmente interessado em zoologia, biologia e antropologia física, assuntos cuja bibliografia dominava em profundidade e com confiança. Como diz John Higham num livro que já nasceu clássico sobre a "história do espírito antiestrangeiro" nos Estados Unidos entre 1860 e 1925, "Grant era muito bem provido de informações científicas, mas era também livre de qualquer escrúpulo científico para interpretá-las" (ibidem, p.ix, 156).[62]

Publicado originalmente em 1916 e já na quarta edição em 1921, *The Passing of the Great Race or the Racial Basis of European History* apresentava uma história do mundo em que a nova ciência da hereditariedade tinha papel essencial. Baseando-se no "grande movimento biológico" do final do século XIX, como o prefácio de um eminente biólogo da Universidade

---

62 Para uma discussão mais recente sobre os pressupostos racistas que ainda estariam presentes na teoria cultural contemporânea e no uso do conceito "hibridismo", ver Young, 1995.

de Columbia anunciava, Grant escrevera uma "história racial da Europa" em que a ameaça de desaparecimento da "grande raça" nórdica era cientificamente demonstrada e medidas preventivas eram enfaticamente sugeridas (Grant, 1921, pref. à 1ª ed.).

A democracia, argumentava Grant desde as primeiras linhas do livro, baseia-se em "dogmas de igualdade" que assumem que "o ambiente e não a hereditariedade é o fator controlador do desenvolvimento humano". Ora, tal noção, que implica a crença no poder modificador da educação, do ambiente e da filantropia, contradiz totalmente o que foi demonstrado pela "moderna antropologia" e pelas leis científicas da hereditariedade. "A grande lição da ciência da raça é a imutabilidade dos caracteres somatológicos ou corporais, com o que está intimamente associada a imutabilidade das predisposições e dos impulsos psíquicos". Uma vez admitida a imutabilidade da raça no seu "sentido científico moderno", tem-se necessariamente de admitir como inevitável "a existência da superioridade em uma raça e da inferioridade na outra", verdade cuja admissão não se pode esperar "daqueles de raças inferiores" (ibidem, p.XIX-XX, XXIV, XXXVIII-XXVIX, 5-6, 262, passim).

Uma das mais dramáticas consequências do desconhecimento das leis da hereditariedade e da aceitação do "dogma da irmandade dos homens" é o aumento das raças inferiores ou "classes inferiores" (como às vezes Grant as chama) e a consequente ameaça de eliminação da classe ou raça nórdica superior – a raça do "homem branco *par excellence*". Sentimentalistas e filantropistas que se recusam a confrontar esse perigo devem reconhecer que não há como alterar a hereditariedade. E a história está repleta de exemplos ilustrativos dessa verdade. Após a Guerra Civil americana, período em que floresceu a ideia de que o negro era um "primo infeliz do homem branco", foram necessários cinquenta anos para que "aprendêssemos que falar inglês, usar roupas boas e ir à escola e à igreja não transformam um negro num homem branco. Do mesmo modo, um sírio ou egípcio livre não se transformou num romano ao usar uma toga e aplaudir seu gladiador favorito no anfiteatro" (ibidem, p.13-4, 59-60).

O perigo que ameaça as sociedades superiores – como a norte-americana – onde proliferam raças inferiores é duplo: "suicídio de raça" e "reversão". No primeiro caso, a raça inferior termina por aniquilar a superior, como os negros "estão agora substituindo os brancos em várias partes do Sul"; no segundo, raças diferentes se misturam e "formam uma população de bastardos raciais na qual o tipo mais baixo finalmente prepondera". Para exemplificar tal verdade, Grant faz uma afirmação que se tornou lendária: "o cruzamento entre um homem branco e um índio é um índio; o cruzamento entre um homem branco e um negro é um negro; o cruzamento entre um homem branco e um hindu é um hindu; e o cruzamento entre qualquer uma das três raças europeias e um judeu é um judeu" (ibidem, p.XXIX-XXXI, 17-8, 76-8 e passim). É nesse quadro que se deve entender sua afirmação de que a ameaça maior que as sociedades elevadas enfrentam "vem de dentro e não de fora", e que os inferiores "não conquistarão o branco em batalha" (ibidem, p.XXI).[63] Apelando para as leis mendelianas da hereditariedade e para os ensinamentos de cientistas como William Z. Ripley, autor do influente *The Races of Europe*, Grant defendia a pureza racial, pontificando que a mistura de raças, mesmo das mais elevadas, deveria ser considerada "um crime social e racial da primeira magnitude" devido aos efeitos nefastos que tem para a sociedade e para o indivíduo (ibidem, p.13-4, 59-60 e passim).

A um leitor latino-americano como Freyre deve ter sido doloroso ver seu mundo ser lembrado para ilustrar o que o "Melting Pot faz na prática": provoca o desaparecimento do "puro sangue europeu" e produz uma mistura racial em que as raças inferiores dos negros e ameríndios ressurgem e substituem os "tipos mais elevados". A seu ver, "'América Latina' ... é uma designação errônea, pois a grande massa das populações da América Central e do Sul não é nem europeia e muito menos 'latina'" (ibidem, p.XXX-XXXI, 17, 61, 71, 76-7).[64] Mais ou

---

63 *Race suicide* foi a expressão cunhada por Edward R. Ross para se referir à atitude da raça superior quando, em vez de competir com uma raça inferior, deixa-se morrer. Baseando-se nessa ideia, Theodore Roosevelt apelou para as mães americanas deterem o suicídio da "raça" tendo mais filhos. Cf. Higham, 1955, p.147.

64 *The Melting-Pot* (1908) – que passou a ser um símbolo do antigo ideal assimilacionista da sociedade americana – foi um melodrama muito popular escrito por Israel Zangwill, um inglês que dirigia uma sociedade de emigração e ajudou milhares de judeus russos a se estabelecer nos Estados Unidos.

menos nessa mesma linha de crítica à pretensa latinidade dos brasileiros, Freyre escreveu no seu caderno de anotações de 1921: "Dizem que J.Pat., que era cor de chocolate sem leite, bradou uma vez: nós, os representantes da raça latina!".

O impacto da obra de Madison Grant foi significativo, especialmente após o fim da Primeira Guerra Mundial, quando o clima antidemocrático era propício a suas ideias sobre a necessidade de regenerar a raça norte-americana em vias de desaparecimento. O próprio Grant se mostrou satisfeito com o efeito de sua obra quando a reeditou em 1921. Seu objetivo de "despertar seus pares americanos para a esmagadora importância da raça e para a insensatez da teoria do 'Melting Pot'" fora integralmente realizado, diz ele, satisfeito, no início dos anos 1920 (ibidem, p.XXVIII).

Uma das provas desse sucesso foi a repercussão de sua obra na produção intelectual da época. Grande número de autores, tanto populares quanto acadêmicos, nela se inspiraram para engrossar a campanha contra a 'mongrelization' e a favor de uma restrição draconiana à imigração de raças inferiores.[65] Como diz John Higham, "intelectualmente o racismo ressurgente do início dos anos 1920 teve no *The Passing of the Great Race* de Madison Grant sua inspiração central". O próprio Grant se regozijou em 1921 por ter recebido não só dos Estados Unidos, mas de várias partes do mundo, "material corroborativo valioso" que dava ainda maior autoridade ao "conteúdo do livro" (Higham, 1955, p.271-2; Grant, 1921, p.XXVII).

The Rising Tide of Color, de 1920, o segundo título mencionado por Freyre a Oliveira Lima, fora exatamente escrito pelo mais importante discípulo de Madison Grant, Lothrop Stoddard. Dezoito anos mais jovem do que Grant e também, como seu tutor, oriundo de família tradicional da Nova Inglaterra, Stoddard era um advogado e filósofo político formado em Harvard e com Ph.D. em História que se tornou um dos mais combativos e respeitáveis defensores da eugenia nos Estados Unidos. Colaborador de Margaret Sanger, Stoddard foi nomeado diretor da

---

65 As palavras *mongrel* ou *mongrelization* não podem ser traduzidas por "mestiça" ou "mestiçagem" sem que se perca a conotação pejorativa que sempre implica. Cunhada originalmente para referir-se ao cachorro "vira-lata", ou seja, o cachorro que é fruto da mistura de raças diferentes, passou a ser usada para se referir, sempre pejorativamente, a pessoas de raça mestiça.

American Birth Control League e escreveu frequentemente para o *Birth Control Review* defendendo medidas restritivas a casamentos entre raças. Hoje em dia, mais do que por seu papel no movimento eugênico, ele é conhecido como um dos pensadores que, com grande perspicácia, constatou a "revivescência maometana" – inclusive o florescimento do movimento Wahhabi de fundamentalismo islâmico – e alertou o mundo branco do perigo que ameaçava sua supremacia, primeiramente em seu livro de 1920 e, um ano depois, em seu *The New World of Islam*. "Os materiais para uma Guerra Santa [Holy War] há tempo vêm se acumulando", alertava Stoddard no capítulo "Brown Man's Land" de *The Rising Tide of Color*. Não é à toa que, em face do ataque de 11 de setembro de 2001 ao World Trade Center de Nova York, seus dois livros tenham adquirido muita atualidade, sendo ao menos um deles, *The New World of Islam*, reeditado em 2002.[66] O mesmo trágico evento talvez explique o ressurgimento de ideias de eugenia nos Estados Unidos, como sugere a popularidade crescente, em 2004, do candidato republicano do Estado do Tennessee ao Senado, James L. Hart. Com uma plataforma que propõe a eliminação de qualquer política de bem-estar social e de imigração, Hart justifica as medidas que propõe em termos da eugenia. Rebatendo os que o acusam de racista, diz que suas ideias se baseiam na existência de "raças favorecidas" e "raças menos favorecidas".[67]

Publicado com prefácio de Madison Grant, *The Rising Tide of Color against White World Supremacy* teve sucesso imediato – como atestam suas três edições em 1920, seguidas de outra em 1923 – e foi aclamado como um verdadeiro "evangelho eugênico". Diferentemente de Grant, que tratara o assunto a partir de uma "admirável" abordagem biológica e histórica, Lothrop anuncia que vai abordar a questão da ameaça à supremacia branca da perspectiva da política mundial. É sobre "o mundo

---

66 Aparentemente muito bem informado, e citando trabalhos não só de estudiosos ocidentais como árabes, Stoddard faz no capítulo "Yellow Man's Land", de *The Rising Tide of Color*, afirmações contundentes como esta: "é precisamente a determinação de se livrar do papel do branco [no mundo] que parece estar se espalhando como um rastilho de pólvora no mundo marrom de hoje".

67 Cf. A. MacDowell, "Republican candidate admits supporting eugenics", *The Independent*, 4/8/2004; "Republicans pick racist", *The Guardian*, 7/8/2004; www.jameshartfor congress.com.

do homem branco e seus inimigos potenciais de hoje" que Stoddard escreve, anuncia Grant na introdução. Suas conclusões, no entanto, acham-se amplamente sustentadas e justificadas pela "história da raça nórdica, desde o seu aparecimento três ou quatro mil anos atrás", garante Grant com autoridade (Stoddard, 1981, p.V-XXXII).

Como o título da obra indica, Stoddard tratava de alertar para o crescente aumento das raças de cor e a concomitante diminuição da raça branca, fenômeno que interpretava como gerador de consequências desastrosas para o mundo civilizado. A primeira parte do livro, intitulada "A maré crescente da cor", tem um capítulo dedicado a cada uma das raças ameaçadoras da supremacia branca: "A terra do homem amarelo", "A terra do homem marrom", "A terra do homem preto" e "A terra do homem vermelho".

Dirigindo-se a um mundo abalado e debilitado pelas perdas materiais e morais que a Grande Guerra infligira, Stoddard, em termos bombásticos, conclamava toda a raça branca – que se esquecera dos "laços de sangue e cultura" que a deveriam manter sempre solidária – a se unir para reagir e lutar contra a perda de sua posição de "senhora do mundo". Caso contrário, argumentava, a raça "dotada com a maior habilidade criativa" do mundo, a que mais realizou no passado e que mais ricas promessas tem para o futuro, perecerá deixando a "evolução humana" interrompida a meio caminho de seu mais elevado destino.

Essa tão necessária reação solidária do mundo branco, continuava Stoddard, exigia o reconhecimento de que medidas restritivas tinham que ser impostas para deter o processo de escurecimento do globo ou, como já era anunciado pelo título de seu livro, "a maré crescente da cor contra a supremacia do mundo branco". Assim, ao mesmo tempo que apresentava dados numéricos alarmantes provando que somente quatro décimos do mundo, "no máximo", eram "predominantemente brancos", Stoddard propunha, como medida eugênica inicial, fortes restrições à imigração. Sua justificativa, apoiada em bibliografia científica, era feita em termos claros e contundentes: "restrição à imigração é uma espécie de segregação em larga escala pela qual estirpes inferiores podem ser impedidas de diluir e suplantar as boas estirpes. Do mesmo modo como isolamos invasões de bactérias e as fazemos passar fome ao

Gilberto Freyre

limitar a área e a quantidade de alimento, podemos compelir uma raça inferior a permanecer em seu habitat nativo". Aos que teimassem em acreditar que o ambiente poderia prevalecer sobre a hereditariedade e que, portanto, os imigrantes poderiam ser melhorados, Stoddard afirmava como verdade científica inquestionável que "você não pode fazer uma raça ruim virar boa mudando seu meridiano, tanto quanto não pode transformar um cavalo de tiro num de caça colocando-o num estábulo requintado, ou transformar um vira-lata num cachorro fino ensinando ao primeiro os truques do segundo" (Stoddard, 1981, p.258).

Outras medidas mais drásticas para o "aprimoramento da raça" teriam de aguardar o reconhecimento generalizado da "suprema importância da hereditariedade, não meramente em tratados científicos, mas na organização prática dos assuntos mundiais". Só "nesses melhores dias" a eugenia poderia vir a desempenhar o papel central que lhe cabia no mundo de "moldar programas sociais e políticas governamentais".

Novamente, como na obra de Grant, o mundo de Freyre era lembrado para ilustrar o fenônemo da decadência racial e o fato de que "a predominância branca é substancialmente uma coisa do passado". Com exceção da Argentina, do Uruguai e Sul do Brasil, "arianizados" por "valiosos elementos nórdicos", a América Latina "é etnicamente terra do homem de cor": 40 milhões de índios, entre puros e mestiços, e "muitos milhões de negros e mulatos, a maioria no Brasil", constata Stoddard. O quadro apresentado era dramático, já que, como dizia, "análises dessas raças híbridas mostram similaridades notáveis com o caos de mestiçagem do Império Romano em declínio" (ibidem, p.104-6, 115-6).

O caso do Brasil era destacado por Stoddard. Este é um país dividido, esclarece, pois, enquanto as "províncias do sul são país de homem branco ... o norte tropical é saturado de estirpes índias e negras, e os brancos estão rapidamente desaparecendo numa *mongrelization* universal. No fim, isto deve produzir consequências políticas dramáticas" (ibidem, p.115).

A mistura de raças é criticada por Stoddard nos mesmos termos de seu tutor, Grant, declarando que os males que acarreta são visíveis para qualquer observador. De um lado, os elementos inferiores acabam por prevalecer, pois "quanto mais primitivo um tipo, mais prepotente ele é"; e, de outro, os filhos de pais de raças diferentes muito possivelmente terão "dois temperamentos, dois conjuntos de opiniões, daí resultando que em muitos casos eles se tornam incapazes de pensar ou agir firme e consistentemente em qualquer direção" (ibidem, p.301, 258-9).[68] Politicamente, a raça mestiça também só pode resultar num desastre: "esses seres infelizes, sendo cada célula de seus corpos um campo de batalha de hereditariedades dissonantes, expressam suas almas em atos de violência febril e instabilidade sem objetivo". A situação das repúblicas latino-americanas, com seu especial pendor para revoluções, exemplifica cabalmente esse traço, diz o autor. E, tentando persuadir aqueles que ainda se recusassem a aceitar tais fatos e teimassem em defender o fim de "todas as barreiras" entre as raças, Stoddard apelava para um entendido no assunto, prof. Agassiz, que assim se manifestara: "Que qualquer um que duvide dos males dessa mistura de raças ... venha ao Brasil. Ele não poderá negar a deterioração causada pelo amalgamento das raças, mais espalhada aqui do que em qualquer outro país do mundo, e que está rapidamente apagando as melhores qualidades do homem branco, do negro e do índio, deixando um mestiço, tipo indefinível, deficiente em energia física e mental"(ibidem, p.120).

Outro aspecto da questão racial em que Stoddard e Grant concordavam, e que, no meu entender, se revelará central para o desenrolar da trajetória de Freyre, é o que diz respeito às "três raças primárias da Europa" e à sua hierarquia. Após ter digerido e compreendido essas ideias nas suas mais profundas implicações, Freyre, a meu ver, estaria pronto para abandoná-las juntamente com todas as suas demais ramificações. Mas sobre isso se falará adiante.

Baseando-se no trabalho de Ripley, *The Races of Europe* (1899), e de etnólogos europeus, Grant desenvolvera e difundira, dando-lhe sanção

---

68 Stoddard, 1981, 301, 258-9. Em uma das várias passagens em que Grant trata da questão de mistura entre raças distintas, ele assim descreve o mestiço: "pertencendo física e espiritualmente à raça inferior, mas aspirando reconhecimento como alguém da raça mais elevada, o infeliz mestiço, além de herdar um físico desarmonioso, frequentemente herda de um dos pais um cérebro instável que é estimulado e às vezes superexcitado por relâmpagos de brilho do outro. O resultado é uma falta total de continuidade de propósito, um intelecto intermitentemente aguilhoado por explosões espasmódicas de energia" (cf. Grant, 1921, p.XXIX).

científica, a ideia, retomada por Stoddard, de que não havia só uma raça europeia, mas sim uma hierarquia de três, cada uma delas com características específicas: a alpina, a mediterrânea e a nórdica, esta última sendo a do "homem branco *par excellence*".[69] Os judeus, objeto de desprezo, de temor e de ódio dos propagadores dessa doutrina das raças, pareciam não se encaixar em nenhuma delas, mas faziam claramente parte dos imigrantes inferiores que ameaçavam a supremacia do homem branco superior; ameaça ainda mais alardeada e temida a partir de agosto de 1920 quando o espúrio *Protocolo dos Sábios do Sião*, que continha o pretenso plano da conspiração judaica para impor seu domínio no mundo, foi publicado nos Estados Unidos e distribuído gratuitamente para vários setores da sociedade, até mesmo para membros do Congresso Nacional (Higham, 1955, p.277-85).

A mistura entre essas três sub-raças europeias era condenada pela mesma razão pela qual se condenava qualquer outra mistura de sangue: destrói a pureza racial e resulta numa raça inferior. Daí a referência generalizada ao "perigo estrangeiro" representado pelos imigrantes, brancos na maioria, que chegavam ao solo norte-americano. O caso dos Estados Unidos, cuja população fora no passado puramente nórdica, era visto como um exemplo especialmente dramático dos efeitos negativos da invasão das raças brancas inferiores. Alpinos, mediterrâneos e judeus, quer pelo seu grande número, quer por se misturarem racialmente com os nórdicos, estavam ameaçando extinguir a raça superior, ideia que ganhava ainda mais força com os resultados dos testes de inteligência, a nova invenção da psicologia que tanto iria servir à constituição da inferioridade dos novos imigrantes pelos racistas. Grant equiparou, por exemplo, os italianos do Sul que estavam se espalhando "especialmente na Nova Inglaterra" aos escravos romanos que foram ocupando terreno e superando em número os seus "senhores" durante a decadência da república romana; e referiu-se aos judeus do Leste europeu que entravam em terras americanas como pessoas indesejáveis "cuja estatura anã, mentalidade estranha e concentração desumana em interesses pessoais

---

69 William Z. Ripley fala de uma "raça teutônica", enquanto Grant, seguindo o cientista francês Joseph Deniker, fala em "raça nórdica" (cf. Higham, 1955, p.155-6).

estão sendo enxertadas na linhagem da nação" (Grant, 1921, p.13-4; 59-60; Stoddard, 1981, p.XXX). E quando Grant se referiu ao "sangue branco" europeu que estava entrando em grande escala na Argentina e fazendo que aí se desenvolvesse uma "comunidade preponderantemente branca", acrescentou um grande senão: "mas são da raça Mediterrânea", cujo "tipo é suspeitosamente escuro" (1921, p.78).

Assim, Grant, Stoddard e todos os outros autores que os seguiram difundiam a ideologia de que, mais ainda do que a branca, a raça que estava sendo ameaçada de desaparecimento era aquela da qual dependia a salvação de toda a raça branca – "a Grande Raça" nórdica, que se concentrara na "America" fazendo desta, como dizia Stoddard, "a estrela mais brilhante" que surgiu no mundo "desde Hellas". E essa ameaça vinha, como tanto acentuavam, não só dos negros ou asiáticos, sem dúvida as raças mais baixas na hierarquia, mas também das outras raças brancas inferiores que constituíam a maioria na nova onda de imigração que chegava em grandes avalanches ao país. Judeus e italianos, que compunham a grande massa dos recém-chegados, especialmente em Nova York, eram alvo especial dos preconceitos. Em órgãos da imprensa de grande circulação, como o popular *Saturday Evening Post* de Nova York, o jornalista Kenneth Roberts, por exemplo, em uma série de artigos publicados entre 1920 e 1921, defendia as mesmas ideias de Grant sobre os efeitos da inundação de imigrantes alpinos, mediterrâneos e semitas: inevitavelmente produzirão "uma raça híbrida de pessoas tão sem valor e fúteis como os vagabundos mestiços da América Central e da Europa do Sul" (apud Higham, 1955, p.273).

Oliveira Lima, chegado havia poucos meses do Recife (onde permanecera durante três anos) para se radicar nos Estados Unidos, e ainda instalado num hotel em Washington, não conhecia os livros de Lothrop Stoddard e Madison Grant. Aparentemente a repercussão dessas obras no Brasil teria levado algum tempo para ocorrer. Só alguns anos mais tarde, por exemplo, Paulo Prado leria o livro de Grant na tradução francesa publicada em 1926 pela editora Payot e se referiria ao autor norte-americano em sua obra de 1928. A desigualdade racial ou a tese da superioridade nórdica "ainda é hoje a tese favorita de Madison Grant", disse ele em *Retrato do Brasil* (Prado, 1997, p.191, 297).

Em resposta imediata à carta de Freyre, Oliveira Lima lhe escreve em 20 de fevereiro de 1921: "não li os livros que me indicou ... é claro que o imigrante branco é o que mais convém".[70] Decidido a partilhar com seu amigo o que o entusiasmava, Freyre envia a Oliveira Lima o livro de Stoddard com a seguinte dedicatória: "Ao Dr. M. De Oliveira Lima, a cujo espiritu hospitaleiro – sala de recepção aos Snrs. Factos e ás Snras. Ideas – há de interessar este livro, homenagem respeitosa do adm. Gilberto Freyre, N.Y.City, Verão 21". É plausível que também lhe tenha enviado o de Madison Grant. Considerando que quando estava escrevendo *Casa-grande & senzala* Freyre pediu a seu amigo Rodrigo Mello Franco que procurasse na "Biblioteca Pública" do Rio informações sobre "a data e lugar de publicação" do livro de Madison Grant, é possível que ele também tivesse dado sua cópia ao amigo de Washington naquela mesma ocasião.[71] Se não o fez, Oliveira Lima parece ter acatado sua sugestão e incorporado o livro à sua biblioteca.[72] De qualquer modo, ao leitor da nota 25 do primeiro capítulo de *Casa-grande & senzala*, onde o livro de Grant é mencionado, escapam o teor dessa obra e a admiração que um dia Freyre teve por ela. O mesmo se pode dizer sobre a presença de Stoddard na bibliografia de *Casa-grande & senzala*; ele e Grant estão ali como que a testemunhar o difícil caminho que Freyre teve de trilhar para chegar à inovadora obra de 1933.[73]

Outra figura de primeira importância da história da eugenia e da restrição à imigração norte-americana de que Freyre deve ter tomado conhecimento nessa época, e que também aparece discretamente em

---

70 Carta de O. Lima a G. Freyre, 20/2/1921 (em papel timbrado do Hotel Grafton, Washington, D.C.), AFGF. A letra de Oliveira Lima, muitas vezes difícil de decifrar, dá margem a dúvidas. "Não li os livros que me indicou" pode também ser lido como "Vou ler os livros que me indica".

71 Carta de G. Freyre a Rodrigo Mello Franco de Andrade, s.d. (ca.1932), AFGF.

72 As duas obras constam do catálogo da Biblioteca Oliveira Lima, mas só a de L. Stoddard foi localizada até agora.

73 Além de *The Rising tide of Color*, Freyre coloca em sua lista bibliográfica o livro de Stoddard, *The Revolt against Civilization* (1922), que aparece erradamente como *The Revolt of Civilization*. Devido ao seu teor, esse livro está também sendo difundido após os eventos de 11 de Setembro por aqueles que acreditam na "ameaça do Islão" (cf., por exemplo, Kurt Saxon – www.kurtsaxon.com/islam – que afirma ser o livro "uma leitura interessante que o ajudará a melhor entender a real ameaça do Islã").

Casa-grande & senzala como se fosse outro pequeno *souvenir* dos impasses de sua trajetória intelectual, é Charles Benedict Davenport.[74] Este reputado biólogo de Harvard e fundador do centro de pesquisa de hereditariedade e evolução de Cold Spring Harbor – o importante Station for Experimental Evolution of the Carnegie Institution –, que durante décadas lideraria a política eugenista norte-americana, foi o indivíduo que mais conferiu respeitabilidade científica a preconceitos raciais, batalhando para tornar o modelo norte-americano de eugenia o parâmetro de um movimento mundial. É interessante, pois, que uma das referências de Freyre a Davenport no capítulo 4 de *Casa-grande & senzala* apareça no contexto das ideias defendidas no I Congresso Brasileiro de Eugenia por Roquette-Pinto, um dos antropólogos brasileiros que se opunham ao modelo norte-americano em ascensão (Black, 2003, p.32, 207-45 e passim; Stepan, 1991, 171-95).

Para amenizar, não para justificar o choque que o namoro de Freyre com tais ideias e "factos" possa causar, nunca é demais lembrar como é importante não perder o sentido de perspectiva histórica e reconhecer que o que hoje nos parece inaceitável foi um dia parte de todo um sistema de ideias respeitáveis e cientificamente convincentes, que se difundiram dentro das fronteiras norte-americanas e para além delas. Eram, pois, para usar, num sentido amplo, o conhecido conceito de Thomas Kuhn, um "paradigma" poderoso. Como mostrou brilhantemente Edwin Black em seu recente livro *War against the Weak – Eugenics and America's Campaign to Create a Master Race* (que se impõe como verdadeiro tour de force), quando a protociência fundada pelo inglês Francis J. Galton cruzou o Atlântico nos primeiros anos do século XX, o que era, por assim dizer, "uma filosofia abstrata" se tornou uma verdadeira "obsessão" para os criadores de políticas de ação.[75]

Chesterton alarmava-se com a situação e tentou alertar o público dos malefícios da pretensa ciência em seu *Eugenics and other Evils* de

---

74 Seu nome aparece no índice onomástico de *Casa-grande & senzala* como F. B. Davenport, em vez de C. B. Davenport.

75 O livro de E. Black foi nomeado para o prêmio Pullitzer e recebeu dois prêmios como "Best book of the Year 2003": *International Human Rights Award, Great Lakes World Affairs Council* e *ASJA* (America Society of Journalists and Authors).

1922, livro que consta da biblioteca de Gilberto Freyre, que admirava o ensaísta britânico. "Não há razão na Eugenia, mas há uma abundância de motivos. Seus partidários são bastante vagos sobre sua teoria, mas se mostram dolorosamente práticos na sua prática" (Chesterton, 1922).[76] E sobre isso ele tinha muita razão. A esterilização compulsória, por exemplo, tornou-se lei em 27 estados norte-americanos, e leis proibindo casamentos inter-raciais se disseminaram por grande parte dos Estados Unidos. Até mesmo uma revista progressista como *The Nation*,[77] que denunciava o racismo galopante, a política de americanização dos imigrantes e a imoralidade do que se passava na triagem da Ellis Island, aceitava as interdições de casamentos inter-raciais como um fato inelutável e talvez até "socialmente sábio". É por isso que se pode afirmar, com Black, que ao chegar aos Estados Unidos o "idealismo social" de Galton degenerou em uma "cruzada eugênica mundial para abolir toda a inferioridade humana" (Black, 2003, p.18-9; 207-34). A liderança dessa cruzada só voltaria à Europa na década de 1930, quando a Alemanha, originalmente inspirada pelo modelo norte-americano, acabaria por levá-la aos horrores do holocausto (ibidem, p.261-77).

Sem dúvida, muitos dos simpatizantes daquelas ideias naquele momento histórico seguramente ficariam chocados com o papel que iriam desempenhar no desenrolar dos acontecimentos mundiais. Não podiam imaginar que essas mesmas ideias seriam levadas ao extremo mais execrável pelo nacional-socialismo alemão a partir de 1933 e que, poucos anos depois, um dos mais famosos discípulos de Madison Grant – o fã que lhe confessara em carta ter seu *The Passing of the Great Race* como "bíblia" – seria Adolf Hitler (ibidem, p.259-60, 274-5, 317, passim).

A voga das ideias eugenistas na década de 1920, que conferia respeitabilidade ao racismo e ao nativismo já existentes, deve ser entendida no quadro de uma situação social e econômica que a Primeira Guerra Mundial e a Revolução Russa de 1917 acentuaram. Com o fim da Grande Guerra, ganha força, por exemplo, o temor dos brancos em relação à insubordinação da suposta raça inferior, devido a suspeita de que os

---

76 Livro da biblioteca de G. Freyre, mas que não contém marcas.
77 *The Nation*, 16/11/1921.

Maria Lúcia Garcia Pallares-Burke

soldados negros norte-americanos tinham perdido a consciência de sua inferioridade e representassem, portanto, uma ameaça para os brancos. Consta que ao menos um soldado negro foi linchado ao chegar de volta ao país "pelo fato de que vestia o uniforme de um soldado dos Estados Unidos" (Johnson, 1945, p.131). Em 1919, vários eventos anunciaram um período especialmente tumultuado e propício ao acolhimento de ideias como as de Grant e de Stoddard: os tumultos raciais de Chicago e de mais 25 cidades americanas; a histeria antijaponesa na Califórnia; a greve geral de Seattle e outras paralisações de trabalhadores pelo país, que juntamente com uma série de atos anarquistas acometeram a nação de um medo generalizado de dissidentes que ficou conhecido como *Red Scare*. O anglo-saxonismo e o anticatolicismo, as duas grandes tradições nativistas que remontavam ao século XIX, ressurgiram nesse período para se verem reforçadas e em plena ascensão ao longo da década de 1920. É nesse período também que a Ku Klux Klan, até então "uma pequena e insignificante sociedade" sulista que juntava as duas tradições num "nativismo compreensivo", adquire renome e proeminência nacional "nunca antes vista", passando a atrair grande número de adeptos em várias partes do país e a exercer assustadora influência em eleições de várias localidades e no Senado norte-americano. Um dos principais *slogans* usados para recrutar novos membros era a necessidade de unir forças para manter os negros em seu devido lugar (Higham, 1955, p.264-77; Ludmerer, 1972, p.30-5, 88-90 e passim; Johnson, 1945, p.341). Na ocasião do lançamento da "segunda" ou "moderna Ku Klux Klan" em 1915, William Joseph Simmons, o "Mago Imperial" dessa sociedade secreta, esclarecera a um repórter de Chicago de que modo pretendia manter acesa "a devoção fervente a um puro Americanismo":

> nós excluímos os judeus porque eles não acreditam na religião cristã. Nós excluímos os católicos porque eles devem obediência a uma instituição que é estranha ao governo dos Estados Unidos. Qualquer americano nato que seja membro da Igreja inglesa ou qualquer outra igreja estrangeira está barrado. Para assegurar a supremacia da raça branca nós acreditamos na exclusão da raça amarela e na privação de direitos civis da negra. Foi vontade de Deus fazer a raça branca superior a todas as outras. Por algum plano da Providência o negro foi criado como um servo ... Nós não nutrimos

preconceitos raciais. O negro não teve nunca desde antes até hoje um melhor amigo do que a Ku Klux Klan. O negro obediente às leis que conhece seu lugar não tem o que temer de nós. (Silver, 1921)

É para dar uma alternativa aos negros indóceis que não aceitassem uma posição subordinada, que essa associação apoiou, na década de 1920, a Universal Negro Improvement Association, de Marcus Garvey, e seu plano para "repatriar" os negros norte-americanos para a África (Ford, 2005, p.33).

Mais de vinte milhões de imigrantes haviam entrado nos Estados Unidos entre 1880 e 1920 e desde o início dessa onda sem precedentes o alarme sobre a possibilidade de "suicídio da raça" passou a ser ouvido intermitentemente. Antes disso, os imigrantes, na sua maioria, eram protestantes vindos do noroeste da Europa e pertenciam, portanto, à raça que, segundo uma forte ideologia da época, detinha o monopólio das qualidades físicas e mentais mais elevadas.[78]

A partir do final do século XIX, no entanto, eram não mais anglo--saxões e teutônicos, mas europeus do Leste e do Sul que passaram a compor a enorme massa da imigração. Era em face dessa massa que se temia que os nórdicos cometessem "suicídio". Que essa nova invasão tinha repercussões também no mundo acadêmico pode-se notar pelo exame de alguns trabalhos de curso de alunos de F. H. Giddings, o professor de Sociologia de Freyre na Universidade de Columbia. Concentrando-se em questões étnicas, eles discutiam os efeitos de misturas raciais não só em comunidades do mundo moderno e ocidental, como também ao longo da história e em outras regiões do mundo.[79] Apontavam-se causas de antagonismos raciais e exemplos que indicavam os

---

78 Os irlandeses representavam um problema para os classificadores, pois apesar de virem do lado "certo" da Europa – noroeste – eram, no entanto, católicos, e, consequentemente, "inferiores" (cf. Ludmerer, 1972, p.89).

79 "Sociological Analysis of 50th Assembly District", s.d.; "A Sociological Study of Freeport, Long Island", by Rev. Pehlham St. George Bissel, April 27, 1904; "The Dyah Darrat of Pulo – Kalamantiri, being a sociological study of an Ethnical Society, Submitted in partial fulfilment of the requirements for A.M. Degree", s.d., by Alice Sterne (trata-se aparentemente de uma comunidade do sudoeste da Ásia); "An Abstract of 'Homeric Society'", by A. G. Keller, Emily J. Sleman, August 15, 1904; "Analysis Subject A.", by Marian R. Taber, em F. H. Giddings Papers, *Rare Books and Manuscript Library of Columbia University*.

efeitos harmonizadores do fenômeno da imitação "que tende a amenizar velhos conflitos", bem como a grande influência de duas culturas, egípcia e fenícia, num "grupo de uma só cultura", a homérica. E um estudo de caso de um inglês de "mais de 40 anos" que vivia nos Estados Unidos, feito pela aluna Marian R. Taber, chegava à conclusão de que apesar de não querer se naturalizar norte-americano, esse indivíduo se importava menos com sua nacionalidade do que com sua raça, com a qual na verdade se importava "enormemente".[80]

O caso de Nova York é representativo da imensa transformação que essa nova onda imigratória causara. Em 1880 viviam na cidade 12 mil italianos e 14 mil judeus; em 1910, esse número subiu respectivamente para 341 mil e 484 mil, fazendo que aí se concentrasse um quarto dos italianos e um terço dos judeus de todo o país (Foner, 2000, p.10). Freyre, observador atento do que se passava, bem notou esse novo fenômeno. Impressionado com o fato de os judeus representarem um sexto dos habitantes de Nova York – "quase um milhão de judeus" –, ele assim descreve a cidade onde recentemente se instalara: "New York pulula de judeus ... Encontramo-los por toda parte – como é inconfundível o nariz semítico! – falando, gesticulando, mercadejando, lendo jornais impressos em arrevezados caracteres hebraicos".[81]

Diante de um fenômeno dessa magnitude, os escalões tradicionais da sociedade norte-americana se sentiam ameaçados, inseguros e temerosos de que os recém-chegados alterassem o caráter e a estrutura social do país. Uma ideia difundida na época era a de que os italianos e os judeus, a grande massa da nova onda imigratória, tinham um *status* racial ambíguo e não eram propriamente brancos; eram, por assim dizer, "brancos probatórios" ou "ainda-não-brancos étnicos". Falar publicamente sobre sua inferioridade, discriminando-os, era aceitável e, de modo geral, legítimo. Em distritos requintados de Nova York, podiam-se encontrar, nos anos 1920, apartamentos que explicitamente proibiam "católicos, judeus e cachorros" em seus recintos. E já nos anos 1930 um livro-texto de história norte-americana ainda perguntava se seria possível

---

80 "Analysis Subject A.", by Marian R. Taber, p. 4, em F. H. Giddings Papers, *Rare Books and Manuscript Library of Columbia University.*

81 *Diário de Pernambuco*, 27/2/1921.

absorver "os milhões de italianos de pele cor de azeitona, eslavos escuros de cabelos pretos e hebreus de olho escuro no seio do povo Americano" (apud Foner, 2000, p.143, 148). O trabalho de um dos alunos de Giddings era também revelador de quão arraigado era o preconceito contra os italianos. Referindo-se à presença de novos imigrantes em uma zona tradicionalmente homogênea "em relação à nacionalidade e raça", refere-se aos italianos como "sendo geralmente iguais a seus conterrâneos em qualquer outro lugar: são sujos e descuidados com suas pessoas e vivem mais ou menos miseravelmente".[82]

Tornando mais específicas as "circunstâncias objetivas" de 1920, três fatores, como lembra John Higham, se juntaram nesse ano para dar maior impulso ao sentimento antiestrangeiro e à crença no mito da superioridade nórdica, sentimento e crença que não eram, cumpre lembrar, nem novos nem monopólio dos eugenistas e dos reacionários: depressão econômica, nova onda de imigração e a associação de estrangeiros com o aumento substancial de criminalidade que a Lei Seca – posta em vigor em janeiro desse ano – estimulara. Como Higham (1955, p.264-7) salientou, o colapso econômico que se seguiu ao fim da Primeira Grande Guerra coincidiu com um "inesperado ressurgimento da imigração". Tendo praticamente estacionado durante a guerra e mantendo-se em declínio até o início de 1920, assumiu proporções gigantescas a partir de maio desse ano. Sabe-se, por exemplo, que em setembro de 1920 entravam, em média, 5 mil imigrantes por dia em Ellis Island, a "refinaria de gente" de Nova York que Freyre, como vimos, visitou logo ao chegar.

Não é que não houvesse opiniões dissidentes a questionar o chamado "imperativo biológico", mas estas se provaram insuficientes para deter o avanço das ideias e medidas racistas que acabaram por prevalecer e incorporar-se na *Immigration Restriction Act* de 1924. Essa lei, pela qual Madison Grant iria muito batalhar, acabou determinando o fim da entrada maciça de imigrantes da Europa do leste e do sul até 1965 e serviu de modelo para a política de imigração de muitos outros países, inclusive

---

82 "A Sociological Study of Freeport, Long Island", by Rev. Pelham St. George Bissel, April 27, 1904, p.14, em F. H. Giddings Papers, *Rare Books and Manuscript Library of Columbia University.*

o Brasil (ibidem, p.316-24).[83] Como Ludmerer (1972, p.25) assinalou, apesar de haver até mesmo pesquisas demonstrando que muitas das alegações dos eugenistas eram falsas, "até meados dos anos 20 nenhum geneticista de importância e somente Franz Boas dentre os antropólogos de ponta disputavam com eles". Consciente da maré montante a seu favor e já contando com o sucesso das ideias que defendia, Grant afirmou na edição de 1921 de seu *The Passing of the Great Race* que "um dos efeitos de maior alcance da doutrina enunciada neste volume e da discussão que se seguiu à sua publicação foi a decisão do Congresso dos Estados Unidos de adotar medidas discriminatórias e restritivas contra a imigração de raças e povos indesejáveis" (Higham, 1955, p.302; Grant, 1921, p.XXVIII).

Vivendo um verdadeiro "tumulto étnico, econômico e demográfico", como a descreveu Edwin Black, a sociedade norte-americana estava, pois, especialmente propícia a ser mobilizada para as medidas discriminatórias e restritivas propostas que, por mais extremas e desumanas que fossem, pareciam histórica ou cientificamente justificadas e reconhecidas, já que partilhadas por respeitáveis escritores, críticos, cientistas, acadêmicos e instituições, entre elas a Carnegie Institution e a Rockefeller Foundation (Higham, 1955, p.267-9 e passim; Black, 2003, p.185-90 e passim).

Enfim, o que não se pode perder de vista é que, nas primeiras décadas do século XX, era norma ver o mundo em termos raciais e acreditar na existência de uma hierarquia natural das raças, mesmo entre os que não apelavam para a ciência da raça, quer por desinteresse, quer por não a levar a sério. Henry L. Mencken, por exemplo, um dos críticos mais destemidos da cultura norte-americana anglo-saxã e inspirador de uma pletora de escritores nada ortodoxos e iconoclastas como ele, ridicularizava e satirizava a eugenia e a arrogância anglo-saxã, mas acreditava, ao mesmo tempo, que a "experiência empírica" havia provado a verdade inquestionável da desigualdade das raças e, consequentemente, a tolice dos valores democráticos. No seu livro sobre Nietzsche, que Freyre ganhou de um amigo em 1921 logo ao chegar a Nova York, Mencken referia-se à prova de tal "experiência empírica" nos seguintes termos:

---

83 Sobre o Brasil e a América Latina, ver Schwarcz, 1993; Stepan, 1991.

Gilberto Freyre

A história do esforço irremediavelmente fútil e ilusório de melhorar os negros do sul dos Estados Unidos através da educação fornece tal prova. A uma breve reflexão fica evidente que o negro, não importa quanto ele seja educado, deve permanecer, enquanto uma raça, em condição de subserviência ... Por conseguinte, o esforço de educá-lo despertou em sua mente ambições e aspirações que, pela própria natureza das coisas, devem permanecer não realizadas e, portanto, ao mesmo tempo em que ele nada ganhou materialmente, ele perdeu seu antigo contentamento, paz de espírito e alegria. (Mencken, 1908, p.167-8)

Na verdade, pode-se dizer que o exemplo do paradoxal Mencken é ilustrativo de quão entranhados eram os preconceitos da época em que Freyre viveu nos Estados Unidos e de quão difícil e complexa pode se tornar a tentativa de enquadrar taxativamente alguém na categoria de racista. Pois o mesmo homem que tinha Nietzsche, George Bernard Shaw e Ibsen como modelos de rebeldia e ridicularizava os anglo-saxões pela sua pretensão de pureza racial bem como pelo seu puritanismo, sua xenofobia, sua democracia, seu fundamentalismo religioso etc., também lamentava a "inundação de italianos, judeus russos, gregos, lituanos e outros estrangeiros meio-civilizados" que "submergiram" os americanos de ascendência anglo-saxônica e germânica (Hobson, 1996, p.26-7, 47-8, 189, 191, 205, 211, 215-6, 247-51, e passim).[84]

A caminho de um novo paradigma: o encontro com Franz Boas

Voltando agora ao jovem Gilberto Freyre, vivendo nos Estados Unidos num período tão turbulento, seria lícito perguntar sobre o que teria significado Franz Boas nesse exato momento de sua trajetória. É sabido que esse eminente antropólogo da Universidade de Columbia combatia ardorosamente, desde o início do século, as ideias de superioridade racial e provou nas pesquisas que realizou como parte de uma investigação federal sobre a imigração que o ambiente norte-americano estava

---

84 Sobre H. L. Mencken e sua visão dos Estados Unidos nos anos 1920, ver especialmente seu ensaio "On Being an American", em Mencken, 1922.

transformando as traços hereditários dos imigrantes, o que contradizia as asserções do racismo científico ("Changes in Bodily Form of Descendants of Immigrants" apud Higham, 1955, p.125; Boas, 1911). Boas foi, de fato, mencionado claramente por Grant em seu *The Passing of the Great* Race como um dos que trabalhavam no "interesse das raças inferiores entre nossos imigrantes", tentando provar a relevância do meio ambiente em detrimento da hereditariedade (Grant, 1921, p.17).[85]

Sendo estudante da Universidade de Columbia desde janeiro de 1921 e aluno de Franz Boas nos cursos de Antropologia a partir de outubro desse ano até abril de 1922, Freyre não podia desconhecer suas ideias, mesmo que elas não fossem tão alardeadas na imprensa de grande circulação como as ideias de Grant e seus simpatizantes (Higham, 1955, p.274-5). Assim, o fato de nem o nome de Boas nem suas ideias sobre a relevância dos efeitos culturais e ambientais sobre os traços raciais estarem presentes quer em sua tese de maio de 1922 quer em seu texto de 1925 acima analisados, parece indicar que o atrativo original de Columbia para Freyre não foi a presença do combativo Franz Boas e que, conforme já assinalamos, o impacto desse antropólogo na sua trajetória intelectual demorou a se fazer sentir.

Quando o jovem Gilberto comunicou a Oliveira Lima sua intenção de seguir de Baylor para Columbia em setembro de 1920, ele, na verdade, estava confirmando o que Alfredo Freyre, seu pai, já dissera a Oliveira Lima durante sua permanência no Recife, de onde acabara de chegar. "Disse-lhe meu Pai que eu pretendia ir para Columbia, fazer 'graduate' work. É verdade. Columbia parece oferecer as melhores vantagens na minha linha de estudos".[86] Nenhuma menção foi feita nessa ocasião ao eminente antropólogo. Só meses mais tarde, ao iniciar a sessão de inverno da universidade e quando estava iniciando seu curso de Antropologia,

---

85 O trabalho mencionado por Grant foi exatamente o "Changes in the Bodily Form of the Descendants of Immigrants".

86 Carta de G. Freyre a O. Lima, Baylor University Waco, Texas, 30/9/1920, em Freyre, 1978, p.169. Oliveira Lima embarcara do Recife para os Estados Unidos em 20 de agosto de 1920. "O 'Avaré', esperado hoje do sul da República, leva para os Estados Unidos, em cuja metropole vão residir, o sr. e a sra. Oliveira Lima, que ha trez annos se achavam entre nós, em visita á sua familia e á terra de seu berço" (Fonte: Oliveira Lima Scrapbook Collection, Scrapbook n. 44, p. 156, recorte de jornal).

é que Freyre mencionou o nome de Boas a Oliveira Lima. "Vou bem em meus estudos. O curso de Antropologia, pelo Prof. Franz Boas, promete ser interessantíssimo".[87] Em resposta, Oliveira Lima comenta que já encontrara Boas em certas ocasiões, dando a clara impressão de que essa era a primeira vez que sua conversa com Freyre versava sobre o professor de Columbia. "Conheço o seu Professor Boas. Fui colega dele em vários congressos de americanistas. No último encontrei-o bem doente. Creio que tenha sido uma congestão: mas já ia melhor. Espero que esteja passando bem. Recomende-me a ele quando o avistar ...".[88]

Assim, contrariamente ao que já foi afirmado, nem a opção de Freyre por Columbia nem seu conhecimento de Franz Boas parecem ter sido intermediados por seu amigo Oliveira Lima; e é também muito questionável a ideia de Boas ter sido "uma figura emblemática para Freyre já na época de estudante no Texas, antes de fazer mestrado em Nova York" (Larreta & Giucci, 2002, p.723-4). Os dados parecem, ao contrário, apontar para a figura do professor William Shepherd (1871-1934) como tendo sido o maior responsável pela decisão de ir para a Universidade de Columbia. Leitor e colaborador assíduo da *El Estudiante Latino-Americano*, revista fundada em julho de 1918 e dirigida aos 4 mil estudantes latino-americanos que viviam nos Estados Unidos, Freyre deve ter-se impressionado com um artigo de Shepherd publicado na edição da revista de março de 1920.

Fundamentalmente interessado em promover entendimento, cooperação e simpatia entre norte-americanos e latino-americanos por meio da educação, o professor de História de Columbia defendia a necessidade de dar auxílios de todo tipo – inclusive econômico – para que as barreiras do preconceito e da ignorância que obstruíam a consecução daqueles objetivos fossem derrubadas (Shepherd, 1920, p.14-20).[89]

---

87 Carta de G. Freyre a O. Lima, New York City, 19/10/1921, em Freyre, 1978, p.190.

88 Carta de O. Lima a G. Freyre, Washington, 21/10/1921, AFGF; carta de G. Freyre a O. Lima, 27/10/1921, em Freyre, 1978, p.190-1.

89 Freyre passou a exercer a função de editor associado dessa revista em fevereiro de 1921, tendo nela permanecido até seu encerramento em maio do mesmo ano. Além de ter organizado um número especial sobre o Brasil, suas principais colaborações na revista foram: "A literatura brasileira nos Estados Unidos" e "Da outra America" (v.III, n.5 "A America

Editor da revista *The Hispanic American Historical Review*, fundada em 1918, e autor de *Central and South America* (1914) e *The Hispanic Nations of the New World* (1919), entre outros estudos latino-americanos, Shepherd se destacou nos anos 1910 e 1920, e até sua morte, em 1934, como um dos historiadores responsáveis pelo desenvolvimento dos estudos formais sobre a América Latina nos Estados Unidos. Numa época em que a desinformação sobre a região se somava a uma percepção bastante deturpada e preconceituosa dela, Shepherd foi um dos historiadores pioneiros a dar cursos sobre história e política latino-americana e a tentar desafiar, portanto, a visão largamente consagrada (Park, 1995, p.71, 112).

Não é por acaso, pois, que ao chegar a Columbia Freyre tenha se decidido a fazer sua tese em "história da América do Sul" sob a orientação do prof. Shepherd e que obter uma bolsa de estudos lhe tenha parecido algo bastante plausível. Afinal, ficara claro no artigo do *El Estudiante* que esse professor de Columbia apoiava a ajuda econômica aos estudantes latino-americanos.[90] É só nesse momento, já em Columbia, que Freyre contou com a intervenção de Oliveira Lima, pedindo-lhe que escrevesse "uma cartinha – duas palavras – ao Prof. Shepherd". Este, bastante solícito e amistoso, parece ter simpatizado com o novo aluno de imediato, tal como admite pouco depois. "Achei-o um jovem interessante e estimável para quem ficarei feliz em fazer tudo o que está em meu poder para facilitar seu trabalho na Columbia University".[91] Visitando-o em 1926, quando retornou a Nova York, Freyre não escondeu sua admiração pelo antigo professor: lúcido e ponderado, tem "a saúde da inteligência" que não se deixa levar por interesses imediatos, comenta com seus leitores.[92]

Esses detalhes que podem parecer trivialidades irrelevantes ganham importância, acredito, quando se trata de tentar compreender a

---

Latina: sua nova situação internacional" (v.III, n.6)); "O Embaixador Intellectual do Brazil" (v.III, n.7); "O Príncipe de Monaco e o Brazil"(v.III, n.9).

90 A mesma defesa da necessidade de maior dotação para bolsas de estudo encontra-se num manuscrito sem data de Shepherd, intitulado "Educational Facilities in the US for Latin-American Students" (Papers of William R. Shepherd, Columbia University).

91 Carta de G. Freyre a O. Lima, 17/1/1921, em Freyre, 1978, p.171-2; carta de William R. Shepherd a O. Lima, 11/2/1921, Oliveira Lima Papers.

92 *Diário de Pernambuco*, 6/6/1926.

absorção relativamente lenta das ideias de Boas pelo jovem Freyre. Salvo engano, a primeira vez que Freyre mencionou o nome de Franz Boas, mesmo *en passant*, a seus leitores do *Diário de Pernambuco* foi em novembro de 1921, logo após ter iniciado seu curso de antropologia em Columbia.[93] Em outras palavras, o que quero dizer é que as ideias desse combativo Antropólogo eram praticamente desconhecidas de Freyre durante grande parte de seu período norte-americano. Deveria saber vagamente quem era esse professor de Columbia e provavelmente estava mais ou menos a par, tanto pelo texto de Madison Grant quanto pelas ocasionais manifestações do antropólogo na imprensa, que Boas considerava as ideias sobre raça divulgadas por Grant, Stoddard e outros autores como totalmente infundadas (Boas, 1921b). Além disso, como já sugerimos, as qualidades didáticas de Franz Boas não tornavam o aprendizado de suas ideias algo de fácil e rápida absorção. De todo modo, quando, a partir de outubro de 1921, Freyre começou a se inteirar mais diretamente das ideias antropológicas de Boas, estava, por assim dizer, pensando em termos de outro paradigma: o que vinha dominando o ambiente em que vivia.[94] Como vimos, desde 1918 Freyre estivera amplamente exposto aos fortes apelos do *ethos* texano (que acentuou seu orgulho de branco, como ele mesmo reconheceu) e do racismo científico que se achava em plena ascensão nos Estados Unidos, de onde estava se difundindo, na sua versão mais combativa, para muitas outras partes do mundo, sem excluir a América Latina em geral e, em particular, o Brasil, país que organizara o primeiro movimento eugenista de toda a região. Sem que tenham jamais chegado aos extremos das medidas eugenistas que foram implementadas pelos governos dinamarquês, suíço e norte-americano, para só mencionar os que já as aplicavam na década de 1920, os países latino-americanos sofreram, em maior ou menor grau, a influência do proselitismo dos líderes do movimento de eugenia norte-americana, como o renomado Davenport e seus correligionários, para quem as questões de raça e imigração eram centrais e de importância

---

93 *Diário de Pernambuco*, 20/11/1921.

94 Uso aqui, num sentido amplo, o conhecido conceito de "paradigma" desenvolvido por Kuhn (1962).

internacional. As discussões do I Congresso Brasileiro de Eugenia realizado no Rio de Janeiro em julho de 1929, em que o antropólogo Roquette-Pinto foi um dos poucos que se opôs às políticas racistas defendidas pela maioria e contradisse clara e textualmente as ideias de Charles Davenport sobre os inevitáveis malefícios da mistura racial, bem ilustram o alcance do modelo norte-americano de eugenia (Black, 2003, p.235-45; Stepan, 1991, p.161, 171-82 e passim; Schwarcz, 1993, p.96).[95]

Não deve ser irrelevante, neste ponto, registrar o fato de Freyre estar em Nova York em setembro de 1921, quando ali se realizou, com grande pompa e divulgação – e também com o amplo apoio de cientistas de renome internacional, incluindo Madison Grant, Henry Osborn e Charles B. Davenport –, o II Congresso Internacional de Eugenia, sob os auspícios do National Research Council. No discurso de abertura, Osborn, o presidente do congresso e do American Museum of Natural History, conclamou os delegados de todos os continentes que ali se reuniam a instar seus governos à ação em termos bastante enfáticos: "Assim como a ciência iluminou os governos na prevenção da disseminação das doenças, deve também iluminar os governos na prevenção da disseminação e multiplicação dos membros sem valor da sociedade". Dentre esses "membros sem valor da sociedade" sobressaíam os que eram resultado de "mistura racial", um dos temas centrais do congresso de Nova York (Black, 2003, p.236-8; Higham, 1955, p.274; Stepan, 1991, p.173-5).[96]

Enfim, numa situação como essa, tão propícia à aceitação do racismo científico e de todas as suas implicações, deveria ser muito mais difícil para Freyre, é de supor, chegar à ideia nova e arrebatadora que o levaria a *Casa-grande & senzala*: a de que a mestiçagem não só é, de um lado, etnicamente bela, sadia e culturalmente enriquecedora, como também, de outro, é um elemento central para o equilíbrio de antagonismos tal como este se estava desenvolvendo no Brasil como traço marcante e distintivo do caráter brasileiro. Para que absorvesse em profundidade

---

95 Sobre a importância da eugenia nos debates educacionais brasileiros dos anos 1920 e 1930, ver Carvalho (1998).

96 Sobre a história comparativa da eugenia, ver Adams (1990).

os ensinamentos de Franz Boas e desenvolvesse suas próprias ideias, Freyre iria contar, mais uma vez, com a ajuda de pensadores e ensaístas britânicos, muitos dos quais já descobrira em Baylor, mas que só aos poucos iriam ter sobre ele um efeito liberador dos preconceitos que com tantos outros compartilhava; preconceitos profundos e amplamente difundidos que, por algum tempo, como demonstrou Black, teriam seu verdadeiro caráter mascarado pelo manto da respeitabilidade científica que a ciência da eugenia lhes conferia.

Acompanhando-se a trajetória de Gilberto Freyre nos anos 1920, pode-se dizer que, do mesmo modo que Henry Mencken, sua posição quanto às questões raciais permaneceu durante algum tempo bastante ambígua. Ao mesmo tempo que se referia com desprezo a uma aristocracia brasileira decadente que se misturava e se amasiava com "mulatas gordas de cabelo encarapinhado", expressava nostalgia pelos bons velhos tempos do Sul norte-americano escravocrata e se entusiasmava pela política eugenista dos Estados Unidos e seus mentores, também parecia ocasionalmente se impressionar com Franz Boas e sua perspectiva questionadora dessas visões e da ciência que pretensamente as sustentava. Em janeiro de 1922, por exemplo, no artigo em que, imitando jocosamente a mania norte-americana de tudo avaliar pelo preço, considerara que o presidente Harding valia só 25 dólares, Franz Boas aparece como a figura cujo cérebro mais vale na nação: dois milhões e meio de dólares. Valiosos como ele só havia três outros cérebros na sua lista: Henry Mencken, Amy Lowell e Eugene O'Neill.[97]

Mas, alguns meses mais tarde, outro artigo de Freyre deve ter seguramente surpreendido e intrigado os leitores mais atentos que acompanhavam os comentários que, desde setembro de 1918, enviava "Da outra América". Publicado em agosto de 1922, quando Freyre há pouco chegara a Paris, e provavelmente escrito durante seus últimos dias em Nova York, tratava-se de uma resenha de *Batouala* (1921), o livro de René Maran que acabara de ganhar o prêmio Goncourt na França. O traço mais distintivo desse romance, e que estava provocando furor tanto

---

97 *Diário de Pernambuco*, 15/1/1922 (versão conferida com a original, da qual difere ligeiramente).

na França (onde chegou a vender 8 mil exemplares por dia) quanto na Inglaterra e Estados Unidos, onde a tradução inglesa logo aparecera, é que seu autor, nascido na Martinica, era negro.[98]

As opiniões sobre o valor da obra eram tão divididas quanto as dos dez membros da Academia que, incapazes de chegar a um acordo, tiveram de se submeter à decisão do presidente que, com um voto de Minerva, optara pela escolha da metade deles que votara em *Batouala*. Algumas resenhas louvavam o romance pelo seu valor literário, pelo realismo e pela aguda crítica que fazia ao colonialismo francês: "um trabalho exótico com muitos pontos de excelência", dizia uma; não propriamente um grande romance, "mas há nele algumas das marcas de grandeza: energia, intensidade, vitalidade", dizia outra resenha, escrita pelo professor de literatura de Freyre em Columbia, Carl Van Doren.[99] Em contrapartida, houve resenhas que fizeram duras críticas tanto à obra em si quanto à Academia de Goncourt. *Batouala* não é, definitivamente, "um trabalho de arte", dizia o resenhista do periódico *Freeman*. Mais do que uma acusação do sistema colonial francês, ele o é do barbarismo dos nativos, dizia o resenhista do *New York Evening Post*. Pouco mais existe nesse livro do que um "retrato insípido da bestialidade, entrecortado por diatribes contra os brancos". Já a resenha de *The Nation and the Athenaeum* era inclemente com os acadêmicos que lhe haviam conferido o prêmio: ou estavam enfadados, dizia, e quiseram ser originais e causar "sensação" indo para "um romance negro como outras pessoas vão para a música negra", ou estavam hipnotizados, "como se diz que os homens brancos ficam com o gemido baixo de um tambor africano...". Mas, concluía, era indiscutível aberração a mesma instituição que dera o prêmio ao grande Proust dar também, e logo depois, a um medíocre Maran. Houve até uma longa resenha no *New York Times* argumentando que o

---

98 *Diário de Pernambuco*, 6/8/1922. O romance de Maran foi publicado em Nova York pela editora Thomas Seltzer em 1922. Apesar de fazer citações em francês em sua resenha, é de crer que Freyre tenha lido o livro nos Estados Unidos, dada a data em que foi publicada a resenha: dias após ele ter desembarcado na França, onde chegara em 29/7/1921 (cf. cartas de G. Freyre a O. Lima, 27/7/1922 e 18/8/1922, em Freyre, 1978, p.200-1).

99 *New York Tribune*, New York, 6/8/1922; *The Nation*, New York, 20/7/1922.

autor dera munição aos maiores inimigos da França, os alemães, que a estavam usando para ganhar a simpatia dos norte-americanos.[100]

A resenha de Freyre no *Diário de Pernambuco* se equiparava às mais perspicazes e lúcidas das estrangeiras. Mostrava admiração pelo estilo literário "claro e incisivo" do autor, tão cheio de nuances, estilo "que não foi de modo nenhum aprendido à força de penosos exercícios de retórica"; e também pela objetividade com que ele pintava o retrato vivo da vida africana, sem se deixar levar pelos seus sentimentos antieuropeus e anticolonialistas. É só no prefácio, que se apresenta como uma espécie de manifesto, que Maran faz um "*j'accuse* vigoroso, forte, zolaesco" contra a orgulhosa civilização europeia, diz Freyre. "Começado o romance, sem se impessoalizar de todo como quisera Flaubert ..., cessa o romancista de ser a voz sonante de uma dor. É a própria dor que ele deixa falar, como certos mendigos por cuja miséria fala a boca aberta de suas gangrenas." De fato, o prefácio de Maran era contundente na sua crítica aos males que a civilização europeia inflige aos povos que domina. "Civilização, civilização, orgulho dos europeus e sepultura dos inocentes. Rabindranath Tagore, o poeta hindu ... disse o que você era. Você construiu seu reino sobre cadáveres. O que quer que você faça, está sempre se movendo sobre mentiras ... Você nada mais é do que a força prevalecendo sobre o direito ... Você devora o que quer que toque." Dirigindo-se aos escritores franceses, seus "irmãos em espírito", Maran faz um forte apelo: "Deixem suas vozes ser ouvidas. É correto e necessário que vocês venham em auxílio daqueles que contam as coisas tais como elas são e não como nós gostaríamos de que elas fossem" (Maran, 1922, p.12).

O que mais deve ter chamado a atenção dos leitores é a maneira como Freyre deu destaque ao fato de o autor ser um "negro puro – um negro de nariz tão chato que a gente se espanta de ver nele fixado, como por milagre, um *pince-nez* respeitável". Não há indício de que ele estivesse se inspirando nas apreciações de Maran feitas por algumas figuras proeminentes

---

100 *Freeman,* New York, 29/11/1922; "Literature Abroad", the Literary Review, *The New York Evening Post,* 24/12/1921; *The Nation and the Athenaeum*, London, 1/7/1922; "Black Shame and France", *New York Times*, 30/4/1922.

Maria Lúcia Garcia Pallares-Burke

do "Harlem Renaissance" (ou "Negro Renaissance"), como Alain Locke e W. E. B. DuBois, que consideravam exemplar o "realismo estético" desse "Zola da literatura colonial" (Scruggs, 1984, p.144). Na verdade, Freyre não parece ter percebido que estava vivendo em Nova York a poucos passos do centro de um movimento cultural negro em começo de ascensão. A crer nos depoimentos de alguns de seus representantes, 1921 marca o início de um período de efervescência artística e literária que se estenderia até o final da década, "quando o negro estava em voga", Harlem era a "capital da cultura" e seus *night clubs* e festas atraíam "multidões" de brancos em busca de divertimento e novidade (Hughes, 1940, p.223-5, 228 e passim; Johnson, 1925). Foi nessa época que uma "minúscula vanguarda de uma minoria" de negros, inconformados com a falta de autoestima e autoconfiança de sua comunidade, acreditou que se a literatura e as artes fossem estimuladas, um "novo negro" poderia surgir; com "orgulho da raça" e emancipado do complexo de inferioridade que inibia sua criatividade. Essa seria a forma de se mudar o "status do Negro nos Estados Unidos", como disse um dos líderes do movimento, James Weldon Johnson, em 1922. É chegada a hora de o negro parar de "consumir toda a sua energia nesta sofrida luta racial" e mostrar seu valor. "O mundo não sabe que um povo é grande até que esse povo produza grande literatura e arte. Jamais um povo que produziu grande literatura e arte foi menosprezado pelo mundo como sendo distintamente inferior" (Lewis, 1994, p.xv; Locke, 1925a, 1925b; Johnson, 1931, p.9, 21).

Mas não é surpreendente que o jovem Freyre tenha ficado alheio ao que se passava em certos redutos de Harlem entre o início de 1921 e meados de 1922, quando viveu em Nova York. Era ainda muito cedo na sua trajetória para que ele apreciasse o movimento de Harlem e com ele, de algum modo, se envolvesse. Além disso, esse "renascimento" no qual uma "minoria da vanguarda" tanto apostava ainda estava em estado incipiente nessa época. De qualquer modo, mesmo anos mais tarde, na sua fase mais exuberante, ele não iria afetar a experiência urbana da massa de negros que haviam emigrado do sul do país e levavam uma existência sofrida, e não pitoresca ou exótica, na maior e mais real "Harlem da labuta diária" (Lewis, 1981, p.108-9, 1994, p.xv; Locke, 1925b;

Johnson, 1931, 1945, p.380-1; Hughes, 1940, p.228).[101] "Os negros comuns", lembra outro famoso representante desse movimento, Langston Hughes, nada sabiam sobre o "renascimento negro" e, mesmo que soubessem, isso "não teria em nada aumentado seus salários" (Hughes, 1940, p.228).

Aparentemente, Freyre só viria a ter algum contato com a *intelligentsia* de Harlem muitos anos mais tarde e por intermédio de seu amigo Rüdiger Bilden, que mantinha relações amistosas com vários de seus representantes. De qualquer modo, era de imaginar que após a publicação de *Casa-grande & senzala*, as ideias de Freyre ficassem conhecidas da intelectualidade negra norte-americana. O fato de Alain Locke ter mencionado o seu nome ao lado de Fernando Ortiz e Arthur Ramos como estudiosos da cultural negra é, sem dúvida, bem significativo (Locke, 1944, p.14).

Pode-se dizer, no entanto, que nos anos em que viveu em Nova York Freyre definitivamente conheceu um dos resultados desse renascimento cultural negro, o jazz, mas não o apreciou. É uma música bárbara, "sem nota de graça e de espírito", comenta com seus leitores do Recife, no *Diário de Pernambuco*, de 13 de novembro de 1921.

Mas se a resenha de *Batouala*, publicada em agosto do ano seguinte, não era, ao que tudo indica, demonstração de qualquer afinidade de Freyre com o movimento do "new negro", há indício de ter sido o primeiro resultado de seu contacto com o pensamento de Franz Boas e o momento em que o futuro discípulo do famoso antropólogo se anuncia. A referência a Alexandre Dumas como exemplo de talento mestiço que contradizia as expectativas racistas e o teor da defesa dos negros e mestiços tornam bastante plausível estar Freyre se inspirando especificamente no artigo de Franz Boas, "The Problem of the American Negro", publicado na *Yale Review* em 1921 e mencionado em seu caderno de anotações com a chamada "Sobre cor: Boas, Yale R." (Boas, 1921a). No artigo da *Yale Review*, o combativo antropólogo procurava mostrar quão

---

101 Dentre a vasta bibliografia sobre o "Harlem Renaissance", ver por exemplo Hughes, 1940; Leuvis, 1994; Kramer, 1987; Anderson, 1982; a autobiografia de Langston Hughes, *The Big Sea* (1940), é um dos depoimentos de maior valor sobre a "Harlem Renaissance" dos anos 1920.

pouco convincentes eram as "provas" da "inferioridade hereditária da raça negra" e como a tão propalada diferença racial entre as raças branca e negra ainda era uma "questão em aberto". Os supostos resultados científicos dos testes psicológicos, por exemplo, que "provavam" a "inferioridade mental inata" de certas raças podiam ser também explicados por diferenças ambientais, dizia o professor de Columbia (Boas, 1921a, p.386-9).

Sem disfarçar a surpresa de um livro valioso ser escrito por um indivíduo de uma raça tida como inferior, Freyre se expande com toda a vívida efusão de que já era bem capaz:

> É Maran uma revelação do talento negro. Seu nome é mais um pedaço de cortiça com que tapar a boca a quantos falam da "ingênita inferioridade do negro", como fato coado pela ciência e filtrado pela experiência. Pois aqui está um preto de cabelo encarapinhado, rebelde às carícias do pente fino e da pomada; de lábios grossos e roxos como os d'um escravo núbio numa cena teatral das *Mil e Uma Noites*; de ventas chatas como as do antropoide da concepção post-darwinista – autor dum grande livro![102]

A "posição do mulato" nos Estados Unidos fora outra questão abordada no artigo de Franz Boas. "O lugar-comum é que ele herda todas as más qualidades das duas raças", o que socialmente pode ser verdade "em muitos casos". No entanto, "em condições favoráveis o mulato é sadio e pode atingir grande eminência, como nos casos de Dumas e Pushkin", argumentava Boas (Boas, 1921a, p.390-1). Na mesma linha de argumentação de seu professor e até utilizando-se de expressões semelhantes, Freyre diz que exemplos de mestiços talentosos não faltam e estão a provar que não passa de "oco palavrório ... o lugar-comum de que do branco e do preto resulta sempre um tipo com as más qualidades de ambos". Dumas, Machado de Assis, o Aleijadinho e o poeta nicaraguense Ruben Dario são alguns dos exemplos mencionados. Mas, acrescenta Freyre, Maran "é um dos primeiros negros ... a surpreender o mundo com a excelência de sua arte", o que mostra "incisivamente, triunfalmente" que as ideias de Boas têm fundamento, apesar de sua

---

102 *Diário de Pernambuco*, 6/8/1922 (versão conferida com o original, do qual se difere ligeiramente).

voz ser, no contexto norte-americano, "uma *vox clamantis* no deserto do Arizona ...". O entusiasmo de Freyre pela voz dissidente à qual o romance de Maran dava força é, nesse momento, inegável:

> Da sua cátedra na Universidade de Columbia, proclama meu mestre, o professor Franz Boas, que "nós (os estudiosos de antropologia) não sabemos de exigência alguma da vida moderna, física ou mental que se possa demonstrar com evidências anatômicas e etnológicas, estar acima da capacidade do negro".[103]

A conversão definitiva do jovem Freyre não se deu, no entanto, nessa ocasião. Apesar de seu entusiasmo pelas ideias de Boas ser então visível, elas não reaparecem em seu texto de 1925, assim como não haviam aparecido em sua tese de maio do mesmo ano. Ao contrário, há alguns indícios, aqui e acolá, de que, de um lado, o paradigma racista ainda norteava algumas de suas observações e, de outro, que ele estava penosamente tentando se definir em face das múltiplas e contraditórias referências, leituras e experiências que lhe povoavam a mente.

Como que a confirmar o poder das ideias defendidas por Grant e tantos outros sobre a superioridade da raça nórdica – que, no Brasil, só estava a "arianizar as províncias adjacentes à fronteira uruguaia", conforme assinalou Stoddard –, poucos meses após a resenha sobre o livro de Maran, Freyre escrevia a Oliveira Lima, de Munique, entusiasmado com um "jovem de família nobre d'aqui" que queria "emigrar para o Brasil". Isso parecia anunciar a possibilidade de o Brasil lucrar com os "bons elementos" deslocados do poder pelo "movimento dos inferiores" (Stoddard, 1981, p.115).[104]

A viagem que fez aos Estados Unidos em 1926, quando teve a oportunidade de visitar o "Old South" – Virgínia e Maryland –, aparentemente reavivou seu entusiasmo pelo *ethos* escravocrata norte-americano. Em artigos que de lá enviou ao *Diário de Pernambuco*, Freyre revela que essa terra de "plantadores de tabaco de larga parentela" o enchia novamente de nostalgia por outras eras em que o Brasil e os Estados Unidos

---

103 *Diário de Pernambuco*, 6/8/1922.

104 Carta de G. Freyre a O. Lima, 1º/10/1922, em Freyre, 1978, p.202-3.

se assemelhavam. O Estado de Virgínia, "o mais aristocrático nos seus começos", diz ele, é "uma espécie de Pernambuco dos Estados Unidos". Encanta-se com as crianças "cor-de-rosa como reclames de Emulsão de Scott" e "bochechudas como anjos flamengos" que dão as boas-vindas nas ruas de Alexandria ao grupo de jornalistas do qual fazia parte. A "hospitalidade do 'Old South' ainda sobrevive", comenta Freyre, assim como ainda se veem as "largas mansões brancas. Casas-grandes parentas das brasileiras".[105]

É no contexto desse entusiasmo que escreve um artigo bastante significativo e desconcertante. Resenhando um livro recém-publicado de Francis Butler Simkins, seu amigo da Carolina do Sul e antigo colega de Columbia, o jovem Gilberto se mostra ainda apegado a uma visão de mundo em que, ao que tudo indica, não havia lugar para suas futuras ideias inovadoras sobre a mestiçagem e o papel civilizador do africano na sociedade brasileira. Tratava-se do livro de Simkins sobre Benjamin Ryan Tillman (1847-1918), antigo governador da Carolina do Sul e ex--senador do Partido Democrata, conhecido como uma das mais violentas figuras da história do Sul do país, que praticara e justificara abertamente a intimidação, a violência (até mesmo ocasionalmente o linchamento) e a fraude para fortalecer os brancos e liquidar qualquer possibilidade de liderança negra e mesmo de qualquer direito civil que, em última instância, se fosse concedido aos negros, teria como resultado, no seu entender, a conversão do Sul num Estado mulato. Para esse político bem-sucedido, que morrera havia menos de dez anos, o maior desastre social que se poderia imaginar era o do amalgamento das raças. Contra esse desastre atuavam os "sentimentos de casta e de antagonismos raciais centena-res". Assim, seria uma atitude totalmente antissocial combater esses sentimentos e antagonismos, pois sua eliminação determinaria, como consequência, que "a mais nobre e elevada das cinco raças", a caucásica, desaparecesse "numa orgia de miscigenação" (Simkins, 1944, p.396).[106]

---

105 *Diário de Pernambuco*, 20/5/1926; 23/5/1926.

106 O livro resenhado por Freyre, *The Tillman Movement in South Carolina,* é o estudo prelimi-nar da obra de 1944. O livro mais recente sobre Tillman foi publicado em 2000 por S. Kantrowitz.

Com o objetivo de retratar o "novo tipo de líder" surgido após a Guerra Civil, quando o pequeno lavrador branco que substituía "a velha aristocracia destroçada" necessitava de um "elemento vigoroso", Simkins, como explicava Freyre, fazia um "estudo penetrante" e desinteressado "da figura pitoresca de Tillman".[107]

Envaidecido com o fato de Simkins ter dedicado o livro a ele, como "o amigo estrangeiro que me ensinou a apreciar o passado do meu estado nativo", Freyre se pôs a explorar alguns aspectos dessa obra que, contrariamente ao que queria o resenhista, estava longe de ser uma "sondagem desinteressada". Tratava-se de um trabalho em que Tillman aparecia como uma das mais importantes figuras na "história do progresso da democracia na Carolina do Sul". A democracia para a qual ele trabalhara e pela qual era louvado era claramente a "democracia branca". As conquistas de seu governo foram tão positivas, dizia Simkins, que, como resultado o "tillmanismo é ainda uma realidade na Carolina do Sul. Através dele a democracia branca sabe como exercer o controle da política do Estado e foram-lhe dados meios pelos quais a possibilidade de um retorno da democracia negra ao poder se tornou muito remota". Nas suas ideias se encontrava "moderação", diz Simkins, já que "não havia nenhum ataque ao princípio de propriedade nem nenhum apelo para o negro, ou palavras a favor do negro". Sem dúvida Tillman era por vezes violento e inflamado, concedia Simkins, mas "possuía sabedoria, honestidade, controle e capacidade suficiente para superar desvantagens pessoais". Enfim, concluía o autor, a Carolina do Sul "talvez jamais produza novamente um indivíduo tão especial" (Simkins, 1926, p.245-6, 220, 62). Importa salientar que no contexto sulista da época, Simkins achava que seu livro não seria aprovado por ser demasiadamente crítico. "Temo que o livro não seja apreciado em meu próprio Estado, Carolina do Sul, pois os sulistas nunca foram tolerantes com o que é escrito com propósito crítico", confessou ele a Oliveira Lima.[108]

A violência lendária de Tillman foi mencionada por Freyre em sua resenha, mas, do mesmo modo que Simkins, o jovem jornalista se mostrava

---

107 *Diário de Pernambuco*, 4/7/1926.

108 Carta de F. B. Simkins a O. Lima, 12/5/1926, Oliveira Lima Papers.

bastante condescendente para com essa "figura pitoresca". É verdade, diz ele, que Tillman "não era nenhum grande homem", mas seus atos revelam que tinha uma louvável "audácia", "personalidade" e "sentido realista do problema" a que "não lhe fazia sombra nenhum sentimentalismo". Essa época do *post bellum* do velho Sul" fora "interessantíssima", declarava Freyre aos seus leitores. Reagindo aos "governos de pretos" que lhes impunha o Norte vencedor – o Norte "do arrogante industrialismo ... disfarçado em de todo 'humanitário', 'redentor', 'progressista'" –, o Sul organizara associações como a Ku Klux Klan e acolhera um novo tipo de líder como Tillman.[109]

Um dos atos de Tillman mencionados na resenha demonstrava a sua impassibilidade diante da execução de um deputado negro. "O negro foi tranquilamente morto a tiro. E Tillman assistiu ao ato com a fleugma de quem assistisse a um exercício de tiro ao alvo. Estava convencido da necessidade de expelir o negro do governo: era o seu sentido realista do problema. E a essa visão não lhe fazia sombra nenhum sentimentalismo."

A necessidade de preparar e organizar o pequeno lavrador branco e torná-lo orgulhoso de seu ofício e de sua terra também foi vista por Tillman "quase com olhos de fanático", afirma Freyre. Esse lavrador tecnicamente treinado, que Tillman queria formar, deveria opor-se ao "governo estéril de 'demagogos e advogados'", diz o resenhista, aludindo às modernas escolas agrícolas criadas durante seu governo. É nessa altura que o entusiasmo do jovem jornalista se acentua e extrapola a referência norte-americana a ponto de propor Tillman como um modelo de líder para "os restos de senhores de engenho conhecidos como fornecedores de cana", que estariam tão desorganizados naquele momento em que escrevia quanto os agricultores da Carolina do Sul de décadas antes.

Sem fazer a apologia das medidas violentas de Tillman, mas também sem repudiar seu racismo, como se a defesa explícita da segregação desumana não o desqualificasse, Freyre especula sobre as vantagens de um líder como ele no contexto brasileiro: nossos "restos de senhores de engenho... também estes poderiam constituir-se em séria força de ação, se os animasse uma forte vontade de 'leader' como a de Tillman, organizando-os

---

109 *Diário de Pernambuco*, 4/7/1926.

contra o mandonismo de usineiros ausentes de terras e desdenhosos de gentes rurais e contra a exploração dos demagogos e a sociologia de varanda de primeiro andar dos oradores de todo retóricos".[110]

Associar de algum modo Gilberto Freyre aos nomes de Tillman e da Ku Klux Klan, assim como antes aos de Madison Grant e Lothrop Stoddard, exige que mais uma vez insistamos na necessidade de considerar essas simpatias temporárias como compreensíveis e relativamente generalizadas no contexto de uma época imersa na difícil e controversa questão da raça. O caso de Mencken, um crítico muito mais maduro e experiente do que Freyre, pode servir para nos lembrar de quão distante o passado pode ser de nossos pressupostos e expectativas; de que, afinal de contas, como disse L. P. Hartley tão vividamente, "o passado é um país estrangeiro: eles fazem as coisas de um jeito diferente lá".[111] Como já foi apontado, Mencken também se relacionava com a questão racial de maneira ambígua e sua posição ao longo dos anos, no dizer de seu biógrafo Fred Hobson (1994, p.247-8), "era uma mistura de ilustração, paternalismo e estereotipagem racial". Admirador, como Freyre, das maneiras, do charme e da civilização da antiga sociedade escravocrata, Mencken, que tanto criticava os Estados Unidos dos anos 1920, inclusive a pretensão de pureza racial dos anglo-saxões, revelou-se frequentemente insensível a manifestações racistas em ascensão (ibidem, p.45-8).

A tolerância ou condescendência de Freyre para com uma sociedade como a Ku Klux Klan deve ser vista também no quadro de uma época em que simpatizantes do *ethos* sulista norte-americano frequentemente se solidarizavam com instituições ou atitudes que se apresentavam como regeneradoras de um passado valioso, não questionando, muitas vezes, os métodos execráveis utilizados para essa regeneração.

Em artigo com a forma de uma carta ao dr. Eládio Ramos, publicado logo após sua chegada ao Recife, em 21 de abril de 1923, Freyre faz um rápido histórico dessa "sociedade curiosa", como ele a qualifica:

---

110 *Diário de Pernambuco*, 4/7/1926.

111 "The past is a foreign country; they do things differently there." L. P. Hartley inicia seu romance *The Go Between* (1953) com essa frase, que se tornou emblemática e posteriormente foi utilizada, em parte, por David Lowenthal para o título de seu belíssimo livro *The Past is a foreign country* (1985).

Os três K, em torno de que gira hoje tanta curiosidade, vamos primeiro encontrá-los em páginas muito românticas da história americana, logo depois da guerra civil. Vencido o Sul, que representava com os interesses escravocratas, a aristocracia das plantações, pelo Norte, movido, menos por humanitarismos que pelos muito concretos interesses do novo industrialismo, a política que se seguiu primou pela violência. Escravos de ontem foram, de repente, sem preparo nenhum, elevados a juízes, chefes de polícia e outros ofícios importantes. Aconteceu, então, o que era natural que acontecesse. Diante dos abusos dos chefes, assim improvisados, organizaram-se os antigos senhores numa sociedade de resistência. Secreta, visava dominar mais pelo terror do que pela violência. Daí a pompa sinistra, os mantos brancos, o aparato, toda a parafernália medieval.

Compreensível, pois, em relação às razões para o seu surgimento no *post bellum* do Velho Sul, como novamente se revelaria em 1926, Freyre parece criticar a K. K. K. dos anos 1920 não pelo terror ou pela violência de seus métodos, mas por esta não se manter fiel ao espírito original da sociedade: "A K.K.K. de hoje é outra coisa", diz o missivista. "Guarda, daquela, as exterioridades; o espírito não. Sua gente não é de primeira qualidade. Seu programa, contando alguns pontos bons, de afinidade até com o fascismo, é baseado sobre um espírito de estreito provincialismo, sectarismo e moralismo de aldeia. Seu combate a instituições como a Igreja Católica, que nos Estados Unidos merece respeito pela sua obra social e pelo seu episcopado, é injusto." Mas a nova K. K. K. tem, no entanto, algumas características a seu favor, sugere o autor, corroborando o que disse Simkins sobre a tolerância de Freyre para com a "segunda Ku-Klux Klan" já mencionada. Sua "parafernália medieval", por exemplo, confere um toque pitoresco e cômico à vida moderna: "é preciso não esquecer que a K.K.K., com as suas proezas *clownescas*, vem fornecendo à prosaica vida moderna uma tão viva nota cômica que sob esse ponto de vista é admirável. Além disso, é inimiga de jornalistas – o que revela de sua parte mui nítida noção de bom gosto. Quanto a outras excentricidades não sei o que lhe diga. Isto de excentricidade é coisa relativa...".[112]

Insensível às denúncias dos métodos empregados por essa sociedade contra os negros "indóceis" e também contra os brancos que com

---

112 Freyre, retalho de jornal com a indicação da fonte e data escrita à mão, 1923, AFGF.

eles simpatizavam, Freyre estava, àquela altura, de certo modo corroborando a opinião de seu amigo e interlocutor Simkins, que criticara a revista *The Nation* por combater a Ku Klux Klan, sem levar em conta a realidade nacional.

Essa revista semanal arejada e liberal, preferida por Amy Lowell e outros críticos norte-americanos – e uma das leituras que Freyre continuou a fazer na Europa, como vimos anteriormente –, estava publicando vários artigos e notícias sobre a gravidade da questão racial e o avanço dessa sociedade pelo país a partir do outono de 1920. Em setembro de 1921, por exemplo, ela dedicara um longo artigo ao folheto – *The Ku Klux Klan – Who – Why – What* – escrito por seu "Mago Imperial", William Joseph Simmons, na ocasião do "relançamento" dessa sociedade secreta em 1915, e dava notícias sobre as ameaças, perseguições e violências feitas em seu nome ao redor do país, desde a Florida até Washington D.C. (Silver, 1921, p.285-6). Pouco mais de um ano depois, o rápido progresso da Ku Klux Klan, "tanto ao Norte quanto ao Sul" estava sendo visto ainda com maior alarme, ocasião em que a revista publicou, na sua coluna editorial, uma ameaça que um leitor branco do Sul – não simpatizante da sociedade – pretensamente recebera por escrito. Assinada "América só para os americanos", a carta – autêntica ou forjada, não se sabe – criticava-o por considerar que a associação era composta por "fanáticos religiosos, mentirosos e hipócritas" e reafirmava seus objetivos: "Nosso propósito é punir aqueles que não podem ser atingidos pelo procedimento usual da lei. Acima de tudo, nós queremos fazer deste um país cristão, livre, limpo e democrático; nós queremos política limpa; nós queremos a eliminação do contrabandista de bebida alcoólica, da prostituta, do jogador, dos negros, mexicanos, irlandeses, judeus, alemães, eslavos; de fato, de todos os estrangeiros, de tal modo que eles não sejam mais capazes de se apropriar das políticas e dos destinos desta *Grande e Gloriosa República Americana*".[113]

A reação de Francis Butler Simkins às críticas da revista foi ocasionada exatamente por essa última matéria. Acusando o editorial de, juntamente com seus "associados liberais", estar amedrontando os "americanos

---

113 *The Nation*, 8/11/1922, p.489.

médios" ao transformar essa sociedade secreta num "bicho papão", Simkins fez uma defesa da organização nos seguintes termos:

> A Klan é poderosa porque apoia o americanismo dominante e progressista, e não o conservantismo ou a reação. Não existe no Velho Sul onde os negros são dóceis e os estrangeiros praticamente inexistentes, mas surgiu em comunidades de progresso industrial e atividade de negócios – tais como Atlanta, Texas e o 'sangrento' Kansas. Não é uma organização de sangue, mas de Puritanismo Protestante, caridade e conformidade cultural. Para atingir esses ideais, alcatrão e penas podem ser usados.[114]

Mas havia mais um motivo para que a Ku Klux Klan fosse vista por Freyre do modo que para nós, hoje, parece ser uma desconcertante condescendência: ela combatia uma das fontes modernas do suposto nefasto cosmopolitismo, o "cosmopolitismo judeu". Como vimos, ele criticara essa sociedade secreta por seu combate à Igreja católica, mas sua ferrenha campanha contra os judeus – acusados de corruptores da sociedade e de ter um plano internacional para controlar os Estados Unidos, se não o mundo – não fora mencionada. O cosmopolitismo, que Freyre contrasta com o internacionalismo, era nessa época um de seus alvos preferidos, como vimos no capítulo anterior. Distanciando--se do "nacionalismo estreito ou do nativismo intolerante", seu ideal de cultura exigia, no entanto, que os estrangeiros que chegassem ao Brasil se identificassem "com o que o nosso tipo de cultura possui de fundamental" para que esta não se dissolvesse. Nesse quadro, o efeito padronizador do cosmopolitismo era constituído pelo jovem crítico como abominável. Por isso, uma das "teclas" em que ele sempre bate a ponto de ter "o dedo a doer de tanto ferir" era o cosmopolitismo que, afirmava, descaracterizava tudo: casas, literatura, língua etc. Era todo "o espírito nacional" que se dissolvia em "barato cosmopolitismo", denunciava o jovem Freyre em junho de 1924. "Estamos a virar verdadeira bola de cera cuja plástica diariamente se altera." A causa alegada era o que vinha de fora e nada tinha a ver com as tradições e características brasileiras.[115] Nesse

---

114 Carta de F. B. Simkins em "Correspondence", The Nation; 29/11/1922. A referência é a um dos castigos que a K. K. K. infligia a suas vítimas, que eram cobertas com alcatrão e penas.

115 *Diário de Pernambuco*, 4/11/1923; 8/6/1924; 30/5/1926 e passim.

aspecto, é também interessante salientar que, ao longo dos anos, Freyre orientou sua apreciação dos novos imigrantes segundo essa mesma linha. Para ele, como Giralda Seyferth (2003) muito bem argumentou, a miscigenação – tal como tinha sido "plasmada nos tempos coloniais" tornando-se característica singular da brasilidade – não admitia "o pluralismo, mas unicamente a pluralidade que não compromete a herança luso-tropical". Em 1941, por exemplo, Freyre criticava os imigrantes alemães porque, resistindo à sua absorção pelo "melting pot" brasileiro, ameaçavam os valores da civilização tropical luso-brasileira.

"Internacionalistas, é justo que o sejamos; cosmopolitas, não", escrevera Freyre já em novembro de 1923, referindo-se especialmente ao perigo que um tipo de judeu – aquele que se excede na sua tendência para o "exclusivismo" e não se vincula à terra – representa para a nação. Os judeus, assim como quaisquer outros estrangeiros que "rolam pelo mundo, sem criar raízes de deveres e responsabilidades nacionais", não contribuem para o enriquecimento do "melting pot" brasileiro com "o sal ou o açúcar ou a pimenta dos seus característicos diversos".[116] Assim, se é verdade, como Maio (2000) bem argumentou, que em *Casa-grande & senzala* o judeu é incorporado positivamente na formação da identidade luso-brasileira, Freyre chegou a essa ideia após ter aderido temporariamente a alguns aspectos do antissemitismo muito em voga nos anos 1920.

Em seu caderno de anotações de 1921, Freyre já tratara desse aspecto da sociedade secreta que então o atraía. Nesse caso, eram as fontes de uma literatura criativa – "tradições literárias e consciência nacional" – que estavam correndo o risco de ser desprezadas e de, eventualmente, desaparecer:

> K.K.K. Healthy invention against Jewish cosmopolitism. I give to the word more than a racial sense. I mean by it that sort of cosmopolitism that some foreigners are aggressively showing in the U.S. – a rather peculiar cosmopolitism, for these persons, though very superior to the national prejudices of their adoptive country, are not so free of prejudices of patriotism in regard to their European countries. Jews are notorious for this. ... Cosmopolitism ... is the enemy of good literature, of healthy art. It is

---

116 *Diário de Pernambuco*, 4/11/1923.

empty. ... It is a good subject for speeches and is very [?] and useful for Polish <u>cocottes</u> and Jewish bankers. Its victory would change the world into a vast home crowded with bric-à-brac" [117]

Com todas essas idas e vindas, fica evidente que o caminho trilhado por Freyre para a aceitação das ideias de Franz Boas foi bastante conturbado e sinuoso. Continuando a seguir os seus passos, podemos dizer que as duas últimas manifestações desse ano de 1926 sobre a questão racial são reveladoras de suas inquietações e do momento em que ele parece finalmente ter feito um importante reconhecimento. Uma delas, ainda que muito *en passant*, mostra que, apesar da condescendência de Freyre para com instituições racistas como a K. K. K., ele não estava totalmente cego ou indiferente ao "problema negro", como algumas de suas manifestações indicam. Esse problema, diz ele nessa ocasião, "projeta sombras de mal-assombrado sobre o futuro dos Estados Unidos".[118] A crueldade para com os ex-escravos já fora claramente criticada antes, no artigo escrito em maio de 1922 e publicado em agosto na *Revista do Brasil*. Contestando Oliveira Lima, que declarara ser "o infinito progresso na marcha humana" algo provado pelos fatos e registrado pela história, Freyre lançara mão do exemplo norte-americano de imoralidade para elaborar sua argumentação. Sem o protesto dos seus missionários, que vão pelo mundo afora a pregar o bem e a criticar os maus e os corruptos, "no Norte dos Estados Unidos os brancos espingardeiam os pretos como se foram suínos bravos e no Sul atam-nos a árvores, meio-nus, para queimá-los aos gritos de alegria" (Freyre, 1922b, 370-1).[119]

---

117 "K.K.K. saudável invenção contra o cosmopolitismo judeu. Eu dou à palavra mais do que um sentido racial. Eu quero dizer com ela aquele tipo de cosmopolitismo que alguns estrangeiros estão mostrando agressivamente nos U.S. – um cosmopolitismo bem peculiar, pois essas pessoas, apesar de muitos superiores aos preconceitos nacionais de seu país adotivo não são tão livres do preconceito de patriotismo em relação aos seus países europeus. Os judeus são notórios quanto a isso. ... Cosmopolitismo ... é o inimigo da boa literatura, da arte saudável. É vazio. ... É um bom assunto para discursos e uma coisa muito especial e útil para <u>cocottes</u> polonesas e banqueiros judeus. Sua vitória tranformaria o mundo numa imensa casa abarrotada de *bric-à-brac*" (cf. caderno de anotações, 1921-1922).

118 *Diário de Pernambuco*, 10/6/1926.

119 Sobre a data em que escreveu a resenha, ver carta de G. Freyre a O. Lima, Oxford, 20/11/1922, em Freyre, 1978, p.205-6.

Mais específico quanto a uma visão positiva do negro e do mestiço, no entanto, é o artigo de setembro de 1926, escrito no Rio de Janeiro, onde permaneceu várias semanas após voltar dos Estados Unidos antes de seguir para o Recife, ocasião em que se encontrou várias vezes com seu ex-colega de Columbia, Rüdiger Bilden, que ali desenvolvia pesquisa para o seu trabalho sobre a influência da escravidão no desenvolvimento do Brasil.[120] Com o título de "Acerca da valorização do preto", o artigo de Freyre tratava da constatação da existência de um movimento que lhe parecia promissor. Em parte influenciado pelo poeta Blaise Cendrars e por uma "tendência para a sinceridade" explorada por Prudente de Moraes Neto, o brasileiro, relata o jovem jornalista, estava se reconhecendo "penetrado da influência negra" e percebendo o ridículo de se julgar ariano "para todos os efeitos estéticos e morais". E, aderindo, como que surpreso e aliviado, ao "movimento de valorização do negro" que presenciava, Freyre afirma entusiasmado: "sinceramente, nós temos de reconhecer em nós o africano. E é tempo de corajosamente o fazermos. De o fazermos na vida, no amor, na arte" e na cozinha. Trata-se pois, como exemplifica, de valorizar "as cantigas e danças negras", de opor à cozinha francesa "a cozinha do azeite de dendê" e à mulher "francesa"... a mulata, a cabocla, a mulher de cor"; de reconhecer, enfim, que "o sentido da vida, em geral" do brasileiro guarda as marcas dessa influência.

A explosão de Freyre ao final do pequeno artigo, quando ataca os mulatos que querem parecer "helenos" e os caboclos europeizados ou norte-americanizados que querem "ver as coisas do Brasil ... através do *pince-nez* de bacharéis afrancesados", pode ser interpretada como um ataque a si mesmo e a outros preconceituosos como ele; ao mesmo tempo, como a explosão de alívio de alguém que vislumbrava uma saída para o complexo de inferioridade brasileiro, uma saída que estava se anunciando no próprio país. Relatando emocionado uma "grande noite cariocamente brasileira" em que ouviu dois artistas mulatos (Pixinguinha e Donga) e um "preto bem preto" (Patrício) a cantar e a tocar, Freyre se refere à reação que ele compartilhara com seus dois companheiros

---

120 Carta de G. Freyre a O. Lima, Rio de Janeiro, 25/8/1926, em Freyre, 1978, p.217 (nessa carta Freyre diz ter chegado ao Rio há uma semana).

de noitada, Prudente de Moraes Neto e Sérgio Buarque de Holanda: "Ouvindo os três sentimos o grande Brasil que cresce meio-tapado pelo Brasil oficial e postiço e ridículo" dos que não querem reconhecer "em nós o africano".[121]

Era como se, após o artigo elogioso sobre Tillman, Freyre tivesse reconhecido que chegara a um extremismo inaceitável, do qual tinha de se afastar e, se possível, repudiar publicamente. A partir dessa data, não mais se vê Freyre contemplar figuras como Tillman com uma não muito velada admiração, manifestar entusiasmo por políticas norteadas pelo racismo científico ou louvar o branqueamento como a solução para a questão racial brasileira. Só voltará a mencionar a Ku Klux Klan, por exemplo, anos mais tarde, durante o curso que ministrou em 1944 na Universidade de Indiana. Nessa ocasião diz abertamente que por mais que o "respeito à variedade" do continente americano fosse um valor a ser prezado, este não poderia jamais incluir a "tolerância para com instituições tão antidemocráticas e tão antiamericanas como o caudilhismo e os linchamentos, o antissemitismo e a Ku-Klux-Klan" (Freyre, 1945a, p.148). E a referência à arianização, quando feita a partir do final dos anos 1920, será sempre em tom crítico, salvo um ou outro deslize, tal como as passagens de *Casa-grande & senzala* em que se refere a "verdadeiros tipos de beleza, do ponto de vista ariano" e ao "concurso genético de um elemento superior" da população brasileira, "capaz de transmitir à prole as maiores vantagens do ponto de vista eugênico e de herança social" (2002, p.445). A adição que Freyre fez ao texto do *Livro do Nordeste* de 1925, na sua reimpressão de 1941, é reveladora, no entanto, de sua preocupação de repudiar antigas simpatias: "E de gente de cor do Nordeste é quase toda a Marinha brasileira e grande parte do Exército", dizia o texto original. Continuando a frase, Freyre acrescentou ao texto de 1925, em tom crítico, as seguintes palavras: "o marinheiro, o fuzileiro naval, o soldado. Porque na Marinha a preocupação de se constituir em viveiro de arianos limitou-se sempre à oficialidade" (1979c, p.90; 1968b, p.192). E, com o passar do tempo, do seu namoro com as ideias de Madison Grant e Lothrop Stoddard só restava a lembrança, que ocasional-

---

121 *Diário de Pernambuco,* 19/9/1926.

Gilberto Freyre

mente vinha à tona. Em 1965, por exemplo, na palestra proferida na Universidade de Sussex, Freyre refere-se ao título do livro de Stoddard, "rising tide of colour", para descrever o processo de desbranqueamento ("de-whitenization" é a palavra que cunha) da população latino-americana. Desvinculando a expressão de suas origens, era como se, para Freyre, ela pudesse perder as desagradáveis associações racistas e adquirir um simples caráter descritivo.[122] Coincidentemente, como vimos, é também a partir da época em que publicou o artigo sobre a valorização do negro, 1926, que Freyre caiu num "Rimbaud mood" e decidiu só ler e estudar, conforme confessou a seu amigo e confidente, o prof. Armstrong.

Há já algum tempo estava aparentemente inseguro e indeciso quanto à melhor solução para a questão racial. A tão difundida solução do branqueamento, que compartilhara com tantos outros, havia sofrido um grande abalo com as ideias eugenistas desenvolvidas por Grant, Stoddard, Davenport e todos aqueles que os seguiam. Repercutindo no mundo acadêmico, essas ideias haviam também afetado, nos Estados Unidos, as discussões da questão racial latino-americana. Enquanto nas décadas anteriores prevalecia nessas discussões a ideia de que uma maciça imigração europeia era a grande solução, a partir de 1920 "muito poucos escritores" continuaram a propô-la (Park, 1995, p.123). A ideia de que havia raças brancas superiores e inferiores e de que a mistura entre elas era também nefasta – já que a inferior tendia a prevalecer e resultava sempre "num tipo indefinível, deficiente em energia física e mental", como lembrara Stoddard citando a opinião de Agassiz sobre o Brasil – parecia deixar um país de composição étnica mista sem nenhuma saída. Fadado a ser mestiço, quer pela mestiçagem já antiga entre negros, índios e brancos, quer pela mais nova incentivada pela crescente imigração de europeus brancos de várias procedências, o Brasil nesse quadro aparecia como um país definitivamente condenado. A raça do homem branco *par excellence*, a nórdica, nele jamais iria prevalecer e, consequentemente, ali não se desenvolveria nenhuma civilização valiosa.

---

122 "Indeed, one may speak of a 'rising tide of colour' – to use a well-known expression – in the Latin American population" ["De fato, pode-se falar de uma 'maré crescente de cor' – para usar uma expressão bem conhecida – na população latino americana"] (Freyre, 1966, p.12).

Essa foi uma conclusão que Freyre não tirou de imediato, ao se entusiasmar pela obra de Grant e Stoddard e toda a política de ação que apoiavam. Como sugerimos acima, deslumbrado pelo que lia e lhe servia de parâmetro para suas observações do "processo de digestão social" e das campanhas para o "melhoramento da raça" em andamento nos Estados Unidos, Freyre nadava com a maré e não se dava conta de todas as implicações dessa forte corrente de pensamento que apregoava opiniões como se fossem fatos científicos comprovados. Um exemplo ilustrativo dessa poderosa corrente racista podemos encontrar no livro sobre Lafcadio Hearn que Freyre recebeu de Simkins como presente no Natal de 1924. Referindo-se às origens mestiças de Hearn, o autor lembrava que, do lado paterno, ele era descendente de anglo-irlandeses que tinham "uma linhagem de sangue cigano selvagem", enquanto do lado materno, muito provavelmente seus ancestrais gregos haviam se miscigenado com mouros e árabes, como tantos habitantes da ilha de Lafcadio, onde nascera. O comentário casual, ao final da descrição, é feito nos seguintes termos: "Assim é possível – não, quase certo, que o jovem Lafcadio era um tipo esquisito de *cocktail* humano, tendo uma pequena pitada de tudo – inglês, cigano, irlandês, grego, árabe e mouro, e que ele era herdeiro de todas as qualidades antagônicas dessas raças desconjuntadas e desarmônicas" (Tinker, 1925, p.2).[123]

No entanto, é lícito supor que, arrefecido o deslumbramento pelo que lia e observava, Freyre tenha caído em si e percebido que, de acordo com o paradigma que a princípio aceitara, nem seu país nem ele próprio, pessoalmente, tinham qualquer possibilidade de progredir. Fruto da mistura de holandeses e espanhóis, ou seja, de duas raças brancas distintas e desiguais, a nórdica e a mediterrânea, segundo o racismo, Freyre também se encaixava na categoria de "infeliz mestiço" condenado a ter um "intelecto intermitentemente aguilhoado por explosões espasmódicas de energia", como argumentara Madison Grant. O sentimento antiestrangeiro de que fora alvo nos Estados Unidos, e ao qual fez vagas alusões, como já apontamos anteriormente, completava esse quadro nada animador.

---

123 Freyre agradece a Simkins o livro enviado, dizendo que fora "really a delight to read it" e sobre ele escreveria um artigo (cf. carta de G. Freyre a F. Simkins, 9/2/1925, Simkins Papers).

O artigo sobre o "movimento de valorização do negro" de setembro de 1926 marca, pois, um momento crucial no desenrolar da trajetória de Freyre; o momento em que, ao que tudo indica, após tantos zigue-zagues, ele teve o *insight* que o livrava de um dos maiores obstáculos para chegar à *Casa-grande & senzala*: a crença na inferioridade dos africanos e mestiços. Evidentemente, essa conversão não aconteceu da noite para o dia, como o incondicional elogio de René Maran feito em 1922 dava testemunho. Mas, naquela ocasião, a digestão das ideias de Grant e o entendimento de muitas de suas implicações ainda estavam por ser feitos. O entusiasmo de Freyre pela conferência de Oliveira Lima dada no prestigioso Institute of Politics, Williamstown, em 12 de agosto de 1922 – portanto na mesma época de sua resenha de *Batouala* –, confirma que a teoria divulgada por Grant não tinha ainda abalado sua crença na solução do branqueamento.

Aludindo à política segregacionista em expansão nos Estados Unidos, Oliveira Lima apresentara ao público ali reunido um quadro contrário e bastante otimista da "solução brasileira" da questão racial. A miscigenação que se pratica livremente no Brasil, disse então o conferencista brasileiro, tem dois efeitos salutares: de um lado, "não há questão racial no Brasil, conflitos e mesmo controvérsias sobre esse assunto sendo, por assim dizer, desconhecidos" e, de outro, "os negros estão rapidamente desaparecendo, dissolvendo-se na população branca". E, mais ainda, como que a querer abalar o orgulho norte-americano, o conferencista pernambucano continuava: "não há raças descontentes no Brasil, como vocês certamente têm neste país", o que sem dúvida "representa uma vantagem para a vida nacional". Além disso, como "raças puras são, de acordo com etnologistas, um erro histórico ..., temos que admitir que a solução hispano-americana, ou mais precisamente, ao menos a solução brasileira da questão da raça de cor, é certamente mais sábia, mais promissora e, acima de tudo, mais humana do que qualquer outra solução que opera através da separação ou segregação" (Lima, 1922, p.22).[124]

---

124 Sobre o entusiasmo de Freyre pelo convite de Williamstown e pelas conferências, ver cartas de G. Freyre a O. Lima, 15/5/1922; 15/9/1922; 20/11/1922; 8/1/1923, em Freyre, 1978, p.198-9, 201-2, 205-6, 194-5 (a carta de janeiro de 1923 aparece erradamente como 1922); carta de G. Freyre a O. Lima, 30/8/1922, Oliveira Lima Papers.

Era compreensível que Freyre tivesse se entusiasmado com uma opinião que, apesar de excessivamente cor-de-rosa ao proclamar a ausência da questão racial no Brasil, atraíra a atenção do *New York Times* que a divulgara com destaque. Deve ter-lhe agradado muito a chamada usada pelo jornal, "Dr. Lima a favor da mistura racial – diz que a miscigenação solucionou o problema dos negros no Brasil", e o teor da matéria, pois dava ao público norte-americano uma visão do Brasil não só positiva como exemplar. Aparentemente, não era excepcional uma expectativa nesse sentido em relação ao Brasil, se se leva em conta a carta de um jornalista norte-americano publicada pelo mesmo *New York Times* em maio do mesmo ano, com a chamada "Pretos e brancos no Brasil". Se existe antagonismo entre brancos e negros nesse país, dizia o autor que ali vivera vários anos, "esse antagonismo é insignificante e certamente não mais marcado do que, por exemplo, entre os piemonteses e os sicilianos na Itália".[125]

Ao receber em Paris "um pacote de jornais" que incluía a notícia do *New York Times* sobre a conferência de Oliveira Lima, Freyre lamenta não ter estado presente em Williamstown para "ver de perto a ação dum homem de talento e de coragem" e observar a reação do público. É bem provável que Oliveira Lima estivesse nessa ocasião exagerando suas opiniões para obter maior efeito. Assim como o antropólogo Roquette-Pinto tinha dois tipos de discurso, um para o público estrangeiro e outro para o brasileiro, como bem apontou Skidmore (1993, p.182 e 272, nota 47), Oliveira Lima parecia estar ali divulgando uma visão cor-de-rosa do Brasil, feita sob medida para os estrangeiros ouvirem. De todo modo, adocicada ou não, sua opinião estava longe de ser aquela que Freyre parecia estar vislumbrando em 1926. A existência de raças superiores e inferiores não era em momento algum questionada pelo ex-diplomata, e o negro ou os "de cor" só pareciam ser aceitos porque estavam, como disse, "desaparecendo" e se tornando brancos.

Para complicar ainda mais a questão, devemos lembrar que no início da década de 1920 – e não pelas mesmas razões de Oliveira Lima e de tantos outros – o próprio Franz Boas ainda acreditava que a solução

---

125 "Black and White in Brazil", *The New York Times*, 13/5/1922.

para a questão racial, ao menos no "futuro imediato", era também o branqueamento. Insistindo em que não havia nenhuma "evidência biológica" fundamentando a ideia de que a mistura racial é degeneradora, ele argumentava que o clareamento da população poderia minar a tão difundida crença na inferioridade da raça negra. O preconceito racial era oriundo da "tendência da mente humana de dissolver o indivíduo na classe à qual pertence e de atribuir a ele as características de sua classe". Estando profundamente entranhado, a solução só poderia estar na "diminuição do contraste entre negros e brancos", o que seria conseguido com a mistura de homens brancos e mulheres negras, já que seria "fútil esperar que as pessoas fossem tolerar casamentos na direção oposta". Contrapondo-se, portanto, à crescente proibição de casamentos inter-raciais que estava ocorrendo nos Estados Unidos, Boas argumentava que seria do interesse da própria sociedade permitir tais uniões. Se, ao observar uma pessoa, ficarmos incapazes de decidir se ela é ou não descendente de negro, "a consciência de raça necessariamente enfraquecerá", argumentava. E, "numa raça de *octoroons*, vivendo entre os brancos, a questão de cor iria provavelmente desaparecer", conclui (Boas, 1921a, x, p.392-5).[126] O mesmo se aplicava a outros conflitos raciais, como o antissemitismo, que também só iria desaparecer quando o judeu se dissolvesse de tal modo na sociedade que não mais fosse reconhecido: "Assim parece que sendo o homem como é, o problema do negro não desaparecerá na América até que o sangue negro se dilua tanto que não mais será reconhecido, tanto quanto o antissemitismo não desaparecerá até que o último vestígio do judeu tenha desaparecido". Mais tarde, diante da evidência de que o "sentimento racial" dos brancos norte-americanos havia se transferido para "as pessoas de cor", e que mesmo entre elas havia a tendência de claros casarem com claros e escuros

---

126 *Octoroon* é uma palavra cunhada em meados do século XIX nos Estados Unidos para classificar as pessoas de acordo com a porcentagem de sangue negro nas veias e distingui-las dos simples mulatos, ou seja, dos que eram meio branco e meio negro, e dos *quadroons*: um *octoroon* teria um oitavo de sangue negro, enquanto um *quadroon* (termo de origem espanhola, que remonta ao peruano Garcilaso 'el Inca') teria um quarto. Sobre a origem dessas e de outras palavras associadas à classificação de misturas raciais – como mulato, mestiço, salta-atrás, híbrido etc. –, ver as páginas esclarecedoras de Sollors, 1997, p.113-29.

com escuros, Boas, desesperançado, mostrou-se convencido de que nenhum branqueamento iria jamais ocorrer e os conflitos raciais, ao menos entre negros e brancos, só tendiam a se acentuar.[127]

Não pelos mesmos motivos de Boas, em setembro de 1926 o jovem Freyre parece já estar desencantado com a solução do branqueamento e, ao mesmo tempo, disposto a refletir sobre as opiniões pretensamente científicas sobre a propalada inferioridade dos negros e mestiços e suas implicações no caso brasileiro. Nesse artigo sobre o movimento de valorização dos negros, o jovem jornalista explicitava o relacionamento das chamadas "raças inferiores" com a realidade brasileira e, simultaneamente, reconhecia sua importância com certo orgulho. Africanos e mestiços eram parte integrante e fundamental de todo o *ethos* brasileiro, e a música, a arte, e todo "o sentido da vida", fortemente marcados por eles, pareciam contradizer sua aclamada inferioridade, anunciava Freyre. O fato de nada escrever e só ler e estudar, a partir dessa época, como confessou a Armstrong, pode ser entendido como o resultado de uma decisão consciente de se preparar para pensar o seu mundo em novas bases. Ler livros de sociologia, história, etnografia e antropologia, tais como os já mencionados que encomendou aos amigos, vinha exatamente atender à necessidade de preencher uma lacuna nos seus conhecimentos, até então concentrados em literatura e crítica.[128]

Considerando a trajetória tortuosa e penosa que Freyre percorreu para chegar a *Casa-grande & senzala*, é de se perguntar se as "confusões", indecisões e "fluidez conceitual" apontadas em seu pensamento não são o resultado dos conflitos internos que enfrentou na juventude e das forças antagônicas que então o dividiam, e para as quais buscava, com dificuldade, encontrar um equilíbrio (Lima, 1989, p.198, 216, 233 e passim).

---

127 Sobre a conexão que Boas fazia entre a perseguição aos negros e o antissemitismo, bem como a sugestão de que, para ele, atacar o preconceito racial contra os negros era um "substituto" para a questão que, como judeu, lhe dizia diretamente respeito, ver Hyatt, 1989.

128 Os "livros modernos sobre 'city planning'" que Freyre pede a seu amigo Oliveira Lima também vinham atender à necessidade que sentia de se preparar para o cargo de assistente de Estácio Coimbra, que acabara de aceitar (cf. cartas a O. Lima, 4/12/1926 e 20/2/1927, em Freyre, 1978, p.219-21).

Em resumo, quando a entrada de imigrantes brancos num país com grande população negra – que Freyre e tantos outros haviam considerado a solução para a questão racial – passou a ser vista, ela mesma, como um grave problema a exigir solução drástica, Freyre embarcou num projeto que iria, inversamente, transformar o que era um problema – mistura racial – em uma nova solução. Este seria "ovo de Colombo gilbertiano", para usar a feliz expressão de Evaldo Cabral de Mello (2001, p.17-31). Em certo sentido, tratava-se agora de desenvolver suas ideias regionalistas e fazer da mestiçagem, tão presente na realidade pernambucana, mais uma das características a serem valorizadas como parte da identidade não só local, mas também nacional. Levaria ainda alguns anos para esse projeto tomar forma, mas parece fora de dúvida de que a experiência norte-americana de Freyre – a princípio entusiasmada e, no final, des-encantada – foi determinante para a nova direção que seu trabalho e sua vida iriam tomar.

4
O novo paradigma:
Freyre e seus interlocutores

"... cada nação, cada geração, cada indivíduo ... tem, não direi de *criar* – porque no mundo da cultura *não se cria* de modo absoluto, os próprios gênios, como Shakespeare, sendo grandes plagiários, quando não de outros poetas, do povo ou do folclore, em geral – mas como que de *recriar* sua própria cultura, reformando, ou mesmo deformando os valores recebidos de outros povos, de outras gerações, de outros indivíduos."

Freyre (1924)

"And he [Walter Pater] brings out, too, with great skill, that Raphael was always in his own thought a learner, with no desperate prejudice for originality, always open to influence, yet transfiguring and transmuting influence into higher and higher conceptions of his own."

A. C. Benson (1911, p.160)[1]

Em seu livro seminal de 1962, *The Structure of Scientific Revolutions*, Thomas Kuhn desenvolveu a ideia de que em ciência as grandes inovações surgem com dificuldade e sempre enfrentam resistência. As anomalias que geram crise são toleradas por muito tempo e acabam sendo ocasião para inventar um novo paradigma. Até os próprios cientistas inovadores resistem à ideia de que o antigo paradigma consagrado não

---

1 Trecho da biografia de Walter Pater, por A. C. Benson, lido e grifado por Freyre em março de 1922.

dá conta dos novos fatos – as "anomalias" – que contradizem as expectativas da "ciência normal". Apesar de Kuhn estar-se referindo a mudanças em quadros conceituais e instrumentais específicos, das quais resultam revoluções científicas, uma analogia com o processo de inovação intelectual parece não só pertinente, mas também iluminadora.

Uma "precondição necessária" para a emergência de um novo paradigma, diz Kuhn, é a ocorrência de crises. Mas o novo paradigma não se impõe de imediato aos cientistas que atravessam uma crise. Por algum tempo, continuam a trabalhar com o antigo, mesmo que ele se apresente mais e mais "borrado" e insatisfatório. Como Kuhn argumenta, "do mesmo modo que os artistas, os cientistas criativos" precisam ter a habilidade de tolerar uma crise e mover-se "num mundo desconjuntado". Eles vivem, pois, nessa "tensão essencial", até que chega o momento em que, de modos talvez para sempre "inescrutáveis", inventam um novo paradigma, que novamente dá pleno sentido àquele "mundo desconjuntado" (Kuhn, 1962, p.64-5, 77-90, e passim).

A trajetória percorrida por Gilberto Freyre desde sua chegada a Baylor até a "revolução cultural" que realizou no Brasil em 1933 parece ilustrar, num sentido amplo, as etapas mencionadas por Thomas Kuhn. O paradigma racista forneceu a Freyre, por alguns anos, um padrão com que se relacionar com o mundo. Mesmo quando alguns dados não se encaixavam nesse padrão, como, por exemplo, a "excelência" da arte produzida por René Maran, um indivíduo da chamada "raça inferior", o paradigma momentaneamente se enfraquecia, mas ainda se mantinha coeso. Uma prova para o curso do prof. Giddings (Sociology 255), que Freyre frequentou no inverno de 1921, revela que ao mesmo tempo em que era manipulado, por assim dizer, pelo mendelismo grosseiro de Grant e Stoddard, também estava sendo exposto em sala de aula a um mendelismo mais sofisticado e complexo, fato que, naquele momento, só devia aumentar sua confusão e incerteza.[2] O ponto alto da crise que

---

2   Reprodução de uma prova de Gilberto Freyre na Universidade de Columbia, outubro de 1921, AFGF. As questões a ser respondidas eram: "What is meant by the expression 'non-inheritance of acquired characteristics'?; What is the phenomenon 'mendelian A'? What is mutation and what is fluctuation? What are the usual major consequences of hybridizing?". Na resposta a esta última questão fica evidente que Freyre estava tomando contato com as ideias de William Bateson – o naturalista inglês que, em 1900, redescobrira

levaria Freyre a finalmente abandonar seu velho paradigma foi o reconhecimento de que, em consequência do próprio desenvolvimento do racismo científico, o que antes era considerado solução para o problema racial – o branqueamento – passava a ser mais um grande problema racial a ser enfrentado.

Nesse ponto, uma dificuldade maior deve ser apontada. Se for verdade, como argumenta Kuhn, que para a total rejeição de um paradigma há necessidade de que exista outro para ocupar-lhe o lugar, então Freyre deve ter-se visto, no final de 1926, diante de uma situação ao mesmo tempo desafiadora e inquietante: ter de inventar, ele próprio, um novo paradigma. Aí estava, provavelmente, a causa de seu "Rimbaud mood".

Mas ele tinha muitas das características arroladas por Kuhn (1962, p.23, 89-90, 151-2, 164-5) como propícias para se tornar o proponente de um novo "modelo ou padrão" de pensamento: era jovem, não estava estabelecido no campo onde iria atuar e não tivera um treinamento acadêmico muito sistemático ou rígido. A esse respeito, é muito apropriada a caracterização de Freyre como um intelectual que, apesar de ter recebido formação acadêmica convencional, impunha-se como "autodidata" (Miceli, 1989, p.102-3).[3] Um primeiro passo em direção a um novo paradigma fora dado em setembro de 1926 quando ele teve, por assim dizer, o *insight* de que o elemento africano existe em todo brasileiro e vislumbrou, a partir daí, mais do que em qualquer outro momento antes, no meu entender, a ideia de que a mestiçagem não só é etnicamente positiva e bela como é também culturalmente enriquecedora. Mas se esse reconhecimento, que compartilhava com outros, como ele mesmo admitiu, era essencial para ver as coisas "deste delicioso Brasil" com os olhos de brasileiro, a construção de um novo paradigma para repensar o

---

as leis de Mendel sobre a hereditariedade das plantas – que, assim como Galton, problemativaza a direta aplicação das leis de Mendel ao desenvolvimento humano (cf. Black, 2003, p.26-8, 411-2): "Against the popular idea that cross-breeding always eliminates the good qualities of the two breeds is Bateson's view; apud Conklin's *The Direction of Human Evolution*: 'where two breeds have certain qualities which are desirable and others which are undesirable, it is often possible by crossing them to get a few hybrids in which the good qualities of both breeds are combined and the bad ones eliminated'".

3 É interessante lembrar que Freyre se referiu a Sérgio Buarque de Holanda e a Caio Prado Junior como historiadores que, como ele, também eram sociólogos (cf. Freyre, 1945b, p.404).

país exigia muito mais. Daí, pois, sua confessada determinação de "só ler e estudar" por vários anos.[4] Era como se Freyre estivesse seguindo as sugestões de Lafcadio Hearn em *Life and Literature*, um dos muitos livros desse autor lido pelo jovem estudante no seu período formativo, como vimos anteriormente. Em várias passagens dessa obra, Hearn instava os candidatos a autor a ser pacientes e a se preparar para as dificuldades que iriam encontrar em seu caminho. "Acima de tudo, não imaginem que qualquer bom trabalho possa ser feito sem esforços imensos", diz o autor de *Two Years in the West Indies* (Hearn, 1917, p.45-6 e passim), repetindo, por assim dizer, os mesmos conselhos que Nietzsche dera aos que, iludidos com seus talentos ou dons inatos, pretendiam tornar--se "gênios" sem grande esforço. Como vimos, ele lhes advertira que tinham de se dar "tempo para isso", aprendendo primeiro "a construir perfeitamente as partes antes de ousar fazer um grande todo".[5] Talvez mais pertinente ainda para Freyre em face do trabalho de elaboração daquele *insight* fosse o que Chesterton dissera em seu *Orthodoxy*, em trecho que assinalou no livro comprado em Nova York na primavera de 1921: somente quando o que nos norteia são "ideias velhas" podemos agir rapidamente; mas "ideias novas" nos impõem, por assim dizer, um ritmo mais lento (Chesterton, 1921, p.200).[6]

A inspiração antropológica: Roquette-Pinto

A importância de alguns pensadores britânicos no processo de liberação dos preconceitos racistas que impediam Freyre de absorver os ensinamentos de Franz Boas, explorar sua distinção entre raça e cultura e criar, juntamente com outros elementos, um novo paradigma, já foi anteriormente anunciada. No entanto, antes de explicitarmos mais essa contribuição dos britânicos para a formação do autor de *Casa-grande & senzala*, importa salientar a contribuição de um antropólogo brasileiro

---

4   Carta de G. Freyre a A. J. Armstrong, 3/3/1931, Armstrong Papers. Para a proposta de se substituir o termo "hibridismo" e miscigenação por "criolização", por ser este um termo que não sugere "herança biológica", ver Rörig Assunção, 2005, p.33-4.

5   Cf. capítulo 1.

6   Livro autografado "Gilberto Freyre, New York, Spring'21".

em especial, Edgar Roquette-Pinto, cujos trabalhos, lidos no final da década de 1920, foram também essenciais para sua trajetória. Ainda que contribuindo cada um a seu modo, todos esses interlocutores, em conjunto, teriam preparado Freyre para que, finalmente, ele pudesse sair de seu "Rimbaud mood" e – repetindo a mudança revolucionária que Franz Boas provocara no paradigma antropológico – inventar o paradigma com que iria inovar a interpretação do Brasil.[7]

Uma das mais conhecidas e memoráveis passagens do primeiro prefácio de *Casa-grande & senzala* é o trecho em que Freyre menciona o mal-estar que sentira ao cruzar com "um bando de marinheiros nacionais – mulatos e cafuzos" nas ruas de Nova York. "Deram-me a impressão de caricaturas de homens", confessa. Tal confissão tinha por objetivo explicitar, de um lado, que a miscigenação era, entre as muitas "questões seculares" de cuja solução dependiam os destinos da nação, a que mais o inquietava no início dos anos 1920; e, de outro, salientar que a solução que apresentaria naquele "ensaio" se devia ao uso dos ensinamentos de Franz Boas, o "mestre" que havia sido o responsável pela mudança de um aspecto central de sua concepção de mundo. Com o professor de Columbia ele aprendera "a considerar fundamental a diferença entre raça e cultura; a discriminar entre os efeitos de relações puramente genéticas e os de influências sociais, de herança cultural e de meio" (Freyre, 2002, p.7).

Esse aprendizado, no entanto, como procuramos demonstrar ao longo do terceiro capítulo, não se deu de imediato ou sem grandes conflitos como essas palavras de Freyre poderiam levar a crer. Refazendo a história de trás para frente, o que é tão usual e talvez até de todo inevitável quando se trata de reconstituir nossos passos, ele antecipa uma influência que levou tempo a se fazer efetivamente sentir, sugerindo que o impacto desse "mestre" se dera desde que o conhecera, como diz, "nos meus primeiros dias em Columbia" e tão logo estudara antropologia sob sua "orientação". Como já foi apontado, esse desagradável encontro com o bando de marinheiros do navio Minas foi relatado a Oliveira Lima

---

7   Sobre a mudança do paradigma antropológico feita por Boas e seus discípulos, ver Stocking, Jr. (1992, p.352-3).

na mesma carta em que Freyre o aconselhava a ler as obras de Madison Grant e Lothrop Stoddard, que veiculavam ideias que reforçavam o paradigma que por algum tempo iria nortear muitas de suas observações.

Nessa mesma passagem do prefácio em que a filiação a Boas era explicitada pela primeira vez, há, no entanto, um trecho em que Freyre faz outra afirmação bastante reveladora. Lembrando sua experiência diante desses brasileiros escuros, cujo aspecto "apavorante" decorria da mistura racial – "a miscigenação resultava naquilo" –, Freyre então acrescentara: "Faltou-me quem me dissesse então, como em 1929 Roquette-Pinto aos arianistas do Congresso Brasileiro de Eugenia, que não eram simplesmente mulatos ou cafuzos os indivíduos que eu julgava representarem o Brasil, mas cafuzos e mulatos *doentes*".

Essa afirmação, que tende a ser negligenciada e obscurecida pela tão alardeada e repetida filiação a Boas que era ali pela primeira vez salientada, deixa entrever que Edgar Roquette-Pinto teria também contribuído para que Freyre finalmente se transformasse no discípulo de Franz Boas.[8] Levando-se em conta outros indícios significativos, é lícito argumentar que, além de fornecer a Freyre dados de valor científico sobre a presença dos indígenas no desenvolvimento da sociedade brasileira e ser seu colaborador no Primeiro Congresso Afro-Brasileiro de 1934 e seu colega signatário do *Manifesto dos Intelectuais Brasileiros contra o Racismo* de 1935, Roquette-Pinto também fez para Freyre o que já fizera para os arianistas do congresso de eugenia em 1929.[9] Numa época em que o jovem pernambucano estava inquieto e tentando se definir em face das múltiplas e contraditórias leituras, experiências e modelos que povoavam sua mente, os trabalhos de Edgar Roquette-Pinto – que Freyre deve ter descoberto após sua chegada ao Rio em agosto de 1926, por intermédio de seu amigo Rüdiger Bilden – teriam contribuído para que

---

8 T. Skidmore é um dos estudiosos que têm salientado a ligação de Freyre com os investigadores brasileiros que lhe forneceram evidência científica, sem o que sua obra de 1933 não teria tido o peso que teve (cf. Skidmore, 1993, p.191, 274 e passim).

9 Além de obras de Roquette-Pinto, Freyre se refere em *Casa-grande & senzala* a textos impressos nas *Atas e Trabalhos do Primeiro Congresso Brasileiros de Eugenia*, Rio, 1929 ("Notas sobre os tipos antropológicos do Brasil" de Roquette-Pinto e "Casamento e Eugenia" de Joaquim Moreira da Fonseca).

Gilberto Freyre

percebesse o caráter não científico do racismo que admirara, passando a ver a miscigenação de uma nova perspectiva. A dedicatória da segunda edição do seu *Sociologia* à memória do "maior mestre de Antropologia que já teve o Brasil" poderia ser lida como uma forma de reiterar sua dívida para com Roquette-Pinto, então recentemente falecido; algo muito justo e necessário, como diria em outra ocasião, pois o Brasil, que prima "em não tomar conhecimento" de seus "profetas", não "soube fazer justiça" a Roquette-Pinto (Freyre, 1957b, p.101; 1980, p.92-3). Era como se Freyre estivesse reconhecendo novamente em Roquette-Pinto um importante interlocutor e, ao mesmo tempo, atribuindo o descaso de que esse antropólogo brasileiro era objeto a uma espécie de *Matthew effect*, de que fala Robert Merton (1969).[10]

A indicar que isso de fato ocorreu, a já mencionada carta a seu amigo e confidente Armstrong fornece sinais bastante indicativos. Na mesma ocasião em que, fazendo um ligeiro balanço de sua vida, Freyre se referiu ao "Rimbaud mood" em que caíra durante o ano de 1926, ele também confessou ao amigo de Waco que esse estado de espírito coincidira com sua decisão de concentrar-se em leitura e estudos, sobretudo de temas antropológicos e etnográficos: "somente li e estudei, especialmente etnografia e antropologia brasileira".[11] Tal decisão pode ser corroborada por duas cartas em que Freyre pediu auxílio a Manuel Bandeira. Em 1929, por exemplo, pede que o amigo do Rio procure descobrir mais material etnográfico sobre o Brasil: "livros alemães de etnografia sobre o Brasil" talvez existissem na Biblioteca Nacional e Roquette-Pinto talvez tivesse mais material sobre cantigas índias e sua sobrevivência "no

---

10 A prática de dar crédito a certos cientistas (de reputação consagrada) e não a outros (ainda não consagrados) por realizações científicas em que todos foram colaboradores, foi descrita por Merton como "o efeito Mateus" porque as palavras de São Mateus, na "Parábola dos dez talentos", exprimem com eloquência esse fenômeno comum da história da ciência: "Porque a qualquer que tiver será dado, e terá em abundância; mas ao que não tiver até o que tem ser-lhe-á tirado". No caso do descaso por Roquette-Pinto, Freyre estava a aludir ao que via como um traço caracteristicamente brasileiro: não tomar conhecimento de seus profetas, só os reconhecendo, eventualmente, após eles terem sido aclamados pelos estrangeiros. O mesmo poderia ser dito do relativo descaso do papel de Roquette-Pinto na trajetória de Gilberto Freyre: enquanto o papel de Franz Boas foi sempre reconhecido, o do antropólogo brasileiro tendeu a ficar obscurecido (cf. Freyre, 1980, p.92-3).

11 Carta de G. Freyre a A. J. Armstrong, de Lisboa, 3/3/1931, Armstrong Papers.

moderno canto infantil brasileiro", assunto que ele já lera no seu *Rondonia*. Que também procurasse ver se havia no Museu Nacional (onde Roquette--Pinto era diretor) mais material "a respeito". E no início de 1931, do exílio em Lisboa – para onde fora desprevenido e sem os "meus irmãos, os livros", como lamentava – Freyre escreve novamente a Manuel Bandeira pedindo que lhe enviasse material para as aulas que fora convidado a dar em Stanford, mencionando especificamente, como livros de "grande interesse", "os de Roquette-Pinto, Heloísa Torres, Fróes da Fonseca (antropometria), inquéritos de Mello Antipoff e outros em Minas Gerais".[12]

A importância da "evidência científica" que Freyre apresentara em sua obra de 1933 já foi muito bem assinalada por Thomas Skidmore (1993, p.191, 274). Sem os dados dos cientistas brasileiros de várias áreas – nutrição, antropologia, medicina, psicologia, sociologia e agronomia – que apontavam os problemas sociais e não a raça como responsáveis pelos males do país, teria sido impossível *Casa-grande & senzala* exercer a "extraordinária influência" que exerceu. Mais ainda, diria que alguns desses dados teriam primeiramente convencido o próprio Freyre da falácia do racismo científico que antes admirara. Em especial, as ideias de Roquette-Pinto e dos que a ele se filiavam, como Fróes da Fonseca (que o apoiou na crítica aos "arianistas" presentes no Congresso de 1929) e Heloísa Alberto Torres (que estudava o papel da mulher índia no desenvolvimento da arte da cerâmica brasileira), parecem ter causado forte impressão em Freyre no final da década de 1920.[13] A confirmar

---

12 Cartas de G. Freyre a M. Bandeira, Recife, 6/12/1929; Lisboa, s.d. (ca.fevereiro 1931), AFGF; sobre sua preocupação com os livros que tivera de deixar e a falta que lhe faziam no exílio, ver cartas de G. Freyre a seu pai, Alfredo Freyre, 11/12/1930; 2/1/1931; 27/1/1931; 14/2/1931; 16/2/1931; 4/5/1931, AFGF.

13 Em *Casa-grande & senzala* há referências a "Cerâmica de Marajó" de Heloisa A. Torres e a *Seixos rolados* (1927), *Rondonia* (1917), "Nota sobre os tipos antropológicos do Brasil" em *Arquivo do Museu Nacional*, v.XXX, Rio, e "Notas sobre os tipos antropológicos do Brasil", em *Atas e Trabalhos, I Congresso Brasileiro de Eugenia*, Rio, 1929 de Roquette-Pinto. Em "Como e porque escrevi Casa-grande & senzala" (1968) Freyre reconhece Roquette--Pinto e Fróes da Fonseca como "os dois maiores mestres brasileiros da Antropologia chamada física" que deram à sua obra de 1933 uma "acolhida ... além de generosa, inteligente, lúcida" (cf. reimpressão em Freyre, 2002, p.717). Fróes da Fonseca, que apoiara Roquette-Pinto no congresso (cf. Stepan, 1991, p.162) iria escrever o prefácio ao livro de

Gilberto Freyre

tal fato, devemos lembrar que a primeira edição do livro *Sociologia*, em 1945, foi dedicada a Heloísa Alberto Torres que, ao lado de Roquette--Pinto, como Freyre admitiu, sempre dera "estímulo valioso" para seus estudos de sociologia (Freyre, 1957, p.101).

Seixos rolados (1927) e outros textos de Roquette-Pinto, muitos deles provocados pelos debates sobre eugenia e sobre imigração que se travaram no Brasil, podem, na verdade, ser lidos como uma contestação brasileira às soluções propostas por Grant, Stoddard, Davenport e todos aqueles que os seguiam dentro e fora dos Estados Unidos. Como o próprio Freyre reconheceu e apontou em *Sobrados e mucambos*, Roquette-Pinto estudava o problema da raça "do ponto de vista brasileiro e dentro das constantes da formação brasileira" (2000c, p.691). E sua respeitabilidade científica ganhava relevo, diria Freyre mais tarde em seu diário-memória, quando se comparavam suas ideias com a de tantos especialistas brasileiros (em biologia, economia, psicologia, antropologia etc.) que produziam frequentemente ciências deformadas. "Deformações acompanhadas de muita vaidade, muita petulância, muita ênfase" (Freyre, 1975, p.234-5).

Com a autoridade de um cientista de prestígio, dedicado havia anos a estudos etnográficos e antropológicos, Roquette-Pinto tratava em seus textos de muitas das mesmas questões com que Freyre se confrontara no estrangeiro, delas tirando, entretanto, conclusões mais ou menos opostas às de muitos cientistas de renome que as abordavam. A eugenia, por exemplo, dizia Roquette-Pinto, está longe de ser uma ciência madura e o calor das discussões que provoca dá testemunho disso. Um dos motivos que explicam tal imaturidade é que por mais bem-intencionados que sejam os estudiosos dos problemas humanos, eles dificultam e "baralham todas as coisas" por interferir, como "próprios objetos de estudo", nas soluções que propõem. Muitas ideias e propostas eugenistas para o melhoramento da raça são feitas por "eugenistas apressados" a quem faltam documentações, provas e experimentos, mas não preconceitos.

Freyre de 1963, *Os escravos nos anúncios de jornais brasileiros do século XIX*, onde fala sobre "a indissolubilidade do binômio indivíduo-meio" e da "personalidade luso-brasílica e ambiência trópico-brasileira" (cf. Freyre, 1979d, p.XLIII).

Enfim, a dificuldade da eugenia é que ela "está, exatamente, na ponte que liga a biologia às questões sociais, à política, à religião, à filosofia e ... aos preconceitos" (Roquette-Pinto, 1927, p.165-6; 1978, p.43).[14]

Apoiando-se na argumentação desenvolvida por cientistas renomados e, em especial, pelo biólogo H. S. Jennings em seu *Prometheus* – livro que Freyre inclui na bibliografia de *Casa-grande & senzala* –, Roquette-Pinto defendia a necessidade de maior humildade científica por parte dos eugenistas empenhados no melhoramento da espécie pela seleção, chegando a levantar a seguinte questão crucial: "Multiplicar os melhores ... Mas, quais são os melhores?" (1978, p.55). Pergunta semelhante fazia Boas, na mesma época, aos eugenistas determinados a eliminar os elementos "inadequados" da sociedade e a incrementar os "melhores": "quais são os melhores traços a cultivar? Se for questão de criar galinhas ou milho indiano nós sabemos o que queremos. Nós desejamos muitos ovos de bom peso ou uma grande produção de bom milho. Mas o que queremos do homem?" (1929, p.113).

Em seu livro, Jennings se referira ao que Kuhn depois apontaria como um dos "principais meios pelos quais a ciência normal" mantém sua autoridade: os "livros-texto" que, como que petrificando as confiantes conclusões de uma determinada etapa do conhecimento, deixam de lado as "anomalias" que não se encaixam na teoria. Ciente de estar vivendo os preâmbulos de uma crise que poderia determinar o surgimento de um novo paradigma no campo da genética, o conceituado professor da Johns Hopkins University e dissidente da corrente ortodoxa afirmava que "a galinha da teoria mendeliana produziu uma ninhada de cisnes"; ou seja, os novos dados que contradizem a ciência estabelecida foram crescendo, mas há grande resistência contra a revisão da teoria (Jennings, ca.1925, p.5-7).[15] Seguramente Jennings estava aludindo à atitude defensiva de seu antigo professor Davenport e seus correligionários,

---

14 Assim como *Seixos rolados*, o *Ensaios de antropologia brasiliana* reúne textos esparsos, publicados originalmente em jornais, revistas e anais de várias datas, que nem sempre são especificadas. O texto onde aparece a citação sobre a eugenia como "ponte" foi escrito "no fim do segundo dia de trabalho do Congresso de Eugenia, em julho de 1929", como afirma o autor.

15 Sobre Jennings e seu trabalho, ver Sapp (1987, p.90-8, 223-5); Sonneborn (1975, p.47, 142-223).

que se mantinham surdos às críticas feitas por ele e outros geneticistas e biólogos aos dados pretensamente científicos alardeados como justificativas para as campanhas anti-imigração e as medidas eugênicas, como a esterilização dos chamados deficientes e a proibição de casamentos inter-raciais (Black, 2003, p.202; Ludmerer, 1972, p.121-34). Como consequência dessa resistência da ciência estabelecida à revisão de suas ideias, "o que entrou na consciência popular como mendelismo – ainda apresentado no evangelho biológico convencional – tornou-se grotescamente inadequado e enganador", argumentava Jennings (ca. 1925, p.5-7, 11). Muito mais complexa e desconhecida do que os eugenistas supõem, a reprodução humana não permite que se faça com os homens o que se faz com as "maçãs" ou as "laranjas", diz Jennings (ibidem, p.73) com linguagem vívida. Revelando a presença do lamarckismo, na sua versão moderna não reducionista, em suas ideias e experimentos, Jennings salientava a interação entre os genes e o ambiente bem como a impossibilidade prática, para a infelicidade de muitos, como dizia com ironia, de multiplicar tipos humanos tidos como valiosos e suprimir os demais (ibidem, p.86-90).[16]

Entre as muitas falácias do mendelismo, tal como estava sendo entendido e praticado, estava a ideia de que "a hereditariedade é certa, fixa, imutável", quaisquer que sejam as condições em que a reprodução ocorra. Ora, afirmava Jennings, quando se aplica tal falácia às discussões atuais sobre os problemas raciais ela adquire ainda maior força e provoca "desastre gigantesco" nas medidas eugênicas que propõe, salvo nos limitados casos "obviamente patológicos" em que elas têm um efeito paliativo. Pois não há como negar, argumentava Jennings, que não seja uma "biologia falsa" a ideia de que os defeitos e doenças que porventura os novos imigrantes tenham passarão para as próximas gerações. De acordo com essa biologia tão alardeada, conclui Jennings, "a hereditariedade é considerada toda-poderosa; o ambiente como quase impotente: uma falácia viciosa, não apoiada pelos resultados das investigações" (ibidem, p.65-6, 79, passim).

---

16 Sobre suas ideias a respeito das características herdadas do homem e o ambiente, ver cap. 2; sobre a influência do lamarckismo em Jennings, ver Sonneborn (1975).

Não tão contundente talvez como Jennings, Roquette-Pinto também questionava a base científica de muitas noções difundidas como comprovadas pela ciência. Apresentando dados criteriosos de algumas pesquisas recentes e retomando Galton, Mendel, além do próprio Jennings e cientistas e antropólogos mais novos, como Frank Hankins, Karl Pearson, Edwin Clonkin, Eugen Fisher e Melville Herskovits – muitos dos quais iriam ser referidos por Freyre em *Casa-grande & senzala* e em *Sobrados e mucambos* –, Roquette-Pinto acabava por mostrar como as ciências que tratavam da hereditariedade e das questões raciais ainda tinham muitos pontos obscuros e controversos. Como dizia, "nas explicações do abade [Mendel] há, mesmo, demasiada metafísica...". O próprio conceito de hierarquia das raças, uma das noções centrais a que faltam sólidos fundamentos, é, na verdade, um dos "temas prediletos do diletantismo científico", afirmava Roquette-Pinto. As obras dos que cantam o "hino teutônico", como Gobineau, Chamberlain e Keyserling, nada mais são do que "volumes difusos e loquazes, exibicionistas, cheios de ciência de enciclopédia barata, sem espírito crítico definido, eivados de preconceitos". Num momento de humor, Roquette-Pinto até chega a dizer que a crença de que "só os louros nórdicos são gente boa" pode não ser pecado, mas certamente "é estupidez" (1927, p.61, 287, 168-200; 1978, p.72-3, 60).

Mais seriamente, Melville Herskovits, um dos discípulos de Boas a quem este, quando muito ocupado, delegava a tarefa de se opor ao que chamava de "A tolice nórdica" (Jackson, 1986, p.99), levantava sobre o mesmo assunto as seguintes questões:

> Na verdade, como podemos falar tão confiantemente sobre as diferenças psicológicas entre os nórdicos e os mediterrâneos, quando até as diferenças físicas entre os dois ainda não foram estabelecidas? Como podemos falar sobre a qualidade de louro superior dos nórdicos quando a quantidade de pigmentação preta em muitos brancos é sabidamente maior do que em muitos negros? Como podemos falar de estirpe "pura", quando até a mais arbitrária classificação com base em características selecionadas não mostra pureza em nenhum lugar?" (Herskovits, 1924, p.210).

É nesse quadro, a exigir cautela e moderação, que Roquette-Pinto trata da questão da mestiçagem. Em vários de seus textos desenvolve o que anunciara comovido quando comentou sua viagem de observação científica a Rondônia: de lá voltara, como diz, "com a alma refeita, confiante em sua gente, que alguns acreditam fraca e incapaz, por que é povo 'magro e feio' ... São feios, efetivamente, aqueles sertanejos ... pequenos e magros, enfermos e inestéticos", mas, apesar de tudo, heroicamente "fortes" para estar "conquistando as terras ásperas" (1919, p.VIII-IX).

É, assim, com insistência que Roquette-Pinto enfatiza a falta de fundamento científico para a tese da "degeneração" dos mestiços. Dizendo que "eugenistas apressados" também eram divulgados no Brasil – como John Alfred Mjoen, cujo livro *Cruzamento de raças* fora traduzido pelo eugenista brasileiro Renato Kehl –, ele insiste na necessidade, apontada por Jennings, de exigir evidências e experimentos rigorosos antes de se ter como certo o que envolve tanto de duvidoso. "Seria interminável escrever a lista dos que têm malsinado os cruzamentos de raças distantes; mas é facílimo contrapor autoridades, uma a uma. Porque o número dos contrários é igualmente farto. Só agora, de fato, começa o estudo objetivo, documentado da questão. O que se sabe até hoje, de acordo com tal documentação, é antes favorável ao cruzamento". Mas há uma coisa que não se pode esquecer "na apreciação antropológica dos mestiços": muitas vezes o que se toma como homens "degenerados" não passa de "homens doentes". Em vez de ser exemplos de "inferioridade" racial, eles são, na verdade, testemunhas de condições sociais sofríveis a exigirem melhoria. São, enfim, como Roquette-Pinto tantas vezes insistiu, indivíduos deficientes devido a "causas patológicas cuja remoção na maioria dos casos independe da antropologia. É questão de política sanitária e educativa" (Roquette-Pinto, 1927, p.200-1; 1978, p.51-3,106).

Continuando a tradição de reconhecer a "grande dívida" que a nação tem para com os índios, Roquette-Pinto enaltecia tanto o negro (de quem o branco "bebeu o suor", devendo-lhe justiça) quanto o "mulato caluniado" e desqualificava o branqueamento como solução da questão racial, mas não pelos motivos alegados pelo racismo científico de Grant, Stoddard, Davenport e tantos outros (cf. Cunha, 1986, p.160; Roquette-Pinto, 1927, p.56, 195). Nem também pelo arrazoado de Franz Boas que, como vimos, acreditava que diante da "tendência humana" de se organizar em grupos e de proteger-se contra o que vê como outros grupos pretensamente hostis, a solução da questão racial era, por assim dizer, embaralhar as cores.

Citando Agassiz, o autor usado por Stoddard para reforçar o argumento dos efeitos desastrosos da miscigenação, Roquette-Pinto considerava "mistura racial" uma expressão errônea, já que "a mestiçagem é antes combinação" e, argumentava, não causa a degeneração das raças, como muitos cientistas apressados alardeiam. O mesmo trecho em que o observador suíço apontava o Brasil como exemplo de um país condenado aparecia no texto de Roquette-Pinto como ilustração do preconceito que toma ares de ciência. "Agassiz nasceu na Suíça, mas, quando escreveu isso, era professor nos Estados Unidos, onde se linchava um negro com a mesma facilidade com que se mata um mosquito ..." (Roquette-Pinto, 1927, p.56, 195, 287; 1978, p.23, 106).

Assim, o que teria Freyre aprendido com Roquette-Pinto no final da década de 1920? Provavelmente a grande lição que o jovem "Rimbaud do Recife" recebeu do ilustre antropólogo foi a que enfatizava a falta de fundamentação científica para posições dogmáticas e extremadas no que diz respeito a questões raciais. Essa lição iria definitivamente reforçar a ideia na qual o próprio Franz Boas constantemente insistia, e da qual Freyre, após lê-lo e relê-lo atentamente, deve ter-se convencido: a inexistência de provas convincentes e substanciais para os pressupostos das teorias raciais e eugênicas em voga, já que ainda havia muitas questões em aberto e muito de duvidoso e hipotético acerca de ser a hereditariedade ou o ambiente o fator determinante de vários aspectos do homem – suas atitudes mentais, seu aspecto físico, suas "chamadas reações instintivas", seu temperamento, inteligência, habilidades etc. No final da década de 1920, em seu *Anthropology and Modern Life*, o professor de Columbia ainda insistia em que na questão de importância fundamental – "saber o que é hereditário e não" –, havia ainda muita coisa não esclarecida. O que faltava, no entanto, a muitos eugenistas, era a determinação de fazer pesquisas desinteressadas que fossem adequadamente provadas sob controle de rígidos critérios científicos.

Assim, ambos os antropólogos, o de Columbia e o do Rio de Janeiro, referiam-se a estudos em andamento que, se não chegavam a uma solução final e definitiva, mostravam, no entanto, ser muito provável, salvo prova em contrário, que as características herdadas fossem "irrelevantes quando comparadas com as condições sociais". Como Boas afirmou,

> é um fato observado que os mais diversos tipos de homem podem se adaptar às mesmas formas de vida e, a não ser que o contrário seja provado, devemos assumir que todas as atividades complexas são socialmente determinadas, e não hereditárias; que uma mudança nas condições sociais muda todo o caráter das atividades sociais sem influenciar em nada as características hereditárias do grupo de indivíduos em questão. Desse modo, quando se faz uma tentativa de provar que defeitos ou pontos de excelência são hereditários, é essencial que todas as possibilidades de uma repetição de traços ancestrais determinada puramente pelas condições ambientais ou sociais sejam excluídas.[17]

Refletindo especificamente sobre o caso brasileiro, Roquette-Pinto deslocava o que fora tradicionalmente proposto como o cerne da questão e descartava o branqueamento como solução para o atraso do país porque, como insistia, o problema a ser solucionado não era racial, mas sim social, ambiental. Era essa, na verdade, argumentava ele, uma das conclusões a que levava o próprio conceito de ecologia, no sentido amplo proposto por Morselli, o de ciência que trata da "harmonia di tutto il creato". Os naturalistas modernos que fazem seus estudos utilizando esse tão útil conceito são levados a reabilitar as "construções geniais de Lamarck" e a aceitar a "insofismável influência do meio, gerando a adaptação dos organismos". É por isso que Roquette-Pinto (1927, p.275-7) chega a afirmar que "hoje ... o neolamarckismo passou a dominar". Convenhamos, dizia ele, há muito de "preconceito disfarçado ou manifesto" nas discussões sobre as prementes questões nacionais; mas o fato é que "o problema nacional não é transformar os mestiços do Brasil em gente branca. O nosso problema é a educação dos que ali se

---

17 Sobre a insistência com que Boas fala em "questões em aberto", na necessidade de "bons fundamentos" e pesquisas imparciais sobre o que se deve e não se deve à hereditariedade, ver Boas (1921a, p.387, 389; 1921b; 1924, p.163, 165 e passim; 1929, p.57, 108, 103-19 e passim).

Maria Lúcia Garcia Pallares-Burke

acham, claros ou do escuros...". Em outras palavras, não sendo mais entendida como um mal a ser sanado, a mestiçagem brasileira tornava irrelevante a questão do branqueamento ou do escurecimento da população brasileira (ibidem, p.61).

A preocupação de Roquette-Pinto de divulgar os resultados das pesquisas antropológicas a fim de desmentir e desmoralizar os pessimistas, como dizia, fica evidente na infatigável atividade difusora que desempenhou ao longo dos anos em vários veículos de informação, alguns deles fundados diretamente por ele, como a rádio educativa que inaugurou em 1923. Assim, é de supor que ele sempre repetia, para públicos diversos, o seu refrão: "aos responsáveis pelos destinos deste país presta, assim, a antropologia, um enorme serviço, apresentando-lhes documentos que não devem ser desprezados em benefício de fantasias retóricas desanimadoras. A antropologia prova que o homem, no Brasil, precisa ser educado e não substituído" (1978, p.107)

Não é, pois, por acaso que mais tarde Freyre iria falar de Roquette--Pinto como um dos "precursores esquecidos" que, removendo as associações patológicas do termo "mestiço", fora o primeiro a fazer a distinção fundamental entre "mestiço doente" e mestiço em geral (Freyre, 1942b). E não é também por acaso que, no momento em que se discutia a nova Constituição brasileira, a resenha de Roquette-Pinto, publicada logo após o lançamento de *Casa-grande & senzala*, tenha privilegiado, acima de tudo, a seriedade, a clareza e a objetividade científica desse "volume soberbo" que já nascera "obra clássica". Como disse nessa ocasião, se só tivesse publicado a bibliografia, Gilberto Freyre "só por isso teria prestado à cultura de seu povo um enorme serviço". Mas o autor fez muito mais, completa o entusiasmado resenhista. "Tudo quanto a biologia da raça tem revelado nos últimos tempos foi aplicado com segurança e critério a interpretações brasileiras". É por isso que esse livro é leitura obrigatória para os legisladores que preparam a nova constituição e enfrentam uma questão tão carregada de preconceitos quanto a da "formação étnica do Brasil". Para um "conhecimento objetivo, direto, simples, positivo do que se tem apurado na matéria", não há "nenhum guia melhor, mais claro ou mais minucioso do que Gilberto Freyre" (Roquette-Pinto, 1934).

Ao fazer tais apreciações Roquette-Pinto deveria estar pensando nos trechos em que Freyre apontava os experimentos que davam força a um neolamarckismo antes menosprezado; um neolamarckismo que estava a se levantar, enfatizava Freyre, "nos próprios laboratórios onde se sorriu de Lamarck".[18] Também devem ter chamado a atenção de Roquette-Pinto as referências que Freyre fazia, ao mesmo tempo e cautelosamente, às várias questões em aberto que ainda havia sobre o papel da hereditariedade e do ambiente na antropologia, na sociologia e na biologia modernas: "o bastante", como dizia, "para nos advertir contra os preconceitos de sistema e os exageros de teoria". Em biologia, dizia Freyre, o neolamarckismo ressurgente, como que se rindo dos "weissmannianos" que haviam descartado totalmente o lamarckismo "há quinze ou dez anos", dava testemunho de quanto havia de questões em aberto na ciência do homem. Especificamente na questão da "transmissão de caracteres adquiridos", Freyre fazia questão de apontar, em 1933, "o muito de flutuante que encerra o assunto. De flutuante e duvidoso" (2002, p.307-13).[19]

A inspiração estética e histórica: Lafcadio Hearn, G. K. Chesterton e Alfred Zimmern

Se as ideias de Roquette-Pinto deram a Freyre um grande impulso antropológico para o novo paradigma em gestação, Lafcadio Hearn lhe

---

18 Orgulhoso de ter muito cedo dado ênfase ao "debate agudo entre weissmanianos e neolamarckianos", Freyre se refere em 1983, em seu *Insurgências e ressurgências atuais*, às páginas que dedicou ao assunto em *Casa-grande & senzala*, algo, como diz "para a época surpreendente" (cf. Freyre, 1983, p.178, 174-9). Para uma discussão sobre o neolamarckismo no pensamento de Freyre, ver de Araújo (1994, p.39-41 e passim).

19 Na edição de 1933, Freyre falava do "rígido critério weissmanniano da não transmissão dos caracteres adquiridos" como sendo aceito facilmente "há quinze ou dez anos"; posteriormente ele muda essa passagem para "há vinte ou trinta anos". Adolf Weismann foi o biólogo alemão que desenvolveu a teoria de que só uma porção da célula – "a germ plasm" (o plasma germinativo) – é responsável pela hereditariedade. A partir de 1900, quando a teoria de Mendel foi redescoberta, as pesquisas dos weisman-mendelianos tendiam a contestar a ideia da hereditariedade dos caracteres adquiridos defendida pelos lamarckianos (cf. Stepan, 1991, p.24-7, 68-9; Stocking, 1968, p.239-42).

deu uma contribuição fundamentalmente estética. Já vimos mais longamente, no segundo capítulo deste trabalho, o importante papel que Hearn desempenhou na trajetória do jovem Gilberto Freyre, servindo de estímulo para que ele retornasse ao seu torrão natal. Trata-se aqui, pois, de retomar Hearn para salientar sua especial participação nessa nova valorização do negro e do mestiço que estamos acompanhando.

O próprio Freyre, bem mais tarde em sua trajetória, confirmaria o que antes já afirmara José Lins do Rego, seu companheiro na redescoberta do Brasil. O que o jovem retornado queria rever, dissera o futuro romancista em 1927 em trecho já antes mencionado, era "um Pernambuco de que a leitura de Lafcadio Hearn lhe aguçara o apetite com os seus descritivos rescendendo às terras da Martinica, virgens de vulgaridades industrialistas" (Rego, 1991, p.38). Refletindo anos mais tarde sobre sua trajetória intelectual, Freyre fez uma confissão eloquente sobre a importância desse "romântico inglês" para o desenvolvimento do seu "neotropicalismo": o livro *Two Years in the French West Indies* me pareceu um livro escrito de encomenda para mim, na fase decisiva de repúdio aos encantos ortodoxos do nordicismo ... e de volta aos valores basicamente tropicais ou mestiçamente extraeuropeus". Nessa mesma ocasião ele forneceu outro dado interessante: foi ouvindo em Columbia uma conferência de John Erskine, "o testamenteiro de Lafcadio", que ele teria sido despertado para o autor na sua fase "anterior ao niponismo" (Freyre, 1951).[20] Conhecido como exímio professor, que atraía um grande número de alunos em suas aulas, é bem provável que Erskine tenha sido o primeiro a realmente chamar a atenção de Freyre para a arte de Lafcadio Hearn. Fora ele o editor das aulas dadas por Hearn na Universidade de Tóquio que, colecionadas em volumes, foram publicadas em 1915, 1916 e 1922. O último desses volumes, *Life and Literature*, era exatamente o livro adquirido e autografado por Freyre na mesma época da publicação.[21]

---

20 Essa é uma afirmação que de certo modo contradiz o que Freyre disse em 1975 em seu diário-memória, quando afirma estar sendo atraído por Hearn, contra a vontade do prof. Armstrong, já em 1919.

21 Os dois outros volumes da coleção eram: *Interpretations of Literature* (London: William Heinemann, 1915) e *Appreciations of Poetry* (London: William Heinemann, 1916).

Um aspecto importante a ser lembrado e que pode ter contribuído para que Hearn levasse Freyre a valorizar não só a região tropical de onde vinha, mas o negro e o mestiço que davam a ela uma marca distintiva e positiva, é o fato de que esse autor não só escrevera sobre os negros e mestiços, mas também convivera com eles intimamente e com eles se solidarizara. Em Oxford, como vimos, Freyre comprou a biografia de Lafcadio Hearn escrita por Edward Thomas, lendo-a e anotando-a provavelmente nessa mesma época, já que referências a dados sobre Hearn ali contidos logo começam a aparecer nos seus artigos do *Diário de Pernambuco*. Um aspecto dramático da vida de Lafcadio Hearn no Estado de Ohio mencionado por Thomas era o seu casamento ilícito, em 1874, com uma ex-escrava mulata, Alethea Foley, do qual decorrera a perda de seu emprego de jornalista do *Enquirer* e o ostracismo a que se viu remetido por vários setores da sociedade de Cincinnati. Bastante destemido, Hearn – que já vivia numa região pobre da cidade onde se juntavam negros e brancos destituídos – desafiara a lei estadual que proibia tal união. Sua empatia para com os negros era tanta, diria ele mais tarde, que após alguns meses de convívio experimentara um "sentimento de desconforto à vista de caras brancas ... Por um momento cheguei a sentir o terror do homem negro pelo branco". Contratado pelo jornal rival do *Enquirer*, o *Cincinnati Commercial*, Hearn continuou sua prolífica carreira jornalística e entre 1875 e 1876 escreveu abundantemente sobre a vida do negro norte-americano – seus costumes, folclore, dança e música –, campo onde produziu o melhor de seu trabalho de repórter. Segundo alguns estudiosos, seus artigos constituem provavelmente os primeiros estudos etnológicos dos negros urbanos após a Guerra Civil norte--americana (Thomas, 1912, p.16-7, 21; Bisland, 1911, p.27; Lemoine, 1988, p.131; McWilliams, 1946, p.67-74, 85).

Já nos referimos à empatia com que Hearn observava os negros e mestiços e à perspicácia e sensibilidade com que apontava os aspectos positivos da miscigenação. De fato, quer por sua beleza e sensualidade, quer por suas qualidades humanas, os mestiços eram louvados de um modo nada usual para a época em que escreveu, e talvez mais ainda para a época em que Freyre leu *Two Years in the French West Indies*. "A infinita bondade da população de cor ... é algo que maravilha aqueles acostumados com o egoísmo das grandes cidades do mundo", afirma Hearn comovido e surpreso com as manifestações de "bondade humana" que observava naquele mundo tão distante do chamado mundo civilizado do hemisfério norte. Quanto à beleza e à sensualidade dos indivíduos que a miscigenação produz, Hearn não poupava palavras para caracterizá-las. A natureza, diz ele, remodelava os negros e os brancos, e seus descendentes não mais se pareciam com seus antepassados: "em menos de dois séculos e meio as características físicas da raça foram totalmente transformadas". E como que a ilustrar as ideias neolamarckistas sobre a influência do meio sobre a raça, que seriam mais tarde retomadas por Freyre, Hearn dizia: a natureza remodelou "o branco, o negro e o mestiço de acordo com o meio e o clima: o descendente dos antigos colonizadores deixou de se assemelhar a seus pais; o crioulo negro se aprimorou em relação a seus progenitores; o mulato começou a dar evidência daquelas qualidades físicas e mentais que mais tarde iriam torná-lo perigoso para a própria integridade da colônia". Essa passagem referente aos mulatos, que Freyre leu e marcou com traço duplo nas páginas de seu Hearn, parece tê-lo especialmente impressionado, reaparecendo mais tarde claramente em seu *Nordeste* (Hearn, 1923, p.335-6).[22] Definitivamente, afirmava Hearn, nesse novo clima e novo meio essas raças se transformaram e, em muitos casos, embelezaram. Se, por exemplo, a mulher africana já era atraente para o colonizador branco, tal atração se ampliou com o charme da "crioula negra ou mulata" que, ciente de seu poder de sedução, soube muitas vezes usá-lo não só a favor de si mesma, como também de seus parentes. A emancipação de muitos escravos concedida pelos senhores "enfeitiçados" por essas crioulas teria atingido tal proporção, lembra Hearn, que o governo chegou a impor medidas restritivas a essa prática. Uma delas decretava que aquele que libertasse uma mulher de cor teria de "pagar ao governo três vezes o seu valor como escrava". Enfim, a sedução da "beleza mestiça" era tão onipotente, constata Hearn, que os senhores enamorados começaram a tornar-se "escravos de seus escravos". Era como se a natureza se pusesse a rir

---

22 Sobre o tema do mulato como "elemento por excelência perturbador da civilização aristocrática do açúcar", ver Freyre (1989, p.128-30).

com ironia dos "preconceitos de raça", das pretensões de superioridade racial do homem branco e da "fábula da degradação física" como destino inelutável de todo povo miscigenado, comenta o autor com satisfação (ibidem, p.338-42).

As marcas que Freyre fez em trechos dessas páginas de Hearn parecem atestar que, se a uma primeira leitura ele talvez não se tenha convencido totalmente da insensatez dos "preconceitos de raça", ao menos foi alertado para tal e também para analogias que existiam entre as Índias Ocidentais ali descritas e o Brasil que estava a estudar e redescobrir. Foi exatamente ao lado do trecho em que Hearn se refere à poligamia que ali existia e ao fato de não ser raro os filhos ilegítimos do homem rico branco serem criados por suas esposas legítimas que Freyre escreveu "as in Brazil" (ibidem, p.341). As muitas referências que se encontram em Freyre às qualidades dos negros, que com sua alegria, ternura e "bondade maior que a dos brancos" contribuíram para adoçar e enriquecer a vida doméstica dos seus senhores, bem como à "tentadora beleza das pretas e pardas", são algumas das marcas evidenciadoras da inspiração que recebeu de Hearn, o autor aliado que, como Freyre admitiu, parecia ter escrito seu *Two Years in the West Indies* especialmente de encomenda para ele (Freyre, 2002, p.38, 344, 359-60, 422, 428, 460-1, e passim).

Finalmente, outro aspecto que deve ter marcado indelevelmente a imaginação de Freyre é o que diz respeito aos efeitos da organização escravocrata na constituição dos homens e mulheres nela envolvidos; em outras palavras, a distinção que Hearn faz de raça e organização social. Que algumas atitudes tidas como naturais da raça tinham origem social e não étnica é um fato que se revela a uma "observação não apressada", declarava Hearn, na mesma linha que o antropólogo Roquette-Pinto defenderia décadas mais tarde. "A verdade é que séculos de privação de direitos naturais e de esperanças" fizeram a raça escrava desenvolver certas características que "só poderiam parecer totalmente naturais àqueles que nunca pensaram que até mesmo sentimentos haviam sido artificialmente cultivados pela escravidão" (Hearn, 1923, p.344-6).[23]

---

23 A página 344 está marcada com uma orelha.

Do mesmo modo, se os negros e os mestiços ficam mais doentes do que os brancos, isso não se deve à inferioridade racial e a uma constituição mais fraca, como muitas vezes se supõe, afirmava Hearn. Afastados das condições de vida que têm um grande valor profilático – conforto, riqueza e cuidados médicos –, não é de admirar que eles tenham se tornado fracos e predispostos a doenças. Enfim, constatava o autor de *Two Years in the West Indies*, "os males da escravidão sobreviveram à emancipação" (ibidem, p.229-30). Não é por acaso, portanto, que, como já apontamos, Lafcadio Hearn tenha sido descrito em *Casa-grande & senzala* como um pensador que "enxergava mais, como simples escritor, do que muito sociólogo" (Freyre, 2002, p.111).

Resumindo o que acabamos de apontar, a leitura de Hearn teria colocado Freyre em sintonia com os aspectos positivos da miscigenação, predispondo-o a buscar uma defesa teórica para o que as teorias raciais da época constituíam como negativo. Nenhum outro problema o inquietava tanto, confessou Freyre na célebre passagem de seu primeiro prefácio a *Casa-grande & senzala*, como o da miscigenação. E se, como ele próprio então admitiu e tantas vezes reafirmou, a distinção de Franz Boas entre raça e cultura lhe deu a chave teórica para enfrentar tal questão, as vívidas e emocionantes impressões que Hearn deixou dos trópicos e de sua população negra e mestiça também contrariavam seus preconceitos e os do racismo científico, cuja ascensão testemunhara nos Estados Unidos, aguçando-lhe a sensibilidade para uma nova percepção do fenômeno da miscigenação.

Nesse ponto, uma breve referência deve ser feita a outro ensaísta britânico que teria, por assim dizer, somado forças à valorização da mestiçagem realizada por Lafcadio Hearn. Trata-se de G. K. Chesterton, autor muito admirado por Freyre, como já vimos, e a cuja palestra pública ele esteve presente em Nova York, em 1921, fato que muito o envaidecia. Leitor atento de seus ensaios e do seu mais conhecido *Orthodoxy*, dele Freyre aparentemente recebeu preciosas sugestões de estudo ou, ao menos, fortes estímulos para seguir suas próprias tendências. Em sua biblioteca, além de uma biografia do ensaísta escrita em 1922, sete livros de sua autoria foram localizados, e é de crer, dadas as muitas referências a Chesterton nos seus artigos de jornal, que o interesse por seus ensaios era amplo.[24] É também muito significativo apontar que em abril de 1924 ele pediu a seu amigo Francis B. Simkins – o mesmo a quem pedira *Two Years in the West Indies* de Hearn – que lhe enviasse dos Estados Unidos "tudo o que achasse sobre Gilbert Chesterton".[25] Mesmo não tendo sido localizado na sua biblioteca o texto em que o ensaísta discutiu especificamente a questão da mestiçagem dos ingleses – *A Short History of England* – e que, portanto, dados mais substantivos sobre a leitura sobre tal tema em Chesterton nos escapem, é muito provável que ele tenha se deparado com esse texto ou ideias afins em várias ocasiões. O livro em que Chesterton faz a crítica da eugenia em ascensão, *Eugenics and other Evils*, constava, como já apontamos no capítulo anterior, da sua biblioteca. Nele, o ensaísta ataca indiretamente todos aqueles que então propagavam a ideia da pureza da raça anglo-saxônica.

Uma das sugestões que Freyre claramente recebeu de Chesterton e divulgou a seus leitores do *Diário de Pernambuco* foi a de que as casas e os objetos "falam" e, portanto, de que a arquitetura de uma cidade e coisas aparentemente triviais muito podem revelar, desde que os homens procurem decifrá-las.[26] Pois bem, essa era uma ideia que Chesterton desenvolvera na sua única incursão no campo da história, *A Short History of England*, ocasião em que também se insurgira contra a noção de pureza racial, tão difundida àquela época. Assim, nesse que foi o mais lido de todos os seus livros, Chesterton referiu-se às várias etnias que contribuíram para construir a Grã-Bretanha – celtas, anglo-saxões, normandos etc. – como uma realidade que as "análises hostis" dos teóricos raciais tinham dificuldade de atestar (Pearce, 1996, p.225-7).

É verdade que havia uma tradição que remontava ao jurista William Blackstone no século XVIII, que afirmava ser a sociedade inglesa fruto

---

24 Chesterton, G. K., *Orthodoxy*, New York: John Lane Company, 1921 (autografado e datado "Gilberto Freyre, New York Spring 1921"); *G. F. Watts*, London: 1920 (autografado e datado "Oxford 1922"); *Eugenics and other Evils*, Bruxelles: W. M. Collins, 1922; *The Superstition of the Skeptic*, 1925; *William Blake*, London, Duckworth, 1920 (autografado); *St. Francis of Assisi*, London, Hodder and Stoughton 1923 (autografado); *All Things Considered: Essays*, London: Methuen, 1922. Sobre Chesterton, há a seguinte biografia: Braybrooke, P., *Gilbert K. Chesterton*, Philadelphia: J. B. Lippincott Co., 1922.

25 Carta de G. Freyre a F. B. Simkins, 21/4/1924, Simkins Papers.

26 *Diário de Pernambuco*, 30/9/1923; 6/7/1924 e passim.

de uma saudável mistura de raças; no entanto, como a forte reação de Chesterton parecia revelar, essa era uma tradição alternativa que nunca chegou a impor-se definitivamente. Historiadores que difundiam a ideia de os britânicos pertencerem a uma pretensa raça teutônica, pura e superior, como William Stubbs e John R. Green, tinham de ser desmascarados, argumentava Chesterton, já que produzem "uma imagem ideal" que "até um amador pode detectar como duvidosa". Na verdade, a "arrogante teoria da superioridade anglo-saxônica", afirmou ele com ênfase, é uma doutrina que "nenhuma pessoa inteligente pode acreditar" (1997, p.24-36, 163; 1969, p.42-3).

Crítica semelhante Chesterton fizera em 1919 no prefácio aos ensaios de Matthew Arnold, livro que Freyre adquiriu em maio de 1922 em Nova York. Referindo-se criticamente a Carlyle como um autor que compartilhava das "vaidades" e "ilusões" de seus leitores, Chesterton escreve: "ele disse aos ingleses que eles eram teutões, que eles eram vikings, que eles eram políticos práticos – todas as coisas que eles gostam de ouvir dizer que eles são, mas todas as coisas que, na verdade, não são ... ele os lembrava de suas boas qualidades e eles gostavam dele por isso" (Arnold, 1919, p.IX).[27]

Evidentemente não sabemos quantas vezes Freyre leu e releu Hearn, ou mesmo Chesterton, para que sua sensibilidade de uma nova percepção do fenômeno da miscigenação se aguçasse, mas é de supor que, em 1927, o reconhecimento positivo do africano e do mestiço na "raça" e no *ethos* brasileiros já era ideia relativamente assentada no seu pensamento. Uma carta de seu amigo Júlio Bello, já parcialmente citada no capítulo anterior, pode ser lida como um testemunho dessa sua conversão. Escrevendo ao jovem amigo, como que a consolá-lo por estar praticamente sozinho na sua campanha por um Brasil menos macaqueador e postiço e mais autenticamente brasileiro ("você é quasi um só, Gilberto, no seu tempo"), Bello arrola os itens do sonho impossível de Freyre. Dentre eles, sobressai o de um Brasil que aceite com orgulho e dignidade sua mestiçagem e que não se finja de latino ou de ariano.

---

27   O livro de Matthew Arnold, *Essays with an introduction by G. K. Chesterton*, está autografado e datado "New York City, May 1922".

O atual Octavio Mangabeira e os do futuro renegarão sempre sua origem, sua cor, as naturais virtudes de sua raça para se dizerem latinos, se não ingleses, nos discursos perante os homens brancos da Europa. João Amorim continuará a abrir o guarda sol para atravessar de um lado a outro a Rua do Crespo, para não tostar o pelo [?] e bancar o puro ariano ... Nunca esses horríveis mestiços terão o nobre orgulho de sua cor como o André Gomes [?], tão melhor e tão mais digno do que aquele horrendo beiçola do Ministério do Interior, imponderável e fútil.[28]

A carta de Júlio Bello, um dos amigos que apoiavam e estimulavam Freyre no seu projeto regionalista – e em cujo Engenho Queimadas ele iria escrever o seu *Nordeste* quase dez anos mais tarde –, parece atestar que seu esforço de valorização das tradições regionais estava amadurecendo e ampliando-se para agora abarcar o reconhecimento e a valorização do elemento africano e mestiço como parte das tradições do Brasil real. Só quando esse processo estivesse mais avançado é que Freyre estaria pronto para escrever *Casa-grande & senzala*.

A essa altura devemos voltar a Alfred Zimmern e perguntar qual poderia ter sido a contribuição desse professor de Oxford para o desenvolvimento do projeto de um Brasil mais brasileiro. A única aula a que Freyre poderia ter assistido, "A relação do pensamento político grego com os problemas modernos", ilustrava muito bem, como o próprio título indica, o talento de Zimmern para transformar a história antiga em conhecimento relevante para a atualidade. Como Arnold Toynbee, um de seus mais eminentes estudantes declarou, esse "professor nato" sabia mais do que ninguém construir "pontes sobre o abismo temporal entre a história dos gregos e a nossa" (1967, p.49-61).

Na ocasião desse único encontro de Freyre com Zimmern, o eminente helenista já havia deixado a carreira acadêmica de lado para se concentrar fundamentalmente na campanha pela paz e pela Liga das Nações, em cuja organização estava profundamente envolvido. O convite

---

28 Carta de J. Bello a G. Freyre, 27/9/1927, AFGF. Essa carta aparentemente foi provocada por um poema de Freyre, em que ele fala de um Brasil de seus sonhos. Suponho se tratar do poema publicado em 1962 no *Talvez Poesia* com o título de "O Outro Brasil que vem aí". Esse poema, na sua versão original, teria usado a expressão "fraternalmente mestiço" para saudar o país que o poeta pensava estar surgindo (cf. Meneses, 1991, p.71).

para dar uma palestra em Columbia, em novembro de 1921, fora feito exatamente durante sua passagem por Nova York a fim de angariar apoio para a reconstrução do pós-guerra. Assim, como o tema da aula indicava, Zimmern punha o conhecimento do mundo grego a serviço dos problemas da atualidade, o que já desde o início da Primeira Guerra Mundial ele fazia, tal como se pode ler no prefácio da segunda edição da sua grande obra de 1911, *The Greek Commonwealth*: "Ideias e inspiração gregas podem nos ajudar hoje não somente a enfrentar os deveres do momento, mas também na tarefa de aprofundar e de estender o escopo e significado de Democracia e Cidadania, Liberdade e Direito, que parece ser a tarefa política essencial da humanidade nessa nova época da história na qual inesperadamente entramos" (1924, p.6).

Segundo o caderno de anotações (1921-1922) de Freyre, Alfred Zimmern (ao lado de sua obra *The Greek Commonwealth*) constava da lista dos "autores lidos ou relidos este ano" pelo jovem estudante de Columbia. Muitos aspectos dessa obra devem tê-lo impressionado, como já apontamos mais longamente em outra ocasião (Pallares-Burke, 2002, p.830-7): sua multidisciplinaridade, seu rico estilo ensaístico, seu pendor literário, sua descrição do poderoso sistema patriarcal grego como "um complexo sistema de costume social e religioso", sua utilização pioneira da expressão *Big House* como sinônimo do poder da família patriarcal e sua visão da escravidão grega como relativamente "humana e suave".

Quanto à aula de novembro de 1921, é impossível imaginar que entre os "problemas modernos" tratados à luz do pensamento grego não estivesse a questão racial. Falando a uma plateia fundamentalmente norte-americana, imersa nos calorosos debates sobre imigração, eugenia e diferenças raciais, é muito plausível que ele ali tivesse exposto ao menos algumas das ideias que iria desenvolver numa das cinco aulas que deu na mesma universidade em janeiro de 1925: "The Empire and the Non-White Peoples".[29]

---

29 Aula dada a 19 de janeiro de 1925 (cf. ficha referente às visitas do prof. Alfred E. Zimmern a Columbia, Columbia University Archives-Columbiana Library) e publicada, juntamente com as demais, em Zimmern (1926).

O objetivo geral dessa aula era tratar das questões que o Império Britânico estava sendo chamado a enfrentar no pós-guerra, quando se discutia a possibilidade de ele transformar-se numa comunidade, a Commonwealth of Nations, baseada na nova "ideia de participação igualitária" dos diferentes povos. Entre as questões prementes, a das relações inter-raciais dos povos brancos e não brancos era não só central, mas extravasava o próprio âmbito do Império, já que, como Zimmern dizia, "a questão racial" definitivamente se constitui "o problema mais urgente de nosso tempo". O tema que o Império Britânico era forçado a discutir naquele momento – se sua direção deveria estar nas mãos de uma supremacia de brancos – não deixava de ser o mesmo que importava a muitas outras nações; elas também deviam decidir se a supremacia branca que domina o mundo é circunstancial ou se "se baseia na concepção da superioridade inata do homem branco e na política de 'manter o homem de cor no seu lugar'".

A resposta de Zimmern a essa questão foi clara e definitivamente negativa. Dirigindo-se em especial aos anglo-saxões – pessoas que, como ele diz, têm uma dificuldade muito maior para lidar com as pessoas de cor, do que os "franceses, italianos e, em geral, aqueles que chamamos de membros da família latina" –, Zimmern referiu-se à "prevalecente doutrina da superioridade da raça branca" como a racionalização de um complexo de superioridade que não achava justificativa "nem na ciência, nem na religião, na moral, ou em qualquer código decente de boas maneiras". E mais: os que popularizam essas noções das diferenças inatas entre as raças parecem não perceber com que "material inflamável" estão lidando.[30] "É contra a natureza humana esperar que tais insultos – pois eles são sentidos como insultos – não sejam retaliados." Os argumentos utilizados pelos advogados dessa teoria pretensamente científica, lembra Zimmern, reafirmam os antigos argumentos a favor da escravidão. Mas "nesse respeito, assim como em tantos outros, os gregos antigos tinham um padrão superior ao nosso", comenta o classicista. Pois, afinal, o que é cor? "John Locke a definiu como uma qualidade

---

30 Lothrop Stoddard e seu livro *The Rising Tide of Colour*, de 1920, são mencionados na aula de 1925 como um dos principais protagonistas do debate sobre raça nos Estados Unidos.

secundária. Através da história, de qualquer modo, a pigmentação tem sido largamente considerada como uma questão de moda." Em outras épocas e entre outros povos "outras cores foram mais valorizadas do que a que chamamos de branca. *Othello* pode servir como um exemplo". É, pois, "pura sobrevivência de barbárie colocar tanta ênfase num símbolo meramente exterior" (Zimmern, 1926, p.77, 80, 81-5).

A inspiração teórica e a noção de "equilíbrio de antagonismos": Alfred Zimmern, Herbert Spencer e Franklin H. Giddings

Se é muito provável que as ideias de Zimmern sobre preconceito de cor que toma ares de ciência reforçaram a inspiração antropológica do novo paradigma de Freyre em gestação, as ideias desse ex-professor de Oxford sobre a escravidão grega podem também ser vistas como inspiradoras de outro elemento fundamental desse novo modelo de abordagem: o equilíbrio de antagonismos como elemento-chave da história brasileira.[31] Nesse aspecto, a maior contribuição, como já sugerimos, veio do filósofo britânico Herbert Spencer (1820-1903) e de seu seguidor Franklin Giddings (1855-1931), o professor de Columbia cujos cursos Freyre seguiu entre 1921 e 1922. Antes de explorar o papel desses dois intelectuais na sua trajetória, é, no entanto, importante retomar brevemente as ideias de Zimmern, pois elas aludem, ainda que vagamente, às de Spencer e Giddings, somando força a estas.

Uma única vez, salvo engano, Freyre mencionou Zimmern nos seus artigos do *Diário de Pernambuco*, mas sua presença (sem, no entanto, a menção do seu nome) se fez sentir no mestrado na passagem em que é apontada uma analogia entre o comportamento dos homens gregos e brasileiros. Ambos, diz Freyre, "gostavam das camaradagens fáceis e ligeiras da rua e da praça pública" (1922, p.613; 1985, p.92).[32] Mas foi em

---

31 Sobre a noção de antagonismos em equilíbrio como elemento central para a compreensão de *Casa-grande & senzala*, ver o já clássico *Guerra e paz* (Araújo, 1994).

32 *Diário de Pernambuco*, 3/2/1924. Assim como Boas, Zimmern, o sociólogo Veblen e Giddings, seu outro professor de Columbia, não são nomeados na tese original, tal como foi

Casa-grande & senzala, no entanto, que a marca de Zimmern se fez sentir mais fortemente, ainda que de maneira velada; e é aí que se pode perceber a contribuição de sua interpretação da escravidão grega para o paradigma freyreano de interpretação do Brasil.

Considerando-se as duras críticas desse helenista à escravidão moderna, poder-se-ia imaginar que, tivesse ele se manifestado, revelaria certa contrariedade ao ver ideias com alguma semelhança às suas serem aplicadas a um sistema que considerava fundamentalmente oposto ao grego. Isso porque, na questão da escravidão, pode-se dizer que Freyre foi marcado meio às avessas pelo conferencista de Columbia. Para Zimmern, em comparação com a grega, a escravidão no mundo moderno foi terrível e cruel. No mundo antigo, ela fora considerada parte da natureza das coisas e como destino inelutável que, em decorrência de uma guerra, podia atingir a qualquer um. Havia também evidência de que, ao menos em Atenas, quando a força do trabalho escravo se tornou necessária para sustentar uma estrutura econômica mais complexa, os escravos foram tratados como "companheiros de trabalho" de seus cidadãos e não como "meros instrumentos vivos". E isso não tanto por razões humanitárias, mas econômicas, esclarecia Zimmern. Com um "poder naval dependente de riqueza" e necessitando, portanto, da riqueza que o escravo produz, criara-se uma situação em que os gregos se viram forçados, por assim dizer, a ser escravos de seus escravos. Do mesmo modo que o empregador moderno, o senhor de escravos na Grécia antiga sabia que devia fazer que eles sentissem que "havia algum propósito em seu trabalho", argumenta Zimmern. É assim que o escravo ocupava na comunidade grega uma posição muito mais próxima do assalariado e artesão – a categoria econômica acima dele – do que "dos animais e

---

publicada em 1922 na revista *The Hispanic American Historical Review*. A nomeação desses três professores só será feita na edição brasileira da tese, publicada em 1964, onde Franz Boas aparece no prefácio e Zimmern e Giddings tanto no prefácio quanto no próprio texto. Quanto a Veblen, tudo indica que Freyre só o iria descobrir na década de 1940. A primeira vez que mencionou o seu nome, salvo engano, foi em 1939 em Nova York, na conferência "Concerning Latin American Culture", ocasião em que diz que alguém lhe sugerira ("as it has been suggested to me") que o conceito de "conspicuous waste" de Veblen era apropriado para descrever o comportamento dos senhores de engenho (cf. Freyre, 1940a).

escravos-mercadoria (*chattel-slaves*) abaixo dele". Equiparados, em certo sentido, aos imigrantes livres que usufruíam certos privilégios e responsabilidades de cidadãos, os escravos eram bem tratados (às vezes como se fossem mesmo parte da família, segundo o "velho método homérico"), tinham possibilidade de acumular riqueza e comprar sua liberdade, sendo, em aparência, indistinguíveis dos homens livres.

Diferentemente do que ocorreu no mundo grego, nada suavizara a escravidão moderna: nem o sentimento de solidariedade diante da mutabilidade das coisas humanas, nem a necessidade de prover os escravos com um incentivo positivo de trabalho. "Nas fazendas tropicais, o medo é o único motivo necessário e a compulsão física o único estímulo dado". Realizando um trabalho essencialmente mecânico, o escravo das plantações de café ou tabaco era constituído pelo sistema como uma máquina e tratado como mero implemento, argumenta Zimmern. Em contraste com o escravo grego, ele nada tinha a ganhar com seu trabalho, nem para si nem para sua família. Quando muito, só teria de sofrer um pouco mais caso fosse "indolente".

Utilizando argumentação semelhante à do classicista, mas contradizendo o que este tentara provar sobre a escravidão no mundo moderno, Freyre fez em relação ao Brasil o que Zimmern fizera em relação à Grécia. A escravidão brasileira, tal como Freyre irá argumentar, ao menos no âmbito doméstico de *Casa-grande*, fugia ao quadro cruel e desumano que Zimmern pintara; do mesmo modo que no mundo grego, ela era também marcada por uma relação senhor-escravo em que o elemento de harmonia contrabalançava o elemento de conflito. É na mesma linha de Zimmern, pois, que Freyre diria em sua obra de 1933 que "a doçura nas relações de senhores com escravos domésticos" contrabalançava os "males do sistema" (Zimmern, 1924, p.380-96; Freyre, 2002, p.357-8).[33]

---

33 Para uma interpretação da escravidão doméstica contrária à de Freyre, mostrando que as relações entre o senhor e o escravo, da casa e do eito "permanecem essencialmente as mesmas", e que em situações de crise econômica ou de epidemias os que serviam na casa eram transferidos para o eito, ver Franco (1978). João Adolfo Hansen também chama a atenção para informações nesse mesmo sentido contidas nas Cartas e Atas da Câmara de Salvador, do século XVII (cf. Hansen, 1989, p.105).

Gilberto Freyre

A ideia de um salutar equilíbrio de antagonismos, que em Zimmern se relaciona especificamente à posição do escravo grego na Antiguidade clássica, adquire muito maior dimensão no pensamento de Herbert Spencer e de seu discípulo norte-americano, F. H. Giddings, de quem, ao que tudo indica, Freyre iria obter a principal matéria-prima para o desenvolvimento desse elemento central de sua nova interpretação da história do Brasil. Carlyle, como já mencionamos, utilizara a expressão "equilíbrio de antagonismos" para descrever a sábia acomodação que a classe política inglesa soubera realizar no início do século XIX, inventando uma tradição de conciliação em que a Inglaterra iria ser mestra daí em diante. Sobre isso Freyre já lera em 1918 em seu curso sobre o ensaísmo britânico ministrado pelo prof. Armstrong em Baylor e foi a essa característica que Freyre iria mais tarde chamar de "a lição dos ingleses" (Freyre, 1987b, p.101; Pallares-Burke, 2002, p.844-8). Ao chegar a Columbia e seguir o curso de Giddings, um spenceriano confesso, Freyre iria novamente entrar em contato com o pensamento do filósofo que o marcara desde a juventude e sobre o qual, significativamente, escrevera sua primeira conferência, "Spencer e o problema da educação no Brasil".[34]

Mesmo considerando que muitas das referências de Freyre a Spencer foram feitas no diário-memória de 1975, e que podem, portanto, estar idealizadas pela distância, essa conferência de 1915 revela um notório interesse do jovem Freyre pelo filósofo do evolucionismo e da modernidade; interesse que ele, posteriormente, ao fazer um balanço de sua vida intelectual, fez questão de enfatizar não só em 1975, como antes mesmo, em 1964, quando dedicou várias páginas a caracterizar Spencer como "uma das maiores influências que me orientaram ou estimularam a formação intelectual". Um autor, "esse sociólogo bem inglês", a quem, na adolescência, lia fervorosamente "em casa e até nos bondes" e que lhe deixara, como uma de suas influências, o "que se tornaria meu ecologismo", confessa Freyre (1975, p.5, 9, 24, 103-4, 165; 1964, p.XXIII-XXVI; v. tb. Chacon, 1993, p.45).

Já tratei, em outra ocasião (Pallares-Burke, 2003, p.101-3), da profunda admiração, se não mesmo veneração, que dois dos autores favoritos

---

34 Essa conferência, mencionada muitas vezes por Freyre, não foi até agora localizada.

de Freyre, Lafcadio Hearn e Arnold Bennett, tinham por Herbert Spencer. Desde o dia em que acabara de ler o volumoso *First Principles* de Spencer, confessou Hearn, "uma vida intelectual totalmente nova se descortinou para mim". Tanto ele se entusiasmara pelo filósofo que chamava de "o Deus Pai", que procurara convencer todos os seus amigos a lê-lo e a começarem exatamente com essa mesma obra, que, como dizia, engloba todas as demais. "Leitura vagarosa, mas inestimável; sistematiza todos os conhecimentos, planos e ideias que se tem... Quando se lê Spencer, digere-se a porção mais nutritiva de todo conhecimento humano" (Bisland, 1907, v.I, p.374, 392).

Já para Bennett, o autor que instruíra Freyre na arte de ler e que valorizava as leituras guiadas pela inclinação e pelo capricho, livros filosóficos como os de Spencer eram recomendados por servir de princípio regulador e coordenador das leituras esparsas. Especificamente o volumoso *First Principles* de Spencer era salientado por Bennett (1909, p.123-5) como o trabalho que, talvez mais do que nenhum outro, tinha "o poder de 'sintetizar' as coisas", de funcionar como "um simples raio de luz" que clarifica e energiza "toda a vida mental daquele que o recebe".

O que atraía esses dois autores para as ideias spencerianas era a sua demonstração de que todas as partes do cosmo, desde os astros até os sentimentos morais, obedecem a certas leis gerais. Como disse um crítico na ocasião da morte de Spencer, essa capacidade ordenadora do seu sistema filosófico seduzia, na verdade, "todo um exército de leitores" que, aturdidos diante de uma "multidão de dados" aparentemente desconexos e contraditórios, ansiava por uma concepção do universo que os harmonizasse. Derivando sua sociologia da física, Spencer esperava que o rigor científico desse campo de saber fosse aplicável também ao campo do social. "Toda a história, toda a ciência, todas as variadas formas de pensamento e crença, todas as instituições e todos os estágios do progresso do homem foram reunidos", daí emergindo "uma concepção da evolução do mundo coerente, luminosa e vitalizadora" (Duncan, 1996, 479).

Não sabemos quais as obras de Spencer Freyre realmente leu na adolescência. É de supor que tenha lido *Education*, o mais vendido e traduzido dos seus livros, para preparar sua primeira conferência; e na biblioteca dos Freyre ele tinha ao seu alcance ao menos duas outras obras do filósofo britânico: o *Classificação das ciências*, em tradução portuguesa de 1889, e o volumoso *First Principles* em tradução francesa de 1891, autografado por seu pai, Alfredo Freyre.[35] De todo modo, muitas das ideias de Spencer estavam por assim dizer no ar, no Brasil e no Recife do final do século XIX e início do século XX quando, como se sabe, escritores como Euclides da Cunha e Sylvio Romero a elas se filiavam. Na verdade, vários estudiosos têm unanimemente apontado que nessa época a popularidade de Spencer era muito generalizada, não só entre pessoas de todas as classes e de várias ocupações, mas também entre um grande número de nações, incluindo Rússia, Índia, China, Japão e outros países asiáticos. Aclamado como o grande sistematizador da teoria da evolução, era louvado, e não acriticamente, por cientistas de renome como Thomas H. Huxley e até mesmo por Charles Darwin, que admitiu em sua autobiografia a possibilidade de no futuro Spencer ser colocado ao lado de "grandes homens como Descartes, Leibniz, etc." (Barlow, 1958, p.108-9). Bennett e Hearn não eram, pois, nada excepcionais na admiração que tinham pelo filósofo e sociólogo inglês. Outros escritores de maior importância, como Maupassant e Flaubert, por exemplo, também foram adoradores de Spencer. "Eis aí um homem! ... A Alemanha não tem ninguém comparável a esse pensador", dissera Flaubert (1930, p.141), num elogio típico da época.

Com toda a sua vasta obra traduzida para as principais línguas europeias, Spencer testemunhou em vida a aclamação de muitas de suas ideias para além dos círculos estritamente acadêmicos. "Um profeta para tantos" de seus contemporâneos, como diz J. W. Burrow (1970, p.180, 179-227), seus discípulos, semelhantes aos de Comte, formavam uma espécie de culto e se estendiam da Rússia aos Estados Unidos.[36] Incomparavelmente mais famoso e influente no seu tempo do que Karl Marx, Spencer, no dizer de Eric Hobsbawm (1988, p.295), foi o "pensador medíocre cuja influência foi então maior do que qualquer outro em qualquer parte do mundo". Sabe-se, por exemplo, que diplomatas e ministros

---

35 Spencer, *Les Premiers Principes*, Paris: Alcan, 1885 (autografado e datado "Alfredo Freyre, 8/4/1891"); *Classificação das ciências*, Rio: Laemert & C., 1889.

36 Sobre o tema, ver também Hawthorn, 1976, cap. 5.

japoneses o consultaram sobre a política e a reorganização da educação no Japão e que até Mao Tse Tung foi marcado por ele na sua juventude (Peel, 1971, p.2-3). A ferrenha crítica de que sua obra foi alvo em sua própria época – crítica vinda, em geral, de espíritos mais religiosos e dos círculos científicos mais ortodoxos e especializados – atesta o impacto de suas ideias no mundo vitoriano. Como proclamou o economista e teórico social John Atkinson Hobson (1996) um ano após a morte de Spencer, em 1904, "somos todos spencerianos hoje, gostemos ou não".

Quando Freyre chegou aos Estados Unidos em 1918 a fama de Spencer não era tão grande quanto havia sido nas décadas anteriores, quando seus livros eram *best-sellers*, suas ideias seduziam grandes empresários como Andrew Carnegie e romancistas como Jack London, e exerciam pressão sobre a legislação; no entanto, mais do que na Europa, seu pensamento ainda era objeto de estudo e admiração pelo que representava de "promessa de ordem no que parecia um caos", como diz Peel (1971, p.2). Num de seus primeiros dias em Nova York, por exemplo, Freyre se surpreendeu ao ver no *subway* "uma rapariga loura" a ler "com sofreguidão, sem que a perturbassem apertos ou solavancos, o massudo Herbert Spencer". Talvez em pouco tempo ele entrasse no hábito de leitura do cidadão nova-iorquino e estivesse também "a ler Mestre Spencer" no "ensardinhado vagão", comenta Freyre com seus leitores.[37]

Coincidentemente, quando fez esse comentário Freyre estava reiniciando suas leituras de Spencer no curso do prof. Giddings, o sociólogo que ocupara a primeira cátedra de Sociologia dos Estados Unidos e se tornara, no dizer de Howard Odum (1951, p.46, 28-9, 76), um "*Dean* dos sociólogos das universidades americanas". De fato, ao lado de Lester F. Ward, William G. Sumner e Albion W. Small, Giddings compunha o seleto grupo dos "Big Four" que fundaram a American Sociological Society e deram impulso e prestígio à sociologia norte-americana.[38] No

---

37 *Diário de Pernambuco*, 13/3/1921.

38 Todos os quatro eram professores de respeitáveis instituições: Ward, da Universidade Brown; Sumner, da Universidade de Yale; Small, da Universidade de Chicago; e Giddings, da Universidade de Columbia.

campo das ciências sociais, como Stocking (1968, p.117-8, 122, 241 e passim) demonstrou, o spencerismo foi um modelo que, ainda quando se tornou periférico e inconsciente, custou muito a se esvair.[39]

Um breve exame de algumas anotações das aulas dadas por Giddings e de vários de seus livros, alguns claramente endereçados a alunos iniciantes, é suficiente para ter uma ideia de como Spencer era para ele um pensador essencial, "um escritor de primeira importância", com diz, para pensar o mundo e as sociedades.[40] Seu interesse por sociologia, como relembrava sempre, surgira quando "acidentalmente" lhe caíra em mãos o primeiro número da *Popular Science Monthly* onde um capítulo de *The Study of Sociology*, de Spencer, era reproduzido (Odum, 1951, p.46). Desde então, sua dívida para com Spencer era sempre apontada.

O respeito e a admiração de Giddings eram tão fortes que chegou a ponto de enviar uma apreciação das doutrinas sociais de Spencer ao próprio autor para que fosse avaliada pelo "mestre", o que de fato ocorreu. É assim que constava em seu *Studies in the Theory of Human Society* a informação de que "Mr. Spencer" lhe havia dado um "endosso" em carta de "7 de dezembro de 1900" (Giddings, 1922, p.113). Tal endosso como que validava, por assim dizer, todas as outras vezes em que, em seus textos, Giddings apresentava as ideias do mestre britânico como basilares da sociologia que praticava e ensinava (v., p. ex., Giddings, 1896, p.8-10, 17, 31-2, 62, 363-75, e passim; 1922, p.112-3, 123 e passim; 1920, p.494-5). Pode-se dizer que Giddings se impôs, na verdade, o papel de intérprete do pensamento de Spencer, já que acreditava que muito havia de incompreensão sobre suas ideias. Buscando erroneamente seu "sistema sociológico" nos livros de Spencer que tinham "títulos sociológicos", muitos estudiosos não se davam conta, afirmava Giddings, de que os princípios fundamentais de seu pensamento sociológico se encontram "dispersos" no seu maciço *First Principles*; e que juntá-los, organizá-los e entendê-los exigem um considerável trabalho por parte do leitor. Era, pois, para esse trabalho de organização e divulgação das

---

39 Ver também Russet, 1966.

40 Anotações das aulas de Giddings feitas por alunos, muitas sem data, *F. H. Giddings Papers, Rare Books and Manuscript Library of Columbia University*; Giddings (1918, p.93).

ideias de Spencer que muito de seus esforços se dirigiam (Giddings, 1896, p.8-9).

Uma das notas tomadas por aluno de sua aula sobre as origens da sociologia mostra Giddings recuando às contribuições de figuras como Platão, Aristóteles, Hume, Kant e Malthus, e chegando daí a Spencer como autor cujo trabalho "não é provável que seja rejeitado por muitos anos, nem repetido por muitas gerações". O que ele fez de fundamental, argumentava Giddings, foi introduzir "uma ideia que é a mais inquestionável das ideias que apareceram na história humana desde Aristóteles até o século dezenove. Ele diz que a natureza do homem é uma natureza em mudança. A vida é uma adaptação do organismo ao ambiente...".[41] O aluno estava aqui se referindo à ideia comumente ressaltada por Giddings de que Spencer teria transformado a visão da natureza humana até então dominante. Contrariando o que a teologia e a ciência política haviam assumido ao longo da história, Spencer argumentava que a natureza humana, fosse boa ou má num determinado momento, não era essencialmente imodificável. Informado por Lamarck e suas ideias sobre "os seres vivos estarem incessantemente se transformando devido à contínua adaptação do organismo ao ambiente", Spencer, como Giddings explicava, teria chegado à seguinte conclusão sobre a natureza do homem: a "natureza humana primitiva, um produto da adaptação do homem primitivo às condições de sua existência", deve ser bruta e cruel como a teologia a pintou, mas "o homem desenvolvido sob condições amplamente diferentes deve necessariamente se transformar no ser bom e prestativo que vive em boas relações com seus vizinhos, e em cooperação com toda a humanidade". Implícita ou explicitamente, toda a doutrina da evolução do filósofo Spencer estava contida em germe nessa tese de Spencer, argumentava Giddings (1922, p.112-3).

Assim, pode-se assumir como fato inquestionável que, tanto pelas aulas como pela bibliografia dos cursos de sociologia de Giddings, Freyre

---

41 Anotações de aulas de Giddings feitas por aluno (aparentemente de nome Shenton), Lecture II, s.d., com lista bibliográfica contendo, entre outros, *Principles of Sociology* e *Study of Sociology*, de Spencer, *Laws of Imitation*, de G. Tarde, e *Social Control* e *Foundations of Sociology*, de Ross (cf. Giddings Papers, *Rare Books and Manuscript Library of Columbia University*).

inteirou-se, ou reinteirou-se, das ideias de Spencer e do papel central que o conceito de equilíbrio tem em sua doutrina da evolução; e que, por conseguinte, quando ele finalmente fez o reconhecimento de suas dívidas para com o mestre de Columbia, o outro, o mestre do mestre, necessariamente estava incluído.

Para os propósitos deste trabalho, não cabe aqui entrar nos meandros da intricada teoria spenceriana da evolução – que trata de um fenômeno "obscuro e complicado", como admitia o próprio filósofo (Spencer, 1882, v.2, p.VII) – desenvolvida ao longo de 36 anos, e nas disputas que esta provocou desde então, mas sim procurar salientar os aspectos que devem ter cativado a imaginação e o intelecto do jovem Gilberto Freyre.

Pode-se dizer que Spencer foi o filósofo da equilibração dos antagonismos. Se a expressão "antagonismo em equilíbrio" Freyre a fora encontrar, como sugerimos, num texto de Carlyle, em Herbert Spencer ele iria não só reencontrar essa que se tornaria uma de suas expressões favoritas, como também deparar com uma filosofia do equilíbrio de antagonismos e da correlata relatividade do conhecimento, duas noções que se acham relacionadas de perto no pensamento do filósofo britânico.

Antes de apresentar o equilíbrio dos antagonismos como central para a sua doutrina da evolução, Spencer de certo modo o anuncia – na forma de "coordenação", "coalizão" ou "espírito de compromisso" – como um ideal, ou melhor, como a postura filosófica condizente com o reconhecimento da relatividade do conhecimento e da complexidade da realidade. Na verdade, Spencer inicia seu *First Principles* dedicando cem páginas a uma hercúlea tentativa de reconciliar ciência com religião, pondo fim à férrea disputa suscitada por *A origem das espécies*, de Darwin. Mostrando que o calor do debate impedira os cientistas e os teólogos de reconhecer os pressupostos comuns que os uniam, Spencer procurava mostrar que havia parcelas de verdade em cada um dos campos em disputa. "A verdade geralmente se encontra na coordenação de opiniões antagônicas", dissera Spencer no prospecto de sua obra, anunciando aquele que seria o princípio norteador de todo o seu pensamento.

O reconhecimento da "relatividade de todo conhecimento" (título de um dos capítulos do *First Principles*) decorre, como explica Spencer, da aceitação do princípio geral de que, como a inteligência humana é incapaz de atingir o conhecimento absoluto dos fatos, os julgamentos dos homens não são totalmente bons nem totalmente maus; e, por conseguinte, de que a "a posição mais defensável é que ninguém está completamente certo ou completamente errado" (Spencer, 1996a, p.10-2, 68-97). Enfim, sendo a realidade algo muito complexo que nos escapa na sua totalidade, tratar dessa realidade com um esquema de polarização ou antagonismos – certo ou errado, bom ou mau, preto ou branco etc. – é uma postura insustentável.

Essa postura conciliadora de Spencer, cumpre assinalar, atraiu grande admiração em sua época, mas deu, ao mesmo tempo, origem a muitas críticas sobre aquilo que seus contestadores viam como "incoerências fundamentais" e "inconsistências fatais" de seu pensamento. Sua determinação de conciliar realismo com idealismo ou empiricismo com transcendentalismo, por exemplo, chegou a ser qualificada como um "compromisso impossível", "um insulto ao espírito" (Taylor, 1996, p.74-92, 216-26 e passim). A essas críticas Spencer reagia mostrando que as tentativas de reconciliação, de coalizão, tinham como grande obstáculo a enfrentar "o espírito de não compromisso", em que cada um dos lados da disputa se acredita possuidor de "toda a verdade". Mas, de fato, insiste, aqueles que se habituam a visões antagônicas da realidade pensam que estas são as únicas alternativas e se chocam com "uma hipótese que é ao mesmo tempo ambas e nenhuma". No entanto, como há sempre um elemento de verdade em teorias ou doutrinas antagônicas, "a controvérsia termina pela combinação de suas respectivas meias-verdades" (Spencer, 1996 b, v.2, p.219-43, passim).

Que Freyre se entusiasmou com esse aspecto do pensamento de Spencer fica claro quando, em 1945, coloca-o ao lado de outros pensadores que elogia por se filiarem à "tradição de equilíbrio intelectual" que tanto admirava e serem moderados, avessos a extremos, "flutuantes, indecisos e esquivos às conclusões enfáticas" (Freyre, 1957b, v.I, p.87; v.II, p.328-9).

A defesa do espírito de compromisso como a única ambição humana condizente com o reconhecimento da relatividade do conhecimento e da complexidade da realidade, que Spencer faz na primeira parte de seu *First Principles*, era seguida pela parte do livro em que, como Giddings (1896, p.8) esclarecera a seus leitores, o mestre britânico desenvolvia seu amplo sistema evolucionista, de onde se derivavam, não de modo muito claro ou organizado, seus "princípios de sociologia".

Evolução era, para Spencer, o conceito geral que permitia interpretar todos os fatos passíveis de serem conhecidos – inorgânicos, orgânicos ou "superorgânicos" (termo usado por ele para se referir aos artefatos humanos, como sociedade ou língua). Todo o universo "cognoscível", "o Cosmos, em geral e em detalhe", diz Spencer, desenvolve-se de acordo com a "lei" (ou "fórmula", ou "princípio") da evolução, que é definida da seguinte forma: "uma integração de matéria e concomitante dissipação de movimento, durante a qual a matéria passa de uma homogeneidade indefinida, incoerente, para uma heterogeneidade definida, coerente, através de diferenciações e integrações contínuas" (1996a, p.396). Ou, como Giddings tentava esclarecer em seus textos enfatizando as noções de energia, matéria e movimento que Spencer importara da física, "a evolução social é uma fase da evolução cósmica. Toda energia social é energia física transmudada. A conversão da energia física em energia social é inevitável ... ou, dizendo o mesmo em termos ligeiramente diferentes, as causas originais da evolução social são os processos de equilibração física, que são vistos na integração da matéria com a dissipação do movimento, ou na integração do movimento com a desintegração da matéria ... Tudo o que é feito na sociedade ou pela sociedade, conscientemente ou não, é acompanhado por energia física ... Os fenômenos sociais dependem, portanto, da transformação e da equivalência de energias físicas". A lei da evolução descreve, pois, o processo pelo qual a quantidade de força (ou energia), que é constante no universo, é redistribuída em formas progressivamente mais complexas (Giddings, 1896, p.363-6; 1922, 113-4).

Mas, contrariamente ao que se pode pensar, evolução (ou progresso) não é um processo inevitável. Se inicialmente o próprio Spencer chegou a assim pensar, no entanto, ao sistematizar seu pensamento em *First Principles*, ele reconheceu que "o processo da evolução não é necessário, mas depende de condições ... a frequente ocorrência de dissolução mostrando que onde as condições não são mantidas, o processo inverso imediatamente ocorre" (1996c, p.511, 883, 78; 1996a, p.588). Hudson, um dos primeiros estudiosos de Spencer, deixou isso bem claro:

> é um erro comum supor que a evolução é contínua e ininterrupta – que seu curso pode ser simbolizado por uma linha reta. Uma linha ondulada seria, grosseiramente falando, uma expressão mais correta ... Evolução implica, portanto, retrocesso, e através de todo o universo o movimento é rítmico ou ondulatório. Isto é verdade para todos os fenômenos, desde as menores mudanças passíveis de ser conhecidas pela ciência até as mais recentes transformações das sociedades estudadas pelo economista e pelo historiador. A Evolução, então, como temos sempre de ter em mente, não resume toda a história do universo, mas somente sua história ascendente (Hudson, 1996, p.91).

E onde cabe aí o conceito ou processo de equilíbrio? "Compreender na sua totalidade o processo de equilíbrio não é fácil", adverte Spencer. De fato, as distinções entre "equilíbrio móvel dependente", "equilíbrio móvel independente ou perfeito", "equilíbrio direto", "equilíbrio indireto" são muito sutis e complicadas. Mas o que é relevante salientar é que, segundo a concepção spenceriana, no universo, em todos os seus níveis, coexistem forças antagônicas que "necessitam do estabelecimento ... de um equilíbrio". Esse equilíbrio constitui a condição para a qual a evolução se dirige. É o equilíbrio que permite a um sistema – físico, biológico ou social – adaptar-se a novas condições e sobreviver. O caminho da evolução tende sempre para uma melhor adaptação entre o organismo e seu ambiente, ou como disse, "a evolução, em todos os seus aspectos, geral e especial, é um avanço para o equilíbrio ... um estado de balanço entre todas as forças às quais suas partes estão sujeitas, e as forças que suas partes se opõem" (Spencer, 1996a, p.487, 484 e passim; 1899, v.II, p.537).

No caso dos sistemas sociais, aquelas sociedades que se mostram incapazes de se adaptar a novas condições e não conseguem mudar o suficiente para equilibrar as forças contrárias serão extintas. Ou seja, os conflitos são "instrumentais" para a evolução social, mas, sem o equilíbrio dos antagonismos, não há evolução; sem que as forças antagônicas se equilibrem qualquer sociedade em processo de evolução pode "involuir" (*devolve*), e "retroceder quase ao seu estado original". Em última análise, como diz Peel (1971, p.184), Spencer era consciente de "quão condicional é o equilíbrio e de quanto este está sujeito a ser perturbado" (Spencer, 1882, v. II, p.239-41; 1899, v.I, p.240, 548 e passim).

É nesse quadro que, tratando de um tipo de equilíbrio social, Spencer refere-se à Inglaterra como uma sociedade relativamente avançada no processo de evolução. No que diz respeito às suas instituições governamentais, explica, a situação inglesa difere substancialmente da que se pode observar nas sociedades menores e "não desenvolvidas". Nestas, as forças opostas se equilibram por meio de grandes oscilações entre ações e reações violentas – indo, por exemplo, de uma extrema tirania para uma extrema licença. Entretanto, ele esclarece, no processo de evolução o equilíbrio progride à medida que esses movimentos e contramovimentos tendem a tornar-se gradativamente mais moderados, até atingir a completude. O caso da Inglaterra, lembra Spencer (1996a, p.512-4), é exatamente este, pois os conflitos entre o "conservadorismo" (que apoia a repressão da sociedade sobre os indivíduos) e a "reforma" (que defende a liberdade do indivíduo contra a sociedade) são tão limitados que o "temporário predomínio de um ou outro produz um desvio do estado médio bem menos acentuado. Este processo, agora tão avançado entre nós que as oscilações são comparativamente tão discretas, deve continuar até que o equilíbrio das forças antagônicas se aproxime indefinidamente da quase perfeição".

Assim, diretamente pela leitura de Spencer e indiretamente como ouvinte e leitor de Giddings, Freyre pôs-se a par de um conceito que, tropicalizado mais tarde a seu modo – porque desvinculado do louvor ao industrialismo e do descaso por tudo que se relacionasse a antiguidade e tradições, bem como da visão negativa dos chamados povos primitivos e da mistura entre raças "muito dessemelhantes" que o spencerismo carregava no seu bojo –, iria impor-se como um dos mais distintivos elementos da nova interpretação do Brasil (Peel, 1971, p.143-6, 212-5; Stocking Jr. 1968, p.126-8, 202, 239-42, 255-6 e passim; Boas, 1974a, p.23-36; 1974b, p.221-42; Giddings, 1931; 1896, p.324-8). Com isso, Freyre iria destacar-se do padrão seguido até pelos "melhores dos escritores" do Brasil que, como ele próprio diria mais tarde diante de uma plateia estrangeira, "seguiam teóricos sociais europeus, como Spencer e Comte, que ignoravam as condições e os problemas extraeuropeus, considerando a sociedade europeia a sociedade humana". O nefasto pessimismo em relação ao Brasil era, como disse então, uma consequência desse colonialismo cultural tão difundido (Freyre, 1945a, 168).

A essa altura devo assinalar que essa dívida de Freyre para com Spencer via Giddings, que ficou obscurecida em *Casa-grande & senzala* dada a preeminência da filiação a Franz Boas que ali se afirma logo nas primeiras páginas, foi admitida por Freyre tardiamente em sua vida. Uma presença mais difusa de Spencer na sua anglofilia, Freyre iria reconhecer já em 1964. Lera suas obras, como disse então, "com todo o fervor de adolescente" (1964, p.xxii-xv). Mas foi só na década de 1980, como que acertando as contas com os mentores de uma longa e rica vida intelectual, que Freyre disse textualmente: "Ao afirmar de Boas, no livro *Casa-grande & senzala*, ter sido o mestre universitário que me fez maior impressão, deixei Giddings um tanto na sombra". E a razão para isso ele permite entrever quando se refere aos dois professores de Columbia como "dois bicudos que, sabia-se entre os estudantes, não se beijavam".[42]

Que ambos eram praticamente equivalentes em valor o jovem Freyre já havia salientado jocosamente em janeiro de 1922, quando avaliou o cérebro de Giddings em dois milhões de dólares, um pouco abaixo dos dois milhões e meio do de Boas.[43] Mas quando da publicação de *Casa-grande & senzala*, em 1933, estando Boas ainda vivo e atuante, é compreensível que Freyre tenha optado por não colocá-los lado a lado no seu reconhecimento de dívida, deixando Giddings, como disse, "na sombra". Sua intenção no início dos anos 1980 era, pois, ainda que com um atraso de décadas, tornar essa dívida pública na "nova edição aumentada" de seu diário de juventude. Acrescentar, em 1979, na coletânea dos artigos publicados originalmente no *Diário de Pernambuco* nos anos 1920, as expressões "o grande Giddings", "meu mestre" e "outro

---

42 Declaração feita num manuscrito autobiográfico, "'De menino a Homem de mais de trinta e de quarenta' – nova edição aumentada do livro do mesmo autor intitulado *Tempo morto e outros tempos*", ca. 1981, p.61, AFGF (com certeza a data é pós-1980, já que o texto se refere à entrevista dada à *Playboy* nesse ano).

43 *Diário de Pernambuco*, 15/1/1922.

Gilberto Freyre

grande mestre" pode também ser visto como uma forma de compensar aquele pecado de omissão.[44]

Num esforço comovente para fazer justiça ao outro professor de Columbia cuja relevância ele silenciara, Freyre, então já no fim da vida, relembra com carinho o "prazer intelectual" que fora ouvir as aulas desse "teórico da sociologia" de "renome mundial" que tinha também um quê de literato. Sua eloquência, diz Freyre, era a de "um cientista, pensador teórico, que sentiu a necessidade de expressar-se como se fosse um estilista literário. Escolhendo palavras. Juntando, através de uma arte e não apenas de uma ciência, adjetivos e substantivos. Exato, preciso, enxuto nessa arte, mas também tão expressivo como se fosse ... um ensaísta oral". A atividade jornalística que Giddings exercera durante vários anos antes de iniciar a carreira de sociólogo e que continuou e exercer ao lado da vida acadêmica no *Independent* e no *N. Y. Times Magazine*, onde escrevia regularmente sobre problemas da atualidade, em muito se refletia no "estilo vigoroso", vívido e claro que tanto cativou a Freyre e a outros admiradores (Odum, 1951, p.87; Davids, 1968, p.63). Nessa sua fluência de expressão estava talvez uma das razões da "falta de harmonia" entre Boas e Giddings, sugere Freyre. Na verdade, o "contraste" entre eles era marcante e, como didata, Giddings definitivamente "foi exemplar" e deixou Boas na sombra, proclamou o ex-aluno do Recife. Como já mencionamos antes, enquanto o sociólogo era de "palavra comunicativa", o mestre antropólogo era lembrado por Freyre como sendo "de palavra difícil... Quem o ouvisse precisava, por vezes, de como que completar o que ele dizia. Era de todo um antieloquente. Quer falando, quer escrevendo".[45]

As referências literárias que Giddings fazia em seus textos de sociologia (e também, é de supor, em sala de aula) e que tendiam a aproximar uma disciplina normalmente fria e árida do que foi a eterna paixão de

---

44 *Diário de Pernambuco*, 19/2/1922 (o que era "meu mestre, o Dr. Giddings" se transforma em 1979 em "meu mestre, o grande Giddings"); 6/8/1922 (ao que era "como diria o sociólogo professor Giddings" foi acrescentado "meu mestre na Universidade de Columbia"); 17/1/1926 (nesse caso toda uma frase é acrescentada: "Filosofia, essa, em que se projeta a influência de outro grande mestre atual da Universidade de Columbia: Giddings").

45 Freyre, manuscrito autobiográfico ..., ca.1981, cit., p.60-1.

Freyre, só podiam também entusiasmar o jovem aluno. "Os grandes fatos da evolução social", dizia Giddings num de seus livros (1906), podem também ser encontrados em fontes históricas, jornais e literatura. É assim que, além de autores como Spencer e Adam Smith, seus alunos eram instados a fazer uma leitura diversificada que incluía os ensaístas Hazlitt, Daniel Defoe, Addison e Steele, bem como Plutarco, Homero, Heródoto, Gibbon, Spinoza e até mesmo versículos da Bíblia.

A crer em depoimentos de outros alunos de Giddings, a tardia recordação de Freyre não foi idealizada nem pela nostalgia nem pelo sentimento de culpa, como talvez se pudesse suspeitar. É fato corrente que o professor titular da cadeira de Sociologia (desde 1894) e de Sociologia e História da Civilização (desde 1906) da Universidade de Columbia cativava os alunos com seus "poderes persuasivos", "seu poder de exposição e de ilustração", seu amplo espectro de interesses e conhecimento em várias áreas do saber e também com sua capacidade de fazer sua ciência aproximar-se dos debates da época. "Ninguém que o ouviu dar aula jamais poderá ter uma visão estreita das coisas", concluiu um de seus críticos (Davids, 1968, p.62-73, 71; Gillin, 1927, p.226). Sua sociologia, dizia outro crítico, era "realística", no sentido de que a teoria se achava sempre unida à "autêntica exatidão histórica de seu material ilustrativo e induções". Seu repetido lema era: "não é teoria se não funciona" (Odum, 1951, p.87-92). É nesse quadro que ele se referiu ao "possível valor prático da sociologia teórica como uma crítica científica da política pública" (Giddings, 1922, p.123).

Quanto ao estilo ensaístico notado por Freyre, ele se devia, talvez em grande parte, ao que um dos críticos do sociólogo de Columbia descreveu como a expressão de uma "pessoa intensamente humana" que se deixava levar muitas vezes pela emoção. Suas aulas eram "lógicas e estimulantes", mas ao mesmo tempo "não preparadas" e, portanto, "não sistemáticas". Nelas havia espaço para denúncias e pregações cheias de paixão que geravam "ondas de acalorada discussão" (apud Davids, 1968, p.63).

Ao prestar tributo ao antigo mestre, Freyre não se expandiu sobre as ideias de Giddings que seriam, por assim dizer, mais ou menos equivalentes em importância à diferenciação entre raça e cultura que devia a

Boas. Que o conceito de "consciência de espécie", a mais conhecida contribuição de Giddings ao pensamento sociológico, era um conceito útil, fica evidente ao menos desde maio de 1922. A partir de então, Freyre o iria ocasionalmente utilizar e mencionar a seus leitores, aparecendo a "conhecida expressão sociológica" também em *Casa-grande & senzala* (Freyre, 1922a, p.611; 2002, p.278).[46] Com esse conceito Giddings (1896, p.9-20) procurava expandir o que ficara vagamente subentendido, mas não esclarecido com precisão, nas exposições de Spencer: o fator "subjetivo ou volitivo" do fenômeno social e da sua evolução. Baseado na noção de simpatia desenvolvida por Adam Smith em seu *Theory of Moral Sentiments*, Giddings defendia a ideia de que a causa e o índice do progresso podem ser medidos por esse fenômeno sociopsicológico que ele definiu da seguinte maneira: "o estado de consciência no qual qualquer ser, baixo ou alto na escala da vida, reconhece outro ser consciente como de sua mesma espécie" (Giddings, 1898, p.284; 1896, p.17-8).

O exame de alguns textos escritos por Freyre no início de sua trajetória revela que já nos anos 1920 a ideia de equilíbrio como parte da evolução lhe causou alguma impressão, ainda que tenha levado anos para ele chegar à percepção de que esse era um elemento que poderia enriquecer consideravelmente seu quadro interpretativo do Brasil.[47] Logo ao chegar de volta ao Recife, por exemplo, Freyre proferiu um discurso no seu antigo Colégio Americano Batista (reproduzido no *Diário de Pernambuco*), em que ele se refere com aprovação "à teoria do meu mestre, o professor Giddings, de ser o processo de cultura humana um processo de equilíbrio, de contemporização entre elementos instintivamente hostis. Conseguem-se os progressos ... dentro da ordem, exatamente por meio desta contemporização entre forças cronológica e

---

46 *Diário de Pernambuco*, 30/7/1922; 6/8/1922.

47 Ao menos os seguintes textos de Giddings constam hoje da biblioteca de G. Freyre: *The Responsible State*, Boston & New York: Houghton Mifflin, 1918 (autografado e datado, "G. Freyre, Columbia University, New York City, Spring 1921"); *A Theory of History*, New York: Academy of Political Science, 1920 (autografado e datado, "Gilberto Freyre, Columbia University, Dec. 1921"); *The Scientific Study of Human Society*, Chapel Hill: The University of North Carolina Press, 1924; *The Elements of Sociology*, 1913 (autografado e datado "Alfredo Freyre, Abril 1914").

logicamente diversas".[48] Pouco tempo antes, durante o curso de Giddings, Freyre não somente marcara sua manuseada cópia de *A Theory of History* nos trechos em que a filosofia da história de Spencer e de Giddings eram apresentadas como casos de equilíbrio, como também – o que é mais interessante – escrevera "equilibration" à margem do trecho em que Giddings tinha descrito a "civilização" como tendo origem na "luta" entre duas energias, a do "Novo" e a do "Velho", da qual nenhuma saía totalmente vencedora. "A Civilização existe porque nem o Velho nem o Novo têm sido capazes de fazer o seu pior, instintiva ou premeditadamente, contra o outro" (Giddings, 1920, p.494-5, 511).

É interessante nos determos nessa ideia que claramente chamou a atenção do jovem Freyre: a de que nenhum dos lados antagônicos vence totalmente e que o equilíbrio garante, por assim dizer, a sobrevivência dos opostos. Uma leitura atenta de alguns de seus textos de juventude revela que ele vê como positiva a coexistência de contrastes, e que estes, em vez de serem conciliados, devem ser coordenados, equilibrados. A conferência de dezembro de 1925, "A propósito de Dom Pedro II", trata da importância na "paisagem moral, política, intelectual" do país do "embate de energias divergentes", que não se conciliam, mas coexistem. Dom Pedro II teria falhado por querer abafar os contrastes, conciliá-los. Ao editar o mesmo texto para sua republicação anos mais tarde, Freyre explicita mais claramente suas ideias. Agindo "em desacordo com o meio e as tradições do nosso país" e levado pelo "pavor à coexistência de antagonismos na política brasileira", Dom Pedro falhou. Sacrificou as "divergências saudáveis", o "entrechoque de antagonismos saudáveis" e não exerceu o papel de equilibrador ou "coordenador de divergências necessárias" que a ele cabia (Freyre, 1926, p.17-22; Freyre, 1987a, p.121-31).

Não sendo um pensador sistemático e não se incomodando com imprecisões, Freyre não se detém a explicitar os conceitos ou noções com que trabalha; no entanto, passagens como essas relativizam, no

---

48 *Diário de Pernambuco*, 28/3/1923 (publicado como um dos anexos ao final do v.2 de *Tempo de Aprendiz*). Na versão de 1979 o trecho "instintivamente hostis" aparece como "indistintivamente hostis".

meu entender, o papel de elaborador e de difusor de um poderoso sistema ideológico pelo qual foi frequentemente criticado. Em nome de uma pretensa harmonia social, esse ideólogo-mestre teria eliminado as contradições do processo histórico brasileiro e criado o mito de um Brasil exemplarmente miscigenado, socialmente democrático (Lima, 1989, p.187-238; Mota, 1994, p.53-73). Se é sem dúvida verdade que, levado muitas vezes pelo entusiasmo, Freyre fez afirmações nesse sentido, em seu trabalho não se encontram exclusivamente afirmações de harmonia ou consenso no estilo de Durkheim. Ao contrário, sua constante referência à ideia de "equilíbrio de antagonismos", inspirada por Carlyle, Spencer e Giddings, dá ao seu pensamento sobre o Brasil uma sutileza e sofisticação que, por assim dizer, em muito qualificam suas afirmações mais apaixonadas.

Antes de dar continuidade a esse processo de rastreamento do que virá a se constituir um dos elementos do paradigma freyreano, cumpre novamente lembrar o que já mencionamos anteriormente: o fato de Freyre ser um leitor eclético em vez de sistemático que tendia, como Samuel Johnson, a deslizar sobre textos variados absorvendo ideias, sugestões e mesmo expressões aqui e acolá, e sem muita preocupação, ao que tudo indica, de se especializar, deter-se e aprofundar-se no que poderiam ser consideradas disciplinas especialmente apropriadas para quem pretendia estudar as sociedades. Afinal, como ele parecia estar descobrindo (e mais tarde iria textualmente admitir) para a satisfação de sua inclinação literária, havia ensaístas como Lafcadio Hearn que enxergavam mais, como simples escritores, do que muitos sociólogos (Freyre, 2002, p.110-1).

Assim, ao dizer que a ideia de equilíbrio entre forças antagônicas presente em Spencer e Giddings foi importante para a trajetória de Freyre, cumpre salientar que ele a iria desvencilhar do pesado aparato científico e filosófico de seus inspiradores e de todos os cientistas sociais que, na primeira metade do século XX, iriam também fazer do conceito de equilíbrio um elemento essencial de suas abordagens. Como Cynthia E. Russett (1966, p.15-27, 42-53 e passim) bem argumentou, a partir de Comte, Spencer e Ward, três sociólogos de forte formação científica, o conceito de equilíbrio entrou nas ciências sociais como um instrumento de análise científica baseado nos modelos da física e da química, cujo rigor se buscava emular. Isso não se aplica, absolutamente, a Freyre, para quem, em vez de se impor como um instrumento rigoroso de análise social, "equilíbrio de antagonismos" terá um papel mais fundamentalmente descritivo e também normativo. E porque Freyre identificou equilíbrio como um elemento altamente positivo, sua tentativa de descrever a realidade social brasileira utilizando-se dessa noção como uma espécie de metáfora de contemporização entre forças antagônicas que se impõem mútuas restrições esteve fadada a se deixar levar pelo entusiasmo ocasional; pois, em vez de descrever a formação da sociedade brasileira com relativa objetividade, a descrição freyreana revelou, às vezes, mais propriamente os valores sociais que ele aprendera a admirar. Tropicalizada e modificada, a ideia de equilíbrio reaparecerá em sua obra, desse modo fazendo que ele visse não só a Inglaterra como uma cultura onde homens, classes, raças, gerações, doutrinas e credos são sabiamente equilibrados (tal como Carlyle e Spencer o haviam preparado a ver), mas predispondo-o a ver também o Brasil com uma lente conciliadora. A mitificação da realidade brasileira como uma democracia racial que se pode encontrar em algumas passagens da obra de Freyre – e que talvez escrevesse pensando especialmente no público norte-americano – seria o exemplo mais ilustrativo dessa intenção descritiva que resvala em prescrição normativa.[49] É como se nos seus momentos de maior entusiasmo Freyre idealizasse a realidade brasileira e produzisse um discurso "para anglo-saxão ouvir". Nesse sentido, é bastante plausível acreditar que o "brasileirismo" de Freyre, que compreensivelmente se acentuara após suas experiências estrangeiras, mais iria crescer na medida em que se via habilitado a contribuir para melhorar a visão que os norte-americanos e europeus tinham do Brasil e dos brasileiros. Uma carta de Freyre a seu editor e amigo José Olympio, escrita dias

---

49 Seria de grande interesse fazer uma comparação sistemática entre os trabalhos de Freyre dirigidos ao público brasileiro e aqueles originalmente publicados em inglês, que foram destinados a um público não brasileiro. Suspeito que, nesses casos, a idealização mais forte da realidade social brasileira tem a ver com uma consciente estratégia de desenvolver um discurso mais para estrangeiro ouvir. Ver, por exemplo, Freyre (1945a; 1940a; 1940b).

após o suicídio de Getúlio Vargas, dá disso claro testemunho. Dizendo admirar e concordar "em vários pontos" com "certo brasileirismo" do ex-presidente e lamentar "a gente que às vezes o cercou", faz a seu amigo um pedido. Como estava para ir aos Estados Unidos falar para auditórios universitários "de primeira ordem", gostaria que ele, após transmitir um "abraço amigo de pêsames" a Lourival Fontes – antigo diretor do Departamento de Imprensa e Propaganda (DIP) do Estado Novo e chefe do Gabinete Civil do presidente Vargas –, lhe pedisse que enviasse com urgência "alguma coisa" sobre a política ou a orientação de Getúlio que ele considerasse "de interesse do Brasil revelar a auditórios universitários de primeira ordem". Teria o prazer em "apresentar tais pontos de vista", diz Freyre; "mesmo que não concorde com eles", acrescenta.[50]

Nessa tentativa de acompanhar o processo de amadurecimento e reflexão que iria levá-lo a criar um novo paradigma importa, no entanto, salientar o momento em que, percebendo a possibilidade de combinação das duas noções que em parte descobrira pelos britânicos, ele desenvolveu a ideia de que a miscigenação cultural e racial era a marca equilibradora distintiva da cultura brasileira. Pois se, de um lado, como antes apontamos, Freyre transformou o que era um problema – mistura racial – numa solução, de outro aplicou ao Brasil noções com as quais alguns ingleses vinham se analisando; e, como resultado, pôde interpretar os brasileiros como ingleses tropicais em sua composição mista e em seu amor pelo equilíbrio ou compromisso. Em outras palavras, a distância e o contato com novas ideias haviam predisposto Freyre a observar a composição étnica da população brasileira com novos olhos de aprovação, e, ao mesmo tempo, a seguir a "lição dos ingleses" e encontrar "antagonismos em equilíbrio" na sociedade brasileira. Da junção dessas duas noções surgiria, enfim, a visão revolucionária do Brasil que tantos viram em *Casa-grande & senzala*.

---

50 Carta de Gilberto Freyre a José Olympio, 27/8/1954, cópia no AFGF. Sobre a complexidade ideológica da década de 1930 e a inserção de Lourival Fontes nesse contexto, ver Lippi Oliveira, 2001, p.37-58.

Maria Lúcia Garcia Pallares-Burke

Rüdiger Bilden: um interlocutor esquecido[51]

Este é o momento de tentar recuperar o papel que teve na trajetória intelectual do jovem Freyre o brilhante e promissor colega de Columbia, Rüdiger Bilden. Mencionado pelo próprio Freyre em 1933 como a pessoa que lhe dera "sugestões valiosas" para o seu *Casa-grande & senzala* e que desenvolvia um amplo estudo sobre a escravidão com "o rigor e a fleuma de sua cultura germânica", Bilden foi, no entanto, uma figura até hoje relativamente esquecida nas análises das fontes inspiradoras de *Casa-grande* (Freyre, 2002, p.6-7; Marcondes, 1987; Chacon, 1993, p.219-21; Larreta e Giucci, 2002, p.724; Larreta, 2001). Talvez pelo fato de estar praticamente ausente das referências biobibliográficas e também de as referências de Freyre a ele terem-se tornado mais esparsas e rarefeitas com o passar do tempo –, enquanto as referências a outros eram constantes e sempre entusiásticas –, seu nome seja pouco citado e sua importância não seja devidamente avaliada nos estudos freyreanos (Freyre, 1936, p.IX; 1943; 1945a, p.133; 1957b, v.I, p.75; 1968a, p.130-1; 1975, p.139, 178, 181, 203-4; 1983a, p.194; 1987a, p.72). Creio, no entanto, que existam suficientes indícios para argumentar que Rüdiger Bilden foi o interlocutor de carne e osso de que Freyre necessitava para dar o arranque final da sua nova interpretação do Brasil. Hearn, Chesterton, Spencer, Giddings e mesmo Roquette-Pinto e Boas, apesar de importantes, eram interlocutores muito distantes ou, por assim dizer, mais ou menos desencarnados para exercer esse papel.

O elemento de união entre a noção do progresso de cultura humana como um processo de equilíbrio entre elementos hostis e a ideia de que a miscigenação é algo bom, belo e enriquecedor muito se inspiram, ao que tudo indica, na interpretação que Bilden vinha desenvolvendo desde 1922 – quando Freyre ainda tinha, como vimos, um longo caminho a percorrer para se tornar o autor de *Casa-grande & senzala* – sobre as características distintivas do colonizador português, aí incluindo sua

---

51 As fontes utilizadas para esse estudo sobre "o interlocutor esquecido" de Freyre serão apresentadas na sua totalidade no livro *A tragédia de um historiador: Rüdiger Bilden, ou o interlocutor esquecido de Gilberto Freyre* (cuja versão abreviada é aqui apresentada), a ser publicado proximamente.

miscibilidade. Freyre desde muito cedo se inteirara disso, tanto por meio de conversas e correspondência com o próprio Bilden, como por intermédio de Oliveira Lima, de quem Bilden se aproximara em dezembro de 1923 para discutir seu trabalho e em cuja biblioteca encontrara, como disse, "uma mina de ouro" para a tese que desenvolvia. "Minha dissertação está ameaçando adquirir imensas proporções", relatou Bilden em dezembro de 1923 ao jovem amigo do Recife.

O encontro de Bilden com Freyre em Nova York, cumpre apontar, fora também determinante na própria trajetória intelectual do jovem historiador alemão: seu interesse geral pela questão da escravidão nos Estados Unidos e pela história da América Latina se desviara para o Brasil a partir do contato com Freyre em Columbia. Como relatou a seu antigo colega, Melville Herskovits, a dissertação de mestrado de Freyre em Columbia "sobre a vida social do Brasil no meio do século 19 era um bom trabalho, a leitura do qual, em manuscrito, me interessou pela primeira vez pelo problema da escravidão brasileira e me lançou em meus estudos brasileiros". Essa influência recíproca do jovem alemão e o jovem pernambucano seria claramente expressa por Freyre dez anos mais tarde, quando afirmou que dentre os colegas de Columbia, o "teuto-americano Ruediger Bilden ... foi o que fez maior impressão sobre mim e que, por sua vez, confessa ter sob o estímulo de preocupações e trabalhos meus, se dedicado ao estudo da escravidão e das instituições patriarcais na América, em geral e no Brasil, em particular" (Freyre, 1943).

"A escravidão como fator na história brasileira" (*Slavery as a factor in Brazilian history*) era o título da pesquisa desenvolvida por Bilden desde 1922. Seu objetivo era relacionar o "método de produção" econômica do Brasil escravocrata à sua história política, social e cultural e, para isso, a escravidão era analisada sob os vários aspectos de sua "produtividade": "material, social, política e cultural".

Pode-se dizer que o projeto de pesquisa original de Bilden incluía alguns tópicos que se inspiravam no mestrado de Freyre de maio de 1922: a analogia entre o "poder dos grandes plantadores" e o dos senhores feudais; a caracterização do "grande engenho brasileiro como uma unidade social e economicamente autossuficiente" e a ideia de que os escravos brasileiros recebiam um tratamento humano que em muito contrastava com o de outros países e até com o dos operários europeus de meados do século XIX (Freyre, 1922a, p.605-8).

Por outro lado, Bilden inaugurava em seu projeto de 1922 a discussão de tópicos que, ausentes das preocupações iniciais do jovem Freyre, serão, no entanto, desenvolvidos magistralmente por ele em *Casa-grande & senzala*: o contraste entre o sistema português de colonização e o anglo-saxão; a importância das tradições sociais, políticas e culturais portuguesas na herança colonial e no desenvolvimento do Brasil; a profunda influência da "escravidão doméstica" na "vida privada e familiar brasileira" – na sua moral, no seu caráter, nos seus costumes, aí incluindo, especificamente, o "desenvolvimento mental, moral e cultural dos filhos do senhor do engenho". Bilden chega a dizer, logo no início de sua pesquisa, que "a família no norte do Brasil" era "uma das partes mais importantes" de sua investigação, relacionando-se diretamente com a questão da escravidão.

Foi para desenvolver essa ambiciosa pesquisa que Bilden obteve uma bolsa de estudos que lhe permitiu vir ao Brasil no final de 1925, onde permaneceu por volta de um ano, levantando dados e amadurecendo suas ideias sobre a "relação entre métodos de produção e energia cultural". Sua hipótese inicial era de que, direta ou indiretamente, todos os aspectos da cultura e da sociedade brasileiras haviam sido profundamente marcados pela escravidão e de que talvez fosse possível "colocar o dedo em fatos concretos" que o evidenciassem para "deles derivar conclusões concretas e acuradas". Sua pesquisa no Brasil, conforme logo admitiu, confirmara essa hipótese e tornara possível demonstrar muito do que era antes "vagamente aparente"; e mais ainda, ao mostrar que a influência exercida pela escravidão na "vida nacional e privada brasileira" era até mais ampla do que havia antes suposto, provava, quase conclusivamente, que a escravidão fora "a força básica na vida brasileira". É com grande ânimo, pois, que Bilden comunica a amigos no final de 1926 que já começara a escrever o seu livro e que, as condições ajudando e lhe sendo possível ficar no Brasil mais um ano (o que não ocorreu), terminaria grande parte dele antes de retornar aos Estados Unidos. Como veremos a seguir, as condições em nada o ajudaram e a ambiciosa obra de Rüdiger Bilden jamais chegou a ser finalizada.

Gilberto Freyre

O artigo em que Freyre apresentou o amigo de Columbia aos seus leitores, por ocasião de sua visita ao Recife, aonde chegou no final de 1925, é bem ilustrativo do entusiasmo e da admiração sem restrições que sentia nessa época pelo trabalho inovador que "o jovem e brilhante historiador alemão" então desenvolvia sobre o Brasil. Sem filiar as ideias de Bilden às de Giddings (de quem, na verdade, este não foi aluno) nem apontar qualquer coincidência entre as ideias de seu colega alemão e suas próprias ideias, o que faria mais tarde, Freyre parecia, nesse momento, querer enfatizar a grande originalidade do trabalho que o jovem historiador estava desenvolvendo.[52]

Sua maior novidade, é o que Freyre parece perceber, era aplicar à pesquisa histórica os ensinamentos das "mais recentes pesquisas científicas" sobre a existência de "íntimas e sutis relações entre as mais diversas forças de vida". De fato, o plano de trabalho de Bilden é bastante revelador de quanto a noção de "energia", importada da física, ainda permeava o pensamento social do período, pensamento que insistia em acreditar numa "concepção do mundo e da vida cientificamente unificada, total". No caso de Bilden, mais do que filiadas a Giddings (tal como Freyre acrescentou na versão de 1979), suas ideias sobre combinação ou interação de energias ou "forças diversas", seguiam muito provavelmente a tradição germânica anti-idealista e antivitalista conhecida como "materialismo reducionista", parte do "movimento empiricista radical" que floresceu na Alemanha no século XIX. Inaugurada por cientistas como Helmholtz (1821-1894), Virchow (1821-1902) e Carl Vogt (1817-1895) e estreitamente filiada ao desenvolvimento da física e da química do início do século, essa era uma tradição científica que buscava, com seus experimentos, "quebrar a barreira entre o inorgânico e o vivo e entre vida interior e exterior, corpo e mente". É importante enfatizar, como John Burrow bem apontou, que na Alemanha pós-1848 essa tradição científica iria adquirir uma conotação política radical; e, também, que esse chamado "movimento empiricista radical" alemão foi

---

52 *Diário de Pernambuco*, 17/1/1926 (republicado com significativas mudanças em Freyre, 1979a, p.249-52 e em Freyre, 2001b, p.34-9). Este artigo e suas variações estão reproduzidos no apêndice deste livro.

marcante na formação de Franz Boas, o professor, amigo e conterrâneo de Rüdiger Bilden (Burrow, 2000, p.33-67; Russett, 1966, p.15-27; Wax, 1956; Boas, 1974c; Kluckhohn & Prufer, 1959; Gregory, 1977; Smith, 1959).

Pressupondo um padrão teórico que identificava "o trabalho escravo" com o "processo de utilização de energia" ou "método de produção" que dera origem à civilização brasileira, Bilden, conforme Freyre explicava aos seus leitores, desenvolvia a ideia de que estudar a escravidão era, na verdade, "estudar a história do Brasil". A relevância das ideias de Bilden para uma inovadora interpretação do Brasil é então apresentada por Freyre com indiscutível entusiasmo. Empolga-o, por exemplo, o que Bilden entende pelo estudo das civilizações e o modo como essa sua concepção repercute no estudo da sociedade criada pelo "grande esforço português".

> Para o jovem e brilhante historiador alemão, o estudo das civilizações – da brasileira, por exemplo, ou seja, o desenvolvimento do grande esforço português que criou, pelo trabalho escravo, a moderna agricultura tropical – é, em última análise, o estudo da pior ou melhor utilização de energia. A energia não é jamais estática, explica o Sr. Rüdiger Bilden. Se não cresce nem se expande – o imperialismo é uma expansão de energia – perece ou se torna molemente passiva em proveito de forças estrangeiras. As energias tendem a chocar-se rudemente; mas é possível dar-se a sua combinação em proveito de um grande interesse comum, maior que as diferenças, refinando-se assim a brutalidade da vida; elevando-se assim a vida nas suas qualidades e condições de beleza, ou estéticas, como nas suas qualidades ou condições de amor e simpatia humana, ou éticas.

A ideia de que uma civilização tanto mais se desenvolve quanto mais complexa se torna (ideia bem presente também no pensamento spenceriano) e quanto mais dá espaço para que as forças diversas interajam fascina Freyre, especialmente, é de crer, pelo que isso implicava de crítica a um dos maiores males da "democracia burguesa": a tendência à uniformidade e à "redução de todas as forças ao 'standard' da maioria". Para que uma civilização progrida, é imperativo que haja, no entender de Bilden, uma "harmoniosa e quase se poderia dizer musical interação de forças diversas. Só assim se rejuvenescem as mesmas forças".

Empolgava-o também – e talvez sobretudo – a ampla e nada convencional noção de "método de produção" que Bilden então veiculava. Desconsiderando a usual diferenciação entre o espiritual e o material – na linha da corrente reducionista alemã, de Spencer e tantos outros pensadores do século XIX –, seu ex-companheiro de Columbia entendia por "produção" tanto os valores econômicos quanto os "mais sutis valores de cultura", esclarecia Freyre. É por isso que seu projeto de estudar a civilização brasileira por meio da escravidão, ou seja, do método de produção "que a criou e continua a plasmá-la" era algo extremamente arrojado. "A escravidão tornou possível uma cultura nacional brasileira. Tornou possíveis os começos, no Brasil, de uma arte autóctone. Estudá-la é estudar a história do Brasil na qual tudo o mais ... é secundário ou dependente ou exterior".[53]

O entusiasmo e a admiração que Freyre manifestou no artigo de janeiro de 1926 pelo projeto de Rüdiger Bilden era compartilhado por Oliveira Lima. Como o orgulhoso anfitrião recifense disse aos leitores do *Diário de Pernambuco* citando carta vinda de Washington, seu velho amigo acreditava que o "grande trabalho" de Bilden iria "'nos'" dar "'o estudo definitivo da escravidão'". Confirmando tal avaliação, Oliveira Lima foi pródigo nas suas *Memórias* sobre as qualidades do jovem pesquisador alemão e seu tema de tese de doutoramento: "O Sr. Bilden é dotado da faculdade alemã de observação das realidades, mas a mentalidade germânica está sabidamente longe de desprezar as feições idealistas". Daí seu preparo para enfrentar um tema novo e ambicioso: a questão da influência da escravidão na "nacionalidade brasileira, para depois comparar-lhe os efeitos com os produzidos pela escravidão nos Estados Unidos ... Se a minha biblioteca, onde o Sr. Bilden tem estado por meses trabalhando, não tivesse outro préstimo ... eu já me dava por satisfeito de a ter formado" (Lima, 1937, p.64-5).

---

53 Na versão publicada em 1979, Freyre acrescentou ao texto original a seguinte frase: "Filosofia, essa [a de Bilden] em que se projeta a influência de outro grande mestre atual da Universidade de Columbia: Giddings". Nas duas outras versões desse artigo – a de 1973 (publicada em 2001) e de 1979 – Freyre alude a coincidências entre as ideias dele e as de Bilden; e em 1975, em *Tempo morto*, se refere ao trabalho que Bilden estava desenvolvendo em 1926 como "assunto meu".

Sem dúvida, era impressionante e admirável a determinação que tinha Bilden de fazer um levantamento de uma "bibliografia completa em todos os assuntos brasileiros" antes de dar início a seu trabalho de campo no Brasil. Quando levantou o que considerava uma "coleção razoavelmente completa" que continha perto de seis mil títulos, ele admitiu que com essa base conseguira "o *insight* necessário do material existente" para levar seu trabalho avante. No relatório de 1925 sobre o andamento do projeto, Bilden explicava que, na verdade, sua intenção era publicar, em volume independente do doutorado, uma bibliografia crítica anotada que pudesse ser "uma grande ajuda aos outros estudiosos do campo".

Compreensivelmente, esse seu projeto paralelo também atraiu a atenção do jornalista do *Correio da Manhã*, que escreveu uma matéria sobre o "professor Rüdiger Bilden", recém-chegado ao Rio de Janeiro. No Pará, em Fortaleza e no Recife ele fizera "estudos preliminares" para o seu projeto sobre "a influência da escravatura negra sobre a evolução do Brasil moderno"; após um período de trabalho "nas bibliotecas e arquivos da capital brasileira", pretendia viajar pelo Sul e pelo Norte a fim de ampliar seus conhecimentos sobre o vasto país. Exprimindo-se "com relativa facilidade" em português, o jovem pesquisador explicara ao articulista que "como um subproduto" de sua investigação sobre a escravidão brasileira, estava compilando uma "bibliografia crítica do Brasil, em que serão examinados, criticamente, com relação aos seus conteúdos e méritos, os livros, artigos e documentos que tratem deste país". Freyre também muito se impressionou com o material levantado pelo amigo alemão e a leitura que fez no Recife de "alguns dos cartões que constituem a sua forte e numerosa bibliografia" acentuara ainda mais sua crença de que ele estava "animado de um entusiasmo nietzschiano de renovação". Não havia dúvida, dissera então Freyre aos seus leitores do *Diário de Pernambuco*, de que a história brasileira e americana não seriam mais as mesmas após as inovadoras análises de Rüdiger Bilden.[54]

As informações sobre esse jovem intelectual que tanto prometia são poucas, mas suficientes para se saber que ele foi um indivíduo bata-

---

54 Todas as citações do *Diário de Pernambuco* dizem respeito ao artigo de 17 de janeiro de 1926, reproduzido no apêndice deste livro.

Gilberto Freyre

lhador, intelectualmente ambicioso e perseverante a quem o destino reservou dificuldades que acabaram por se mostrar insuperáveis. Nascido em Eschweiler, oeste da Alemanha, em 1893, Bilden chegou aos Estados Unidos em 1914, pouco antes da Primeira Guerra Mundial, aparentemente após abandonar o navio-mercante onde trabalhava e ao qual deve ter se filiado com a intenção de fugir de uma guerra terrível que muitos viam aproximar-se. Matriculou-se na Universidade de Columbia em 1917 e, quando Freyre ali ingressou, em 1921, estava concluindo o bacharelado e já era casado com Jane, uma "linda sulista" a quem Freyre sempre se referirá com afeição. Logo a seguir, em 1922, ele iria iniciar o curso de pós-graduação sob a orientação de William Shepherd, professor que muito o estimulava e de quem se tornou bastante próximo. É um dos meus "melhores amigos", disse Bilden em janeiro de 1928.

Seu amplo espectro de interesses e conhecimento, fruto de uma educação humanística germânica bastante esmerada, distinguia-o dos demais estudantes. Em 1923, não obstante seu doutorado ser em história latino-americana, seguia cursos sobre "período helenístico", "história antiga", "história russa", "teorias políticas americanas" e "América Latina"; além disso estudava grego, latim, português e holandês. Considerava-se fluente na leitura de cinco línguas (português, inglês, francês, alemão e holandês), mas em 1925 manifesta o propósito de melhorar seu conhecimento de italiano, espanhol e também dinamarquês, já que esta língua parecia-lhe essencial para o estudo de "tratados científicos de alta importância" para o seu trabalho sobre a escravidão brasileira.

A vasta cultura e o interesse de Bilden, aliados a uma especial disposição para "longas conversas especulativas" e ao fato de se mostrar pessoa simples, generosa e idônea, tornavam-no um interlocutor precioso a quem seus colegas apelavam com prazer. O jornalista do *Correio da Manhã* ficara surpreso com seus modos e aparência. Esperando um "Herr Professor" grave, solene, e talvez pomposo, se vira diante de "um homem moço, de maneira simples e de uma jovialidade comunicativa". Aos amigos que o procuravam para pedir opinião sobre trabalhos e textos, fazia frequentemente uma análise profunda e erudita ser acompanhada de sugestões concretas e palavras animadoras, construtivas e calorosas. Regozijava-se com o sucesso dos amigos e estava sempre pronto a interferir a favor deles e lhes dar informações sobre novos livros, ideias e possibilidades de pesquisa e trabalho; e isso mesmo quando suas próprias condições de vida iam-se tornando, com o passar do tempo, mais e mais sofríveis. No caso de Freyre, por exemplo, empenhou-se durante anos em traduzir, em colaboração com a amiga Dorothy Loos, *Sobrados e mucambos*, livro que seria publicado, ao que parece, pela editora Macmillan. "Perfeccionista incorrigível", Bilden queria evitar que nesse livro houvesse as falhas da tradução de *Casa-grande & senzala*. Sem conhecer o Brasil e sua história, Putnam não pudera fazer o que ele estava tentando fazer com *Sobrados e mucambos*.[55] Exigente, até em demasia, consigo mesmo quanto à precisão, à profundidade e à fundamentação das ideias que desenvolvia, ajudava e incentivava também os amigos a se superar. As perguntas que lhe faziam eram usualmente respondidas com abundância de ideias e dados; "com completude erudita" numa "carta esplêndida", como disse certa vez um deles. Com Freyre, por exemplo, insistia que aprendesse alemão, sem o que suas possibilidades de desenvolver um trabalho profundo e rigoroso ficariam limitadas. No ínterim, no entanto, o ajudava a compensar aquela falha traduzindo os autores alemães a quem não tinha acesso diretamente ou falando-lhe deles.[56] Entende-se, portanto, que seus ex-colegas de Columbia, Francis Simkins e Gilberto Freyre, devessem muito a ele. "Deus bem sabe que Rüdiger educou você e a mim", escreveu Simkins a Freyre certa vez, lembrando-lhe que deviam esforçar-se por "dar um jeito" na situação do velho amigo subempregado, pessoa com quem a vida não tivera muita complacência.

Nos anos 1920, no entanto, não havia indícios de que o destino desse jovem intelectual promissor seria tão distante das expectativas de todos os seus conhecidos e que ele terminaria seus dias como um modesto

---

55 Não sabemos se essa tradução foi concluída. A tradução publicada em 1963 por Alfred A. Knopf foi feita por Harriet de Onís e apresentada por Frank Tannenbaum. Dorothy Scott Loos é autora de *The Naturalistic Novel of Brazil* (1963) e tradutora de espanhol e português. Entre suas traduções consta o *Dora, Doralina* de Rachel de Queiroz.

56 Sérgio Buarque de Holanda era outro amigo fluente em alemão que também ajudava Freyre com traduções (cf. carta de G. Freyre a Rodrigo M. F. de Andrade, s.d., em Freyre, 1978, p.253).

escriturário. Em Columbia, por exemplo, seu orientador, William Shepherd, e Edwin Seligman, renomado professor de Economia Política, não tinham dúvidas de que valia a pena lhe garantir as condições econômicas de que necessitava para prosseguir o importante trabalho que iniciara em novembro de 1922. "Ele é um jovem de marcante habilidade, muito trabalhador, ambicioso e bem equipado por temperamento e treinamento para desenvolver uma pesquisa produtiva", afirmou Shepherd. Por sua vez, em nome da Faculty of Political Science de Columbia, Seligman dizia: "Nós todos temos o Sr. Bilden em alta consideração e o achamos eminentemente qualificado para completar a tarefa, cuja importância está acima de qualquer dúvida". O responsável pelo Departamento de História da mesma universidade era ainda mais pródigo nos elogios:

> É opinião dos professores que melhor conhecem seu trabalho que ele é um dos estudantes mais capazes que têm estudado em Columbia sob nossa direção nos últimos anos. Ele tem um raro cabedal de conhecimento linguístico e de capacidade analítica, e, acima de tudo, possui um entusiasmo intenso e implacável pelo grande empreendimento em que embarcou. Em todos os seus compromissos, tanto os acadêmicos quanto os de outra natureza, tem-se mostrado digno de confiança e, tanto quanto se pode observar, tem mostrado uma fidelidade absoluta em cumprir suas promessas e propostas. Ele não é, de modo algum, um especialista estreito, tendo feito trabalhos excelentes em todos os nossos ramos de história; no entanto, pode-se dizer que ele adquiriu o *status* de um especialista em material brasileiro devido a ter-se devotado seriamente ao estudo desse tema por vários anos. Ele é um *gentleman* com encanto pessoal e eu acredito que causará boa impressão entre os oficiais e outros cidadãos do Brasil com quem entrar em contato.

Tivesse o próprio Departamento de História fundo suficiente, "não posso pensar em qualquer outra investigação em andamento na qual investiríamos com maior boa vontade e satisfação". Mesmo se descontando os exageros usuais em cartas de apresentação, é inegável que Bilden se impunha como jovem sério, promissor, talentoso e de inusitada cultura; e que se distinguia, além do mais, por ser movido mais pelas realizações propriamente intelectuais do que pelos louros acadêmicos.

Essas qualidades eram corroboradas por outro grande mestre de Columbia, seu conterrâneo Franz Boas, de quem Bilden também se tornou amigo íntimo e colaborador. A gratidão que sentia por ter sido seu aluno era imensa, confessou Bilden por ocasião do aniversário de 80 anos do velho professor: "A herança intelectual e cultural que recebi do senhor será sempre a estrela a guiar minhas atividades". Em certa ocasião, quando os Boas estiveram na Califórnia, eles franqueram a casa de Grantwood em Nova Jersey aos Bilden, que lá viveram durante sua ausência.

A herança cultural que compartilhavam também contribuía, é de crer, para que Boas confiasse no trabalho empírico de Bilden e lhe encomendasse – por ocasião de sua permanência no Brasil em 1926 – uma pesquisa sobre famílias portuguesas que "viveram por muito tempo num clima tropical sem se misturarem com outras raças". O objetivo de Boas era testar a ideia difundida pela literatura antropológica da época de que, nos trópicos, uma família branca tinha de escolher entre misturar-se ou extinguir-se.[57] Nessa ocasião, Boas também esperava obter de Bilden dados sobre a questão da "consciência de raça", tema que então investigava. Diferentemente de "unidade de raça" biológica, noção totalmente infundada que não merecia atenção, a "consciência de raça" exigia que se discutisse a possibilidade de não ser algo instintivo, como alguns argumentavam, mas sim algo "estabelecido pelos hábitos desenvolvidos na infância". As informações enviadas do Brasil por Bilden – e cujos dados Boas publicou no seu *Anthropology and Modern Life* citando a fonte – deram-lhe subsídios para o fortalecimento de sua suspeita de que se tratava mais de um efeito de hábito do que de instinto (Boas, 1929, p.64). Como Bilden lhe comunicara, o Brasil era um rico manancial a ser explorado. Tendo herdado dos portugueses uma grande "confusão de raças", ou mesmo certa "promiscuidade" (tema que fazia parte do plano de estudo de Bilden), e revelando possuir uma consciência racial muito débil, o Brasil impunha-se indiscutivelmente como "o país

---

57 Segundo Bilden, os Cavalcanti Albuquerque de Pernambuco e os Wanderley da Bahia eram umas das poucas velhas famílias brancas em que se podia demonstrar a ausência de sangue negro.

mais interessante" do ponto de vista dos estudos sobre raças. Cumpre também aqui notar que os importantes contatos que Bilden fez no Rio de Janeiro com intelectuais da envergadura de Roquette-Pinto e Capistrano de Abreu foram aparentemente intermediados por Franz Boas, e que foi muito provavelmente por meio de Bilden que Freyre tomou conhecimento, durante sua visita ao Rio em 1926, do antropólogo brasileiro que iria tornar-se seu importante interlocutor.

Ao longo dos anos, quando dificuldades econômicas das mais sérias esmoreciam as forças de Bilden para finalizar um trabalho excessivamente ambicioso, amplo e volumoso para ser desenvolvido no meio de uma vida atribulada e de penúria, Boas estava sempre a apoiá-lo em pedidos de bolsas de estudo ou tentando arranjar-lhe um emprego mais estável que lhe desse paz de espírito para escrever. A época não era, no entanto, nada propícia. À recessão se somava o antigermanismo do período entre guerras, e poucas chances havia para alguém como Rüdiger Bilden que, além de ser alemão, se especializava em relações raciais, um tema não propriamente muito popular nos Estados Unidos de então. "Principalmente devido à minha nacionalidade alemã" tenho fracassado em obter uma posição num "*college* ou universidade norte-americana", queixa-se ele em meados de 1924, referindo-se a um problema que o acompanhará ao longo de toda sua atribulada vida.

Nessa época, no entanto, a sorte estava de seu lado e, após um processo tenso e difícil, Bilden obteve uma *fellowship* – a única que obteria em sua vida –, que durante três anos lhe deveria garantir as condições econômicas de que necessitava para prosseguir o trabalho iniciado dois anos antes, em novembro de 1922. A amplitude do trabalho planejado extravasava de longe, no entanto, o que era realizável em três anos. O prof. William Shepherd, que inicialmente o estimulara a ser exaustivo, tentara dissuadi-lo, logo ao final de 1923, de continuar seu trabalho de investigação, com o que outro amigo também concordava. Que se limitasse a "satisfazer as exigências" para o grau de doutor com uma tese de duzentas páginas, arranjasse um emprego e voltasse a trabalhar no projeto original mais tarde, era o conselho de ambos. Bilden, no entanto, perseverou, e logo ao terminar os três anos de *fellowship* encontrou-se novamente em sérias dificuldades econômicas e com sua autoestima, é de supor, também abalada. Afinal, o esforço fora grande para chegar até aquele ponto e a expectativa entre amigos, colegas e professores era, inquestionavelmente, das maiores.

O excelente artigo que Bilden publicou na renomada revista *The Nation* em janeiro de 1929, intitulado "Brazil, Laboratory of Civilization", parecia bastante auspicioso (Bilden, 1929, p.71-4). O amigo e admirador Roquette-Pinto não escondeu sua admiração pelas ideias veiculadas pelo texto para um público tão necessitado de palavras de bom senso. Afinal, elas acrescentavam uma fundamentação histórica à sua ideia de que o mestiço brasileiro não era um problema biológico, mas econômico e social. Era por isso mesmo lamentável, como disse, que trechos das "páginas brilhantes" que esse "bom amigo do Brasil" escrevera tivessem sido cortados no que tinham "de mais valioso, como apreciação insuspeita dos nossos mestiços"; "necessidades da imprensa que precisa agradar aos seus leitores...", conclui (Roquette-Pinto, 1978, p.29).

A despeito de o artigo ter sido "cortado e mutilado", como se queixou Bilden, ele revelava que seu autor tinha raras qualidades: de um lado, que era capaz de combinar a capacidade de fazer uma observação meticulosa dos detalhes de um problema específico com a de vê-lo como parte de um todo mais amplo; de outro, que ele não só era efetivamente inovador em sua abordagem como também tinha a capacidade de escrever sobre um assunto sério e complexo numa linguagem acessível a um público leigo.

Escrito sob encomenda para ser publicado nos Estados Unidos por ocasião da visita ao Brasil do presidente recém-eleito, Herbert Hoover, em dezembro de 1928, o artigo de Bilden – que desenvolve alguns pontos anunciados no seu plano de 1922 – tinha um objetivo muito claro: apresentar a um público de uma sociedade violenta e segregadora uma visão alternativa mais humana e salutar.

O artigo inicia lembrando o difundido estigma do Brasil como país fadado a ser inferior devido à sua composição racial, estigmatização feita insistentemente, como aponta o autor, não só por leigos como também por cientistas que se esmeravam em cometer "atrocidades intelectuais contra a América Latina e o Brasil em particular". Contrapondo-se à forte corrente que, fora e dentro do Brasil, via o destino do país como fundamentalmente negativo – nada de bom se pode esperar de um país de "raça *mongrel*" dirigido por um "governo mulato", afirmava o estereótipo –, Bilden argumenta que a alegada inferioridade do país tinha uma explicação histórica e não biológica, cultural e não racial.[58]

Aludindo à viagem de Hoover ao Brasil, a "good will trip" organizada como parte da política de boa vizinhança com a América Latina – a "Good Neighbor Policy" que o novo presidente introduzira para melhorar as relações estremecidas devido à intervenção armada que seu antecessor Coolidge fizera no Haiti e na Nicarágua –, Bilden alertava que, ainda que louvável, tal política seria estéril se não fosse acompanhada de "um conhecimento elementar" dos países envolvidos. E, no caso do Brasil, diz, a ignorância de um aspecto básico de sua história tinha que ser primeiramente sanada. Tratava-se, pois, de tornar público o fato de esse país latino-americano ser de origem portuguesa e de, diferentemente da América espanhola, não ter sido colonizado por um povo "em busca de ouro, aventura e prosélitos", como fora o espanhol. Ignorando-se isso, qualquer compreensão da cultura e do problema da raça no Brasil torna-se impossível, "pois ambos estão fundamentalmente determinados pelo desenvolvimento e caráter da colonização portuguesa". Fora um sistema de colonização caracterizado por três aspectos – monocultura latifundiária, escravidão e miscigenação – que dera ao país condições para se desenvolver de modo *sui generis* e impor-se como modelo alternativo de civilização.

Uma série de circunstâncias históricas portuguesas, aí incluindo falta de gente para levar avante seus empreendimentos de além-mar na África, na Ásia e nas Índias Ocidentais, haviam contribuído para que a colonização do Brasil se fizesse "por meio do latifúndio, do trabalho escravo importado e da criação de uma classe de raça mestiça adaptada ao meio e irmanada à causa lusitana".

Detendo-se particularmente na questão da miscigenação existente no Brasil, Bilden a relacionava à "propensidade" adquirida pelos portugueses de se unir a outras raças ao longo de sua experiência de dominação moura seguida por empreendimentos na costa africana. Dando continuidade,

---

58 Sobre o significado original de *mongrel*, ver capítulo 3, nota 64.

e mesmo acentuando esse traço, "o Brasil se desenvolvera como uma sociedade escravocrata na qual o puro elemento branco era numericamente inferior e em que as linhas raciais vinham se tornando mais frouxas do que em qualquer outro país de origem europeia". Tanto por "razões de Estado" como por "necessidade e hábito" – já que nesse país também havia escassez de mulheres brancas – seus colonizadores, no Brasil, se misturaram com índios e escravos, dando aí início a uma sociedade em que não se criou "uma rígida identidade de raça e classe" que caracterizava as colônias inglesas, holandesas e, ainda que em menor grau, as francesas e espanholas. Assim, seguindo a tradição portuguesa de estrutura social – menos rigidamente estratificada e aberta à participação dos mestiços como homens livres ou "meio-livres" –, a sociedade que se desenvolveu no Brasil também foi mais moralmente flexível e humana do que outras "correspondentes na América". A mestiçagem nessa colônia portuguesa, explicava Bilden, fora grandemente encorajada, ao mesmo tempo que se abriam aos escravos "várias vias de fuga para a liberdade".

Sem negar que houvesse antagonismos raciais entre os três principais grupos étnicos brasileiros e que algum grau de discriminação existisse, Bilden enfatizava, no entanto, que o antagonismo existente era mais entre diferentes categorias sociais do que entre raças; entre senhores e escravos em vez de entre brancos, mestiços, índios ou negros. E, acrescentava, esse antagonismo "tendia a desaparecer à medida que essas distinções sociais desapareciam". Por enquanto, como esclarecia, "as linhas raciais ainda seguem as linhas de classe", o que significa que "quanto mais baixa a classe, mais escuro o sangue".

Ao estudioso da história brasileira, argumentava Bilden, ficava evidente que "as restrições à ascensão social e econômica dos membros das raças escravas se tornavam menos severas" e que ao longo dos séculos "um abrandamento gradual, mas contínuo, das linhas raciais podia ser observado". No último século, esse processo de "equalização social e consequente fusão de elementos étnicos diversos" havia-se acelerado grandemente com a "abolição gradual da escravidão (1808-1888)", a ponto de se poder dizer que, "hoje", não existem no Brasil "nem as distinções de raça nem o problema da raça no sentido norte-americano".

Gilberto Freyre

Não havendo "barreiras legais" a dividir seus grupos étnicos, o que basicamente divide as pessoas é a discriminação social "baseada em preferência individual e classe". Daí ser verdade que a "tendência para a mistura racial está decididamente a favor da raça branca", já que a situação das outras é ainda marcada pelo domínio cultural e econômico do elemento branco e perpetua, em silêncio, uma história desumana. A gradual abolição da escravidão foi "construtiva", mas não a ponto de "libertá-la de sua herança miserável e insidiosa".

Sem negar, pois, a hegemonia do elemento branco na sociedade brasileira e a existência, mesmo que comparativamente pequena, de antagonismos em conflito, Bilden termina por dizer, no entanto, que "o brasileiro médio jamais será totalmente branco" e que "o Brasil do futuro representará uma nova raça, nem branca, nem índia, nem negra", onde elementos étnicos "supostamente incompatíveis" se unem em harmonia e construtivamente. E mais, nesse processo ainda em andamento, os grupos mais primitivos têm tido espaço e liberdade "surpreendentes" para fazer valiosas contribuições culturais. É esta a "importância vital do Brasil para o mundo em geral", conclui o entusiasmado Rüdiger Bilden. Cabe ao leitor, pois, decidir "à luz dessas observações, se o Brasil deve ser chamado ... um país de *mongrels*, ou, ao contrário, ser considerado como um laboratório mundial de civilização tropical".

Um dos trechos do artigo cortados pelo editor do *The Nation*, e que Roquette-Pinto fez questão de publicar já que concordava profundamente com as ideias de Bilden, enfatizava exatamente a importância da diferenciação entre raça e cultura para se falar dos males do Brasil. "Há, decerto, muita coisa, na vida do Brasil, que não é satisfatória. Mas atribuir tais condições à composição racial do país ou à mistura de raças é completamente errado. Um estudo crítico do desenvolvimento histórico do Brasil demonstra que tais males são consequência de um emaranhado de fatores, consequência da sociedade escravagista. A causa dos males não é a raça: foi a escravidão" (Roquette-Pinto, 1978, p.30).

Entusiasmado com a qualidade desse artigo de ponta, o antropólogo Herskovits escreve a Bilden dizendo que "esperava ansiosamente, com grande impaciência, pela publicação dos resultados integrais" do seu trabalho. Ao que tudo indica, no entanto, Bilden não preencheu as expectativas dele e de tantos outros amigos e admiradores e esse artigo sobre o Brasil acabou sendo o único resultado de seus esforços intelectuais que iria conseguir publicar em sua vida. Seis anos mais tarde, com a obra ainda inacabada, sem dinheiro e sem ânimo, diz ao amigo Freyre, a quem considerava, "intelectual e profissionalmente, seu mais próximo parente", que, caso algo lhe acontecesse, gostaria de "que todas suas anotações, manuscritos, papéis, etc." fossem enviados a ele para que os usasse como achasse melhor. "Talvez sejam de pouco valor para você, mas ao menos poderei mostrar-lhe minha estima dizendo que não conheço qualquer outra pessoa que possa fazer melhor uso deles do que você".

O propósito, sempre adiado, de finalizar sua grande obra iria prosseguir ainda por alguns anos. No meio de empregos temporários que se sucediam irregularmente, de aulas avulsas dadas aqui e acolá e só ocasionalmente remuneradas, Bilden manteve viva a séria determinação de terminar os seus dois ou três volumes sobre o Brasil até ao menos o final dos anos 1930; chega até a mencionar, em 1935, haver um contrato para a publicação do seu livro com a North Carolina University Press. A esse projeto, que nos seus momentos otimistas considerava quase terminado, Bilden chegara a acrescentar outro, talvez ainda mais inovador, projeto que contava desenvolver em parceria com Gilberto Freyre e que aparentemente já esboçara desde sua visita ao Brasil em 1926: o de desenvolver um estudo sobre os tipos humanos, as condições sociais e o folclore do sertão brasileiro, cobrindo a área da bacia do São Francisco e as regiões semiáridas dos Estados de Pernambuco, Piauí e Ceará. Desses planos fazia parte até mesmo um encontro com Lampião!

Em 1937, satisfeito com o seu emprego de instrutor no Departamento de Ciências Sociais de Fisk University – "a universidade negra de Nashville", onde dava um curso sobre "a sociedade escravocrata e mistura racial no Brasil comparando-a com a situação da América do Norte" –, vê-se em condições de finalizar seu livro, e, a partir daí, dar início à pesquisa de campo necessária para o novo estudo sobre o sertão brasileiro, para o qual contava conseguir os necessários fundos. Esse emprego, ainda que temporário, parecia anunciar uma fase positiva em sua vida. Afinal, como confessara em 1936, sua situação estivera "muito precária" nos últimos seis ou sete anos, tendo dificuldade até mesmo, como disse, "de comprar minha comida diária". Além disso, emocionalmente ele ficara bastante abalado com a separação de Jane, ocorrida em 1934. Mas com o trabalho em Tennessee, as condições pareciam promissoras. Pela primeira vez, após tantos anos, tinha uma renda regular. "Minhas obrigações são leves. O trabalho é interessante. O salário é adequado para as despesas imediatas de manutenção, apesar de não poder me exceder em nada. Sob essas circunstâncias, eu espero terminar uma boa parte de meu trabalho."

Nesse meio-tempo, é importante acrescentar que Rüdiger Bilden tornou-se conhecido e respeitado entre antropólogos e estudiosos da América Latina e de relações raciais. Melville Herskovits, seu ex-colega de Columbia, Edwin Seligman, economista também de Columbia, William Shepherd, seu orientador, Percy Martin, historiador de Stanford, Manoel de Oliveira Lima, Roquette-Pinto e Arthur Ramos, além do seu fiel amigo Franz Boas, são alguns dos intelectuais que a ele se referem com especial apreço e consideração. No seu discurso presidencial diante da Hispanic American Historical Society, em 1936, Percy Martin, mesmo após tantos anos de expectativa, ainda se referia publicamente ao trabalho de Bilden com admiração e o qualificava como "um dos nossos mais capazes estudiosos das relações raciais no Brasil".

Só os historiadores de Columbia, liderados especialmente por Frank Tannenbaum (1893-1969) que ali ingressara em 1935, aparentemente não o apoiavam e, segundo Bilden, até mesmo faziam clara campanha contra ele. Nele viam um "Shepherd man" que, ao lado de jovens "cientistas verdadeiros" como George Herzog e Ruth Benedict, bem sabia que ele, Tannenbaum, era um "intelectual vigarista". Bilden chegou a admitir que só conseguira seu emprego em Fisk University por causa da "fé e confiança dos antropólogos e sociólogos", que sempre o apoiaram.

Ser convidado no final da década de 1930 pelo prestigioso *American Journal of Sociology* para debater em suas páginas as semelhanças e diferenças entre a discriminação racial dos Estados Unidos e do Brasil, parecia confirmar que o prestígio de Bilden como especialista em assuntos brasileiros não era completamente abalado pelo seu fracasso como autor. Ou melhor, talvez Freyre dissesse que Bilden era um daqueles raros

Maria Lúcia Garcia Pallares-Burke

"autores sem livros" que, como Fradique Mendes, Addison e outros "esquisitões", não abdicava de um alto ideal e deixara sua obra "ficar nas primeiras provas tipográficas da criação mental"; mas nem por isso deixava de influir sobre "o ânimo e sensibilidade" de outros.[59] Não resta dúvida, na verdade, de que as ideias de Bilden eram comunicadas e difundidas, mesmo não sendo impressas. Freyre (2002, p.92), por exemplo, menciona em *Casa-grande & senzala* que o "primeiro ms." do livro de Bilden lhe fora "franqueado à leitura", e é de crer que suas ideias tenham sido divulgadas desse modo a muitos outros estudiosos. Assim, quer por meio do círculo de seus amigos e colegas mais próximos, quer por meio das várias aulas avulsas que deu ao longo dos anos e da participação em encontros acadêmicos, como o da Southern Sociological Society em Chattanooga, em 1938 – onde apresentou um trabalho intitulado "Caste and Class in the South of Brazil" –, Bilden se impôs, ainda que efemeramente, como um respeitável especialista em relações raciais.

Não é difícil imaginar que os acadêmicos que continuaram a prestigiar Rüdiger Bilden sentissem profunda empatia por um colega especialmente dotado que, no entanto, via-se bloqueado tanto por circunstâncias objetivas quanto psicológicas. Provavelmente nele viam um sonhador impenitente que pensava grande demais, que sentia "le besoin de voir grand" (tal como como Toynbee e Braudel), mas cujas ambições intelectuais estavam em total descompasso com as limitações que sua realidade impunha e que a Segunda Guerra Mundial iria muito aumentar.

As dificuldades de Bilden, que já eram grandes desde o final da década de 1920, iriam, de fato, ampliar-se muito a partir de meados de 1939, quando o fim do seu contrato com a Fisk University mais ou menos coincidiu com o início da Segunda Guerra Mundial. Atolado em dívidas que acumulara ao longo dos anos, via-se, ainda por cima, obrigado a enviar dinheiro à Alemanha para sustentar a mãe, já que o irmão que lá morava (aparentemente o único outro parente próximo) caíra em bancarrota. Profundamente deprimido e destituído de sua costumeira coragem e determinação, Bilden reconhece logo em 1940 que "a guerra e seus efeitos tiveram uma repercussão desventurada" em suas

---

59 *Diário de Pernambuco*, 28/9/1924.

Gilberto Freyre

oportunidades. A suspeita contra "tudo o que é alemão", a "histeria da 5ª Coluna" estavam a expandir-se, minando todas as oportunidades que porventura tivesse de arranjar um trabalho ou posição, por piores que fossem. Fora informado, na verdade, de que o Departamento de Estado não iria admitir que ninguém de nacionalidade alemã ou austríaca se envolvesse com atividades relacionadas à América Latina, mesmo que fosse naturalizado norte-americano (que parece ter sido o seu caso). Sentira na pele essa discriminação quando não fora convidado a participar do Pan-American Scientific Congress, evento no qual "todo professorzinho de assunto latino-americano" estivera presente. Isso era um absurdo, reagia Bilden, pois ele seria, sem dúvida, o primeiro a ser executado se Hitler entrasse nos Estados Unidos, como alguns americanos temiam que fosse acontecer. Enfim, "minha situação é desesperadora", confessa Bilden no início da década de 1940. Para completar o quadro desalentador, descobrira no meio dessa crise que o azar fizera que ele perdesse uma oportunidade maravilhosa de ter um "refúgio ideal" onde trabalhar e esperar que "a maldita guerra" acabasse. D. Flora Lima manifestara o desejo de que ele fosse o curador da Oliveira Lima Collection em Washington D. C., mas, como não o conseguira localizar para lhe fazer o convite, contratara outra pessoa. As duas cartas que ela enviara à Fisk University haviam retornado com o aviso "endereço desconhecido". Indignado com o descaso dos que, sabendo seu endereço de Nova York (ou, melhor, de sua ex-mulher Jane), não se deram ao trabalho de informá-lo a D. Flora, Bilden, em geral cordial, antirracista e generoso, reage agressivamente: "foi simplesmente um maldito desleixo de negro, se não coisa pior, que custou-me aquela oportunidade. Eu poderia até ter feito da biblioteca um verdadeiro instituto brasileiro".

Rüdiger Bilden não era, no entanto, um indivíduo derrotista. Ao contrário. Otimista ou sonhador inveterado, após alguns meses de inércia e depressão ele logo parece estar reagindo a esses infortúnios e tentando reerguer-se. No final de 1940, ainda se refere levemente ao livro que pretendia publicar mas, a partir daí, parece abandonar seu substancioso trabalho sobre a história do Brasil tendo como eixo central a escravidão; seus esforços se dirigem, no entanto, à elaboração de projetos igualmente amplos e ambiciosos relacionados também a questões raciais.

397

E é interessante salientar que, não obstante seu fracasso em produzir a esperada obra, em seus novos projetos Bilden continuava com o apoio de intelectuais respeitáveis. Do mesmo modo, instituições de renome o consultavam e levavam a sério suas ideias sobre questões históricas e antropológicas relacionadas a problemas raciais. O Tuskegee Institute de Alabama, por exemplo, entidade devotada desde 1881 à educação dos negros norte-americanos, foi uma das instituições a consultá-lo sobre a reestruturação de seu programa de graduação nos anos 1940. A Universidade de Nova York, a Universidade de Virginia e o Departamento de Estado norte-americano também mostraram algum interesse, nos anos 1940, em colaborar com Bilden em seu projeto de fundar um ousado instituto interamericano para o estudo comparativo de regiões que tinham formação e problemas basicamente semelhantes: o sudoeste norte-americano, as Índias Ocidentais, a costa do Caribe na América Central e do Sul, as Guianas e o Brasil. Se tal projeto se materializasse – e num determinado momento o andamento das discussões parecia bastante animador –, seria uma grande oportunidade de "pôr minhas ideias em ação e em mais ampla circulação", diz Bilden entusiasmado.

A esta altura parece oportuno retomar a ideia sugerida por Walter Pater e defendida por Nietzsche (1921, p.185-6) de que as novas tendências culturais não são em geral da autoria de uma única "estrela", mas sim de uma "constelação" de espíritos. Considerando o exposto acima sobre as ambições, realizações e desventuras de Rüdiger Bilden, pode-se dizer que ele representa uma ilustração dramática da "constelação de espíritos" que existe por trás de grandes inovações, mas cujos membros não são igualmente reconhecidos pela posteridade. Sua contribuição para o estudo dos problemas e das relações raciais na primeira metade do século XX foi inovadora e indubitável, mas como que confirmando o *Matthew Effect* de que fala Robert Merton (1968), ficou obscurecida na sua quase totalidade pelas realizações de outros membros mais afortunados da "constelação" à qual pertencia e na qual colaborou.

No caso da "revolução cultural" que as ideias de Freyre realizaram no Brasil, o papel de Bilden não foi insignificante nem periférico. E isso o jovem Freyre deixou claro: não só quando reconheceu em 1933, no prefácio à primeira edição de *Casa-grande & senzala* e nas referências ao

Gilberto Freyre

longo do texto, as "sugestões valiosas" que dele recebera para sua obra, como dois anos antes, em Stanford, quando a ideia do livro estava tomando forma. Significativamente nessa ocasião, Freyre referiu-se em conjunto a Rüdiger Bilden e Roquette-Pinto como dois dos intelectuais da época que estavam dando uma contribuição fundamental para o estudo da miscigenação brasileira. Este último, desenvolvendo pesquisas antropológicas e "rigorosamente científicas" sobre a questão da miscigenação; e o primeiro abordando a questão em conjunto com "outros problemas do desenvolvimento brasileiro", ou seja, "junto com a miscigenação, a escravidão e a monocultura latifundiária" (Freyre, 2001b, p.57). Conhecedor da capacidade e do empenho de seu colega de Columbia, Freyre parecia não ter dúvidas sobre o impacto que suas ideias – às quais tinha acesso e em cujo desenvolvimento, em algum grau, provavelmente participara – já exerciam e iriam exercer ainda mais depois de publicadas em livro.

Outro texto de Bilden importante de ser lembrado é o que ele apresentou na mesa-redonda sobre "Relações Latino-Americanas" em julho de 1931 na Universidade de Virginia. No evento, esteve acompanhado por seus dois amigos de Columbia, Francis Simkins e Gilberto Freyre, que juntos viajavam pelo Sul do país. Nessa ocasião, após ter terminado seu estágio como professor visitante em Stanford – quando atendera ao providencial convite que recebera durante seu exílio em Lisboa –, Freyre fizera com seus amigos uma excursão pelo "Velho Sul escravocrata" dos Estados Unidos a caminho de Nova York. Essa região do "chamado 'deep South'", conforme Freyre então constatou, ou melhor, confirmou e registrou no prefácio de 1933, tinha muitos pontos em comum com o Norte e com "certos trechos do sul" do Brasil e era, portanto, uma viagem indispensável para "todo estudioso da formação patriarcal e da economia escravocrata" (Freyre, 2002, p.6-7).[60]

A experiência do exílio e essa excursão foram consideradas por Jeffrey Needell (1995, p.67) fundamentais para trazer a questão racial para

---

60 Na visita feita em 1926 ao amigo Francis Simkins na Carolina do Sul, Freyre já reconhecera um parentesco entre sua própria região e o "deep South" dos Estados Unidos (cf. *Diário de Pernambuco*, 20/5/1926; 23/5/1926).

o centro das preocupações intelectuais de Freyre; mais do que isso, a excursão o teria feito "recuperar os ensinamentos" de Franz Boas. Até então, o livro que ambicionava escrever era a história da infância no Brasil, uma versão histórica de seu sonho original de escrever, como vimos, uma novela sobre um menino à maneira de Sudermann.

Completando a sugestão de Needell, diria que a transformação de Freyre em discípulo de Boas se completou ou finalmente tomou forma nessa época por um complexo de circunstâncias, entre elas o convívio direto com Rüdiger Bilden – com quem ele não estivera desde 1926 – e a reflexão sobre tantas ideias variadas que vinha absorvendo, incluindo as desenvolvidas pelo próprio Bilden nos textos de 1929 e de 1931. A levarmos em conta as já mencionadas características didáticas de Franz Boas, é de crer que o contato com Bilden, seu discípulo, contribuiu para que Freyre "recuperasse os ensinamentos" do antropólogo de Columbia exatamente porque o teria ajudado a esclarecer o problema que tinha de solucionar. Era como se a trajetória de Freyre estivesse a ilustrar a crença de Boas, de que "aprendia-se o que se precisava quando se precisava" (Mead, 1959, p.34).

Para avaliar o impacto que a defesa da miscigenação feita por Bilden pode ter exercido na trajetória de Gilberto Freyre, deve-se lembrar um pequeno artigo publicado sob pseudônimo em janeiro de 1929, no jornal *A Província*, dirigido por Freyre. Apesar de não se poder assegurar, sem nenhuma sombra de dúvida, que tenha sido escrito pelo diretor do jornal, o artigo leva a assinatura de Antonio Ricardo – um dos pseudônimos então utilizados por Freyre – e tem todo o tom e o humor freyreanos. Intitulado "Um preconceito que não devemos adotar", o texto ridiculariza os brasileiros que, solidarizando-se com a "gloriosa República norte-americana", defendem o preconceito contra as pessoas de cor, a "arianização", o "arianismo" , querendo passar por "arianos". Ora, diz o articulista, além de tal atitude ter muito de ridículo e grotesco, já que vários desses pretensos "arianos" têm um nariz tão chato que nem sustenta o *pince-nez*, o fato é que "a solução brasileira do problema de relações de raças" pode ser que "resulte num desastre, numa demonstração completa do fracasso da mestiçagem"; mas, acrescenta, talvez prove ser a mais humanitária, a mais cristã e, nesse sentido, "nossa maior contribuição à civilização". Não devemos nos envergonhar dela, portanto, mesmo que "o Brasil mestiço venha a falhar sob outros pontos de vista" (Antonio Ricardo, 1929).

Na defesa da "solução brasileira" exposta nesse pequeno artigo de *A Província* não há nada da firmeza nem vislumbre da fundamentação que irá caracterizar a futura postura de Gilberto Freyre em face da "solução brasileira" do "problema" racial. Sem que a riqueza dos valores culturais das várias raças que compõem o país seja mencionada e sem que a ideia de que "mixed is beautiful" seja anunciada, o artigo revela, ao contrário, uma resignação bem-humorada diante de uma situação de fato da qual um país de "semibrancos", como é o Brasil, não tem como escapar.

Voltando ao texto de Bilden de 1931 – que, provavelmente como outros, ele fez circular entre amigos e estudiosos do assunto e que é citado em *Casa-grande* –, percebe-se que novamente trata a questão da miscigenação nos termos com que a tratara no texto de 1929, mas situando-a, dessa vez, no contexto mais amplo de relações raciais na América Latina.[61] Intitulando-o "Race relations in Latin America with special reference to the development of indigenous cultures", Bilden queria contrapor-se à interpretação da América Latina como sendo, basicamente, uma "unidade coletiva" em que as diferentes repúblicas partilhavam de um desenvolvimento cultural uniforme. Para ele, uma abordagem como essa "que enfatizava um grupo de fatores, os de origem europeia", desconsiderando todos os demais, além de exalar forte "presunção do homem branco" provava ser "fatal para a compreensão" da especificidade dos vários países. A proposta de Bilden era abordar a história da América Latina "sem qualquer noção preconcebida sobre a superioridade de uma raça sobre outras", interpretando os vários países à luz da "mistura, justaposição ou antagonismo de seus elementos étnicos e de seus correspondentes valores culturais".

Pressupondo esse critério, apresenta o Brasil como país que ocupa uma posição única na região por destacar-se como aquele onde o "elemen-

---

61 Sabe-se que Melville Herskovits e Gilberto Freyre tiveram acesso a esse texto e uma cópia dele se encontra no AFGF.

to europeu nunca ocupou uma posição de domínio real e indisputável". Uma das principais razões para isso foi que o colonizador português foi "forçado" – tanto pelo meio geográfico como pelas exigências de sua "política colonizadora" – a competir com os outros elementos étnicos em quase igualdade de condições. A monocultura em larga escala e a "severa limitação" de mão de obra – insiste novamente Bilden, repetindo o que já dissera – tornaram "inevitável" que se desenvolvesse "uma política de escravização" e de mistura racial, para a qual o português já adquirira propensão ao longo de sua história.

Assim, a mistura de três grupos étnicos "radicalmente diferentes" e a consequente criação das condições necessárias para a evolução de uma cultura híbrida é, sem dúvida, argumenta Bilden, "o resultado de um equilíbrio excepcionalmente favorável e de uma integração benéfica de forças". Pois, independentemente do que se possa argumentar a favor ou contra, o fato é que "a miscigenação era a única opção aberta aos portugueses no Brasil". Reconhecendo, como no texto de 1929, que ainda havia "conflitos e maus ajustamentos" entre os vários grupos "supostamente incompatíveis" de etnias e tradições diferentes, Bilden volta a enfatizar as potencialidades do que agora chama de "encontro harmonioso de forças diversificadas", acrescentando que a temida diversidade regional acarretada por essa situação poderia ser considerada, ao contrário, como especialmente promissora de uma "rica existência cultural colorida e luxuriante". Em suma, insistindo novamente no futuro promissor do Brasil, Bilden afirma que a ausência de "antagonismo racial" contribui para a "equalização progressiva das raças no Brasil" por meio da miscigenação, e que isso o faz um país *sui generis*: "tornou possível o desenvolvimento pacífico de um país rico e distinto; de fato, o único país de origem europeia onde as três divisões fundamentais da humanidade se misturam em termos mais ou menos iguais e participam da construção de uma cultura singular".

A defesa finamente articulada e historicamente fundamentada da miscigenação brasileira feita por Rüdiger Bilden não pode ter deixado Freyre indiferente. O *insight* que ele havia tido em setembro de 1926, quando escreveu entusiasticamente sobre "o movimento de valorização do negro" que presenciara no Rio de Janeiro, precisava ser ao mesmo tempo reforçado e desenvolvido; para isso, a defesa de Bilden, inusitada para a época, contribuía decisivamente, dando-lhe forte impulso e sugestões. Não só a miscigenação e o hibridismo cultural eram historicamente explicados e valorizados na defesa de Bilden, mas ela também sugeria que a mestiçagem brasileira representava uma harmoniosa e musical interação de forças ou energias diversas. A noção assemelhava-se à de "antagonismo em equilíbrio" defendida por Spencer e Giddings e era proposta como condição de enriquecimento e progresso de uma civilização, como constava no projeto de estudos de Bilden e fora exposto por Freyre no *Diário de Pernambuco* em janeiro 1926.

Ao receber o *Casa-grande* de Freyre, em 1934, enquanto o seu próprio livro tão esperado não se concluía, Bilden não escondeu de seu interlocutor e amigo certo desapontamento ao ver que expunha ideias que considerava mais suas do que dele. Não podia negar que fosse "o livro mais valioso escrito sobre o Brasil em muito tempo", admirável por combinar uma abordagem ampla e compreensiva com "objetividade e precisão científicas". E também não podia pensar em nenhuma outra obra que se assemelhasse a *Casa-grande* nessa combinação de profundo amor pelo país com a disposição de "criticá-lo e atacá-lo quando necessário". Por outro lado, dizia, "é claro que você, até um certo ponto, esvaziou o meu tema e tornou mais difícil para mim escrever o meu livro", já que se utilizou "amplamente" de um "ponto de vista" com que antes não concordava e até criticara por considerá-lo "mecanicista". Mas, como que pensando alto, afirmava que não estava com inveja, pois reconhecia que apesar de ele e Freyre trabalharem sobre o mesmo assunto, encaravam-no sob "ângulos diferentes", ambos importantes para o tratamento exaustivo do "vasto campo". Além disso, completava, estava muito grato pelas "numerosas referências" ao seu trabalho e ficaria muito feliz se futuramente, em seu "novo livro", Freyre fizesse "mais referências", caso achasse apropriado – "ao meu artigo do Nation ... ou à minha apresentação em Virginia ou ao meu manuscrito" –, já que isso seria "profissionalmente útil" para ele.

A levar em conta a avaliação da obra de Freyre enviada a seu amigo Melville Herskovits, Bilden parece ter digerido o ressentimento inicial e reconhecido a inevitabilidade do que acontecera. No meio de rasgados

Maria Lúcia Garcia Pallares-Burke

elogios a Freyre como sendo "um dos mais brilhantes e capazes dos historiadores e sociólogos brasileiros", ele enfatizou a afinidade que os unia. Com a "possível exceção do antropólogo Roquette-Pinto", Freyre era o autor com quem suas ideias sobre o Brasil mais se afinavam. Além disso, tinham muito contato e diálogo: "nós trocamos pontos de vista sem reserva, e ele [Freyre] é a única pessoa que viu meus manuscritos. Seu livro é muito semelhante ao que estou escrevendo e em muitos aspectos importantes o esvazia, apesar de que meu livro será mais compreensivo e diferente em importantes aspectos. (Isso não deve ser, de modo algum, interpretado como sendo uma acusação de plágio, consciente ou inconsciente. Nós trocamos pontos de vista tão livre e frequentemente, que não podíamos deixar de nos influenciar reciprocamente)".

De fato, uma comparação dos textos e plano da ambiciosa tese de Rüdiger Bilden com a obra de Freyre, sugere que, caso tivesse sido completada, difeririam em muitos aspectos. Tendo pouco ou mesmo nada do tom coloquial e das qualidades ensaísticas e literárias da obra de Freyre, a de Bilden teria tido um viés econômico e científico muito mais acentuado e seria, ao que tudo indica, mais rigorosamente acadêmica; pouco tendo em comum, portanto, com o que Genovese, muito apropriadamente, chama de "projeto artístico" de Freyre: uma obra interpretativa da história brasileira em que o conhecimento sociológico se aprofunda e se amplia com "insights poéticos" (Genovese, 1969a, p.206; 1969, p.251). Mas, no que diz respeito ao papel da mestiçagem e da escravidão na história brasileira, haveria evidentes afinidades. E isso pareceu claro a estudiosos contemporâneos, como o antropólogo Arthur Ramos, que se refere em 1935 à ideia "de que não podemos estudar povos negros no Brasil, mas sim, e exclusivamente, negros *escravos*", como sendo "tese de Ruediger Bilden e de Gilberto Freyre". Esta é uma ideia, diz Ramos, "cara a Ruediger Bilden, e que Gilberto Freyre converteu em *leitmotiv* nos seus ensaios sobre a influência do negro no Brasil" (Ramos, 1979, p.241).[62]

---

62 Para uma interessante discussão sobre a importância de Arthur Ramos na elaboração e difusão da ideia de "democracia racial", ver Guimarães 2003, 2004.

Esse ligeiro estremecimento entre os dois colegas de Columbia talvez possa ter sido superado por Bilden, mas em Freyre seguramente deixou profundas cicatrizes e não foi jamais esquecido, a se levar em conta as alusões que, direta ou indiretamente, ele ainda fazia a esse episódio nas décadas de 1970 e 1980 (Freyre, 1975, p.178; 1983, p.194-5; 1979a, v.II, p.249-52; 2001b, p.34-9). Referindo-se ao amigo Bilden em texto publicado em 1983, Freyre afirma que "ao aparecer *Casa-grande & senzala* sentiu-se um tanto frustrado. Mas creio que sem razão. Poderia ter concluído sua tese sem que deixasse de trazer contribuição de todo dele sobre o assunto". Mas, "à parte esse episódio", acrescenta, fomos amigos quase fraternos" (Freyre, 1983a, p.194-5). Evidentemente a lembrança do velho amigo talentoso devia, de algum modo, entristecê-lo, pois o seu destino fora, sem sombra de dúvida, desafortunado.[63] Em momentos de maior introspecção a lembrança do antigo estremecimento devia fazer que Freyre sentisse uma pequena fagulha de culpa. A decisão de colocar as ideias de Bilden na pasta de "antecipações" na antologia que organizou em 1973, talvez possa ser entendida como o reconhecimento tardio de uma dívida intelectual que provavelmente devia sentir como não tendo sido suficientemente paga ou declarada com a devida insistência ao longo dos anos. Lembremos que Freyre tinha a preocupação de proclamar abertamente, e por princípio, as apropriações criativas que fizera de outros intelectuais. Não queria, como disse certa vez, ter o "excesso de imodéstia" que leva os homens "ao extremo da fraqueza" de negar ou esconder o que devem a outros. E isso, como insistia, porque não só é esforço tolo e vão – já que "não há quem não seja um produto mais ou menos harmônico de influências diversas e até contraditórias" – como porque o que é revelador da originalidade de alguém é o que faz com o que recebe de fora. A planejada reprodução do artigo "Sobre as ideias de Rudiger Bilden" publicado originalmente em janeiro de 1926, ainda que bastante alterado, buscava assinalar, como sugere o prefácio de Freyre, que seu colega de Columbia fora um dos grandes

---

63 Em entrevista ao *Jornal do Comércio* do Recife em 15 de março de 2000, o editor José Mário Pereira se recorda de perguntar sobre Bilden a Freyre na década de 1970 e de este fazer "uma cara triste" ao se recordar da "grande vocação intelectual" do ex-colega de Columbia (Pereira, 2000b).

estímulos que recebera "de seus contactos com o estrangeiro" (Freyre, 1952).[64]

Retomando a trajetória de Freyre, pode-se dizer que pouco faltava em meados de 1931 para que ele abandonasse definitivamente todos os resquícios do velho paradigma e construísse um novo modelo para repensar o Brasil. Funcionando talvez, naquele momento, como um elemento catalisador de tantas leituras, ideias e experiências que vinham povoando sua mente, a defesa da miscigenação articulada por Bilden como que impulsionou Freyre a desempenhar o papel da ostra que transforma tudo o que absorve. Foi aí, então, que uniu as duas ideias que vinha absorvendo de várias fontes: a valorização da miscigenação racial e cultural brasileira e a noção de "antagonismos em equilíbrio" como um valor altamente positivo. Surgia dessa junção a ideia de que a miscigenação cultural e racial era a marca equilibradora distintiva da cultura brasileira, sem dúvida uma das maiores inovações do novo quadro interpretativo inaugurado por Gilberto Freyre em 1933. "A força, ou antes, a potencialidade da cultura brasileira parece-nos residir toda na riqueza dos antagonismos equilibrados", declara em célebre passagem de *Casa-grande & senzala*; mas se em muitos setores essa riqueza era ainda uma promessa, a mestiçagem, já há muito em andamento na sociedade brasileira, desempenhava um papel nuclear na atualização desse potencial. O que o sistema econômico, "como um deus poderoso", dividia como senhores e escravos, a miscigenação, como que assumindo um papel negociador, aproximava. Enquanto em outros países prevalecem antagonismos em conflito nos relacionamentos entre as raças, no Brasil o "óleo lúbrico da profunda miscigenação" os equilibra, ou suaviza, diz Freyre em 1933, numa das muitas vezes em que se referiu ao que considerava a peculiaridade brasileira (Freyre, 2002, p.343, 180). Foi essa então, por assim dizer, a resposta brasileira à solução racista anglo-saxã alardeada nos Estados Unidos nos anos 1920 e ali experimentada pelo jovem Freyre.

---

64 Como explica Edson Nery da Fonseca, o organizador de *Antecipações*, antologia publicada em 2001, Freyre teria entregue e preparado a "pasta" com os artigos selecionados em 1973 (cf. Freyre, 2001b, p.6-9).

Gilberto Freyre

De "Child Life in Brazil" a "The Child in the House": a contribuição de Walter Pater

O projeto secreto que Freyre tinha no final de 1929, e para o qual pedira a contribuição de Manuel Bandeira, era, como ele disse ao amigo do Rio, escrever sobre "child life in Brazil".[65] O que teria feito Freyre desistir desse tema e transferir seus esforços para o tema da família patriarcal brasileira, ou como disse certa vez, para "o drama da formação da família brasileira", em que a casa ocupava um papel central?

Já se sugeriu, muito apropriadamente, que o fato de a casa de sua família ter sido destruída e pilhada em 1930, tanto no sentido literal como figurado, por uma nova ordem que surgia criara a necessidade de reconstruí-la simbolicamente (Burke, 2002, p.790-1; Needell, 1995, p.64). No meu entender, outra importante razão deve ser acrescentada para explicar tal mudança de planos. A história da infância era um tema limitado demais para que a potencialidade do novo paradigma que Freyre criara fosse devidamente aproveitada. A riqueza de antagonismos em equilíbrio da sociedade brasileira não poderia ser, por exemplo, devidamente apreciada e estudada nesse contexto. Um tema mais amplo e abrangente precisava ser encontrado para fazer jus à nova interpretação da história do Brasil que suas ideias agora prometiam. É como se o projeto sobre a história do menino, cuja realização sonhara tanto tempo, estivesse em descompasso, naquele momento, com o desenrolar de sua trajetória.

É nesse momento, ao que tudo indica, que a noção de "casa" desenvolvida por Walter Pater em seu conto "The Child in the House" – sobre o qual já havia lido cuidadosamente em março de 1922 na biografia escrita por Benson – é retomada e adquire um significado e uma função centrais no pensamento de Gilberto Freyre. Mais envolvente e rica do que a de "menino", a noção de "casa" acomodava-se melhor à ampla interpretação do Brasil que Freyre estava pronto a escrever e na qual o tema da miscigenação seria central e enfrentado em novas bases. Acomodava-se melhor especialmente por ter um duplo significado, literal e

---

65 Carta de G. Freyre a M. Bandeira, s.d., enviada de Lisboa, AFGF.

simbólico. De um lado, a casa como arquitetura, com todos os detalhes significativos da cultura material nela presentes, e, de outro, a casa como símbolo da família patriarcal. Um dos grandes méritos de *Casa-grande & senzala* foi exatamente explorar com maestria esse duplo significado de "casa" com que muito cedo Walter Pater lhe havia acenado em "The Child in the House".

A viagem de introspecção de Florian Deleal descrita nesse conto e já analisada a propósito do estímulo que significou para o reenraizamento de Freyre no Recife precisa ser agora retomada como o texto alegórico e autobiográfico que primeiro descortinou para Freyre a importância da casa como elemento central para a compreensão da história do homem.[66] O *Frau Sorge* de Sudermann, lido com entusiasmo um pouco antes da descoberta do conto de Pater, já o sensibilizara em algum grau para a importância simbólica da casa na história de um indivíduo. A nostalgia do velho menino triste, Paul Meyerhofer, pela "Casa Branca" onde nascera era tanta, que muito cedo ela passou a representar para ele "o que o 'Paraíso Perdido' é para a humanidade". No conto de Pater, no entanto, essa questão era mais central e tratada magistralmente.

Já se argumentou que em nenhum outro de seus textos o ensaísta de Oxford revelou tão vividamente quão fundamental era o "sentido de casa" para ele e quão profunda é a "tirania dos sentidos" na vida moral, espiritual e emocional dos indivíduos (Hough, 1947, p.166-74). O conto narra o reencontro de Florian Deleal com seu passado e sua busca dos "pequenos acidentes" que determinaram o homem que ele se tornou. A busca se inicia a partir do encontro de Florian com um "pobre homem velho" numa "tarde muito quente". Ao ajudá-lo com sua carga por certa distância e ouvir "sua história", Florian descobre que ambos têm o mesmo lugar de origem. Naquela mesma noite, como uma espécie de "recompensa por seu compadecimento", ele tem um sonho que lhe descortina com grande clareza o "verdadeiro aspecto" do lugar onde nasceu e "especialmente da casa" onde crescera, mas de onde há muito tempo se afastara.

A visão reconfortante de suas portas, janelas, lareiras, e até o perfume que pairava no ar determinam que, ao acordar, Florian tome a decisão

---

66 A discussão a seguir já foi desenvolvida em Pallares-Burke (1997, p.23-9 e 2002, p.827-30).

de recuperar a história de sua formação; ou, como Pater formulou, "o processo de construção mental pelo qual nós somos, cada um de nós, o que somos". Com a imagem ainda vívida do sonho da casa onde crescera, Florian vê então uma criança se movendo pelos aposentos que lhe eram familiares – por entre salas de lambris antigos, subindo pelas escadarias, vagando pelo grande sótão repleto de maravilhas a ser exploradas etc. – e pode então perceber que ele devia a essa "casa meio-espiritualizada" muitos de seus sentimentos e pensamentos. Sua alma fora aos poucos sendo tecida interna e externamente com elementos espirituais e materiais que se entrelaçavam numa "textura inextricável". Até mesmo o "ângulo em que o sol caía de manhã no travesseiro" tornara-se parte do seu ser. O que antes lhe parecera tão parte da natureza das coisas, Florian agora reconhece como o resultado das múltiplas experiências infantis vividas junto de sua família na "velha casa" nos arredores da cidade.

Que a experiência de Florian não se esgota no seu caso particular, mas é representativa da experiência humana, fica evidente em vários trechos do conto em que o narrador o mostra compreendendo a complexidade da vida a partir de sua própria individualidade. Um dos trechos mais vívidos, que foi reproduzido no livro de Benson e marcado pelo jovem Freyre, descreve exatamente esse elemento comum à história de todos nós: "Quão insignificantes, no momento, parecem as influências das coisas sensíveis que são lançadas e caem sobre nós, de algum modo, no ambiente de nossa primeira infância. Quão indelevelmente, depois descobrimos, elas nos afetam". Gradual e irrevogavelmente elas se imprimem nas nossas almas, como em uma "cera mole", ou um "papel em branco", diz Pater (Benson, 1911, p.5).

Além das formas de pensar e sentir que "para sempre habitarão conosco", diz o narrador, esse processo de "construção mental" faz também que se desenvolva "um sentido de casa especialmente forte", que constitui "um motivo poderoso para todos nós". Tornando-se uma espécie de "relicário material ou santuário do sentimento", a casa onde crescemos – seja ela a tipicamente inglesa com aconchegantes "cortina branca e abat-jour" ou a "tenda" que o nômade árabe "desmonta toda manhã" – se impõe como um "simbolismo vivo" que se entrelaça "em nossos pensamentos e paixões", daí se seguindo que todo o nosso relacionamento com o mundo estará para sempre profundamente marcado pelas primeiras experiências que nela vivemos (Pater, 1910a, p.178-9).

Não há como negar as afinidades entre as ideias de "a criança na casa" de Pater e o estudo da "casa-grande" desenvolvido por Freyre em 1933. Transformada num elemento totalizante, que engloba o material e o espiritual, a criança e o adulto, o homem e a mulher, os senhores e os escravos, as coisas grandes e pequeninas, o público e o privado, a casa se impôs na grande obra de 1933 como o elemento central para a compreensão do drama da formação brasileira. A partir de então, Freyre nunca se cansou de afirmar e reafirmar a importância psicossociológica da casa na formação do Brasil e, em especial, da casa-grande no caráter patriarcal da sociedade brasileira. E deixou sempre muito claro que iniciara o estudo deste tema – "da casa em suas relações com a pessoa, por um lado, e com o todo social, por outro" – a partir de um impulso "introspectivo, autoanalítico e até autobiográfico", que se desdobrara em análise social.

Aqui, no início dos anos 1930, portanto, assistimos ao momento de convergência em que as múltiplas inspirações literárias que Freyre fora acumulando desde muito cedo se casam entre si e com os conhecimentos mais científicos e acadêmicos que ele se interessara em adquirir nos anos anteriores. O momento, por exemplo, em que o aprendido com John Ruskin e William Morris sobre o quanto a arquitetura de uma época evidencia dos valores morais e culturais que a norteiam converge com as ideias dos historiadores alemães Oswald Spengler e Gustav Schmoller sobre casa e cultura.[67] Ou o momento em que as impressões de Hearn sobre as Índias Ocidentais, que lhe haviam aguçado a sensibilidade para o fenômeno da miscigenação, convergem com as discussões de Roquette-Pinto e Franz Boas sobre a falta de fundamentação científica para a tese da degeneração dos mestiços. Enfim, o momento em que sua notável habilidade de consumir e transformar os conhecimentos e sugestões que adquiria vai se revelar como nunca antes, habilitando-o a fornecer

---

67 Spengler e Schmoller são mencionados no primeiro prefácio de *Casa-grande & senzala* como importantes historiadores que tratam do valor simbólico de "casa" (cf. Freyre, 2002, p.11-2).

ao brasileiro um "cartão de identidade" do qual, pela primeira vez, podia orgulhar-se (Ortiz, 1985).

Já foi lembrado no início deste trabalho que assim como Chesterton tivera de viajar para longe da Inglaterra para chegar até ela, Freyre tivera de ir, literal e imaginariamente, aos Estados Unidos e à Europa para chegar ao Recife. Curiosamente, então, pode-se dizer que a mudança de percepção, ou imagem, que o Brasil tinha de si mesmo – que de triste e pessimista se tornou orgulhosa e otimista – muito se deve a esse distanciamento de Freyre e às novas perspectivas que as ideias estrangeiras lhe abriram.

O caminho que levou Freyre à "porta" da casa-grande – e que este livro tentou rastrear, seguindo-o também nos pequenos desvios que fez e nos descaminhos e becos sem saída que encontrou ao longo de sua trajetória – coincide também com a culminação de um processo de absorção de ideias britânicas que, acomodadas aos trópicos, iriam ter papel central na criação desse "invento-realidade" ou "quase mito" da sociedade brasileira que, querendo-se ou não, é ainda parte central do imaginário nacional (Cardoso, 2003).[68] Em outras palavras, por mais paradoxal que possa parecer, Freyre fez que, indiretamente, os ingleses participassem da construção de uma nova "comunidade imaginária" e dessem uma contribuição decisiva à "formação das almas" brasileiras (Anderson, 1983; Carvalho, 1990).

---

68 Para uma séria e perspicaz reflexão sobre os riscos da rejeição do mito social da democracia racial, tal como estaria ocorrendo no Brasil de hoje, ver Fry (2005a).

Epílogo

O interesse de Gilberto Freyre pela cultura inglesa, com ênfase no período vitoriano, não declinou após a publicação de *Casa-grande & senzala*. Ao contrário, até aumentou, apesar de ele ter voltado poucas vezes à Grã-Bretanha. Temia, pode-se supor, que o retorno ao país, especialmente a Oxford, pudesse desapontá-lo, alterando e mesmo maculando as memórias da breve "época paradisíaca" que ali vivera na juventude (Callado, 1962, p.106). Ele o confessou em seu diário-memória, escrevendo sobre a nostalgia que sentia do estrangeiro ao retornar ao Brasil e sobre a necessidade de romper drasticamente com seu "intenso passado ... inglês e parisiense" para conseguir reintegrar-se no país. Isso é confirmado na carta que escreveu em 1926 a Fidelino de Figueiredo. No seu diário, Freyre referiu-se à decisão que tomara de não responder aos amigos que lhe escreviam, "sobretudo aos de Oxford", e sugeriu que seu apego às roupas inglesas, aos "bifes à inglesa" e à bicicleta Raleigh, "inglesa como ela só", eram um pequeno consolo às suas saudades (Freyre, 1975, p.134, 249, 156, 162, 221).[1] Em carta de maio de 1926 enviada de Washington ao seu amigo de Lisboa, confessava que estava no Recife

---

1 Sobre seu retorno a Oxford em 1956, ver também Freyre (1980, p.44).

isolado, até mesmo de suas "melhores amizades epistolares", e que cortara "muitas delas – as inglesas por exemplo" logo no início de sua "vida tropical".[2] Anos mais tarde, após ter revisitado a Inglaterra pela primeira vez, ocasião em que se encontrou com o antropólogo Edward Evans-Pritchard em Oxford e com o historiador Charles Boxer em Hertfordshire, deixaria registrado, em tom de desalento, que "a gente nunca deve voltar aos lugares onde foi muito feliz".[3]

Seu sentimento era ambíguo, pois ao mesmo tempo queria e não queria revisitar a terra de seus "avós espirituais mais queridos" e a cidade onde de imediato se sentira *"at home"*, como dissera a Oliveira Lima logo ao chegar a Oxford em 1922.[4] Pressionado pela nostalgia, Freyre ansiara, na verdade, por um convite que tardou a chegar. Em 1943, deixou clara a queixa de "que, excetuados convites a Oxford e Cambridge, toda a honra que poderia vir a um simples escritor brasileiro, dos mais altos centros de moderna cultura universitária da Europa livre e das Américas, já me veio ou continua a vir-me" (Freyre, 1990, p.41).[5] E em 1951, durante sua viagem a Portugal e à África, o esteta Freyre ainda expressava um quê de nostalgia da "beleza física" que contemplara em terras britânicas e que, segundo ele, "a inglesa ou a indiana pura dificilmente alcançam; e o anglo puro só quando anjo: sob a forma de adolescente de Eton ou de Oxford" (Freyre, 2001a, p.338).

Em 1965, finalmente, chegou um convite especial, não de Oxford, como teria preferido, mas da recém-fundada Universidade de Sussex, conferindo-lhe o grau de *doctor honoris causa*. Ele o aceitou e deu uma aula sobre *"The Racial Factor in Contemporary Politics"*. Seu "inglês excelente" surpreendeu ao menos um dos ouvintes, e o anfitrião, o vice-reitor

---

2 Carta de G. Freyre a F. de Oliveira, 3/5/1926, AFGF.

3 Cópia de trecho de carta de G. Freyre, aparentemente endereçada à sua mulher, Madalena, AFGF. (Trecho datilografado, sem data ou destinatário, em que diz: "Olhe aqui, Magdalena, carta daquele meu amigo de Oxford que você conheceu na Inglaterra. Diz que concorda comigo: Oxford hoje perde para Cambridge. Cambridge não se deixa invadir pelas indústrias. Eu bem que não queria voltar a Oxford. A gente nunca deve voltar aos lugares onde foi muito feliz".)

4 Carta de G. Freyre a O. Lima, 6/11/1922, Oliveira Lima Papers.

5 Conferência "A ternura maternal da Bahia", lida na Associação Atlética da Bahia e publicada no livro *Na Bahia* em 1943.

Asa Briggs, ainda se recorda das discussões sobre literatura vitoriana que teve com Freyre; sua anglofilia, comenta, era "mais agradável" do que a usual, pois tinha como base um conhecimento "profundo e intenso" da literatura inglesa. Freyre "não mencionava autores ingleses só para obter efeito", diz Briggs (cf. Pallares-Burke, 2000a, p.75).[6]

Apesar de as visitas serem raras, é inegável que a Inglaterra permaneceu importante para Freyre. Ele era, na verdade, considerado um *expert* brasileiro que combinava conhecimento com profunda admiração pelo país. Publicar um livro sobre a Inglaterra sem a contribuição de alguém que a "conhece tão intimamente" como Freyre era inadmissível, insistia Álvaro Lins, tentando convencer o amigo, então relutante, a escrever um capítulo para o livro que estava organizando em 1942 para a "coleção Joaquim Nabuco".[7] Ao longo dos anos sua fama de anglófilo aparentemente se manteve. Na década de 1970, por exemplo, José Guilherme Merquior, ocupando então um cargo diplomático na Inglaterra, tomou a Freyre como seu colega de anglofilia ao confidenciar-lhe sua nova paixão. "Enamorado" da cultura britânica ou, como diz, da "britanicidade, esta forma tão peculiar de estar no mundo", e da "incrível sensualidade londrina" confessa estar em processo de transformação: "o fanático de Paris" estava se desdobrando em "mais um cativo de Londres", diz Merquior ao "mestre Gilberto", enfatizando que queria "trazê-lo em breve de volta a Londres".[8]

Freyre também continuou a anotar obras em inglês; por exemplo, obras de história (a *Social History of England*, de G. M. Trevelyan); de literatura e ensaios (*The Tenth Muse*, de Herbert Read); de sociologia (*Science and the Social Order*, de Bernard Barber) e antropologia (Radcliffe-Brown e Evans-Pritchard). Na década de 1940, em particular, ele seguiu de perto a situação política da Grã-Bretanha e expressou admiração por Winston Churchill, o grande primeiro ministro durante a guerra, e também por Stafford Cripps, o socialista e futuro ministro da Fazenda do Partido

---

6 Cf. Peter Burke, um dos membros da plateia de Sussex.

7 Cartas de A. Lins a G. Freyre, 2/8/1942 e 14[?]/11/1942, AFGF. O livro sairia finalmente em 1946 com um capítulo de autoria de Freyre: "Aspectos da formação e do caráter britânicos"(cf. Lins, 1946).

8 Carta de J. G. Merquior a G. Freyre, 14/1/1976; 9/2/1976, AFGF.

Trabalhista, que era amigo de Nehru e estava profundamente envolvido nas negociações que levaram à independência da Índia em 1947.

Foi a Cripps que Freyre dedicou seu livro *Ingleses* (1942), uma coleção de 26 ensaios sobre temas ingleses, muitos dos quais já haviam aparecido recentemente em jornais e revistas. Neles fica claro quanto da Inglaterra o seduzia: a língua, a história, o comportamento do inglês, seu humor, sua fleuma e sua excentricidade, são alguns dos itens louvados. A gramática inglesa, por exemplo, diz Freyre no seu vívido estilo já peculiar, "é quase um peixe sem espinhas para a boca dos meninos das quatro partes do mundo". É essa *"grammarless language"* que seus ensaístas põem, modestamente e sem alarde, a serviço de pensamentos densos e profundos (Freyre, 1942a, p.22)[9]. A coleção focalizava indivíduos – incluindo Lord Byron, Thomas Hardy, Robert Southey, William Morris, Florence Nightingale, Havelock Ellis –, mas também discutia temas gerais, tais como "autores de diários", "o vinho do Porto e os ingleses", "recordações de Oxford" ou "Anglos às vezes Anjos". Nesse ensaio, que abre a antologia, Freyre chama especial atenção para aquelas características inglesas, os dons "angélicos", que compensam o esnobismo, a arrogância, a hipocrisia, o "insularismo" e o "hirto anglicismo" tão detestados pelos anglófobos. A contrabalançar tais traços, o *"sense of humour"* tão reconhecidamente inglês, era, por exemplo, um verdadeiro "corretivo angélico" ao pedantismo, à arrogância e ao etnocentrismo desse povo que sabe, mais do que nenhum outro, segundo Freyre, rir de si mesmo. A tradição inglesa das revoluções sem sangue, "revoluções brancas" como Freyre as chamava, era outro valor que revelava "o dom angélico do inglês de contemporizar, harmonizar e equilibrar antagonismos entre os homens, as gerações, os credos, as classes, os povos, os sexos, as raças" (ibidem, p.24-6). *Ingleses* é um livro que pode ser lido como uma manifestação de simpatia pela Inglaterra em guerra contra Hitler e, simultaneamente, uma celebração do seu velho amor, descrito como "um amor físico e ao mesmo tempo místico à Inglaterra".

O prefácio de José Lins do Rego, uma verdadeira ode à Inglaterra – talvez ainda mais exacerbada pelo momento crítico por que esta passava

---

9 *Diário de Pernambuco*, 21/10/1923.

Gilberto Freyre

como alvo principal dos alemães – é a demonstração de quanto Freyre assumiu o papel de professor de anglofilia ao retornar ao Recife. Tão logo chegou ao Brasil, confessava Rego, "Gilberto Freyre me ensinou a amar esta gente-síntese da Humanidade. Deu-me a ler os seus poetas e os seus grandes romancistas". Mas a anglofilia que difundia não se baseava na visão de um país ou de um povo louvável e invejável como um todo, esclarece o prefaciador. O que Freyre divulgava era a noção de ser na Inglaterra que "a humanidade se encontra nos seus extremos", de serem os ingleses grandes exatamente pelo que têm de contraditório, pelo que têm de "anglos" e de "anjos": "anglos que massacraram os hindus, egípcios, malaios, mas que liquidaram o cólera-morbo da Ásia, que fizeram a Austrália, a África do Sul [triste ironia!], e criaram este país de sonhos que é o Canadá", como diz o deslumbrado Rego. Ou, como logo acrescenta, povo capaz de uma sublime arte poética, mas que também "bota Oscar Wilde no cárcere, que amarrota e dilacera como um galé o infeliz poeta da *Balada do enforcado*". Gilberto Freyre viu a Inglaterra "de corpo inteiro", declara Rego, e é por isso que considerou os seus homens como "súmulas de humanidade", como "tudo o que é bom e tudo o que é ruim da natureza humana". Milton e Shakespeare, "súmula de toda a humanidade", por exemplo, "valem pela natureza humana, pelo que é o homem na sua grandeza e na sua miséria" (ibidem, p.7-17).

Pode-se dizer que as referências à Inglaterra se tornaram, muito cedo, praticamente um *must* na obra de Freyre. Em outra coleção de ensaios, publicada em 1944, *Perfil de Euclides e outros perfis*, é ao "quase monge de Oxford", o sempre lembrado Walter Pater, que apela para justificar a publicação de "páginas remotas": apesar de exuberantes e superficiais como eram as de George Moore no seu *Confessions of a Young Man*, elas apresentavam aquela audácia e *"unfailing liveliness* [vivacidade infalível] de livro de mocidade" que Pater admirara na obra de Moore. É também ao ensaísta inglês Havelock Ellis que Freyre apela para reforçar sua escolha de um estilo literário cheio de "cacoetes e caprichos" tão distantes do gosto ortodoxo e acadêmico.

As resenhas da biografia de Farias de Brito e das memórias de Oliveira Lima que inclui na coletânea são também feitas a partir do modelo de biografia "à inglesa", que tanto valorizava por não se contentar, como vimos antes, com a "monotonia do sucesso".[10] Sylvio Rabello era elogiado porque descrevia Farias Brito sem cultuá-lo em demasia, como era de praxe; ele procurava, como salienta Freyre, reconstituir sua personalidade em relação "com o meio, com a época, com os antecedentes", não se limitando a apontar os grandes fatos da vida de um homem ilustre, mas também "as coisas miúdas, mas de significação". Quanto ao "Dr. Johnson do Dicionário", como Freyre se referia a Oliveira Lima, o que suas memórias revelavam da vida de outros políticos, diplomatas e intelectuais brasileiros certamente iria desagradar aos que "preferem ver os grandes homens sempre olímpicos e cor de rosa", tal como aparecem nas biografias oficiais e nos elogios acadêmicos. Aceitando o imperfeito e inacabado no humano, as páginas de Oliveira Lima, dizia Freyre, "não deixam os grandes homens descansar na sua glória de estátuas" (Freyre, 1944, p.13-4, 16-7, 70-1, 159-64).

Freyre também discute nessa antologia as "ideias e roupas à inglesa" de Joaquim Nabuco, descreve Machado de Assis como "quase um inglês tristonho desgarrado nos trópicos", cuja imitação do humor inglês fora uma "assimilação genial", e Joaquim Nabuco e Euclides da Cunha como "formidáveis românticos" devido a "influências inglesas". E no ensaio dedicado a Odilon Nestor, o velho amigo que presidira o Centro Regionalista no Recife, Freyre o descreve, na sua combinação de "homem de ação e *scholar*", como um verdadeiro *gentleman*, um representante sertanejo do *gentleman* inglês da "era moderna" que "foi o vitoriano ou o eduardiano", ele próprio descendente dos "grandes ingleses da Renascença à Restauração" (ibidem, p.49, 23-4).

Algumas das "páginas remotas" que Freyre inclui nessa antologia são as dedicadas a traçar o perfil de D. Pedro II, reprodução da conferência dada em dezembro de 1925 na Biblioteca Pública do Recife e publicada originalmente na *Revista do Norte* de março de 1926. É nela, como já apontamos, que Freyre deixa claro que não admirava os vitorianos indiscriminadamente e que, por exemplo, a moralidade puritana que o imperador impusera à sua corte não lhe parecia em nada louvável. É nesse texto que fica também claro que era entre os próprios vitorianos –

---

10 Ver Introdução.

mas entre vitorianos antivitorianos, como William Morris, Walter Pater e Oscar Wilde – que Freyre estava encontrando a inspiração estética e intelectual para pensar o seu mundo.

O caráter nacional inglês foi analisado dois anos mais tarde em "Aspectos da formação e do caráter britânicos", quando Freyre novamente chama a atenção não só para o especial talento nacional para o compromisso, equilíbrio ou conciliação entre indivíduos ou grupos, mas também entre inovação e conservação, entre aventura e rotina, entre insularidade e cosmopolitismo ou, como diríamos hoje, entre o local e o global. Os antecedentes que explicam esse especial talento dos britânicos não se encontram, argumenta, nem numa suposta pureza da raça anglo-saxônica nem numa condição geográfica especial. Pelo contrário, a peculiaridade dos ingleses talvez se explique por um grande "poder digestivo" que lhes permitiu, ao longo dos séculos, alimentar-se dos vários elementos e dos valores advindos dos celtas, latinos, franceses, germânicos e de todos os outros povos que contribuíram para a sua formação. No seu "caráter ecumênico ou misto, e não singularmente insular", o povo inglês, afirma Freyre, assemelha-se especialmente ao português, pelo menos o português do passado, antes que ele fosse dominado por uma espécie de "autofagia cultural"; e a combinação de aventura e rotina, ou de inovação e conservação, que caracterizou a história portuguesa até o século XVIII – mas cujo segredo perdeu desde então –, continua a ser a marca peculiar da civilização inglesa. As experimentações de literatos como Browning, Carlyle e Joyce e de críticos como William Morris são dadas como exemplos da abertura que existe na Inglaterra para as aventuras e inovações, ao lado do espírito da rotina e da conservação (Freyre, 1946, p.158-68, 173-6).

É no mínimo intrigante o fato de Freyre ter omitido uma referência ao modelo inglês quando se referiu, em suas aulas de 1944 na Universidade de Indiana, ao caráter especial da colonização portuguesa. Nessa ocasião Freyre enalteceu os brasileiros por sua capacidade de resolver conflitos por meio de "revoluções brancas" – uma peculiaridade inglesa, como ele apontara em 1942 – e equiparou os portugueses aos espanhóis e russos na sua habilidade de acomodar, integrar ou equilibrar antagonismos. Uma possibilidade é que para essas aulas sobre o "'fusionismo' étnico e social brasileiro" que preparara "especialmente para um público anglo-americano", Freyre quisesse enfatizar as diferenças entre a solução pacífica brasileira e a solução segregacionista norte-americana. Referências ao modelo conciliador da cultura britânica colonizadora poderiam confundir ou complicar a questão (Freyre, 1945a, p.v., 2-5 e passim).

De qualquer modo, no texto de 1946 Freyre retoma também um de seus temas preferidos no que diz respeito à Inglaterra: o sentido romântico de sua cultura e instituições, sentido este entendido nos moldes de John Ruskin e Walter Pater, como oposição ao acadêmico, ao lógico, ao impessoal, às "generalidades da razão, da abstração, da teoria".[11] Em *Ingleses*, ele já insistira em que "há sempre um romântico dentro de cada inglês genuinamente inglês", propondo que uma de suas características principais é a contradição: o naturalista Waterson era um romântico; o grande William Morris era "outro inglês romântico"; o historiador Robert Southey era um "romântico letrado, sofisticado", e assim por diante (Freyre, 1942a, p.48, 52, 56, 73 e passim). Agora, generalizando esse traço mais explicitamente para a cultura e as instituições, Freyre diz que é este sentido romântico que dá às instituições britânicas a beleza da imperfeição, da experimentação e do inacabamento, ou, como diz, a "'*beauté du diable*' dos corpos em crescimento" em oposição à "beleza madura, e por isso parada, das formas clássicas". Esse é o motivo, afirma com toda a ênfase de sua anglofilia, pelo qual, paradoxalmente, "as instituições britânicas não são difíceis de ser imitadas por causa de sua perfeição mas, ao contrário, devido às suas imperfeições, ao seu eterno estado de formação e de adolescência, ao seu eterno estado de experimentação conciliado com o apego à tradição: tradição viva, que não se confunde nunca com a imobilidade narcisista dos grupos sociais que se supõem perfeitos ou as instituições que se consideram definitivas e completas" (1946b, p.178-80).

No mesmo ano em que esse estudo sobre o caráter britânico era publicado, outra manifestação significativa de Freyre foi a conferência "Ordem, liberdade, mineiridade", proferida na Faculdade de Direito da

---

11 Ver Introdução.

Universidade de Belo Horizonte.[12] Continuando seu esforço de fazer uma analogia entre o país que amava a distância e o seu próprio, Freyre propõe que o Estado de Minas Gerais é semelhante à Inglaterra porque sua gente, ao lado dos baianos, é exímia na arte da concilição de valores antagônicos, como entre ordem e liberdade. Avessos a "extremismos, simplismos ou purismos ideológicos", os mineiros são elevados por Freyre à categoria de britânicos. "Minas deve ser hoje a nossa Grã--Bretanha" e é dela que o país precisa para resolver seus problemas por meio da "chamada revolução branca – cuja possibilidade o próprio Marx admitiu", declara Freyre (1965, p.23, 28, 31, 39).[13]

O momento de reconstrução política, econômica e social por que estava passando o Brasil em 1946 exigia a ação e a sabedoria da "mineiridade e da baianidade", ou seja, "o equilíbrio inteligente de nossos antagonismos", no qual os ingleses, segundo Freyre, são inquestionáveis mestres. Na arte de construir "combinações novas" sobre indivíduos, grupos ou sistemas "rigidamente antagônicos ... o inglês ou o britânico permanece ... mestre sem igual", diria Freyre em 1948, repetindo o enunciado que se constitui quase num refrão do seu pensamento (Freyre, 1965, p.31; 1948d, p.19). Falando diante da Câmara dos Deputados um ano antes, lamentara que uma das maiores figuras da história brasileira, Joaquim Nabuco, "não aprendera o bastante" com seus mestres ingleses sobre a "arte da contemporização". Muito absorvera do socialismo ético de William Morris, mas com a queda da monarquia "não lhe foi possível transigir com os vencedores" (Freyre, 1948b, p.39-40).[14]

No esforço por equiparar o britânico com o brasileiro, o anglófilo de Apipucos chama sua outra paixão – a literatura inglesa – em seu auxílio na palestra de 1946 em Belo Horizonte. Assim como o romancista inglês, o mineiro aceita como inescapáveis as imperfeições e contradições humanas, argumenta Freyre. "Como artista político, o mineiro me parece uma espécie de romancista inglês cujo realismo fosse sempre o psicológico,

---

12 Esta é uma das conferências publicadas em 1965 na antologia *Seis conferências em busca de um leitor*.

13 Sobre a Bahia, ver "A Bahia, mestre da conciliação", publicada originalmente na revista *O Cruzeiro* em março de 1949 e republicada em Freyre (1990, p.87-9).

14 Discurso do dia 20 de maio de 1947.

o que desce às cavernas e às criptas da natureza humana; e não o linear, o lógico, o da superfície. Uma espécie de romancista inglês cuja filosofia fosse a de aceitar da vida, dos homens e dos acontecimentos suas contradições em vez de pretender ignorá-las ou sufocá-las, como nos romances franceses de tese ou nas novelas de construção mais lógica do que psicológica" (1965, p.23-4, 26, 28, 30-2, 36). Enfim, os mineiros seguem o modelo inglês nessa arte, esclarece, porque conhecem mais do que nenhum brasileiro "o padre nosso da Relatividade", ou seja, reconhecem que as soluções extremadas são simplistas porque desconsideram a impureza inevitável e as contradições inerentes a tudo o que é relativo ao humano.

Sobre esse tema é interessante aqui lembrar que a admiração de Freyre por Walt Whitman só se revelou no momento em que reconheceu no poeta norte-americano o mesmo traço que o cativava em certos indivíduos e instituições britânicas: "seu eterno estado de formação e de adolescência". Inicialmente fizera restrições a Whitman, considerando-o um poeta ao mesmo tempo barulhento, inautêntico e pretensamente democrático; "tão metido a simples e a modesto", mas, na verdade, "um formidável espetaculoso".[15] Mas em 1947, corrigindo sua impressão, louvou-o pelo que tinha de contraditório, ilógico, incoerente, imperfeito, adolescente, inacabado – traços subentendidos na sua ampla e nada convencional concepção democrática que, sendo avessa às "místicas partidárias", valorizava ao mesmo tempo o "homem comum" e o comando do "homem incomum". É porque Whitman era, ele próprio, um "homem-orquestra", ou seja, "um polifônico" em cuja voz se ouviam tantas ideias antagônicas e contraditórias, que tinha sabido louvar a grandeza de líderes como Lincoln e Roosevelt, que "conseguem combinar antagonismos em vez de encarnarem o ideal ou o interesse exclusivo de uma classe, de uma raça, de uma nação, de uma seita, de um credo" (Freyre, 1948c, p.21-5, 57-9).[16]

A mais importante de todas as obras que tratam dos ingleses foi, sem dúvida, a que Freyre publicou em 1948, *Ingleses no Brasil*. Tratando

---

15 *Diário de Pernambuco*, 20/9/1925.

16 Texto da conferência originalmente lida na Sociedade dos Amigos da América, Rio de Janeiro, em 22 de maio de 1947.

Gilberto Freyre

do papel dos ingleses no Brasil no início do século XIX, esse estudo sobre a "reeuropeização" do Brasil é considerado "uma das contribuições mais originais da cultura ocidental do século XX" por um dos maiores historiadores brasileiros da atualidade. Nele Freyre utiliza a abordagem sincrônica da antropologia para estudar a presença britânica na história e no ethos brasileiros (Mello, 2000, p.12). Desenvolvendo a premissa de que os personagens mais ilustres e os fatos mais grandiosos contam só uma parte da história, Freyre propõe que, para conhecer as influências da cultura inglesa sobre a brasileira nos seus aspectos materiais e imateriais, é pertinente estudar os personagens mais obscuros, "os marias-borralheiras" da história e os "pormenores significativos". É assim que trata da "invasão" do país pelos produtos ingleses como cerveja, chá, capas, chapéus, chalés, gravatas, pianos e *water closets*, mas também se estende sobre os comerciantes e os muito destemidos técnicos, engenheiros, missionários, médicos, cientistas e outros obscuros ingleses que, desbravando terras inóspitas e adaptando-se, muitas vezes, aos costumes dos "matutos e sertanejos", tornaram-se agentes da modernização brasileira, de um lado, e contribuíram para que as culturas brasileira e britânica "se aproximassem ou se interpenetrassem", de outro (Freyre, 1948a, p.39, 109, 223 e passim).

É assim que, utilizando pioneiramente os anúncios de jornais e a correspondência consular como fontes de acesso a pormenores significativos da história, Freyre não se detém a explorar o processo de reeuropeização do Brasil que, de tão notório, gerara a queixa de que a presença britânica "londonizava nossa terra" (apud Veiga, 1987, p.32); paralelamente chama a atenção para o modo como os produtos importados eram, muitas vezes, abrasileirados ou, como diz logo nas primeiras páginas do livro: "enorme como foi a influência britânica no Brasil, a cultura técnica e literariamente superior não agiu de modo absoluto, ou sempre soberanamente, sobre a inferior". Um exemplo era o inglês abandonando seus móveis angulosos de "linhas anglicanamente secas" em prol de um estilo feminino, curvo e gracioso como resultado da matéria-prima local, o jacarandá, por exemplo, ou mesmo das próprias tradições dos artesãos afro-brasileiros. Era "a Inglaterra modificando-se no Brasil", diz Freyre (1948a, p.35, 192, 222-3).

Pode-se dizer que a ambição de corrigir o que via como estereótipos e visões deturpadas sobre os ingleses foi um dos móveis que levaram Freyre a escrever *Ingleses no Brasil*. Sem esconder os abusos do capitalismo imperial britânico, a ganância de seus negociantes e o que chama de "grossa velhacaria de ingleses", Freyre, no entanto, os defende dos que os acusam de irremediavelmente hipócritas, etnocêntricos e insulares. Os que assim os qualificam, diz Freyre, só estão vendo "meias-verdades". A "habilidade de contemporizar, harmonizar e equilibrar antagonismos" é um entre os muitos elogios dos ingleses nesse texto. Esse "dom angélico", distintamente inglês, que harmoniza sabiamente conflitos de toda ordem – entre homens, classes, raças, gerações, doutrinas, etc. também faz com se imponham no mundo como "admiráveis revolucionários contemporizadores, ou conservadores". Diferentemente dos franceses – esses revolucionários "radicais ou absolutos" –, os ingleses são exímios na arte de provocar uma "revolução branca, macia", diz Freyre (ibidem, p.216-7) com admiração.

O prefácio à segunda edição de *Ingleses no Brasil*, em 1977, revela que no auge de seu otimismo Freyre chegou a ver o Brasil como potencialmente "continuador" e até mesmo superador da Inglaterra no papel de contribuir com o equilíbrio e a interpenetração de contrários "para o bem-estar humano em geral". É possível que os brasileiros "venham a se tornar outros britânicos", diz Freyre; e mais, "em certos pontos" o Brasil "de hoje" parece ir "além de quanto de valioso conseguiu a arte do *compromise* da gente britânica". Se, na escala política, econômica e cultural, "a arte do *compromise*" britânica atravessou fronteiras, a arte brasileira de combinar e fazer interpenetrar contrários de raças, culturas e credos está apta a se tornar "transbrasileira" e "abrir novas perspectivas à condição humana" (Freyre, 1977, p.xix).

A essa altura deve ser evidente o quanto a visão, em certo grau adocicada, que Freyre tinha da Inglaterra norteou seu ideal para o Brasil e, mais do que isso, norteou também, muitas vezes, sua própria leitura e interpretação da história brasileira. Era como se, após ter-se fascinado pelo que lhe parecia um Brasil às avessas na Inglaterra e sua cultura – seu gosto pela antiguidade e pela tradição, sua linguagem simples e despretensiosa, sua combinação salutar de tradição e modernidade etc. – ,

Freyre tivesse ficado cada vez mais e mais predisposto a encontrar na sociedade brasileira alguns aspectos essenciais da cultura que admirava; e mais, predisposto também, em seus momentos mais otimistas, a encontrar valores especificamente brasileiros – como os de democracia racial e cultural – que dariam ao Brasil um papel de mestre mundial semelhante ao que a Inglaterra havia tempo exercia em outras esferas (Pallares-Burke, 1997, p.21-2).

Alberto da Costa e Silva (2001, p.20), no seu belíssimo prefácio à última edição de *Aventura e rotina*, refere-se ao fato de Freyre, ao visitar o Ultramar português, estar "prisioneiro de seu sonho" e de, por isso, ali muitas vezes louvar o que já não mais existia no império português. Em certo sentido, essa consideração pode se aplicar, em algum grau, a outros aspectos da vida e do pensamento de Freyre. A Inglaterra e seus autores foram, de fato, de inestimável valor para ele desenvolver seu olhar antropológico. Guiado e inspirado pelos relatos de ingleses sobre o Brasil, bem como pela experiência inglesa e pelas leituras dos ensaístas, romancistas e outros autores ingleses, que tão essenciais foram para sua formação, Freyre teria adquirido distância, predispondo-se a perceber aspectos que passavam despercebidos a outros estudiosos da história brasileira e equipando-se para realizar a "revolução cultural" que sacudiu o Brasil, para usar novamente a feliz expressão de Jorge Amado. Mas o que lhe dava condições para pensar o Brasil inovadoramente podia envolver, em contrapartida, limitações. Prisioneiro do sonho de um Brasil-mestre em democracia racial – um valor que a "British civilization", apesar de grande, não tinha –, Gilberto Freyre viu, ao menos algumas vezes, como realidade palpável o que só existia em potência.

Essa não era a primeira vez que uma Inglaterra idealizada, em maior ou menor grau, gerava sonhos para outras terras. Voltaire, por exemplo, o eloquente anglófilo que liderou toda uma plêiade de seguidores no século XVIII, sonhou em exportar as instituições liberais inglesas para o mundo. "Por que o mundo não pode ser mais parecido com a Inglaterra?", perguntou Voltaire. Prevendo a objeção de que isso era o mesmo que perguntar por que razão os cocos frutificam na Índia, mas em Roma não amadurecem, respondia que também havia levado tempo para tais "cocos" amadurecerem na Inglaterra. Por que não poderiam se aclimatar e amadurecer em outros lugares? Era só questão de começar a plantá-los (cf. Buruma, 2000, p.20-1).

Ingleses no Brasil era para ser o primeiro de uma série de volumes sobre o mesmo tópico, projeto que Freyre nunca completou, apesar de, aparentemente, tê-lo mantido no horizonte por vários anos.[17] Na década de 1950, no entanto, sua atenção voltou-se para a ampliação de *Sobrados e mucambos* e para a conclusão de um projeto mais antigo, a terceira obra da programada trilogia sobre a história do Brasil, *Ordem e progresso*, iniciada ainda na década de 1930. Mesmo assim, a Inglaterra se manteve relevante em muito daquilo em que ele se engajava.

O Freyre sociólogo, por exemplo, continuou a acrescentar suas dívidas aos teóricos, se não sempre ingleses, anglo-americanos. No final da década de 1930, uma das mais importantes de suas descobertas foi a do sociólogo norte-americano e crítico da arquitetura Lewis Mumford, um espírito seguramente aparentado a ele, já que também era discípulo de John Ruskin e William Morris e, como eles, admirava a Idade Média denunciando a modernidade industrial a partir de suas realizações. Freyre, por exemplo, anotou cuidadosamente o seu livro *Sticks and Stones*, descreveu seu autor como "mestre de todos nós em assuntos de sociologia urbana" e referiu-se constantemente a Mumford em suas obras posteriores (Freyre, 1938; 1939).

Com o passar dos anos, Freyre continuou a ver mais e mais o Brasil como a Inglaterra da América do Sul, um país dotado de talento especial para o equilíbrio, para o compromisso; tendo, pois, a "virtude britânica", como ele chamou esse talento em *Ordem e progresso*. Este livro, coincidentemente, tem como epígrafe do segundo volume uma frase de Carlyle, extraída do texto estudado por Freyre em 1918 no curso sobre ensaístas britânicos na Universidade de Baylor, texto onde também, como vimos, Freyre teria encontrado pela primeira vez a expressão "equilíbrio de antagonismos", que desempenharia papel tão central no seu pensamento. É nesse livro de 1959 que Freyre volta a descrever

---

17 Em 1957 Freyre lançou um "Apelo aos ingleses" na revista *O Cruzeiro* (26/1/1957) dizendo que estava escrevendo três volumes sobre os ingleses no Brasil, para o que pedia que os leitores colaborassem enviando-lhe documentação pertinente.

D. Pedro II como "uma Rainha Vitória de barbas brancas e de calças pretas", retomando aí frase semelhante à que já usara em 1922 (Freyre, 2003, p.192, 287, 460, 517; 1922a, 611).[18]

Obviamente, a descrição de D. Pedro não pretendia ser lisonjeira, e vale a pena aqui novamente enfatizar que a visão que Freyre tinha da Inglaterra não era sempre acrítica e que seu amor, apesar de indulgente, não era cego. Em *Casa-grande & senzala* ele já notara, por exemplo, "o horrível da culinária inglesa" e os "excessos de reticência característicos dos anglo-saxões". Em *Sobrados e mucambos* não poupou as inglesas, descritas como "ossudas, angulosas ... secas", semelhantes às suas mobílias. E em *Aventura e rotina*, onde citou Kipling com aprovação, não escondeu a crítica ao que descreveu vividamente como "a arrogância britanicamente monocular dos subkiplings" (Freyre, 2002, p.223, 268; 2000c, p.502; 2001a, p.119).

Resumindo, o que me parece particularmente significativo no trabalho de Gilberto Freyre não é tanto a admiração ou a crítica à cultura inglesa que aí podem ser encontradas. Muito mais importante, no meu entender, é o modo como vários escritores e pensadores ingleses, tanto grandes quanto menores, tornaram-se parte do que podemos chamar de "ferramenta mental" de Freyre. De um lado, como procuramos apontar ao longo deste trabalho, ele tinha uma habilidade notável de simultaneamente consumir e transformar os conhecimentos que adquiria e torná-los seus. De outro, também continuou a usar muito desses autores como pontos de referência sempre que se deparava com novas experiências e ideias. Um exemplo flagrante disso podemos encontrar em *Aventura e rotina*, o texto em que descreveu sua visita oficial a Portugal e suas colônias em 1951.

O livro se inicia com uma epígrafe de Joseph Conrad e faz referência *en passant* a mais de uma dúzia de autores britânicos (G. K. Chesterton, A. L. Cronin, John Donne, Lafcadio Hearn, James Joyce, Rudyard Kipling, Charles Morgan, Walter Pater, William Shakespeare, Herbert

---

18 A epígrafe de Carlyle, extraída da resenha de *The Life of Samuel Johnson* de James Boswell (publicada originalmente em números consecutivos da *Fraser's Magazine* em 1832), é a seguinte: "... reality, if rightly interpreted is grander than fiction".

Spencer, Robert Louis Stevenson, H. G. Wells, Rebecca West, Oscar Wilde, Virginia Woolf e William Butler Yeats), bem como a figuras políticas como Gladstone, Disraeli, Lawrence da Arábia, Harold Laski e Stafford Cripps. A essa altura, após mais de trinta anos de leitura, Freyre assimilara de tal modo ideias de muitos desses escritores que, ao observar aspectos variados do novo ambiente, naturalmente fazia associações com o que neles lera. Suas próprias lembranças da vida inglesa também o acompanhavam em suas novas observações.

Por exemplo, o Salazar intelectual lembrava-lhe os "dons" de Oxford; visitando Batalha, ele se recorda de que ali estivera pela primeira vez com um "esteta inglês" que, muito marcado pelo esteticismo de *The Yellow Book*, aguçara-lhe a sensibilidade para apreciar o Mosteiro de Santa Maria; a elegância de um cabo-verdiano fazia-o lembrar-se dos aristocratas orientais e africanos que conhecera em Oxford; fora a partir do momento em que descobrira a admiração que românticos como "Burton e outros ingleses" tinham pelos portugueses que, conforme se recorda, ansiara por visitar o "Oriente português"; visitando Goa e refletindo sobre o futuro da Índia independente, põe-se a especular sobre o destino da "nova cultura britânica", algo ainda incerto, mas "capaz de revelar novos aspectos do gênio da grande gente"; observando os trabalhadores da Companhia de Diamantes no Dundo (Angola) num momento de lazer e diversão, sua mente logo vai para Oxford onde vira manifestações de "homossexualismo platônico" e danças entre estudantes "do mesmo, ou quase do mesmo sabor"; daí se estende e extrapola, para dizer que fora nesse "velho burgo acadêmico" que aprendera "a gostar de vinho do Porto seco e da literatura – que ainda hoje me regala – dos ensaios de Walter Pater e dos poemas de Donne"; dentre os livros que comprara para acompanhá-lo na viagem ao Ultramar português, o seu "melhor companheiro" era o de um inglês, Wrench, e assim por diante (Freyre, 2001a, p.208, 148, 274, 286, 346, 387). Enfim, é como se, ao visitar a Índia e a África pela primeira vez, Freyre não estivesse sozinho, mas acompanhado de escritores ingleses, do mesmo modo como visitara Portugal pela primeira vez; e, pois, se apanhasse muitas vezes vendo esses lugares como vira Portugal – "com olhos de inglês" (Freyre, 1942a, p.115-20).

Autores ingleses também ajudaram Freyre a prestar atenção a certas fontes históricas, como anúncios de jornal, por exemplo, que atraíram o interesse do poeta e romancista George Meredith (Freyre, 1939b). A riqueza dos diários para a reconstituição da vida íntima do passado – no que os países católicos eram pobres, e os protestantes, ricos – também lhe parece ter sido revelada pelos diários ingleses, especialmente o famoso diário de Samuel Pepys (1633-1717), publicado somente na segunda metade do século XIX, a que Freyre se refere em *Casa-grande & senzala* como contraponto aos "Pepys de meia-tigela" brasileiros (Freyre, 1941; 1942a, p.107-8; 1975; 2002).

Os ingleses também o ajudavam a desenvolver a sua inclinação, por assim dizer, mais teórica. Um exemplo significativo é a oposição binária Dr. Jekyll e Mr. Hyde – recorrente nessa forma ou na distinção menos dramática apolíneo/dionisíaco –, usada por Freyre quando ele quer referir-se a culturas, grupos e indivíduos marcados por antagonismos e contradições profundas. Rússia, Espanha e Portugal, por exemplo, são países que apresentam a divisão Dr. Jekyll-Mr. Hyde, do mesmo modo que Paulo Prado e Getúlio Vargas, tendo este último, como outros gaúchos da zona das Missões, dois lados em luta: o jesuíta e o índio (Freyre, 1945a, p.3-4, 86-9; 1981a, p.92; 2000a, p.70, 132). Quase chegou a fazer a associação de Salazar a Jekyll e Hyde, mas, por algum motivo, não a explicitou (2001a, p.43-6, 73). Ora, ele encontrara tal modelo de oposição na famosa história de Robert Louis Stevenson, *The Strange Case of Dr. Jekyll e Mr. Hyde*, obra que consta de uma das listas de livros organizadas, muito provavelmente, durante os seus dias na Universidade de Columbia ou de sua aventura europeia.[19]

E, finalmente, se, falando das "virtudes britânicas", Freyre muitas vezes falava dos seus sonhos para o Brasil, outras, falando das virtudes de alguns britânicos, ele parecia estar falando de si mesmo. Um exemplo flagrante, e até comovente, no meu entender, é sua descrição de William

---

19 *The Strange Case of Dr. Jekyll and Mr. Hyde*, escrito por Stevenson em poucos dias, se tornou um *best-seller* tão logo foi publicado em 1886. Seus dois protagonistas logo passaram a fazer parte do vocabulário comum para se descrever uma personalidade dividida, com um lado bom e outro diabólico os quais se manifestam em diferentes situações.

Morris no artigo tido como subversivo pelo Dops, a que nos referimos na introdução deste livro. Esse autor romântico, cuja atualidade, segundo Freyre, era das "das mais vivas", que via o que seus contemporâneos não viam e em quem a adolescência "não morreu nunca", era um indivíduo inquieto e descontente com o que satisfazia a tantos de seu tempo: progresso material e conforto.

> Dói na vida de Morris a inquietação em que ele sempre viveu, sem nunca ter experimentado o gosto tão dos seus contemporâneos e de seus compatriotas, de se sentir feliz com o progresso industrial e com o conforto; ou a satisfação, tão dos seus amigos, de se estabilizar em profissão liberal ou em filosofia já feita. O pobre do romântico nunca se estabilizou em profissão ou filosofia nenhuma: e para o biógrafo Eshleman, parece não ter nunca compreendido que nessa incapacidade de se fixar em profissão ou carreira convencional estava um dos sinais do seu gênio: um gênio plural, de uma extraordinária variedade de aspectos, que tudo exigiu dele sem lhe favorecer com as doces vantagens que fazem os homens felizes e tranquilos" (Freyre, 1942a, p.58; 2001a, p.212).

O fato de Freyre ter-se chamado certa vez de "Morris de subúrbio" parece indicar que, de fato, ele chegou a se identificar com esse rebelde polímata vitoriano (2001a, p.212).

Em resumo, talvez não seja exagero dizer que a Grã-Bretanha (em muito mitificada) de sua memória e os britânicos, especialmente os vitorianos, tornaram-se parte central da imaginação e do equipamento intelectual de Gilberto Freyre porque se provaram bons para ajudá-lo a pensar. E também, convenhamos, para ajudá-lo a sonhar.

Apêndice 1

29[1]

Max Stirner, Nietzsche, Proudhon, George Sorel, Wilde, Ibsen, [Gide, Mencken] George Bernard Shaw – esses escritores meio satânicos da Negação e da Contradição fazem-nos um bem ou nos fazem um mal passando pelo espírito? E abalando-nos no nosso sentido da vida com os seus paradoxos <u>inquietantes ou insólitos? E levantando diante de nos problemas e subproblemas?</u>

---

1 Artigo numerado publicado no *Diário de Pernambuco*, domingo, 28 de outubro de 1923. No texto transcrito na antologia de *Tempo de aprendiz* (Freyre, 1979, v.I, p.326-7), a única diferença é a substituição de "palavras de Jesus" por "parábolas de Jesus". Já o texto reproduzido em *Retalhos de jornais velhos* (Freyre, 1964) sofreu mais modificações, algumas delas significativas.

As partes entre colchetes se referem às adições ao texto de 1923, tal como aparecem na antologia *Retalhos de jornais velhos* (p.39-41).

Os grifos sob palavras ou trechos indicam os lugares que sofreram modificações na edição de 1964. Quando não forem seguidos por parênteses, isso significa que houve simplesmente um corte da palavra ou do trecho grifado. Quando o trecho ou a palavra tiver sido substituída, e o novo texto aparecerá entre parênteses logo a seguir.

Aproximemos-nos do assunto doutra maneira: deve haver lugar numa cultura bem regulada para a literatura de negação e contradição? Fará bem ou fará mal às nossas convicções deixar que <u>no-las ponham</u> (sejam viradas) pelo avesso em duras provas de resistência? Haverá ou não benefício em deixarmo-nos examinar, à voz dum Nietzsche ou dum Stirner travestido em inspetor de saúde, nos mais íntimos valores intelectuais, morais e estéticos de que vivemos?

Creio que deve haver lugar na nossa formação de individualidade para esse tipo de literatura. Principalmente antes dos trinta anos. Antes de trinta anos, escreveu o sr. George Bernard Shaw, é que todos devemos ser revolucionários. <u>O que eu próprio aceitaria se não suspeitasse nessa palavra "revolucionário" o sentido parcial de Revolucionário. De filho da grande Revolução Francesa.</u>

É na adolescência que<u>, ao primeiro beijo porventura pecaminoso dum paradoxo insólito, se nos abre o espírito – a noção de valores tradicionais de moral e estética de que vínhamos placidamente vivendo –</u> (no espírito do indivíduo a noção de valores tradicionais de moral e estética, de que vinha placidamente vivendo, reage) ao embate das negações e contradições radicais. Repete-se em todo o adolescente de natureza superior o drama de São Frei Gil: – aquele como "primeiro beijo de namorada", aquela "Voz do Proibido", vem provocar no adolescente anseios de curiosidade e opinião própria <u>quanto aos</u> (diante dos) grandes problemas da vida.

E haverá cultura digna desse nome, sem ter sofrido, nos seus mais íntimos valores, a tortura aguda mas purificadora das grandes negações? Não me refiro, é claro, a essas negações e contradições de mero brilho exterior, essas extravagâncias que ao bispo de Cloyne, esse argutíssimo George Berkeley que escreveu os "Três Diálogos entre Hylas e Philonous", tanto repugnavam.

A verdadeira cultura sentirá mesmo, pelo menos no seu período da formação, certa necessidade da literatura de negação e contradição. O processo da cultura pode-se, com alguma irreverência, comparar a um jantar no qual a "hors d'oeuvre" picante aguça o desejo das "entrées" confortadoras. São Tomás de Aquino é muito mais confortador depois dum "hors d'oeuvre" de Nietzsche ou Stirner.

Gilberto Freyre

O que é idiota ou pelo menos extravagante é contentar-se um indivíduo com a "hors d'oeuvre" no seu jantar ou na sua cultura. Mas, por outro lado, um jantar sem "hors d'oeuvre" é deficiente, incompleto, faltando-lhe o estímulo [, o melhor gosto, talvez].

Que me perdoem esse mesclar indigno dos interesses da alma com os do ventre; mas como resistir a afinidades com que tantas vezes se nos apresentam os mesmos (tais) interesses?

Quanto aos escritores cuja negação e contradição expressam não uma quase revolta contra certos instintos da espécie, como Nietzsche, mas contra os excessos de certas épocas, como [Blake,] William Morris, Ruskin, [Symonds, Carlyle, Rimbaud]e Barbey d'Aurevilly contra o industrialismo e [o capitalismo] e (, contra) a democracia estúpida (burguesa, e contra as convenções literárias do Ocidente e) do século XIX, com eles o caso é outro, podendo ser mesmo "escritores-entrées". Porque o fato de que o próprio Jesus foi uma negação de muitos dos valores de sua época; e sob o ponto de vista dum (de um) judeu daqueles dias, há mais paradoxos de moral [e filosofia social e política] em duas ou três palavras (parábolas) de Jesus, que paradoxos de estética, para o burguês moderno, em toda a obra dum Wilde ou dum Cocteau (para o burguês moderno, em toda a obra de um Shaw ou de um André Gide, de um Marx ou de um Lawrence).

Apêndice 2a

Sobre as ideias gerais de Rüdiger Bilden[1]

Conheci Rüdiger Bilden em 1921, nos meus dias de estudante na Universidade de Columbia. À sombra da grande universidade é possível encontrar os tipos mais diversos. Dir-se-ia uma caravançará. Freiras e padres sentavam-se nas mesmas classes com Israelitas (*adeptos*) do mais avançado comunismo; negros da Libéria <u>com</u> [*ao lado de*] avermelhados anglo-saxões de Missouri. E entre os extremos de preto e vermelho — todas as "nuances".

Uma tarde me apresentaram em Greenwich Village a um rapaz alemão. Um rapaz ruivo, hirto, sardento, com umas lunetas suaves de professor

---

1 Versão original publicada no *Diário de Pernambuco* de 17 de janeiro de 1926, acrescida das alterações feitas na versão publicada na antalogia *Tempo de aprendiz* (Freyre, 1979a, II, p.249-52). Os trechos em itálico e entre parênteses se referem às adições ao texto original. Os grifos sob palavras ou trechos indicam os lugares que sofreram cortes ou modificações na versão de 1979. Quando não forem seguidos por colchetes, isso significa que houve simplesmente um corte da palavra ou do trecho grifado. Quando o trecho ou a palavra tiver sido substituída, novo texto aparecerá entre colchetes e em itálico logo a seguir.

de música sob insolentes felpas de sobrancelha de segundo tenente (*prussiano*). E a boca recurvada pelo cachimbo. Era Rüdiger Bilden.

Desde essa tarde, sempre nos encontramos. Sempre que a veneta me levava a Greenwich Village e ao seu pitoresco um tanto postiço, eu acabava descendo ao nº 30 Jones Street. A casa de Rüdiger e Jane Bilden. (*As afinidades nos aproximaram. Ele, Jane, eu e o também extraordinário, pela inteligência, Simkins.*)

Rüdiger amava, como ainda ama, as longas conversas. As longas conversas especulativas. O traço especulativo é o seu traço mais vivo. Ele tem a volúpia da interpretação das coisas (*em termos abstratos. Filosoficamente históricos.*)

E agora que ele me reaparece no Recife, com o seu gosto germânico de especulação concentrado no estudo do Brasil, penso com delícia em que foi o meu ensaio de adolescente "Social Life in Brazil in the Middle of the 19th Century", o seu primeiro contato vivo e excitante com a história brasileira; e a sugestão para o grande trabalho que hoje o absorve.

Grande trabalho, na verdade. Já o Sr. Oliveira Lima escreveu: "Rüdiger Bilden nos dará o̲ [*um*] estudo definitivo da escravidão". (*Isto é, uma análise por alemão, minuciosamente germânica, do que foi a escravidão no Brasil.*)

E̲ ouvindo-o uma dessas tardes falar do seu trabalho; e lendo alguns dos cartões que constituem a̲ sua forte e numerosa bibliografia crítica eu me senti vivamente na presença de um transmutador de valores [*futuro estudo desse porte*], animado de um entusiasmo nietzschiano de renovação. Na presença de um renovador de processos (*da análise*), que há de dar a certos fatos de história brasileira e americana um mais inteligente e profundo sentido. (*O que é preciso é que ele vá além dos projetos.*)

Sensível às influências e tendências que nos últimos anos vêm alterando ou destruindo tantas hieráticas convenções científicas, é a ciência em flor duma nova época que o sr. Rüdiger Bilden procura pôr a serviço do seu arrojado trabalho de interpretação histórica. (*Histórica e filosófica, ele e eu em grande parte orientados pelo sábio que é Franz Boas.*)

Para o jovem e brilhante historiador alemão, o estudo das civilizações — da brasileira, por exemplo, ou seja, o desenvolvimento do grande esforço português que criou, pelo trabalho escravo, a moderna agricultura tropical — é, em última análise, o estudo da pior ou melhor utilização da energia. A energia não é jamais estática, explica o sr. Rüdiger Bilden; se não cresce nem se expande — o imperialismo é uma expansão da energia — perece ou se torna molemente passiva em proveito de forças estrangeiras [*maiores*]. As energias tendem a chocar-se rudemente; mas é possível dar-se a sua combinação em proveito de um grande interesse comum, maior que as diferenças, refinando-se assim a brutalidade da vida; elevando-se assim a vida nas suas qualidades e condições de beleza, ou estéticas, como nas suas qualidades ou condições de amor e simpatia humana, ou éticas.

A solução racional do grande problema humano representado pela fricção de energias não está decerto — pensa o Sr. Rüdiger Bilden — no Standardizar da vida que lhe parece, como a todo o indivíduo animado do sentido de beleza, uma horrível melancolia. Está antes no estabelecimento de um processo de correlação de tendências e interação de forças permitindo a máxima diversificação de atividades. A maior cultura é a maior complexidade e não a simplificação pelo "standard" da maioria. O desenvolvimento de uma civilização depende da harmoniosa e quase se poderia dizer musical interação de forças diversas. Só assim se rejuvenescem as mesmas forças. (*Filosofia, essa, em que se projeta a influência de outro grande mestre atual da Universidade de Columbia: Giddings.*)

Porque [*Por que*] se nos afigura tão sem alma e tão sem cor e tão sem música a época moderna senão pelas tendências de uniformidade que a caracterizam? — pergunta o sr. Rüdiger Bilden. Há modernamente um grande dispêndio inútil de energia. Desvio de força. E isto pela vitória da estandardização. A energia não se permite aprofundar-se nem elevar--se, em relevos e em desigualdade de expressão porque a tendência é desenrolá-la toda, chatamente, em sentido horizontal. É o que dá a Spengler o seu critério pessimista da modernidade. O que falta a Spengler — pensa o sr. Rüdiger Bilden — é a exata noção das forças que criaram esse melancólico estado de coisas como das que, disciplinadas, nos poderiam libertar dele [*de ser abafadas por elas*]. Nada mais característico do cinzento da vida moderna, com o seu dispêndio estúpido de energia, que a democracia burguesa. Pela sua redução de todas as forças ao "standard" da maioria, a democracia burguesa sacrifica o que há de melhor e de mais saudável no princípio da liberdade. (*Ponto em que, através de nossas conversas, nossas ideias de todo coincidentes, coincidindo também com a antropologia de Boas.*)

Para o sr. Rüdiger Bilden o estudo da civilização é — repita-se (*ou acentue-se sempre*) — o estudo de um certo processo de utilização de energia. O estudo de um certo método de produção. Mas não produção no estreito sentido da criação de puros valores econômicos. Produção em conjunto: desde os artigos essenciais a vida física a dos mais sutis valores de cultura. Desaparece a linha rígida dividindo o espiritual do material. Entre as ondas de energia que constituem o "spectrum" da vida — fala o sr. Rüdiger Bilden — não é possível fixar exatas diferenças. Elas se confundem. O material e o espiritual — termos de pura conveniência popular — se confundem no grande oceano de energia, no grande "flux" que é a vida no seu todo. Que nos ensinam as mais recentes pesquisas científicas senão isto: — mais íntimas e sutis relações entre as mais diversas formas de vida? Já o grande físico professor Millikon notou como depois de Einstein a ciência está a abandonar as antigas agudas diferenciações entre os fenômenos materiais, elétricos e etéreos. É a tendência geral: na matemática e na astronomia como na físico-chemica e na biochemica. E pode se acrescentar ao sr. Bilden, nas artes plásticas depois de Rodin. (*Desde Rodin e com Picasso.*)

O mundo se transforma nos olhos do cientista e do artista moderno — pensa o sr. Rüdiger Bilden — num oceano de fluídas e inter-relacionadas forças. E sob esse critério é que o jovem pensador ensaia arrojadamente pelo estudo específico da civilização brasileira — ou seja de método de produção que a creou e continua a plasmá-la: o trabalho escravo — um novo processo de interpretação <u>histórica</u> [*além de histórica, filosófica*]. A escravidão tornou possível uma cultura nacional brasileira; tornou possíveis os começos, no Brasil, de uma arte autóctone. Estudá-la é estudar a história do Brasil na qual tudo o mais — pensa o sr. Rudiger Bilden — é secundário ou dependente <u>ou</u> [*do*]exterior.

No jovem pensador alemão nota-se que <u>distingue</u> [*que é dos que distinguem*] na história brasileira os dois sentidos da nacionalidade de que ainda há pouco escrevia, em brilhante ensaio, o <u>sr. Tristão de Athayde</u> [*Sr. Alceu Amoroso Lima (Tristão de Athayde)*]: "o sentido arquitetônico" e "o sentido lírico". O sentido arquitetônico — ou seja, "o sentimento do todo", como define o sr. Athayde — teve-o com relação ao problema do trabalho de escravo José Bonifácio; e sob o estímulo do senso lírico, ou seja da ação individual ou particular (*ou, como diria moderno sociólogo francês*) ou romanticamente jurídica, agiram no assunto (*os Castro Alves*) os Joaquim Nabuco, os Ruy Barbosa, os agitadores políticos e humanitários.

Dos fortes estudos do senhor Rüdiger Bilden, ora no Brasil para um mais intimo e pessoal contato com a realidade brasileira, é lícito esperar um trabalho parente daquele do seu compatriota Handelmann, que o sr. Oliveira Lima considera "a melhor história do Brasil". E independente disto um trabalho de arrojada renovação de processos históricos [*de estudos históricos sob orientação filosófica*].GF

Apêndice 2b

Sobre as ideias gerais de Rüdiger Bilden[1]

Conheci Rüdiger Bilden em 1921, nos meus dias de estudante na Universidade de Columbia. À sombra da grande universidade é possível encontrar os tipos mais diversos. Dir-se-ia uma caravançará. Freiras e padres sentavam-se nas mesmas classes com Israelitas do mais avançado comunismo; negros da Libéria com avermelhados anglo-saxões de Missouri. E entre os extremos de preto e vermelho — todas as "nuances". (*É a maior e a mais cosmopolita das universidades modernas.*)

Uma tarde me apresentaram em Greenwich Village a um rapaz alemão (*ariano que logo descobri seguir, como eu, os cursos de Antropologia do também alemão — judeu alemão — Frans Boas: curso de doutorado nessa e noutras ciências do homem.*) Um rapaz ruivo, hirto, sardento, com umas lunetas suaves de professor de música sob insolentes felpas de sobrancelha

---

1 Versão original publicada no *Diário de Pernambuco* de 17 de janeiro de 1926, acrescida das alterações feitas em 1973 e publicada postumamente em antecipações (Freyre, 2001b, p. 34-9). Os trechos em itálico e entre parênteses se referem às adições ao texto de 1926, tal como aparecem na antologia *Antecipações*.
Os grifos sob palavras ou trechos indicam os locais que sofreram cortes ou modificações. Quando não forem seguidos por colchetes, isso significa que houve simplesmente um corte da palavra ou do trecho grifado. Quando o trecho ou a palavra tiver sido substituída, o novo texto aparecerá entre colchetes e em itálico logo a seguir.

de segundo tenente (*prussiano*). E a boca recurvada pelo cachimbo. Era Rüdiger Bilden. (*Estudante, como eu, da Universidade de Columbia. Conhecemo-nos em Greenwich Village, antes de nos encontrarmos em aulas e reuniões universitárias.*)

Desde essa tarde, sempre nos encontramos. (*Formou-se, entre nós, viva camaradagem.*) Sempre que a venetta me levava à Greenwich Village e ao seu pittoresco um tanto postiço, eu acabava descendo a n. 30 Jones Street: (*recanto que nada tinha de postiço, embora fosse o seu tanto boêmio ou romântico.*) A casa de Rüdiger e Jane Bilden.: (*ele, alemão do Rheno, ela norte-americana do sul dos Estados Unidos.*)

Rüdiger amava, como ainda ama, as longas conversas [*ama as longas conversas*]. As longas conversas especulativas. O traço especulativo é o [*O pendor para a especulação, a crítica, a filosofia*] seu traço mais vivo. Ele tem a volúpia da interpretação (*filosófica*) das coisas. (*É nisto bem germânico.*)

E agora que ele me reaparece [*aparece*] no Recife, com o [*esse*] seu gosto germânico de especulação concentrado (*por influência minha*) no estudo do Brasil, penso com delícia em que foi o meu ensaio de adolescente (*escrito em inglês e aceito como teses para grau universitário pelos meus mestres de Columbia -*) "Social Life in Brazil in the Middle of the 19th Century", o seu primeiro contato vivo e excitante [*segundo ele "excitante"*], com a história [*realidade social*] brasileira; e a sugestão [*e, mais do que isto, decisiva sugestão*]) para o grande trabalho que hoje o absorve [*em que hoje se empenha*].

Grande trabalho, na verdade. Já o Sr. Oliveira Lima escreveu — [*a quem apresentei este e outros dos meus colegas de universidade para que conhecesse um verdadeiro "scholar" brasileiro — disse:*] "(*De*) Rüdiger Bilden nos dará o estudo definitivo da escravidão" [*devemos esperar páginas de um erudito à maneira germânica sobre a história da escravidão no Brasil". Isto é, sobre a filosofia dessa história riquíssima de sugestões para um historiador filósofo.*]

E ouvindo-o [Ouvindo-o] uma dessas tardes falar do seu trabalho; e lendo alguns dos cartões [*algumas das fichas*] que constituem a sua forte e numerosa bibliografia crítica eu me senti vivamente [senti-me] na presença de um transmutador de valores animado de um [*pesquisador animado de verdadeiro*] entusiasmo nietzschiano de renovação. Na presença de um renovador de processos (*de investigação da nossa história. O estudo de Bilden,)* que há de dar a certos fatos, *(ainda mal estudados da história do trabalho escravo no Brasil, novo sentido filosófico:)* da história brasileira e americana um mais inteligente e profundo sentido [*mais inteligente e mais profundo. Pois, bom alemão, ele tem sua "Weltanschauung", à luz da qual escreverá sua história da escravidão em terras brasileiras.*]

Sensível às influências e tendências que nos últimos anos vêm alterando ou destruindo tantas hieráticas convenções científicas, é a ciência em flor duma [*antropológica de uma*] nova época (– *aquela da qual Boas é a expressão mais alta* –) *que* o sr. Rüdiger Bilden procura pôr a serviço do seu arrojado trabalho [*projeto de tentativa*] de interpretação histórica [*de parte considerável da história socioeconômica do Brasil. Desse arrojo há de resultar obra notável*].

Para o jovem e brilhante historiador alemão [*discípulo alemão do inspirador Boas*], o estudo das civilizações — da brasileira, por exemplo, ou seja o desenvolvimento do grande esforço português que criou, pelo trabalho escravo [*do escravo negro nas plantações coloniais e imperiais, e, através de erros e desperdícios*], a moderna agricultura tropical — é, em última análise, o estudo do pior ou melhor utilização da energia. A energia não é jamais estática, explica o sr. Rüdiger Bilden; se não cresce nem se expande (*em determinada área*) — o imperialismo é uma expansão da energia — perece ou se torna molemente [*torna-se*] passiva em proveito de forças estrangeiras [*estranhas à mesma área*]. As energias tendem a chocar-se rudemente; mas é possível dar-se à sua combinação, em proveito de um grande interesse comum, maior *vigor* que as (*o das*) diferenças, (*em choque,*) refinando-se assim a brutalidade da vida [*o que nelas haja de mais brutal*); e elevando-se assim a vida (*tanto*) nas suas qualidades e condições de beleza, ou estéticas, como nas suas qualidades ou condições de amor e [*de solidariedade ou*] simpatia humana, ou éticas.

A solução racional do grande problema humano representado pela fricção de energias não está decerto — pensa o sr. Rüdiger Bilden — no Standardizar da vida que lhe parece, como a todo o indivíduo animado do sentido de beleza, uma horrível melancolia. Está antes [*E aqui, como noutros pontos, suas ideias de discípulo, como eu, de Boas, coincidem com as minhas. Neste ponto coincidem com o meu regionalismo de origem mais francesa, talvez, que alemã ou norte-americana. Para Bilden,*] no estabelecimento de um processo de correlação de tendências e interação de forças per-mitindo [*que permita*] a máxima diversificação de atividades (*está o verdadeiro sentido de esforço de reintegração do homem moderno numa vida mais humana*). A maior cultura é a (*que atinge*) *a* maior complexidade e não a (*que se deixa vencer pela*) simplificação (*ou*) pelo "standard" da maioria [*das maiorias* simplistas]. O desenvolvimento de uma civilização depende da (*interação*) harmoniosa e quase se poderia dizer musical interação de forças diversas. Só assim se rejuvenescem as mesmas forças [*as mesmas forças dão o que contêm de melhor*].

Por que se nos afigura tão sem alma e tão sem cor e tão sem música a época moderna senão pelas tendências de uniformidade que a caracterizam? — pergunta o sr. Rüdiger Bilden. Há modernamente um grande dispêndio inútil de energia. Desvio de força. E isto pela vitória da estandardização (*sobre a diversificação*). À energia não se permite aprofundar-se nem elevar-se, em relevos e em desigualdade de expressão porque a tendência é desenrolá-la [*desdobrá-la*] toda, chatamente, em sentido horizontal. É o que dá a Spengler o seu critério pessimista da modernidade [*de julgamento e de avaliação das civilizações modernas*]. O que falta a Spengler — pensa o sr. Rüdiger Bilden [*pensamos Rüdiger Bilden e eu*] — é a exata noção das forças que criaram esse melancólico estado de coisas como das (*forças*) que, disciplinadas, nos poderiam libertar dele. (*Não somos obrigados a sucumbir à tendência para a estandardização.*) Nada mais característico do cinzento da vida moderna, com o seu dispêndio estúpido de energia, que a democracia burguesa (— *aquela que, há três anos, me referi em artigo publicado no Correio da Manhã, jornal monárquico de Lisboa e que mereceu a aprovação de Rüdiger Bilden tanto quanto a do meu amigo francês, maurasiano e federalista, ou regionalista, Regis de Beaulieu; e do meu também colega da Universidade de Columbia, o jovem e brilhante scholar norte-americano Francis Simkins*). Pela sua redução de todas as forças ao "standard" da maioria, a democracia burguesa sacrifica o que há de melhor e de mais saudável no princípio de liberdade (*do homem: a liberdade para a persona-lidade humana afirmar-se em suas diferenças e em suas características regionais*).

Para o sr. Rüdiger Bilden o estudo da civilização é — repita-se — o estudo de um certo processo de [*da*] utilização de energia. *O estudo de um certo método de produção. Mas não* [Esta é a sua ideia central de filósofo da *história e de crítico das civilizações modernas. Esse estudo inclui a análise de um método ou processo de produção muito mais complexo que o dos Marxistas. Pois não se trata de]* produção no estreito sentido da criação de puros valores econômicos. *(Trata-se de)* Produção em conjunto: desde a de artigos essenciais a vida física, à dos mais sutis valores de cultura. Desaparece *(assim)* a linha rígida <u>dividindo</u> *[que, para alguns dividia]* o espiritual do material. Entre as ondas de energia que constituem o "spectrum" da vida — <u>fala o sr.</u> *[pensa]* Rüdiger Bilden — não é possível fixar exatas diferenças. Elas se confundem. O material e o espiritual — termos de pura conveniência <u>popular</u> — se confundem no grande oceano de energia, no grande "flux" que é a vida no seu todo. *(Com efeito,)* Que nos ensinam os mais recentes pesquisas científicas senão isto: — mais íntimas e sutis relações entre as mais diversas formas de vida? Já o grande físico Professor Millikon notou como depois de Einstein a ciência está a abandonar as antigas *(e)* agudas diferenciações entre os fenômenos materiais, elétricos e etéreos. É a tendência geral: na matemática e na astronomia como na físico-chemica e na bioquímica. E pode se acrescentar <u>ao sr.</u> *[a Rüdiger])* Bilden, nas *(próprias)* artes plásticas <u>depois de Rodin</u>.

O mundo se transforma nos olhos do cientista e do artista moderno — <u>pensa o sr. Rüdiger Bilden</u> — num oceano de fluidas e inter-relacionadas forças. E sob esse critério é que o jovem pensador <u>ensaia arrojada-mente</u> *[vai arrojadamente tentar]* pelo estudo específico da civilização brasileira — ou seja do método de produção que a criou e continua a plasmá-la: o trabalho escravo — <u>um</u> novo processo de interpretação <u>histórica</u> *[histórico-filosófica]*. A escravidão tornou possível uma cultura nacional brasileira; tornou possíveis os começos, no Brasil, de uma arte autóctone. Estudá-la é estudar a história do Brasil na qual tudo o mais — <u>pensa o sr. Rüdiger Bilden</u> — é *(na verdade)* secundário ou dependente ou exterior. *(Critério que coincide com o de autores brasileiros já antigos, um deles o primeiro José Bonifácio; o outro, Abreu e Lima, que considerou o Brasil expressão de sua formação escravocrática e das "classes" criadas entre nós pelo sistema escravocrático, tendo sido continuado por Perdigão Malheiro e, principalmente, neste ponto, pelo Joaquim Nabuco d'O Abolicionismo e, em algumas de suas páginas, pelo contraditório Sílvio Romero. Também por Oliveira Lima e Capistrano de Abreu. E, mais recentemente, pelo Professor Gilberto*

Amado, em notável estudo de sociologia, principalmente política, sobre o desen-volvimento brasileiro. Só ao grande Euclydes da Cunha, em seus ensaios de uma quase sociologia — ou filosofia — da história brasileira, escapou a importância do sistema escravocrático na formação do Brasil).

No jovem pensador alemão, nota-se que distingue na história brasilei-ra os dois sentidos da nacionalidade <u>de</u> [*a*] que ainda há pouco <u>escrevia,</u> <u>em brilhante</u> [*referiu-se em penetrante*] ensaio, o <u>sr.</u> [*admirável crítico*] Tristão de Athayde: "o sentido arquitetônico" e "o sentido lírico". O sentido ar-quitetônico — ou seja "o sentimento do todo", como define o <u>sr.</u> [*crítico Tristão de*] Athayde — teve-o com relação ao problema do trabalho de escravo (*,mais do que ninguém — mais do que o próprio Abreu e Lima e o próprio Perdigão Malheiro —*) José Bonifácio; e sob o estímulo do senso lírico, ou seja, <u>da ação individual ou particular ou</u> [*do*] romanticamente <u>jurídica</u> [*jurídico*], agiram <u>no</u> [*com relação ao*] assunto <u>os Joaquim Nabuco,</u> os Ruy Barbosa, (*os José de Patrocínio*), os agitadores políticos e humanitários.

Dos fortes estudos (*já em começo*) <u>do senhor</u> [de] Rüdiger Bilden, ora no Brasil para <u>um</u> mais íntimo <u>e pessoal</u> contato com a realidade brasileira, (*— sobre a história do trabalho escravo nesta parte da América — assunto pelo qual confessa ter sido atraído durante seu convívio, na Universidade de Columbia com um brasileiro discípulo, como ele, do insigne Boas —*) é lícito esperar (*-se*) <u>um</u> trabalho parente daquele do seu compatriota Handelmann, que <u>o sr.</u> [*Mestre*] Oli-veira Lima considera "a melhor história do Brasil" (*escrita por estrangeiro*). <u>E</u> independente <u>disto um</u> [*disso, deverá ser um*] trabalho de arrojada renovação de <u>processos históricos</u> [*de estudos histórico-filosóficos ou antropofilosóficos: aqueles que nos aproximaram em torno da figura magistral de Franz Boas; e fizeram surgir afinidades entre mim, Rüdiger Bilden e Francis Butler Simkins: o extraordinário Simkins — admirável pela inteligência, pelo saber e pela generosidade — que acaba de publicar seu primeiro livro, dedicando-o — dedicatória impressa — ao colega brasileiro que, na Universidade de Columbia, o fez "compreender o passado do seu próprio país (os Estados Unidos") 1926-1973".].*[2]

GF

---

2 Edson Nery da Fonseca, o organizador de Antecipações, informa em nota de rodapé que "em 1973, ao separar suas antecipações para o presente livro, o autor acrescentou ao texto de 1926 algumas frases e o último parágrafo". Há, no entanto, no último parágrafo, trechos da versão original.

Apêndice 3

Caderno de anotações, 1921-1922

Personal

Do not read it

Nova York 1921

G. B. S. brinca com o mundo como uma criança com u'a bola de celuloide. E ao aperto de seus dedos, ~~o mundo~~ guincha como um boneco Mané gostoso.

Nova York 1921 x

Não fez Deus creatura mais borboleteante do que o cidadão brasileiro. É um horror. Menino, vive a mudar de escola e de collegio; homem feito, a mudar de casa.

Nova York 1921 x

Num B. Entra um rapazola, cara sardenta. Uma pasta de cabello côr de manteiga. Traz uma papellada debaixo do braço. Tem a timidez dos treze annos, a edade em que os braços nos parecem mais compridos do que de verdade são. Interroga-o em mau inglez o empregado do seu guichet. "Ahi, assignar isto, não. Amanhã ás 11 horas se quizer." O menino ia protestar.

Wash. New York

... Washington 1921 —

Não se tem ao mesmo tempo de
bôa qualidade ideas e ideas, ainda
que ... Os dois ...
por exemplo, Os dois ... e aqui os Eddies
... Washington 1921

the Wash. Was afraid would
find it too official – like a
man in a Prince albert and a
top hat. Not too official. It is too
new – and that is not a quality
neither in a person nor town (I hope
you are above the larger line which
...) But there are so many
trees in Wash. and trees – like
thoughtful persons (remember Done Core)
get old rapidly. and the trees of
Washington city Welcome to you
and they would shake hands
with you if their branches were
real arms.

Washington 1921

Soares Brandão – do Imperio, tido
como estupido em Pernambuco. Tambem
João Alfredo. Curioso ...
opinião pernambucana.

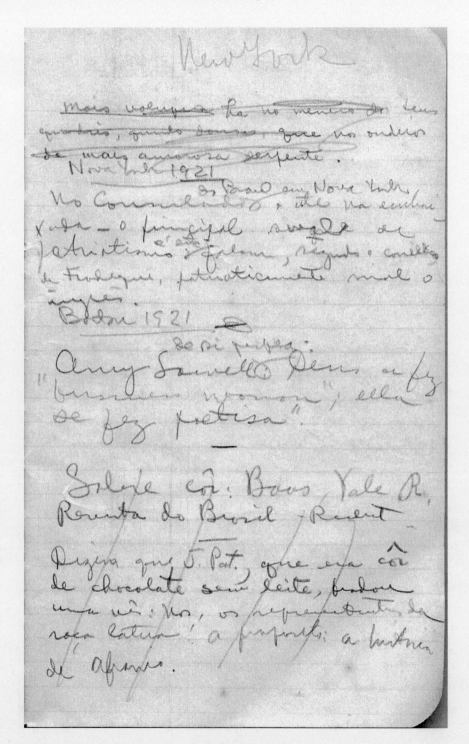

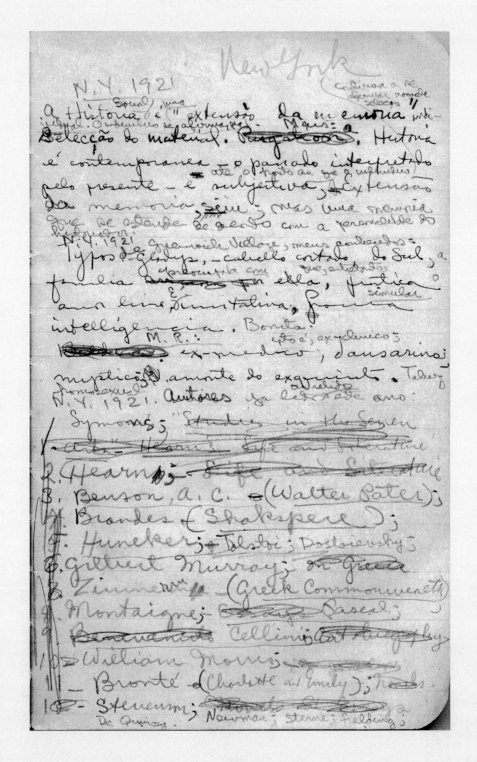

Bibliografia consultada

ADAMS, M. B. (Org.). *The Wellborn Science*: Eugenics in Germany, France, Brazil and Russia. Oxford: Oxford University Press, 1990.

ALCÂNTARA, M. A. Gilberto Freyre e a cultura hispânica. In: *Gilberto Freyre*: sua ciência, sua filosofia, sua arte: ensaios sobre o autor de *Casa-grande & senzala*. Rio de Janeiro: José Olympio, 1962.

AMADO, J. *Casa-grande & senzala* e a revolução cultural. In: *Gilberto Freyre*: sua ciência, sua filosofia, sua arte. Rio de Janeiro: José Olympio, 1962.

ANDERSON, B. *Imagined Communities*. London: Verso, 1983.

ANDERSON, J. *This was Harlem* – A Cultural Portrait, 1900-1950. New York: Farrar Giroux, 1982.

ANTONIO RICARDO [G. Freyre?]. Um preconceito que não devemos adotar. *A Província*, 30 jan. 1929.

ARAÚJO, R. B. de. *Guerra e paz*: *Casa-grande & senzala* e a obra de Gilberto nos anos 30. Rio de Janeiro: Ed. 34, 1994.

ARNOLD, M. *Essays*, with an introduction by G. K. Chesterton. London: J. M. Dent, 1919.

AUDEN, W. F. *The Age of Anxiety*. London: Faber and Faber, 1948.

BARBER, B. *Science and the Social Order*. London: George Allen & Unwin, 1953.

BARLOW, N. (Ed.). *The Autobiography of Charles Darwin 1809-1882*. London: Collins, 1958.

BARRÈS, M. *Les déracinés*: le roman de l'énergie nationale. Paris: Gallimard, 1988. (1.ed. 1897).

BARROS, Souza. *A Década 20 em Pernambuco*: uma interpretação. Rio de Janeiro: Paralelo, 1972.

BASTOS, E. R. *Gilberto Freyre e o pensamento hispânico*: entre Dom Quixote e Alonso El Bueno. São Paulo: EDUSC, 2003.

BAYLOR UNIVERSITY. *The Seventy-sixth Annual Commencement*. 1918.

_____. *The Baylor Bulletin, The Catalog 1918-1919*, v.XXII, n.3, p.71-2.

_____. *The Baylor Bulletin 1919-1920*. v.XXII, n.2, v.XXIII, n.3.

BEAUVOIR, S. de. *Memórias de uma moça bem-comportada*. Rio de Janeiro: Nova Fronteira, 1991.

BENNETT, A. *Literary Taste*: how to form it. London: New Age Press, 1909.

BENSON, A. C. *Walter Pater*. New York: Macmillan, 1911.

_____. *Rossetti*. London: Macmillan, 1916.

BERLIN, I. *Karl Marx*: his life and environment. London: T. Butterworth, 1939.

BILDEN, R. Brazil, Laboratory of Civilization. *The Nation*, New York, v.128, n.3315, p.71-4, 1929.

_____. Race Relations in Latin America with special reference to the development of Indigenous Culture. Round Table on Latin American Relations, 1 July 1931, Institute of Public Affairs, University of Virginia. (AFGF).

BISLAND, E. *The Life and Letters of Lafcadio Hearn*. London: Constable, 1907. 2v.

_____. *The Japanese Letters of Lafcadio Hearn*. London: Constable, 1911.

BLACK, E. *War Against the Weak*: Eugenics and America's Campaign to Create a Master Race. New York: Four Walls, Eight Windows, 2003.

BLOOM, H. *The Western Canon*: the books and school of the ages. New York: Harcourt, 1994.

BOA, E.; PALFREYMAN, R. *Heimat – a German Dream* – Regional Loyalties and National Identity in German Culture 1890-1990. Oxford: Oxford University Press, 2000.

BOAS, F. *The Mind of Primitive Man*. New York: Macmillan, 1911.

_____. The problem of the American Negro. *Yale Review*, X, 1921a.

_____. The Great Melting Pot and its Problem. *The New York Times Book Review*, 6 Feb. 1921b.

_____. The Question of Racial Purity. *The American Mercury*, v.III, n.9, 1924.

_____. *Anthropology and Modern Life*. London: George Allen & Unwin, 1929.

_____. Human Faculty as determined by Race (1894). In: STOCKING Jr., G. (Ed.) *The Shaping of American Anthropology 1883-1922*: a Franz Boas Reader. New York: Basic Books, 1974a. p.231-42.

BOAS, F. The history of Anthropology (1905). In: STOCKING Jr., G. (Ed.) *The Shaping of American Anthropology 1883-1922*: a Franz Boas Reader. New York: Basic Books, 1974b. p.23-6.

_____. Rudolf Virchow's Anthropological Work. (1902). In: STOCKING Jr., G. (Ed.). *The Shaping of American Anthropology 1883-1922*: a Franz Boas Reader. New York: Basic Books, 1974c. p.36-41.

BODE, C. *Mencken*. Carbondale: Southern Illinois University Press, 1969.

BORGES, D. Como e por que a escravidão voltou à consciência nacional. In: KOSMINSKY, E. V.; LÉPINE, C.; PEIXOTO, F. A. (Org.). *Gilberto Freyre em quatro tempos*. São Paulo, Ed. Unesp, 2003. p.205-22.

BOURDIEU, P. *Language and Symbolic Power*. Cambridge: Polity Press, 1991.

_____. *The Field of Cultural Production*. Cambridge: Polity Press, 1993.

BRESSER PEREIRA, L. C. *Relendo Casa-grande & senzala*. http://www.bresserpereira.org.br/ . 2000.

BRONNER, M. (Ed.) *Letters from Raven, being the correspondence of Lafcadio Hearn with Henry Watkin*. New York: Brentano, 1925.

BRONSON, W.C. (Ed.). *English Essays*. New York: Henry Holton, 1905.

BROWNSTONE, D. M.; FRANCK, I. M.; BROWNSTONE, D. L. *Island of Hope, Island of Tears*. Harmondsworth: Penguin, 1986.

BUCKLEY, J. H. *The Victorian Temper*: A Study in Literary Culture. Cambridge: Cambridge University Press, 1951.

BURKE, P. Gilberto Freyre e a Nova História. *Tempo Social*, v.9, n.2, p.1-12, 1997.

_____. O pai do homem: Gilberto Freyre e a história da infância. In: GIUCCI, G.; LARRETA, E. R.; FONSECA, E. N. da (Coord.). *Casa-grande & senzala*, edição crítica. Paris: Coleção Archivos, Allca XX, 2002. p.786-96.

BURROW, J. W. *Evolution and Society*. Cambridge: Cambridge University Press, 1970.

_____. *The Crisis of Reason*: European Thought, 1848-1914. New Haven: Yale University Press, 2000.

BURUMA, I. *Voltaire's Coconuts or Anglomania in Europe*. London: Phoenix, 2000.

CALLADO, A. À procura de influências anglo-americanas em Gilberto Freyre. In: *Gilberto Freyre*: sua ciência, sua filosofia, sua arte. Rio de Janeiro: José Olympio, 1962.

CANDIDO, A. O significado de *Raízes do Brasil*. In: HOLANDA, S. B. de. *Raízes do Brasil*. Rio de Janeiro: José Olympio, 1983. (1.ed. do prefácio 1967).

CARDOSO, F. H. Prefácio. In: FREYRE, G. *Casa-grande & senzala*. Rio de Janeiro: Global, 2003.

CAREIL, A. F. de. (Ed.). *Nouvelles lettres et opuscules inédits de Leibniz*. Paris: Durand, 1857.

CARLEY, J. *The Books of King Henry VIII and his Wives*. London: The British Library, 2004.

CARVALHO, J. M. de. *A formação das almas*: o imaginário da República no Brasil. São Paulo: Companhia das Letras, 1990.

CARVALHO, M. M. C. de. *Molde nacional e fôrma cívica*: higiene, moral e trabalho no projeto da Associação Brasileira de Educação (1924-1931). Bragança Paulista, EDUSC, 1998.

CERTEAU, M. de. *L'invention du quotidien*. Paris: Collection Points, 1980.

CHACON, V. *A luz do Norte*. Recife: Massangana, 1989.

_____. *Gilberto Freyre*: uma biografia intelectual. Recife: Massangana, 1993.

CHARTIER, R. *Lectures et lecteurs dans l'Ancien Régime*. Paris: Seuil, 1987.

CHESTERTON, G. K. *G. F. Watts*. London: Duckworth, 1920.

_____. *Orthodoxy*. New York: John Lane, 1921.

_____. *Eugenics and other Evils*. Bruxelles: Collins, 1922.

_____. The Riddle of the Ivy. In: *Tremendous Trifles*. Beaconsfield, Darwen Finlayson, 1968. (1.ed. 1909).

_____. *All Things Considered*. Henley-on-Thames: Carwen Finlayson, 1969. (1.ed. 1908).

_____. *A Short History of England*. Sevenoaks: Fisher Press, 1997.

CHRISTIAN, J. (Ed.). *The Last Romantics*: The Romantic Tradition in British Art: Burne-Jones to Stanley Spencer. London: Lund Humphries, 1989.

CLUTTON-BROCK, A. *William Morris*: his work and influence. London: Williams & Norgate, 1914.

COLLINI, S. Introdução a J. S. Mill. *On Liberty*. Cambridge: Cambridge University Press, 1989.

COLUMBIA UNIVERSITY. *Bulletin of Information, Faculty of Political Science*, 1920-1921.

_____. *Bulletin of information, Philosophy, Psychology and Anthropology, Announcement* 1920-1921.

_____. *Bulletin of Information, Faculty of Political Science*, 1921-1922.

_____. *Bulletin of information, Philosophy, Psychology and Anthropology, Announcement* 1921-1922.

CONTINI, G. *Varianti e altra linguistica*. Torino: Einaudi, 1970.

COOPER, R. Bernard Sleigh, Artist and Craftsman, 1872-1954. *The Decorative Arts Society 1850 to the present*, Journal Number Twenty One, York: G. H. Smith & Sons, 1997. p.88-102.

COOTE, S. *W. B. Yeats*: a Life. London: Hodder & Stoughton, 1997.

CRAIG, W. J.; MILFORD, H. (Ed.). *The Complete Works of William Shakespeare*. Oxford: Oxford University Press, 1919.

CRESPO, R. A. Gilberto Freyre e suas relações com o universo cultural hispânico. In: KOSMINSKY, E. V.; LÉPINE, C.; PEIXOTO, F. A. (Org.). 2003, p.181-204.

CUNHA, M. C. da. A hora do índio. In: *Antropologia do Brasil*. São Paulo: Brasiliense/EDUSP, 1986. p.159-64.

DARNTON, R. *The Great Cat Massacre*. New York: Basic Books, 1984.

_____. History of Reading. In: BURKE, P. (Ed.). *New Perspectives in Historical Writing*. Cambridge: Polity Press, 1991.

DAVIDS, L. Franklin Henry Giddings: an overview of a forgotten pioneer. *Journal of the History of the Behavioral Sciences*, v.IV, 1968.

DAWSON, C. Ideas and beliefs of the Victorians. In: *Ideas and Beliefs of the Victorians*: an historic evaluation of the Victorian Age. London: Sylvan Press, 1949.

DEKKER, R. Presser's Heritage: Ego-Documents in the Study of History. *Memoria y Civilización*, 5, p.13-37, 2002.

DELLAMORA, R. *Masculine Desire*: The Sexual Politics of Victorian Aestheticism. Chapel Hill: University of North Carolina Press, 1990.

DICK, O. L. (Ed.). *Aubrey's Brief Lives*. Harmondsworth: Penguin, 1976.

DICKENS, C. *Our Mutual Friend*. Oxford: Oxford University Press, 1981. (1.ed. 1865).

DIMAS, A. Manifesto Guloso, Prefácio. In: FREYRE, G. *Manifesto Regionalista*, 7.ed. 1996.

_____. Um manifesto guloso. In: KOSMINSKY, E. V.; LÉPINE,V.; PEIXOTO, F. A. (2003).

DOUGLAS, L. S. *Through Heaven's Back Door*: A Biography of A. Joseph Armstrong. Waco: The Baylor University Press, 1951.

DOWLING, L. *Hellenism & Homosexuality in Victorian Oxford*. Ithaca: Cornell University Press, 1994.

DOWSON, E. *The Poetical Works of Ernest Dowson*. London: Cassell, 1926.

DUNCAN, D. *The Life and Letters of Herbert Spencer*. London: Routledge, 1996. (1.ed. 1908).

ELLIS, H. *Affirmations*. London: Scott, 1898.

_____. *Impressions and Comments, 1914-1920*. London: Constable, 1926. (1.ed. 1921).

_____. *The Dance of Life*. London: Constable, 1923.

_____. *The Soul of Spain*. London: Constable, 1927.

ELLMANN, R. *Oscar Wilde*. London: Penguin, 1987.

_____. *The Man and the Masks*. New York: W. W. Norton, 1999. (1.ed. 1949).

ERIKSON, E. H. In Search of Gandhi. *Daedalus*. 1968.

EVANS, L. (Ed.). *Letters of Walter Pater*. Oxford: Clarendon Press, 1970.

FABER, G. C. *Oxford Apostles*: a character study of the Oxford Movement. London: Faber and Faber, 1933.

FALCÃO, J. A luta pelo trono: Gilberto Freyre versus USP. In: FALCÃO, J.; ARAÚJO, R. M. B. de. (Org.). *O Imperador das Ideias*: Gilberto Freyre em questão. Rio de Janeiro: Topbooks, 2001.

FALCÃO, J.; ARAÚJO, R. M. B. de (Org.). *O Imperador das Ideias*: Gilberto Freyre em questão. Rio de Janeiro: Topbooks, 2001.

FARIA, A. de. *Mauá*: Irinêo Evangelista de Souza, Barão e Visconde de Mauá 1813-1889. São Paulo: Companhia Editora Nacional, 1933. (1.ed. 1926).

FECHER, C. A. (Ed.). *The Diary of H. L. Mencken*. New York: Knopf, 1989.

FERGUSON, F. Romantic Studies. In: GREENBLATT, S.; GUNN, G. (Ed.). *Redrawing the Boundaries*: the Transformation of English and American Literary Studies. New York: The Modern Language Association of America, 1992.

FLAUBERT, G. *Correspondance (1877-1880)*. Paris: Conard, 1930.

FONER, N. *From Ellis Island to JFK*: New York's Two Waves of Immigration. New Haven: Yale University Press, 2000.

FONSECA, E. N. da. Apresentação. In: FREYRE, G. *Pessoas, coisas & animais*: ensaios, conferências e artigos reunidos e apresentados por Edson Nery da Fonseca. Rio de Janeiro: Globo, 1981.

_____. Gilberto Freyre conciliador de contrários. *Ciência & Trópico*, Recife, n.15, v.2, 1987.

_____. *Casa-grande & senzala* como obra literária. In: FREYRE, G. *Casa-grande & senzala*. Ed. crítica, coord. G. Giucci, E. R. Larreta e E. N. da Fonseca. Paris: Coleção Archivos, Allca XX, 2002.

FORD, R. T. *Racial Culture* – A Critique. Princeton: Princeton University Press, 2005.

FOSTER, R. *W. B. Yeats*. Oxford: Oxford University Press, 1997. v.1.

FRANCO, M. S. C. Organização do trabalho no período colonial. *Discurso*, São Paulo, DF-FFLCH-USP, n.8, maio 1978.

FREYRE, A. *Dos 8 aos 80*. Recife: Universidade Federal de Pernambuco, 1970.

FREYRE, G. *Manuscrito inédito sobre* The Private Papers of Henry Ryecroft. AFGF. s. d.a.

_____. G. *Manuscrito inacabado de uma autobiografia em inglês*. AFGF. s. d.b.

_____. G. Letters from the readers. *New York Evening Post*, 22 Dec. 1921.

_____. Social Life in Brazil in the Middle of the Nineteenth Century. *The Hispanic American Historical Review*, v.5, 1922a.

_____. A "História da Civilização" do Sr. Oliveira Lima. *Revista do Brasil*, n.80, ago. 1922b.

_____. Gilberto Freyre, elegante touriste, dá-nos suas impressões sobre a vida Americana – O Ku-Klux-Klan – A vida nos cinemas. *A Notícia*, 21 abr. 1923.

FREYRE, G. *Apologia Pro Generatione sua*. Conferência realizada no Theatro Santa Rosa na Parayba a 5 de abril de 1924 e mandada publicar pela Comissão de Intelectuais sob cujos auspícios esteve Gilberto Freyre na Parayba. 1924. (Reproduzida em FREYRE, G. *Região e tradição*. Rio de Janeiro: José Olympio, 1941.)

_____. A Propósito de Dom Pedro II. *Revista do Norte – Aspectos da Vida Regional*, Recife, 1926.

_____. *Um livro americano que faz pensar no Brasil*. Manuscrito. AFGF, ac. 1932.

_____. Introdução. In: HOLLANDA, S. B. de. *Raízes do Brasil*. Rio de Janeiro: Olympio, 1936.

_____. O romântico Mumford. *Correio da Manhã*, Rio de Janeiro, 23 jul. 1938.

_____. Um livro de Mumford. *Correio da Manhã*, Rio de Janeiro, 23 jun. 1939a.

_____. Meredith e os anúncios de jornal. *Correio da Manhã*, Rio de Janeiro, 2 nov. 1939b.

_____. Some Aspects of the Social Development of Portuguese América. In: GRIFFIN, C. (Ed.). *Concerning Latin American Culture*. New York: Russell & Russell, 1940a.

_____. Social and Political democracy in America. *The American Scholar*, v.9, n.2, 1940b.

_____. Diários e memórias. *Correio da Manhã*, Rio de Janeiro, 15 abr. 1941.

_____. *Ingleses*. Rio de Janeiro: Olympio, 1942a.

_____. Precursores esquecidos. *O Jornal*, 21 jul. 1942b.

_____. *Conversa com Gilberto Freyre*: seguida por quatro artigos. Rio de Janeiro: Olympio, 1943.

_____. *Perfil de Euclides e outros perfis*. Rio de Janeiro: Olympio, 1944.

_____. *Brazil*: an Interpretation. New York: Knopf, 1945a.

_____. *Sociologia*. Rio de Janeiro: José Olympio, 1945b.

_____. Amizade com Oliveira Lima. *Diário de Pernambuco*, Recife, 22 nov. 1946a.

_____. Aspectos da formação e do caráter britânicos. In: LINS, Alvaro (Dir.). *Inglaterra*: 8 estudos. Rio de Janeiro: Americ-Edit, 1946b. p.153-94. (Coleção Joaquim Nabuco).

_____. *Ingleses no Brasil*. Rio de Janeiro: Olympio, 1948a.

_____. *Joaquim Nabuco*. Rio de Janeiro: Olympio, 1948b.

_____. *O Camarada Whitman*. Rio de Janeiro: Olympio, 1948c.

_____. *Guerra, paz e ciência*. Rio de Janeiro: Ministério das Relações Exteriores, 1948d.

_____. Lafcadio e o Trópico. *O Cruzeiro*, 29 set. 1951.

_____. A propósito de influências. *Jornal do Comércio*, 26 out. 1952.

_____. Mistérios de pronúncia inglesa. *O Cruzeiro*, 2 set. 1954.

FREYRE, G. Apêlo a ingleses que guardem papéis velhos. *O Cruzeiro*, 26 jan. 1957a.

_____. *Sociologia*: introdução ao estudo de seus princípios. Rio de Janeiro: Olympio, 1957b. 2 v. (1.ed. 1945).

_____. *Retalhos de jornais velhos*. Rio de Janeiro: Olympio, 1964.

_____. *6 conferências em busca de um leitor*. Rio de Janeiro: Olympio, 1965.

_____. *Como e por que sou e não sou sociólogo*. Brasília, Ed. Universidade de Brasília, 1968a.

_____. *Região e tradição*. Rio de Janeiro: Record, 1968b. (1.ed. 1941).

_____. *Dona Sinhá e o filho padre*. Rio de Janeiro: Olympio, 1971. (1.ed. 1964).

_____. *Tempo morto e outros tempos*: trechos de um diário de adolescência e primeira mocidade, 1915-1930. Rio de Janeiro: Olympio, 1975.

_____. Nota do autor à 2ª edição. In: *Ingleses no Brasil*. Rio de Janeiro: Olympio, 1977.

_____. *Cartas do próprio punho sobre pessoas e coisas do Brasil e do estrangeiro*. Seleção, organização e introdução de Sylvio Rabello. Brasília: MEC, Departamento de Imprensa Nacional, 1978.

_____. *Tempo de aprendiz*: artigos publicados em jornais na adolescência e na primeira mocidade do autor (1918-1926). São Paulo: Ibrasa, 1979a. 2v.

_____. A pintura no Nordeste. In: FREYRE, G. & outros. *Livro do Nordeste* (comemorativo do 1º Centenário do Diário de Pernambuco. Edição Facsimilada.) Recife: Secretaria da Justiça, Arquivo Público Estadual, 1979b.

_____. Vida social no Nordeste: aspectos de um século de transição. In: FREYRE, G. & outros. *Livro do Nordeste* (comemorativo do 1º Centenário do Diário de Pernambuco. Edição Fac-similada.) Recife: Secretaria da Justiça, Arquivo Público Estadual, 1979c.

_____. *O escravo nos anúncios de jornais brasileiros do século XIX*. São Paulo: Companhia Editora Nacional, 1979d. (1.ed. 1963).

_____. *Arte, ciência e trópico*. São Paulo: Difel, 1980. (1.ed. 1962).

_____. *De menino a homem*: diário íntimo seguido de recordações pessoais em tom confidencial semelhante ao de diários. Nova edição aumentada, do livro do mesmo autor, intitulado *Tempo morto e outros tempos*. Recife: Fundação Gilberto Freyre, [ca.1981].

_____. *Pessoas, coisas & animais*: ensaios, conferências e artigos reunidos e apresentados por Edson Nery da Fonseca. Rio de Janeiro: Globo, 1981a. (1.ed. 1979).

_____. O Pe. Feijó e seu jansenismo caboclo. In: _____. *Pessoas, coisas & animais*: ensaios, conferências e artigos reunidos e apresentados por Edson Nery da Fonseca. Rio de Janeiro: Globo, 1981b. p.215-20. (Publicado originalmente em *A manhã*. Rio de Janeiro, 19 dez. 1942).

FREYRE, G. Rio Branco: a estátua e o homem. In: FREYRE, G. *Pessoas, coisas & animais*: ensaios, conferências e artigos reunidos e apresentados por Edson Nery da Fonseca. Rio de Janeiro: Globo, 1981c. P.220-53. (Publicado originalmente em *Diário de Pernambuco*. Recife, 10, 12-6, 19 mar. 1946).

_____. *Insurgências e ressurgências atuais*: cruzamento de sins e de nãos num mundo em transição. Rio de Janeiro: Globo, 1983.

_____. *Vida social no Brasil nos meados do século XIX*: o livro embrião de *Casa-grande & senzala*. Recife: Massangana, 1985. (1.ed. 1964).

_____. *Perfil de Euclides e outros perfis*. Rio de Janeiro: Record, 1987a. (1.ed. 1944).

_____. *Vida, forma e cor*. Rio de Janeiro: Record, 1987b. (1.ed. 1962).

_____. *Nordeste*. Rio de Janeiro: Record, 1989. (1.ed. 1937).

_____. *Bahia e baianos*. Salvador: Fundação das Artes, 1990.

_____. *Manifesto Regionalista*. Fatima Quintas (Org.). Recife: Massangana, 1996. (1.ed. 1952).

_____. *Novo mundo nos trópicos*. Rio de Janeiro: Topbooks, 2000a. (1.ed. 1971).

_____. *Ingleses no Brasil*. Rio de Janeiro: Topbooks, 2000b. (1.ed. 1948).

_____. *Sobrados e mucambos*. Rio de Janeiro: Record, 2000c. (1.ed. 1936).

_____. *Ordem e progresso*. Rio de Janeiro: Record, 2000d. (1.ed. 1959).

_____. *Aventura e rotina*. Rio de Janeiro: Topbooks, 2001a. (1.ed. 1953).

_____. *Antecipações*: textos reunidos, anotados e prefaciados por Edson Nery da Fonseca. Recife: EDUPE, 2001b.

_____. *Além do apenas moderno*. Rio de Janeiro: Topbooks, 2001c. (1.ed. 1973).

_____. *Casa-grande & senzala*. Ed. crítica, coord. G. Giucci, E. R. Larreta e E. N. da Fonseca. Paris: Coleção Archivos, Allca XX, 2002.

FREYRE, G.; ROCHA FILHO, R. *Tempos perdidos, nossos tempos*: viagem em torno de Gilberto Freyre. Recife: Massangana, 1983.

FRY, P. *A persistência da raça*: ensaios antropológicos sobre o Brasil e a África austral. Rio de Janeiro: Civilização Brasileira, 2005a.

_____. A democracia racial infelizmente virou vilã. *O Globo*, Caderno Prosa & Verso, 18 jun. 2005b.

_____. O outro lado da "democracia racial". *O Estado de S. Paulo*, Caderno 2, 26 jun. 2005c.

FUSSELL, P. *The Great War and Modern Memory*. New York: Oxford University Press, 1975.

GARCÍA MÁRQUEZ, G. *Vivir para contarla*. Barcelona: Debolsillo, 2003. (1.ed. 2002).

GARRATY, J. E CARNES, M. (Eds.) *(1999)*. *American National Biography*. Oxford: Oxford University Press, 1999. v.10, p.78-9.

GAUNT, W. *The Pre-Raphaelite Dream*. New York: Schocken, 1966. (1.ed. 1942).

GENOVESE, E. D. The Treatment of Slaves in Different Countries: Problems in the Applications of the Comparative Method. In: FONER, L., GENOVESE, E.D. (Org). *Slavery in the New World*. Englewood Cliffs: Prentice-Hall, 1969a.

_____. Materialism and Idealism in the History of Negro Slavery in the Americas. In: FONER, L., GENOVESE, E.D. (Org.). *Slavery in the New World*. Englewood Cliffs: Prentice-Hall, 1969b.

GIDDINGS, F. H. *The Principles of Sociology*: An Analysis of the Phenomena of Association and of Social Organization. New York: Macmillan, 1896.

_____. *Elements of Sociology*. New York: Macmillan, 1898.

_____. *Readings in Descriptive and Historical Sociology*. New York: Macmillan, 1906.

_____. *The Responsible State*. Boston: Houghton Mifflin, 1918.

_____. *A Theory of History*. New York: The Academy of Political Science, 1920.

_____. *Studies in the Theory of Human Society*. New York: Macmillan, 1922.

_____. Inhabitants and Societies. *Social Forces*, v.10, n.2, 1931.

GILBERT, F. From Art History to the History of Civilization: Aby Warburg. In: *History, Choice and Commitment*. Cambridge, Mass., 1972.

GILBERTO Freyre: sua ciência, sua filosofia, sua arte: ensaios sôbre o autor de *Casa-grande & senzala*, e sua influência na moderna cultura do Brasil. Comemorativos do 25° aniversário da publicação dêsse seu livro. Rio de Janeiro: Olympio, 1962.

GILLIN, J. L. Franklin Henry Giddings. In: ODUM, H. W. et al. (Ed.). *American Masters of Social Science*: an Approach to the Study of the Social Sciences through a Neglected Field of Biography. 1927.

GIRAUD, V. *Révue des Deux Mondes*, 1 janvier 1922, p.47-78; 15 janvier 1922, p.315-48; 15 février 1922, p.881-907.

GISSING, G. *The Private Papers of Henry Ryecroft*. New York: Boni and Liverigh, 1918.

_____. *Letters of George Gissing to members of his family*: collected and arranged by Algernon and Ellen Gissing. London: Constable, 1927.

_____. *The Private Papers of Henry Ryecroft*. London: Phoenix House, 1953.

GITTINGS, R. *Young Thomas Hardy*. London: Heinemann Educational, 1975.

GIUCCI, G. Gilberto Freyre: dois momentos. In: BERNARDO, G. *Literatura e sistemas culturais*. Rio de Janeiro, UERJ, 1998.

GOLDBERG, I. As Latin America sees us. *The American Mercury*, v.III, 1924.

_____. *The Man Mencken*: a biographical and critical survey. New York: Simon and Schuster, 1925.

GOMBRICH, E. H. *Aby Warburg*: an Intellectual Biography. London: Warburg Institute, 1970.

GOMES, A. de C. Em família: a correspondência entre Oliveira Lima e Gilberto Freyre. In: GOMES, A. de C. (Org.). *Escrita de si, escrita da história*. Rio de Janeiro: Editora FGV, 2004.

GOULD, G. M. *Concerning Lafcadio Hearn*. London: Fisher & Unwin, 1908.

GRAF, A. *L'anglomania e l'influsso inglese in Italia nel secolo XVIII*. Turin: Loescher, 1911.

GRANT, M. *The Passing of the Great Race, or The Racial Basis of European History*. 4th revised edition, with prefaces by Henry Fairfield Osborn. London: Bell, 1921. (1.ed. 1916).

GRAY, J. *Mill on Liberty*: a Defence. London: Routledge & Kegan Paul, 1983.

GREEN, J. *Além do Carnaval*: a homossexualidade masculina no Brasil do século XX. São Paulo: Editora Unesp, 2000.

GREENBLATT, S. *Renaissance Self-Fashioning from More to Shakespeare*. Chicago: Chicago University Press, 1980.

GREENBLATT, S., GUNN, G. (Ed.). *Redrawing the Boundaries*: the transformation of English and American literary studies. New York: The Modern Language Association of America, 1992.

GREGORY, F. *Scientific Materialism in Nineteenth Century Germany*. Dordrecht: Reidel, 1977.

GRIEDER, J. *Anglomanie in France, 1740-1789*: Fact, Fiction and Political Discourse. Genève: Droz, 1985.

GUIMARÃES, A. S. A. *Intelectuais negros e modernidade no Brasil*. Oxford Centre for Brazilian Studies, Working Paper 52, 2003.

_____. Preconceito de cor e racismo no Brasil. *Revista de Antropologia*, v.47, n.7, 2004.

GURY, J. Une excentricité à l'anglaise: l'anglomanie. In: PLAISANT, M. *L'excentricité en Grande-Bretagne au 18ème siècle*. Lille: Editions Universitaires, Université de Lille III, 1976.

GUSDORF, G. *Les principes de la pensée au siècle des lumières*. Paris: Payot, 1971.

HALES, S., WELSHON, R. *Nietzsche's Perspectivism*. Urbana and Chicago: University of Illinois Press, 2000.

HALPERIN, J. *Gissing*: A Life in Books. Oxford: Oxford University Press, 1982.

HALSEY, F. W. *Seeing Europe with Famous Authors*. New York: Funk & Wagnall, 1914. 10v.

HANNERZ, U. *Cultural Complexity*. New York: Columbia University Press, 1992.

HANSEN, J. A. *A sátira e o engenho*: Gregório de Matos e a Bahia do século XVII. São Paulo: Companhia das Letras, 1989.

HARDY, T. *Tess of the D'Urbervilles*. Harmondsworth: Penguin, 1981. (1.ed. 1891).

HARING, C. H. *South America looks at the United States*. New York: Macmillan, 1928.

HART-DAVIS, R. (Ed.). *The Letters of Oscar Wilde*. London: Hart-Davis, 1962.

HAWTHORN, G. *Enlightenment and Despair*. Cambridge: Cambridge University Press, 1976.

HEARN, L. A Conservative. In: *Kokoro*: Hints and Echoes of Japanese Inner Life. London: Osgood, 1896.

_____. *Life and Literature*. London: Heinemann, 1917.

_____. *Two Years in the French West Indies*. New York: Harper, 1923.

_____. *Letters from Raven*: being the correspondence of Lafcadio Hearn with Henry Watkin. New York: Brentano, 1925.

HERSKOVITS, M. What is Race? *The American Mercury*, v.II, n.5, 1924.

_____. *Franz Boas*: The Science of Man in the Making. New York: Scribners, 1953.

HIGHAM, J. *Strangers in the Land*: Patterns of American Nativism 1860-1925. New Jersey: Rutgers University Press, 1955.

HIRSCH, E. D. *A First Dictionary of Cultural Literacy*. Boston: Houghton Mifflin, 1996.

HOBSBAWM, E. J. *The Age of Capital, 1848-1875*. Harmondsworth: Penguin, 1988. (1.ed. 1975).

HOBSON, F. *Mencken*: A Life. Baltimore: The Johns Hopkins University Press, 1994.

HOBSON, J. A. Herbert Spencer. In: TAYLOR, M. W. (Ed.). *Herbert Spencer*: Contemporary Assessments. London: Routledge, 1996.

HONE, J. *The Life of George Moore*. London: Gollancz, 1936.

HOUGH, G. *The Last Romantics*. London: Methuen, 1947.

HOWE, M. D. (Ed.). *Holmes-Laski Letters*. London: Oxford University Press, 1953. 2v.

HUDSON, W. H. *An Introduction to the Philosophy of Herbert Spencer*. London: Routledge/Thoemmes Press, 1996. (1.ed. 1897).

HYATT, M. The Dimensions of Franz Boas's Thought on Environment and Culture: a Response do Carl N. Degler. In: DEGLER, C. N. *Culture versus Biology in the Thought of Franz Boas and Alfred L. Kroeber*. New York: Berg, 1989

IGNATIEFF, M. *Isaiah Berlin*: A Life. London: Chatto & Windus, 1998.

I'LL TAKE my Stand: the South and the Agrarian Tradition, by Twelve Southerners. New York: Peter Smith, 1951. (1.ed. 1930).

INGE, W. R. *The Victorian Age*. Cambridge: Cambridge University Press, 1922.

INOJOSA, J. *O movimento modernista em Pernambuco*. Rio de Janeiro: Gráfica Tupy, 1968. 3v.

ISER, W. *The Act of Reading*: a Theory of Aesthetic Response. Baltimore: Johns Hopkins University Press, 1978.

JACKSON, H. J. *Marginalia*: Readers Writing in Books. New Haven: Yale University Press, 2001.

JACKSON, W. Melville Herskovits and the Search for Afro-American Culture. In: STOCKING, Jr., G. (Ed.). *Malinowski, Rivers, Benedict and Others*. Madison: The University of Wisconsin Press, 1986.

JAKSIC, K. *Andres Bello*: la pasión por el orden. Santiago do Chile: Editorial Universitaria, [ca.2001].

JARDIM, L. Prefácio. In: FREYRE, G. *Retalhos de jornais velhos*. Rio de Janeiro: Olympio, 1964.

JAUSS, H. R. *Toward an Aesthetic of Reception*. Minneapolis: University of Minnesota Press, 1982.

JENKYNS, R. *The Victorians and Ancient Greece*. Oxford: Blackwell, 1980.

JENNINGS, H. S. *Prometheus or Biology and the Advancement of Man*. London: Kegan Paul, [ca.1925].

JOHNSON, J. W. Harlem: The Culture Capital. In: LOCKE, A. (Ed.). *The New Negro*: an interpretation. New York: Boni, 1925.

_____. *The Book of American Negro Poetry*. New York: Harcourt, Brace and Company, 1931. (1.ed. 1922).

_____. W. *Along this way*. New York: The Viking Press, 1945. (1.ed. 1933).

_____. W. *The Autobiography of an ex-Colored man*. Hardmondsworth: Penguin Books, 1990. (1.ed. 1912).

KANTROWITZ, S. *Ben Tillman and the Reconstruction of White Supremacy*. Chapel Hill: University of North Carolina Press, 2000.

KERNAN, A. *Samuel Johnson and the Impact of Print*. Princeton: Princeton University Press, 1987.

KINTGEN, E. *Reading in Tudor England*. Pittsburgh: University of Pittsburgh Press, 1996.

KLUCKHOHN, C.; PRUFER, O. Influences During Formative Years. In: GOLDSCHMIDT, W. (Ed.). *The Anthropology of Franz Boas*: Essays on the Centennial of his Birth. The American Anthropological Association, v.61, n.5, Part 2, 1959.

KOSMINSKY, E. V.; LÉPINE, C.; PEIXOTO, F. A. (Org.). *Gilberto Freyre em quatro tempos*. São Paulo, Ed. Unesp, 2003.

KOSZUL, A. *Anthologie de la littérature anglaise*. Paris: Delagrave, 1922. 2v.

KRAMER, V. A. (Ed.). *The Harlem Renaissance re-examined*. New York: MAS Press, 1987.

KUHN, T. S. *The Structure of Scientific Revolutions*. Chicago: The University of Chicago Press, 1962.

LANGFORD, P. *Englishness Identified*: Manners and Character 1650-1850. Oxford: Oxford University Press, 2000.

LAPRADE, W. T. The Present State of the History of England in the Eighteenth Century. *Journal of Modern History*, v.IV, n.4, 1932.

LARRETA, E. R. The Road to *Casa-Grande*: Itineraries by Gilberto Freyre. In: *Brazil 2001: A Revisionary History of Brazilian Literature and Culture*. Dartmouth, 2001.

LARRETA, E. R.; GIUCCI, G. *Casa-grande & senzala*: os materiais da imaginação histórica. In: FREYRE, G. *Casa-grande & senzala*. Ed. crítica. Coord. G. Giucci, E. R. Larreta e E. N. da Fonseca. Paris: Coleção Archivos, Allca XX, 2002.

LEIDER, E. W. *Dark Lover*: the life and death of Rudolph Valentino. London: Faber, 2003.

LEMAIRE, R. Amores inteligentes: reflexões em torno do tema "Gilberto Freyre e a França". In: BUENO, E. (Ed.). *Visions du Brésil*. Paris: Ambassade du Brésil, 2002.

LEMOINE, B. *Exotisme spirituel et esthétique de la vie et l'oeuvre de Lafcadio Hearn (1850-1904)*. Paris: Didier Erudition, 1988.

LEVI, P. *The Search for Roots*: a Personal Anthology. London: Allen Lane, 2001.

LEVINE, G. Victorian Studies. In: GREENBLATT, S.; GUNN, G. (Ed.). *Redrawing the Boundaries*: the transformation of English and American literary studies. New York: The Modern Language Association of America, 1992. p.130-53.

LEWIS, D. L. *When Harlem was in Vogue*. New York: Alfred Knopf, 1981.

_____. (Ed.). *Harlem Renaissance Reader*. New York: Viking, 1994.

LIMA, L. C. A versão solar do patriarcalismo: *Casa-grande & senzala*. In: *A aguarrás do tempo*. Rio de Janeiro: Rocco, 1989.

LIMA, M. H. G. de. *Gilberto historiador*. Recife: O Autor, 1993.

LIMA, M. O. *Na Argentina*: impressões 1918-19. Rio de Janeiro: Weiszflog, 1920.

_____. Dr. Lima for Race Mixture. *The New York Times*, 13 ago. 1922.

_____. *Memórias (estas minhas reminiscências)*. Rio de Janeiro: Olympio, 1937.

LINS, A. (Dir.). *Inglaterra*: 8 estudos. Rio de Janeiro: Americ-Edit, 1946. (Coleção Joaquim Nabuco).

LIPPI, L. O. O intelectual do DIP: Lourival Fontes e os Estado Novo. In: BOMENY, H. (Org.). *Constelação Capanema*: intelectuais e políticas. Rio de Janeiro: Editora FGV, 2001.

LOCKE, A. *The negro*: an interpretation. New York: Boni, 1925a.

_____. *Enter the new negro*. Survey Graphip, v.53, n.11, march, 1925b.

_____. The negro in the three Americas. *Journal of negro education*, v.13, 1944.

LOWES, J. L. *The Road to Xanadu*. London: Picador, 1978. (1.ed. 1927).

Gilberto Freyre

LUDMERER, K. M. *Genetics and American Society*: a Historical Appraisal. Baltimore: The Johns Hopkins University Press, 1972.

LYND, R. *Essays on Life and Literature*. London: Dent, 1951.

MACDOWELL, A. Republican candidate admits supporting eugenics. *The Independent*, London, 4 Aug. 2004a.

_____. Republicans pick Racist. *The Guardian*, London, 7 Aug. 2004b.

MACHOR, J. (Ed.). *Readers in History*: nineteenth-century American Literature and the contexts of Response. Baltimore, Johns Hopkins University Press, 1993.

MAIO, M. C. Os judeus no pensamento de Gilberto Freyre. In: QUINTAS, F. (Org.). *Anais do Seminário Internacional Novo Mundo nos Trópicos*. Recife: Fundação Gilberto Freyre, 2000.

MARAN, R. *Batoula*. New York: Thomas Seltzer, 1922.

MARCONDES, J. V. F. Gilberto Freyre e o cinquentenário de *Casa-grande & senzala*. *Problemas Brasileiros*, São Paulo, n.20, v.226, 1987.

MÄRTENS, G. Mein Nietzsche. Nietzsches Präsens im Denken on José Ortega y Gasset. In: RESCHKE, R. (Hrsg.). *Zeitenwende – Wertewende*. Berlin: Akademie Verlag, 2001.

MARTIN, H.-J. *The History and Power of Writing*. Chicago: University of Chicago Press, 1994.

MARTIN, P. Portugal in America. *Hispanic American Historical Review*, n.17, 1937.

MASSA, J.-M. A biblioteca de Machado de Assis. In: JOBIM, J. L. (Ed.). *A biblioteca de Machado de Assis*. Rio de Janeiro: Topbooks, 2001.

MATTA, R. da. O espaço social brasileiro na obra de Gilberto Freyre. In: *Casa--grande & senzala*: 50 anos depois. Rio de Janeiro: Funarte, 1985.

_____. A originalidade de Gilberto Freyre. *Boletim Informativo e Bibliográfico de Ciências Sociais*, BIB, n.24, 1987.

MAURER, M. *Aufklärung und Anglophilie in Deutschland*. Göttingen: Vandenhoeck & Ruprecht, 1987.

MCWILLIAMS, V. *Lafcadio Hearn*. Cambridge: The Riverside Press, 1946.

MEAD, M. Apprenticeship Under Boas. In: GOLDSCHMIDT, W. (Ed.). *The Anthropology of Franz Boas*: Essays on the Centennial of his Birth. The American Anthropological Association, v.61, n.5, 1959.

MELLO, A. de. Entrevista com Gilberto Freyre. *Diário de Pernambuco*, 12 jan. 1942.

MELLO, E. C. de. Uma história social da presença britânica no Brasil. Prefácio. In: FREYRE, G. *Ingleses no Brasil*. 3.ed. Rio de Janeiro: Topbooks, 2000.

_____. O "ovo de Colombo" gilbertiano. In: FALCÃO, J.; ARAÚJO, R. M. B. de. (Orgs.). *O imperador das ideias*. Rio de Janeiro: Topbooks, 2001.

MENCKEN, H. *The Philosophy of Friedrich Nietzsche*. London: Fisher and Unwin, 1908.

_____. *Prejudices*, first series. New York: Knopf, 1921.

_____. *Prejudices*, third series. New York: Knopf, 1922.

MENESES, D. M. *Gilberto Freyre*: notas biográficas com ilustrações, inclusive desenhos e caricaturas. Recife: Massangana, 1991. (1.ed. 1944).

MERQUIOR, J. G. *As ideias e as formas*. Rio de Janeiro: Nova Fronteira, 1981.

_____. Na casa grande dos oitenta. In: FREYRE, G. *Casa-grande & senzala*. Ed. crítica. Coord. G. Giucci, E. R. Larreta e E. N. da Fonseca. Paris: Coleção Archivos, Allca XX, 2002. (1.ed. 1981).

MERTON, R. K. The Matthew Effect in Science. *Science*, v.159, 1969.

MICELI, S. Condicionantes do desenvolvimento das ciências sociais. In: MICELI, S. (Ed.) *História das ciências sociais no Brasil*. São Paulo: Vértice, IDESP, 1989. v.1.

MONSMAN, G. C. *Pater's Portraits*. Baltimore: The Johns Hopkins Press, 1967.

MONTEIRO, P.M. *Um moralista nos trópicos*: o visconde de Cairu e o duque de La Rochefoucauld. São Paulo: Boitempo, 2004.

MOORE, G. *The Coming of Gabrielle*. Leipzig: Tauchnitz, 1922.

_____. *Confessions of a Young Man*. London: Heinemann, 1937. (1.ed. 1888).

MORSE, R. M. Balancing Myth and Evidence: Freyre and Sérgio Buarque. *Luso--Brazilian Review*, n.32, 1995.

MOTA, C. G. *Ideologia da cultura brasileira*: 1933-1974. São Paulo: 1977.

MOTTA, R. Boas e Gilberto. *Diário de Pernambuco*, 6 nov. 1993.

MOTT, L. *Escravidão, homossexualidade e demonologia*. São Paulo: Ícone, 1988.

MUIR, E. *Latitudes*. New York: Hebsch, 1924.

MULLER, T. *Die Poetik der Philosophie*: das Prinzip des Perspektivismus bei Nietzsche. Frankfurt: Campus, 1993.

NEEDELL, J. Identity, Race, Gender, and Modernity. *American Historical Review*, v.100, n.1, 1995.

NIETZSCHE, F. *Humain, trop humain* (première partie). 14.éd. Paris: Mercure de France, 1921. (1.ed. 1879).

_____. *The Case of Wagner*. New York: Random House, 1967. (1.ed. 1888).

_____. *Ecce Homo*: how one becomes what one is. Harmondsworth: Penguin, 1979. (1.ed. 1878).

_____. *Humain, all too Humain*. Trad. R. J. Hollingdale. Cambridge: Cambridge University Press, 1996.

NOEL, J. George Moore's Drama in Muslin. In: GENET, J. (Ed.). *The Big House in Ireland*: reality and representation. New York: Barnes & Noble, 1991.

NOTES and Comments. *The Hispanic American Historical Review*, v.IV, n.3, August 1921.

OAKLEY, F. Anxieties of Influence: Skinner, Figgis, Conciliarism and early Modern Constitucionalism. *Past & Present*, may, 1996.

ODUM, H. W. *American Sociology*: The story of sociology in the United States through 1950. New York: Longmans, 1951.

_____; MOORE, H. E. *American Regionalism*: a cultural-historical approach to national integration. New York: Holt, 1938.

OLIVEN, R. *Tradition Matters*: Modern Gaúcho Identity in Brazil. New York: Columbia University Press, 1996.

ORTIZ, R. *Cultura brasileira e identidade nacional*. São Paulo: Brasiliense, 1985.

PAINTER, G. D. *Marcel Proust*: a Biography. Harmondsworth: Penguin, 1983.

PALLARES-BURKE [Schaeffer], M. L. G. Anísio Teixeira: formação e primeiras realizações. *Estudos e Documentos*, Universidade de São Paulo, v.28, 1988.

PALLARES-BURKE, M. L. G. A Spectator in the Tropics: a Case Study in the Production and Reproduction of Culture. *Comparative Studies in Society and History*, v.36, 1994.

_____. *The Spectator, o Teatro das Luzes*: diálogo e imprensa no século XVIII. São Paulo: Hucitec, 1995.

_____. Um espectador nos trópicos: estudo de caso sobre produção e reprodução cultural. In: *Nísia Floresta, O Carapuceiro e outros ensaios de Tradução Cultural*. São Paulo: Hucitec, 1996.

_____. Gilberto Freyre e a Inglaterra: uma história de amor. *Tempo Social*, v.9, n.2, 1997.

_____. *As muitas faces da história*: nove entrevistas. São Paulo, Editora Unesp, 2000a.

_____. Ingleses no Brasil: um quase-manifesto. In: QUINTAS, F. (Org.). *Seminário Internacional Novo Mundo nos Trópicos*. Recife: Fundação Gilberto Freyre, 2000b.

_____. "Casa-Grande & Sertão" – The Northeast in Gilberto Freyre's interpretation of Brazil. Paper apresentado no colóquio *Sertão & Popular Culture in Brazil*, Centre of Latin American Studies, University of Cambridge, outubro 2001a.

_____. "Ano Nacional Anísio S. Teixeira". Por que não. In: FREYRE, F. M. (Org.). *Anísio Teixeira*: o homem e o educador. Recife: Massangana, 2001b.

_____. O caminho para a Casa-grande: Gilberto Freyre e suas leituras inglesas. In: FREYRE, G. *Casa-grande & senzala*. Ed. crítica, coord. G. GIUCCI, E. R. LARRETA e E. N. da Fonseca. Paris: Coleção Archivos, Allca XX, 2002.

PALLARES-BURKE, M. L. G. Gilberto Freyre: um nordestino vitoriano. In: KOSMINSKY, E. V.; LÉPINE, C.; PEIXOTO, F. A. (Org.). *Gilberto Freyre em quatro tempos*. São Paulo, Ed. Unesp, 2003.

PARK, J. M. *Latin American Underdevelopment*: A History of Perspectives in the United States, 1870-1965. Baton Rouge: Louisiana State University Press, 1995.

PASSERINI, L. Mythbiography in Oral History. In: SAMUEL, R.; THOMPSON, P. (Ed.). *The Myths We Live By*. London: Routledge, 1990.

PATER, W. The Child in the House. In: *Miscellaneous Studies* – a series of Essays. London: Macmillan, 1910a.

_____. *Appreciations*: with an Essay on Style. London: Macmillan, 1910b.

_____. *The Renaissance*: Studies in Art and Poetry. London: Macmillan, 1910c.

_____. Gaston de Latour. In: *Works*. London: Macmillan, 1920-1922. v.vii.

_____. *Plato and Platonism*. London: Macmillan, 1934.

PATTON, J. W. The Historian. In: *Francis Buther Simkins 1897-1966*: Historian of the South. Columbia: The State Printing Company, s.d.

PEARCE, J. *Wisdom and Innocence*: a life of G. K. Chesterton. London: Hodder & Stoughton, 1996.

PEEL, J. D. Y. *Herbert Spencer*: the evolution of a sociologist. London: Heinemann, 1971.

PEREIRA, J. M. Fragmentos de um discurso. São Paulo, *Folha de S.Paulo*, 12 mar. 2000a. Mais!

_____. Para uma melhor compreensão de Gilberto Freyre. Entrevista. Recife, *Jornal do Comércio*. 15 mar. 2000b.

POCOCK, J. G. A. *Barbarism and Religion*. Cambridge: Cambridge University Press, 1999. 2v.

PORTELA, E. Gilberto Freyre: as impurezas da modernidade. In: FREYRE, G. *Casa-grande & senzala*. Ed. crítica, coord. G. Giucci, E. R. Larreta e E. N. da Fonseca. Paris: Coleção Archivos, Allca XX, 2002.

PORTER, R. The Enlightenment in England. In: PORTER, R.; TEICH, M. (Ed.). *The Enlightenment in National Context*. Cambridge: Cambridge University Press, 1981.

PRADO, P. *Retrato do Brasil*. São Paulo: Companhia das Letras, 1997. (1.ed. 1928).

PRATT, M. L. *Imperial Eyes*: Travel Writing and Transculturation. London: Routledge, 1992.

PRICE, R.; PRICE, S. *The Root of Roots or, How Afro-American Anthropology got its Start*. Chicago, Prickly Paradigm Press, 2003.

PRITCHARD, F. H. (Ed.). *Essays of To-day*: an Anthology. Boston: Little, Brown, 1924.

PROUST, M. *Le temps retrouvé*. Paris: s. n., 1927.

PUNTONI, P. A casa e a memória: Gilberto Freyre e a noção de patrimônio histórico nacional. In: FALCÃO, J.; ARAÚJO, R. M. B. de. (Org.). *O imperador das ideias*: Gilberto Freyre em questão. Rio de Janeiro: Topbooks, 2001.

QUINTAS, F. (Org.). *Seminário Internacional Novo Mundo nos Trópicos*. Recife: Fundação Gilberto Freyre, 2000.

RABELLO, S. *Bate-papo com o escritor Sylvio Rabello a propósito do sociólogo Gilberto Freyre*. (Fonte desconhecida, 14/11/1948, cópia no AFGF).

RAMOS, A. *As culturas negras no Novo Mundo*. São Paulo, Companhia Editora Nacional, 1979. (1.ed. 1935).

READ, H. *The Tenth Muse*: Essays in Criticism. London: Routledge & Kegan Paul, 1957.

REGO, J. L. do. Prefácio. In: FREYRE, G. *Região e tradição*. Rio de Janeiro: Record, 1968. (1.ed. 1941).

_____. *Biografia de Gilberto Freyre*. 1927 (Manuscrito publicado em MENESES, 1991, 1.ed. 1944).

RHYS, E.; VAUGHAN, L. (Ed.). *Essays*: a century of English essays, an anthology ranging from Caxton to R.L.Stevenson. London: Dent, 1920.

RIBEIRO, D. Prefácio. In: FREYRE, G. *Casa-grande & senzala*. Rio de Janeiro: Record, 2000. p.11-42. (Originalmente prólogo à edição de *CG&S*, Caracas: Bilblioteca Ayacucho, 1977).

RICKWORD, E. *Rimbaud*: the boy and the poet. London: Heinemann, 1924.

RINGER, F. *Fields of Knowledge*: French Academic Culture in Comparative Perspective, 1890-1920. Cambridge: Cambridge University Press, 1992.

ROCHA , J. C. de C. Notas para uma futura pesquisa: Gilberto Freyre e a Escola Paulista. In: FALCÃO, J.; ARAÚJO, R. M. B. de. (Ed.). *O imperador das ideias*: Gilberto Freyre em questão. Rio de Janeiro: Topbooks, 2001. p.183-203.

RÖHRIG ASSUNÇÃO, M. *Capoeira* – the history of an Afro Brasilian Art. London: Rotledge, 2005.

ROQUETTE-PINTO, E. *Rondonia*. Rio de Janeiro: Imprensa Nacional, 1919.

_____. *Seixos rolados*: estudos brasileiros. Rio de Janeiro: Mendonça, Machado, 1927.

_____. Casa-grande & senzala. *Boletim de Ariel*, 5 fev. 1934.

_____. *Ensaios de anthropologia brasiliana*. São Paulo: Companhia Editora Nacional, 1978. (1.ed. 1933).

ROSENSTONE, R. *Mirror in the Shrine*: American Encounters with Meiji Japan. Cambridge: Harvard University Press, 1988.

RUDÉ, G. *Europe in the Eighteenth Century*: Aristocracy and Bourgeois Challenge. Bungay: The Chaucer Press, 1972.

RUSKIN, J. *The Nature of Gothic*: A Chapter from The Stones of Venice (with preface by William Morris). London: Allen, 1900.

Maria Lúcia Garcia Pallares-Burke

RUSKIN, J. *The Stones of Venice*. London: Dent, 1935. (1.ed. 1851-3).

RUSSETT, C. E. *The Concept of Equilibrium in American Social Thought*, New Haven: Yale University Press, 1966.

SAID, E. *Culture and Imperialism*. London: Vintage, 1994.

SAMUEL, R.; THOMPSON, P. (Ed.). *The Myths We Live By*. London: Routledge, 1990.

SANDRONI, C.; SANDRONI, S. *Austregésilo de Athayde*. Rio de Janeiro: Agir, 1994.

SANGER, M. *Woman and the New Race*. New York: Blue Ribbon Books, 1920.

SANTAYANA, G. *Soliloquies in England and Later Soliloquies*. Ann Arbor: The University of Michigan Press, 1967. (1.ed. 1922).

SANTOS, L. A. C. O espírito da aldeia: o orgulho ferido e vaidade na trajetória intelectual de Gilberto Freyre. *Novos Estudos Cebrap*, n.27, p.45-66, 1990.

SAPP, J. *Beyond Gene*: Cytoplamic Inheritance and the Struggle for Authority in Genetics. Oxford: Oxford University Press, 1987.

SCHACHT, S. Introduction. In: NIETZSCHE, F. *Human, All Too Human*. Trad. R. J. Hollingdale. Cambridge: Cambridge University Press, 1996.

SCHWARCZ, L. M. *O espetáculo das raças*. São Paulo: Companhia das Letras, 1993.

SCRUGGS, C. *The Sage in Harlem* – H. L. Mencken and the Black writers of the 1920's. Baltimore: The John Hopkins University, 1984.

SEVCENKO, N. Gilberto Freyre e a mídia: pioneirismo, sensibilidade e inovação. In: FALCÃO, J., Araújo, B. M. B. de (Org.). *O imperador das ideias*. Rio de Janeiro: Topbooks, 2001.

SEYFERTH, G. Nacionalismo e imigração no pensamento de Gilberto Freyre. In: KOSMINSKY, E.; LÉPINE, C.; PEIXOTO, F. A. (Org.). *Gilberto Freyre em quatro tempos*. São Paulo: Editora Unesp, 2003.

SHEPHERD, W. R. *Central and South America*. London: Williams and Norgate, 1914.

_____. *Latin America*. New York: Holt and Company, [ca.1914].

_____. *South American historical documents, relating chiefly to the period of revolution form the collection of George M. Corbacho*. New York: Putnam's Sons, 1919.

_____. *The Hispanic Nations of the New World*: a chronicle of our southern neighbors. New Haven: Yale University Press, [ca.1919].

_____. American and Latin American. *El Estudiante Latino-Americano*, v.III, n.3, marzo 1920.

SILVA, A. da C. e. Notas de um companheiro de viagem. Prefácio. In: FREYRE, G. *Aventura e rotina*. Rio de Janeiro: Topbooks, 2001.

SILVER, A. The Ku Klux Klan: "Soul of Chivalry". *The Nation*, 14 Sept. 1921.

SINKEVISQUE, E. O X que sustenta uma plataforma: relações e cruzamentos do poema "Bahia de todos os santos e de quase todos os pecados" com

Manifesto regionalista e com *Casa-grande & senzala* de Gilberto Freyre. *Rapsódia. Almanaque de Filosofia e Arte*, São Paulo, Departamento de Filosofia – FFLCH, n.2, p.121-58, 2002.

SIMKINS, F. B. Carta de F. B. Simkins em "Correspondence", *The Nation*, 29 Nov. 1922.

_____. *The Tillman Movement in South Carolina*. Durham, N. C.: Duke University Press, 1926.

_____. *Pitchfork Ben Tillman*: South Carolinian. Baton Rouge: Louisiana State University Press, 1944.

SKIDMORE, T. Racist Ideas and Social Policy in Brazil, 1870-1940. In: GRAHAM, R. (Ed.). *The Idea of Race in Latin America, 1870-1940*. Cambridge: Cambridge University Press, 1990.

_____. *Black into White*: Race and Nationality in Brazilian Thought. Durham, N. C.: Duke University Press, 1993.

_____. Raízes de Gilberto Freyre. In: KOSMINSKY, E. V.; LÉPINE, C.; PEIXOTO, F. A. (Org.). *Gilberto Freyre em quatro tempos*. São Paulo: Editora Unesp, 2003.

SKINNER, Q. The Limits of Historical Explanations. *Philosophy*, v.41, 1966.

_____. Meaning and Understanding in the History os Ideas. *History and Theory*, v.8, 1969.

SLEIGH, B. *The Smell of Privet*. London: Hutchinson, 1971.

SMITH, M. Boas' "Natural History" Approach to Field method. In: GOLDSCHMIDT, W. (Ed.). The Anthropology of Franz Boas: Essays on the Centennial of his Birth. *The American Anthropological Association*, v.61, n.5, Part 2, 1959.

SMITH, T. d'A. *Love in Earnest*: Some Notes on the Lives and Writings of English "Uranian" Poets from 1889 and 1930. London: Routledge & Kegan Paul, 1970.

SOLLORS, W. *Neither Black nor White yet Both* – thematic explorations of Interracial Literature. Cambridge: Harvard University Press, 1997.

SONNEBORN, T. M. Biographical Memoirs. *National Academy of Sciences*, Washington, D.C., 1975.

SOUSA, O. T. de. Prefácio. In: FREYRE, G. *Ingleses no Brasil*. Rio de Janeiro: Topbooks, 2000.

SPENCER, H. *The Principles of Sociology*. London: Williams and Norgate, 1882. 2v.

_____. *Les premiers principes*. Paris: Alcan, 1885.

_____. *Classificação das ciências*. Rio de Janeiro: Laemert, 1889.

_____. *The Principles of Biology*. New York: Appleton, 1899. 2v.

_____. *An Autobiography*. London: Williams and Norgate, 1904. 2v.

SPENCER, H. First Principles. London: Routledge, 1996a. (Fac-símile da edição de London: Willliams and Norgate, 1867).

_____. Replies to Criticisms. In: _____. *Essays*: Scientific, Political and Speculative. London: Routledge, 1996b. 2v.

_____. *Social Statics*. London: Routledge, 1996c. (fac-símile da edição de London: Chapman, 1851).

STEPAN, N. *"The Hour of Eugenics"*: Race, Gender and Nation in Latin America. Ithaca: Cornell University Press, 1991.

STOCKING Jr., G. *Race, Culture and Evolution*: Essays in the History of Anthropology. New York: The Free Press, 1968.

_____. *The Ethnographer's Magic and Other Essays in the History of Anthropology*. Madison: The University of Wisconsin Press, 1992.

STODDARD, L. *The Rising Tide of Color against White-World Supremacy*. Brighton: Historical Review Press, 1981. (1.ed. 1920).

_____. *The New World of Islam*. Ross Books, 2002. (1.ed. 1922).

STODDARD, R. *Marks in Books, Illustrated and Explained*. Cambridge, Massachusetts: Houghton Library, Harvard University, 1985.

STROINIGG, C. *Sudermann's Frau Sorge*: Jugendstil, Archetype, Fairy Tale. New York: Lang, 1995.

SUDERMANN, H. *Dame Care*. London: Osgood, 1891.

TATE, A. *The Man of Letters in the Modern World*: selected essays, 1928-1955. New York: Meridian, 1955.

TAYLOR, M. W. (Ed.). *H. Spencer*: Contemporary Assessments. London: Routledge, 1996.

TEACHOUT, T. *The Sceptic*: a life of H. L. Mencken. New York: Harper Collins, 2002.

TEIXEIRA, A. Gilberto Freyre, mestre e criador de sociologia. In: *Gilberto Freyre: sua ciência, sua filosofia, sua arte*: ensaios sôbre o autor de *Casa-grande & senzala*, e sua influência na moderna cultura do Brasil. Comemorativos do 25º aniversário da publicação dêsse seu livro. Rio de Janeiro: José Olympio, 1962.

TELES, G. M. *Vanguarda europeia e modernismo brasileiro*: apresentação e crítica dos principais manifestos vanguardistas. 4.ed. Petrópolis: Vozes, 1977.

THOMAS, E. *Lafcadio Hearn*. London: Constable, 1912.

THOMPSON, E. *William Morris*: Romantic to Revolutionary. London: Merlin Press, 1977. (1.ed. 1955).

_____. *Witness Against the Beast*: William Blake and the Moral Law. Cambdridge: Cambridge University Press, 1994 (1.ed. 1993).

TINKER, E. L. *Lafcadio Hearn's American Days*. London: Lane, 1925.

TOYNBEE, A. J. *Acquaintances*. London: Oxford University Press, 1967.

TURNER, F. *The Greek Heritage in Victorian Britain*. New Haven: Yale University Press, 1981.

UPSTONE, R. *The Pre-Raphaelite Dream*. London: Tate Publishing, 2003.

UREÑA, P. H. El descontento y la promesa. In: *Ensayos en busca de nuestra expresión*. Buenos Aires: Raigal, 1952. (1.ed. 1926).

VAINFAS, R. Sexualidade e cultura em *Casa-grande & senzala*. In: FREYRE, G. *Casa-grande & senzala*. Ed. crítica, coord. G. Giucci, E. R. Larreta e E. N. da Fonseca. Paris: Coleção Archivos, Allca XX, 2002.

VARGAS LLOSA, M. *Historia de Mayta*. Barcelona: Seix Barral, 1984.

VEIGA, G. *História das Ideias da Faculdade de Direito do Recife*, IV. Recife: Editor Universitaria, 1987.

VERDEVOYE, P. *Domingo Faustino Sarmiento, educar y escribir opinando (1838-1852)*. Buenos Aires: Plus Ultra, 1988.

VOLTAIRE. *An Essay upon the Civil Wars of France, Extracted from Curious Manuscripts, and also upon the Epick Poetry of European Nations from Homer to Milton*. London: Yallason, 1726.

WAX, M. The Limitations of Boas's Anthropology. *American Anthropologist*, n.58, 1956.

WHITAKER, W. Clarence H. Haring (1885-1960). *The Hispanic American Historical Review*, v.41, n.3, 1961.

WILLIAMS, D. *Ad perpetuam rei memoriam*: the Vargas Regime in Brazil's National Historical Patrimony, 1930-1945. *Luso-Brazilian Review*, v.31, n.2, 1994.

WILLIAMS, R. *Culture and Society, 1780-1950*. Harmondsworth: Penguin, 1961. (1.ed. 1958).

_____. Wessex and the Border. In: *The Country and the City*. St. Albans: Paladin, 1975.

_____. *Culture*. London: Fontana, 1981.

WINTER, J. *Sites of Memory, Sites of Mourning*: The Great War in European Cultural History. Cambridge: Cambridge University Press, 1995.

WOODALL, J. *The Man in the Mirror of the Book*. London: Sceptre, 1996.

WRIGLEY, R. Infectious Enthusiasms: Influence, Contagion, and the Experience of Rome. In: CHARD, C.; LANGDON, H. (Ed.). *Transports*: Travel, Pleasure and Imaginative Geography, 1680-1930. New Haven: Yale Universitiy Press, 1996.

_____. Pathological Topographies and Cultural Itineraries. In: WRIGLEY, R.; REVILL, G. (Ed.). *Pathologies of Travel*. Amsterdam: Rodopi, 2000.

YEATS, W. B. (Ed.). *Poems of William Blake*. New York: Boni & Liveright, s.d.

_____. *A Selection from the Poetry of W.B.Yeats*. Leipzig: Tauchnitz, 1913.

_____. *Autobiographies*. London: Macmillan, 1955. (1.ed. 1927).

YOUNG, R. *Colonial Desire – Hybridity in Theory, Culture and Race*. London: Routledge, 1995.

ZIMMERN, A. *The Greek Commonwealth*. Oxford: Clarendon Press, 1924. (1.ed. 1914).

_____. *The Third British Empire*. London: Oxford University Press, 1926.

Índice remissivo

Action Française, 84, 178, 180
Addison, Joseph, 40, 63, 372, 396
Agassiz, Louis, 286, 321, 342
Alemanha, 38, 83, 85
Almeida, José Américo de, 170, 176-7, 195, 239
Amado, Jorge, 251
Andrade, Rodrigo Mello Franco de, 170, 175, 241, 289
Anglofilia, 36-7, 123, 140, 165, 415, 417, 425
Antissemitismo, v judeus
Antropologia, 71, 74-5, 264, 298-9, 333, 335, 342, 344, 414
Aranha, Graça, 271
Araújo, Ricardo Benzaquen de, 18
Armstrong, Andrew Joseph, 57-63, 66-7, 75, 77, 93, 111, 113, 115, 163-5, 194, 205, 221, 223, 238, 250, 260-1, 321, 335, 359
Armstrong, Mary, 59
Arnold, Matthew, 48, 64, 81, 84, 126-8, 352

Arteaga y Pereira, Fernando, 120, 145
Assis, Machado de, 43, 99, 418
Auden, Wystan Hugh, 125
autoapresentação, 19-22, cf Freyre

Bacon, Francis, 63, 92-3, 103
Bandeira, Manuel ('baby flag'), 170, 174, 261-2, 335-6
Barbey d'Aurevilley, Jules, 38, 202
Barbosa, Ruy, 161
Barnes, Julian, 21
Barrès, Maurice, 103, 164, 178-80, 246
Barthes, Roland, 94
Bateson, William, 330
Baylor University, 35, 43, 55-7, 59, 61-3, 93, 102, 141, 205, 272, 359
Beauvoir, Simone de, 91
Bello, Júlio, 170, 243, 252, 260, 352
Benedict, Ruth, 395
Bennett, Arnold, 47, 64, 82n, 89, 106, 110-12, 181, 360
Benson, Arthur C., 44, 64, 81-2, 113, 129, 152, 168, 186-7, 215, 218, 265, 329, 407

Maria Lúcia Garcia Pallares-Burke

Berlin, Isaiah, 132

Bilden, Rüdiger, 38, 76, 82, 96, 121, 171, 178, 241, 244-6, 252, 307, 319, 334, 378-405

Biografia, problemas de, 18-22, 28-9, 49-50, 418

Biologia, 279-80, 290, 330, 338-9, 345

Black, Edwin, 290-1, 296

Blake, William, 182

Boas, Franz, 24, 27, 30, 71, 74-5, 79, 264, 267-8, 296-9, 301, 303, 307-8, 324-6, 334, 341-3, 370-1, 388-9, 400, 410

Borges, Jorge Luis, 36

Bourdieu, Pierre, 19, 170

Bourne, Randolph, 231

Boxer, Charles, 414

Branner, John C., 83, 274

Briggs, Asa, 115, 415

Browning, Elizabeth Barrett, 62

Browning, Robert, 62, 419

Bryce, James, 268-9

Buckley, J. H., 48

Bunzel, Ruth, 264

Burke, Edmund, 203

Burne-Jones, Edward, 133, 218-9

Burrow, John W., 361, 381

Buruma, Ian, 36, 425

Cacitua, Oscar, 121

Candido, Antonio, 251

O Carapuceiro, 172

Carlyle, Thomas, 41, 43, 63, 104-5, 141-2, 204, 352, 365, 419, 426

Casa, 186-90, 255-9, 310, 407-10

Cedro, Luís, 170, 175

Cendrars, Blaise, 319

Certeau, Michel de, 33

Chartier, Roger, 33

Chaves, Antiógenes, 170

Chesterton, Gilbert Keith, 47, 53-4, 64, 70-1, 81-2, 220, 223, 291, 332, 350-2, 427

Churchill, Winston S., 415

Clutton-Brock, Alan, 101, 224-8, 231

Cobbett, William, 203

Coimbra, Estácio, 166, 176, 245-6, 250-3, 261

Coleridge, Samuel Taylor, 33, 97

Columbia University, 24, 43, 69-77, 171, 278, 298, 359

"consciência de espécie", 373

Contini, Gianfranco, 32

Cripps, Staford, 415-6, 428

Cruls, Gastão, 170

Cunha, Euclides da, 184, 240, 361, 418

Dante, 62, 66, 212

Darnton, Robert, 33

Darwin, Charles, 361, 365

Davenport, Charles Benedict, 290, 302, 338

Davidson, John, 205-6

Dawson, Christopher, 47

Decadentismo, 49, 82, 138

Democracia, 310-11, 354, 376, 382, 404

Descartes, René, 90

Diário de Pernambuco, 29, 49-50, 63, 78, 86, 89, 98, 106, 114, 166, 170, 189, 196, 199, 208, 223, 226, 229, 232, 236, 244, 273, 305, 308-9, 351, 356, 370, 373, 384

Dias, Cícero, 170, 177-8

Dickens, Charles, 225, 234

Dimas, Antonio, 233

Donga, 319

Donne, John, 427-8

Doren, Carl Van, 304

Dowling, Linda, 128

Dowson, Ernest, 82, 205-6, 209

Dryden, John, 119

Dubois, W. E. B., 306

Dumas, Alexandre, 307-8

Eça de Queiroz, 39

Ecologia, ecologismo, 166, 231, 234, 343, 359, 364

Ego-documents, 26

Gilberto Freyre

Ellis, Havelock, 38, 42, 64, 68, 91, 109, 245, 262, 277-8, 416

Energia social, 374, 381-2

Ensaio, ensaísmo, 40-1, 63-4, 220-1, 354, 359, 372, 375

Equilíbrio de antagonismos, 41, 142, 302, 326, 358-9, 365-6, 368, 374-6, 378, 406, 419

Erikson, Erik H., 20

Escravidão, 356-8, 379-80, 392, 404

Eshleman, Lloyd W., 17, 227

Espanha, 39, 42

Estados Unidos (cf Nova York, Waco), 86-8, 146, 153, 207, 244-5, 271, 274-6, 291-2, 309-10, 314, 334, 362, 399

Estetismo, 49, 82, 118, 128, 138,

Eugenia, movimento eugênico, 266, 277-88, 290-1, 301-2, 337-9, 342, 351

Evolução, 360, 364-5, 367

Evans-Pritchard, Edward, 414-5

Faria, Alberto de, 50

Fernandes, Anníbal, 117, 145-6, 165

Figari, Pedro, 185

Figueiredo, Fidelino de, 244, 259, 413-4

Flaubert, Gustave, 361

Fonseca, Fróes de, 336

Fontes, Lourival, 377

Foster, Roy, 20

França, 38, 76, 84-5, 88

Franco, Rodrigo Mello, v Andrade

Freud, Sigmund, 131

Freyre, Alfredo, 298, 361

Freyre, Gilberto:
Amigos, 42-3, 121-5, 167-78
Ansiedade 77, 153, 250
Autoapresentação, autobiografias, 22-7, 61, 68, 72, 84, 90-2, 97
Autodidata, 331
"desenraizamento", 151, 164
Ecleticismo, 40, 78, 375
Educação:
Colégio Americano Batista, 35, 54-6, 373

Baylor, 35, 43, 55-7, 59, 61-3, 68, 93, 102, 141, 205, 272, 359

Columbia, 24, 43, 69-77, 171, 278, 298, 359

Ensaísmo, 40, 63-4, 265

Estilo imagístico, 208

História do menino, 255-9, 261-2, 400, 407-10

Ideias políticas, 180, 220, 230-1, 245-6, 376

Imitação criativa, 99-103

Jornalismo, 29, 49-50, 63, 78, cf *Diário de Pernambuco*

Leituras e annotações, 32, 34, 62-4, 68, 81-3, 90-9, 112-3, 129, 146, 168, 192, 197, 199, 209, 213-4, 218, 229, 243-4, 257, 329, 349, 354, 374

Livros e artigos:
"Apologia Pro Generatione Sua", 63, 171, 179, 231

Aventura e Rotina, 427-8

Casa-Grande & Senzala, 24, 26, 83, 149-50, 171-2, 199, 256, 265, 273, 289, 302, 320, 333, 336, 340, 344, 350, 357, 370, 373, 378, 380, 396, 398, 403, 405, 427, 429

'Dom Pedro II', 374, 418-9

Dona Sinhá e seu Filho Padre, 23, 137, 256

Ingleses, 416-7

Ingleses no Brasil, 265, 422-4

Livro do Nordeste, 30, 185, 231, 233-5, 241, 260, 263, 267-8, 320

Manifesto Regionalista, 24, 232

Nordeste, 235, 239, 348, 353

Ordem e Progresso, 265, 426-7

Região e Tradição, 30, 269

"The Racial Factor in Contemporary Politics", 415

Retalhos de Jornais Velhos, 29

477

Sobrados & Mucambos, 172, 256, 265, 337, 340, 386, 427

'Social Life in 19th-Century Brazil', 24, 29, 162, 253-4, 265-6, 379

Sociología, 335, 337

Tempo Morto, 22, 24-5, 92

Método antimetódico, 255

Pseudônimos, 400

Revisões, 32, 269-70, 320, 374, 381, 431-2

Freyre, Ulisses, 54-5, 67, 77, 113, 167, 189, 271

Fry, Peter, 51

Gale, Zona, 278

Galton, Francis J., 290-1, 340

Ganivet, Angel, 42

Garvey, Marcus, 293

Gênio, ideia do, 332

Genovese, Eugene D., 404

Gibbon, Edward, 31, 144

Giddings, Franklin H., 34, 41, 71, 79, 142, 264, 293, 330, 356, 359, 362-4, 367, 370-4

Gilbert, Felix, 18-19

Giraud, Victor, 103

Gissing, George, 27, 97, 101, 188, 190-3

Giucci, Guillermo, 161, 175

Gladstone, William Ewart, 126-7, 428

Goethe, Johann Wolfgang, 63, 150

Goldberg, Isaac, 80, 162, 255

Gombrich, Ernest H., 18-19

Goncourt, Edmond e Jules de, 35

Grant, Madison, 35, 278-81, 291, 298, 301-2, 322

Grécia, antiga, 72-3, 127-30, 138, 168, 357

Greenblatt, Stephen, 20

Hackett, Francis, 255

Hannerz, Ulf, 172

Hardy, Thomas, 21, 46, 81, 82, 183-6, 237, 416

Haring, Clarence H., 155-6, 247, 254

Harlem Renaissance, 275, 306-7

Hart, James L., 283

Hayes, Carlton J. H., 73

Hazlitt, William, 108, 372

Hearn, Lafcadio, 21, 35, 47, 64-5, 81-2, 89, 91-2, 100, 151-2, 177, 181, 193-201, 215, 322, 332, 345-50, 360, 410, 427

Helenismo, v Grécia

Helmholtz, Hermann von, 381

Herskovits, Frances, 27-8

Herskovits, Melville J., 27-8, 340, 379, 395, 403

Hibridismo, v mestiçagem

Higham, John, 279, 282, 295

Hitler, Adolf, 291, 397

Hobsbawm, Eric, 131, 361

Hobson, John Atkinson, 362

Holanda, Sérgio Buarque de, 320

Hough, Graham, 46

Hudson, W. H., 368

Hughes, Langston, 307

Huxley, Thomas H., 361

Ibsen, Henrik, 63, 82-3, 297

Imigração, 154-5, 276-7, 284, 288, 293, 295-7

Inge, William Ralph, 47

Jardim, Luís, 170, 173

Dr. Jekyll e Mr. Hyde, 429

Jenkyns, Richard, 129, 131

Jennings, H. S., 338-9

Johnson, James Weldon, 275, 306

Johnson, Lionel, 82, 205-6

Johnson, Samuel, 63, 104-5, 117, 418

Jowett, Benjamin, 126-7, 129

Joyce, James, 89, 182, 419, 427

Judeus, antissemitismo, 178, 276-7, 281, 287, 294, 316-8, 320, 325

Kaegi, Werner, 18

Kipling, Rudyard, 427

Ku Klux Klan, 267, 274, 292, 312-8, 320

Kuhn, Thomas, 30-1, 290, 329-31, 338

Lamarck, Jean-Baptiste, 339, 343, 345, 364

Lamb, Charles, 63-4, 112

Laski, Harold, 73, 428

Leão, Luís Cedro Carneiro de, 230

Le Bon, Gustave, 260

Leibniz, Gottfried Wilhelm, 90

Leitura, história de, 33-4, 90-1

Levi, Primo, 90

Lima, Luiz Costa, 18

Lima, Flora, 397

Lima, Manoel de Oliveira, 39, 58, 71, 79, 83, 87, 95-6, 105, 114, 116-7, 120, 144-6, 157-9, 161-2, 171, 186, 223, 241, 245-6, 250, 252-6, 262, 266, 272-3, 278, 288-9, 298, 300, 309, 318, 323-4, 333-4, 379, 383, 418

Lindsay, Vachel, 39, 61, 79, 238

Lins, Álvaro, 415

Lisboa, 41, 58, 261, 336

Livingstone, David, 56

Lobato, Monteiro, 219-20

Locke, Alain L., 306-7

Loos, Dorothy, 386

Lopes Gama, Miguel do Sacramento, 172

Lowell, Amy, 39, 60, 79, 88, 303

Lowes, John Livingstone, 33

Luis, Washington, 157

Macaqueação, 172-3

Maio, Marcos C., 317

Maran, René, 303-4, 307, 309, 323

Márquez, Gabriel García, 22, 92

Martin, Percy, 247, 395

Marx, Karl, 140, 203, 361, 421

Massa, Jean-Michel, 34

Matta, Roberto da, 25, 66

Matthew Effect, 335, 398

Maurras, Charles, 180

Mead, Margaret, 264

Mello, Evaldo Cabral de 327

Mello, José Antônio Gonsalves de, 29

Mencken, Henry L., 24, 39, 81, 162-3, 204, 259, 296-7, 303, 313

Mendel, Gregor, 330, 338, 340

Meneses, Diogo Melo de, 23, 183

Meredith, George, 429

Merquior, José Guilherme, 18, 49, 415

Merton, Robert, 335, 398

Mestiçagem, miscigenação, 155, 199, 266, 268-9, 271, 281-2, 286, 293-4, 302, 307, 321-2, 324, 327, 335, 341, 343-4, 347-8, 352, 377-8, 390-1, 393, 399, 406

Michelet, Jules, 263

Mill, John Stuart, 126-8

Monteiro, Vicente do Rego, 219-20

Montenegro, Olívio, 170, 260

Moore, George, 81, 113, 166, 181, 188-90, 417

Moraes Neto, Prudente de, 319-20

Morris, William, 17, 45-6, 89-91, 101, 133-4, 181-2, 202, 215, 218-9, 224-9, 231, 236, 410, 416, 419-21, 429-30

Mumford, Lewis, 236, 426

Nabuco, Joaquim, 418, 421

The Nation, 88, 291, 304, 315, 390, 393

Needell, Jeffrey, 399-400

Nestor, Odilon, 165, 170, 175, 418

Newman, John Henry, 43, 63, 122, 137

Nicolson, Harold, 26

Nietzsche, Friedrich, 68, 81, 84, 100, 106-9, 113, 169, 201-2, 296-7, 332, 398

Nova York, 70, 77, 121, 273, 294-5, 302, 306-7, 362

Odum, Howard, 243, 362

Olympio, José, 123, 170, 376-7

Orage, A. R., 49

Ortega y Gasset, José, 107,

Ortiz, Fernando, 307

Oxford, 88-9, 93, 114-43, 165, 347, 413-4, 428

Maria Lúcia Garcia Pallares-Burke

Paradigma, 329-31, 333

Paris, 84-5, 117, 120, 178-9

Pater, Walter, 44-5, 48-9, 65-6, 82-3, 113, 118-9, 128-9, 137-8, 146, 152, 168-9, 181, 186-8, 220, 265-6, 398, 407-10, 417, 427-8

Pedro II, Imperador, 48-9, 374, 418, 427

Peel, John D. Y., 362, 369

Pepys, Samuel, 429

Pereira, José Mario, 18, 405

Pernambucano, Ulisses, 170

Perspectivismo, 106

Pestana, Rangel, 157

Pixinguinha, 319

Platão, 127-30

Pocock, John G. A., 31, 144

Portela, Eduardo, 233

Prado, Paulo, 271, 288, 429

Pré-Rafaelitas, 46, 133, 173-4, 182, 216-7

Price, Richard e Sally, 27

Protestantismo, 26, 56-7, 86, 138, 207, 275

Proust, Marcel, 27, 38, 139, 221, 263

A Província, 161, 400

"provincianismo de abertura", 172

Psichari, Ernest, 231

Puritanismo, v Protestantismo

Putnam, Samuel, 386

Rabello, Sylvio, 165, 170, 418

Raça, racismo, 153-4, 266-97, 312, 322-3, 335, 337, 341, 349, 354-5, 388, 390-3, 395, 399-402

Ramos, Arthur, 307, 395, 404

Read, Herbert, 244, 415

Recife, 145, 156-7, 159, 161, 164-6, 168, 241, 244, 246, 373, 414-5

Regionalismo, 46, 165-6, 168, 185-6, 231, 233-4, 237, 247

Rego, José Lins do, 25, 118, 124, 142, 161, 170, 174-5, 177, 180, 183-6, 193-5, 215, 239, 243, 246, 252, 259-60, 346, 416-7

Revista do Brasil, 220, 318

Ribeiro, Darcy, 18, 40, 83, 263

Rimbaud, Arthur, 82, 250-1

Rio de Janeiro, 159, 175, 244, 259, 319, 389

Ripley, William Z., 281, 286

Rivera, Diego, 185

Roberts, Kenneth, 288

Rodrigues, Nina, 269

Roma, "experiência de", 150-1

Romantismo, 43-4, 216, 229, 346, 418, 420

Romero, Sylvio, 361

Roquette-Pinto, Edgar, 39, 290, 302, 324, 332-45, 389-90, 393, 395, 399, 404, 410

Rosenstone, Robert A., 21, 92

Rossetti, Dante Gabriel, 46, 63, 81, 89, 133-4, 152, 181-2, 214-8

Ruskin, John, 45, 50, 63, 81, 181-2, 202-3, 217-8, 220-5, 410

Russett, Cynthia E., 375-6

Said, Edward, 210

Salazar, Antonio de Oliveira, 429

Sanger, Margaret, 277, 282

Santayana, George, 39, 64, 80, 82, 114, 122, 139

São Paulo, 25, 30, 156-61, 236, 244

Schmoller, Gustav, 410

Seligman, Edwin, 387, 395

Seyferth, Giralda, 317

Shakespeare, William, 37, 43, 102, 117, 427

Shaw, George Bernard, 63, 106, 201, 297

Shepherd, William R., 69, 79, 171, 253, 299-300, 385, 387, 389, 395

Silva, Alberto da Costa e, 425

Simkins, Francis B., 42, 69-70, 76, 79-80, 82-3, 96, 121, 138, 145, 158, 160, 165, 171-2, 194-5, 198, 232, 242, 245, 251, 262, 274-5, 310-1, 315-6, 322, 351, 386, 399

Simmons, William Joseph, 292, 315

Gilberto Freyre

Skidmore, Thomas, 271, 324, 336
Sleigh, Barbara, 133, 135
Sleigh, Bernard, 133, 135, 219
Sleigh, Linwood, 124-5, 132-6, 218-9
Smith, Adam, 372-3
Smith, Timothy d'Arch, 130
Sociologia, 71, 74, 246, 360, 362-4, 372, 375-6, 395-6, 426
Sorel, Georges, 180, 263
Sousa, Otávio Tarquínio de, 170, 175
Southey, Robert, 416, 420
Spencer, Herbert, 34, 41, 48, 117, 142, 198, 356, 359-70, 428
Spengler, Oswald, 410
Stanford, 58, 399
Steele, Richard, 40, 63, 99, 372
Stephens, James, 81
Stevenson, Robert Louis, 63, 81n, 89, 99, 428-9
Stirner, Max, 201-2
Stocking, George, 363
Stoddard, Lothrop, 35, 278, 282-8, 301, 309, 321
Strachey, Lytton, 47
Sudermann, Hermann, 83, 255-9, 400, 408
Sussex, Universidade de, 321, 414
Symonds, John Addington, 128
Symons, Arthur J. A., 81, 82, 205-6

Tagore, Rabindranath, 61
Tannenbaum, Frank, 395
Tasso, José, 170
Teixeira, Anísio, 180, 242
Thomas, Edward, 64, 100, 195, 347

Thompson, Edward P., 34, 46
Thyrso, Santo, 39, 83
Tillman, Benjamin R., 310-2
Torres, Heloísa Alberto, 336-7
Toynbee, Arnold J., 72-3
Trevelyan, George M., 415

Unamuno, Miguel, 42, 93
Ulrichs, Karl Heinrich, 130
Uranismo, 130-1, 136

Vainfas, Ronaldo, 123-4
Vargas, Getúlio, 377, 429,
Vargas Llosa, Mário, 21-2
Vitória, Rainha, 17
Victorianismo, 47
Virchow, Rudolf, 381
Vogt, Carl, 381
Voltaire, 36-7, 425

Waco, 55-7, 60, 141, 205-6, 272-4
Watts, G. F., 89, 134
Wesley, John, 115
Whitman, Walt, 137, 422
Wilde, Oscar, 49, 63, 81, 83, 126, 129, 136, 138, 201, 205, 227, 428
Williams, Mr, 54, 61, 117
Williams, Raymond, 46, 203, 216
Yeats, William Butler, 20, 24, 47, 54, 60, 64, 82, 90-1, 101, 181-2, 189, 205-15, 227, 236-8, 249, 428
The Yellow Book, 49, 428

Zimmern, Alfred, 24, 71-3, 353-6

SOBRE O LIVRO

Formato: 16 x 23 cm
Mancha: 27,6 x 49 paicas
Tipologia: Iowan Old Style 10,5/15
Papel: Pólen Soft 80 g/m² (miolo)
Cartão Supremo 250 g/m² (capa)
1ª edição: 2005
1ª reimpressão: 2012

EQUIPE DE REALIZAÇÃO

Coordenação Geral
Sidnei Simonelli

Produção Gráfica
Anderson Nobara

Edição de Texto
Ana Paula Castellani (Preparação de Original)
Sandra Garcia Cortes e
Sandra Regina Souza (Revisão)
Lilian Garrafa (Atualização Ortográfica)

Editoração Eletrônica
Casa de Ideias (Diagramação)

Imagens de Capa e Quarta Capa
– Outside Queen's Lodge. Oxford University.
– Gilberto Freyre e Francis Butter Simkins. Columbia, 1921.
  Acervo da Fundação Gilberto Freyre. Recife (PE).
– Gilberto Freyre, aos 22 anos, logo depois de regressar da Europa,
  onde passara o Natal de 1922. Acervo da Fundação Gilberto Freyre.
  Recife (PE).

Impressão e acabamento

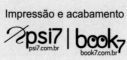